대학문을 박살내는 45인의 입시컨설팅 for 문과

발 행 2015년 10월 20일
저 자 이정훈 외 44명(한국경제신문 생글생글 학생기자단)
펴낸곳 주식회사 부크크
주 소 경기도 부천시 원미구 춘의동202 춘의테크노파크2차 202동 1510호
전 화 (070) 4084-7599
E-mail info@bookk.co.kr

ISBN   979-11-5811-392-6

www.bookk.co.kr

대표저자 E-mail ljhoonism@naver.com

대학문을 박살내는 45인의 입시컨설팅

[*for* 문과]

이정훈 외 44명
(한국경제신문 생글생글 학생기자단)

머리말

　이 책은 2015년 1월에 부크크에서 출간된 『대학문을 박살내는 45인의 입시컨설팅(대박4컨)』의 수정판입니다. 기존의 책에서 이과생들을 위한 내용을 삭제해 문과생만을 위한 책으로 바꾸었습니다.

　한국경제신문에서는 '생글생글(생각하기와 글쓰기)'이라는 중고교생 경제·논술 신문을 발행하고 있습니다. 현재 1,200여 개 중고교에 매주 30여만 부가 배포되고 있는 국내 최대 중고교생 경제·논술 신문입니다. 경제나 시사이슈에 대한 심층적인 기사뿐만 아니라 대학 입시에 도움이 되는 정보도 가득해 학생들에게 인기가 높습니다.

　생글생글에서는 매년 100명의 중고교생을 학생기자로 선발합니다. 선발된 학생기자들은 한국경제신문 경제교육연구소에서 진행하는 교육을 받은 후 학생기자로 활동하게 됩니다.

생글생글 학생기자단에서는 대학생이 된 학생기자들이 중고교생 학생기자들을 위해 대학 입시 상담 멘토링 프로그램을 실시하고 있습니다. 중고교생 생글기자들이 대학 입시를 준비하면서 궁금했던 것들을 질문하면 여러 명의 대학생 생글기자들이 각자의 의견을 제시하는 방식입니다.

『대박4컷』은 그동안의 생글생글 멘토링 프로그램에서 이루어진 상담 내용을 정리하여 만든 책입니다. 대학생 생글기자들의 대학 입시에 대한 경험담과 노하우를 전국의 모든 중고교생과 공유하고자 책으로 만들어 출간하게 되었습니다.

『대박4컷』 출간은 생글기자단에서 처음으로 시도한 대형 프로젝트입니다. 정말이지 '대박사건'입니다. 바쁜 와중에도 후배 생글기자들을 돕겠다는 마음으로 함께 해준 44명의 대학생 생글기자들과 이 책의 존재를 가능케 한 100여 명의 중고교생 생글기자들에게 감사를 표합니다.

한국경제신문의 많은 분의 도움이 없었다면 지금의 생글기자단은 존재하지 못했을 겁니다. 생글생글 신문과 생글기자단을 만들어주신 논설위원실의 정규재 주필님, 언제나 생글을 위해 힘써주시는 경제교육연구소의 박주병 소장님, 강현철 부소장님, 신동열 부장님, 고기완 부장님과 이하 직원 분들께 감사드린다는 말씀을 올립니다.

많이 부족한 책이지만 대학 입시를 준비하는 여러 학생에게 큰 힘이 되길 바라며 만들었습니다. 여러분의 건승을 기원합니다.

2015년 10월
대표저자 이정훈

목 차

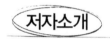

저자소개

이정훈 생글5기 / 성균관대 경영학과 11학번 / 강원 강릉고 졸('11)

2014년까지 생글생글 학생기자단의 리더로 활동하였다. 정시로 대학에 합격했으며, 고교 재학 중 모의고사 언수외 원점수 290점 이상을 6회 기록했다. 고교 시절 보컬그룹동아리의 리더를 맡으며 무대 경험을 쌓았고, 대학교 1학년 때는 락밴드에서 마이크를 잡았다. 성균관대에 재학하면서는 학생회에서 임원으로 활동했고, 무료 과외 봉사활동을 하며 글쓰기와 수학을 가르쳤으며, 한중일 대학생들과 215km의 국토대장정을 완주하기도 했다. 현재 3학년 1학기를 마치고 휴학하여 공인회계사시험(CPA)을 준비하고 있다. 자신의 이름이 들어간 ism(-주의)을 세상에 남긴 위인들처럼 본인의 이름을 딴 LeeJeonghoonism을 남기는 것이 꿈이다.

고원진 생글7기 / 건국대 경영학과 14학번 / 서울 자운고 졸('13)

재수를 한 뒤 정시로 건국대 경영학과와 홍익대 경영학과에 동시 합격했다. 고교를 5등으로 졸업했으며, 고교 시절에는 모의고사 수학 성적이 7등급이었으나 꾸준한 노력을 통해 재수를 할 때는 수학에서 1등급을 놓치지 않았다. 중학교 시절 미국에서 1년간 중학교를 다니며 영어를 배우고 오케스트라 활동을 하며 세상을 보는 시야를 넓혔다. 미국에서의 영어 공부를 통해 교내 영어경시대회에서 금상을 수상했다. 본인의 사업을 하고 싶어 고등학교 시절부터 경영학과에 대한 꿈을 키웠다. 마케팅을 집중적으로 공부할 계획이며 경제학을 복수전공하며 거시경제학을 공부할 예정이다. 진로는 아직 정확하게 정하지 않았으나 글로벌하게 인생을 사는 것이 꿈이며, 긍정적으로 사는 것이 장점이자 모토이다.

김도민 생글8기 / 서울대 경영학과 14학번 / 광주 광덕고 졸('14)

수시 지역균형선발전형(입학사정관전형)으로 합격했다. 내신은 1.0등급이었으며, 2013년 고3 10월 모의고사에서 만점을 기록했다. 고2 때 응시한 텝스에서 839점을 기록했으며 KDI 경제한마당에서 장려상을 수상했다. 고교 전교회장을 역임하며 매주 토요일을 이용하여 반별 체육대회를 기획했다. 교내 인권동아리 'HEART'의 부장을 맡아 인권 영화제, 인권 골든벨 등의 행사를 진행했고 청소년 페스티벌에도 참여했다. 교내 축제에서는 현악 4중주에서 첼로를 연주했다. 중학교 때부터 펀드를 시작해 지금도 해오고 있다. 대학에서는 '너랑 나랑'이라는 교육봉사동아리에서 활동하고 있으며 '올바른 교육'이라는 단체에서 멘토링 활동을 하고 있다. 에이핑크와 축구를 좋아하고, 현재 다양한 활동을 하며 자신의 진로를 모색하고 있다.

김민선 생글6기 / 고려대 경영학과 13학번 / 서울 창덕여고 졸('13)

2012년 응시한 전국연합학력평가에서 언수외 원점수 294점, 표준점수 405점 (사회탐구영역 합산 시 표준점수 544점)을 받아 고려대 일반전형 (논술전형)의 우선선발 조건(언어, 수리, 외국어 각 1등급)을 충족하여 고려대 논술전형 시험에 응시하고 합격하였다. 동양 미술, 성악, 경제 문제, 인권 문제 등 서로 큰 연관성이 없는 다양한 주제에 관심이 많고, 색다른 취미를 가진 사람을 만나 깊은 이야기를 나누는 것을 좋아한다. 현재는 가장 관심이 많은 여성 인권 문제와 자신의 전공인 경영을 연결 지어 진정한 양성평등이 무엇이며, 이것이 기업 내에서 어떻게 실현될 수 있는지를 진지하게 고민하고 있다. 차별과 잘못된 인식, 환경 문제와 무관심으로 인한 인권 문제의 해결을 모토로 하는 사회적 기업을 설립하는 것이 꿈인 경영학도다.

김범진 생글8기 / 서강대 경영학부 14학번 / 서울 하나고 졸('14)

수시 서류전형(입학사정관전형)으로 대학에 합격했으며, 2014학년도 수능에서 상위 0.3%의 성적을 기록했다. 고교 재학 중 학급 회장을 비롯하여 교내 체육대회 준비 위원회, 하나 경제 포럼 운영 위원 등을 맡았다. E-Insight Contest 경제탐구토론대회 2위, 창의체험페스티벌 독서PT대회 대상, 한국경제신문 생글생글 우수기자상, 매경 NIE경진대회 대상 등의 수상경력이 있다. 또한 서울대 ROTC 청소년 리더십 컨퍼런스에 참가하고 서울대 청소년 리더십 컨퍼런스 기자단에서 경제 분과 기자로 활동했다. 학습 멘토링 봉사활동도 지속적으로 해오고 있으며 밴드 M-VIA에서 키보드 연주자로 활동하고 있다. 재보험업에 관심을 두고 진로를 계획하고 있으며, 공학이나 수학에도 관심이 많아 관련 분야에 대한 진로도 탐색하고 있다.

김병민 생글8기 / 서울대 경영학과 14학번 / 세종 세종고 졸('14)

고등학교에 입학하면서부터 수시와 정시 모두에 강한 실력을 쌓겠다는 생각으로 공부했다. 그리하여 3년간 내신 전 과목에서 1등급을 받았으며, 2014학년도 수능에서 전 과목에서 수학과 영어에서 각각 1문제씩만을 틀려 총점 395/400점을 기록하고 수시로 대학에 합격했다. 고등학생 때 대한민국인재상(대통령상)을 수상했고, EBS장학퀴즈 '철학콘서트' 편에 출연해서 준우승했다. 책 읽기를 정말 좋아하며 독서를 통해 본인과 다른 생각을 최대한 선입견 없이 받아들이고 배우려 노력한다. 기업 활동에 관한 법 전문가가 되고자 경영학과에서 공부한 후 로스쿨에 진학할 생각이다. 현재는 사회에 관한 많은 고민을 가지고 있다. 로스쿨 졸업 후 법조인으로 활동하다 훗날 직접 정치에도 도전해 보겠다는 소망이 있다.

김보미 생글7기 / 이화여대 스크랜튼학부 13학번 / 경기 용인외고 졸('13)

수시 입학사정관전형으로 이화여대 스크랜튼학부에 최우수 성적으로 합격했으며(4년 전액장학생), 성균관대 글로벌리더학부(4년 장학생)와 서강대 사회과학부에도 동시 합격했다. 10살 때 1년간 독일 베를린에서 학교를 다녔던 경험으로 고등학교에서 독일어를 전공했다. ZD(독일어시험) 1등급 획득, 전국고등학생독일어낭송대회 1등상 수상, 전국고등학생독일어연극대회 단체상 수상 및 동화 백설공주에 관한 소논문 작성 등의 경험이 있다. 수학 때문에 고생했으나 꾸준한 노력 끝에 고3 6월 평가원 모의고사에서 만점, 수능에서 1등급을 받았다. 자유전공학부인 스크랜튼학부에 들어와 주전공으로 정치외교학을 선택하고, 스크랜튼 통합적문화연구 트랙을 택하여 여러 분야를 폭넓게 공부하고 있다. 2015년 현재 교환학생으로 독일에서 공부하고 있다.

김영주 생글6기 / 경희대 전자·전파공학과 13학번 / 울산 삼산고 졸('13)

수시 입학사정관전형으로 경희대 전자·전파공학과, 한양대 전자통신공학과, 광운대 로봇공학과, 서울과학기술대 전자IT미디어공학과에 동시 합격했다. 각종 청소년 단체의 창단멤버로 활동하였고, 지구과학 분야의 논문을 고등학교 때 작성하여 승인받았다. 초등학교 때부터 고등학교를 마칠 때까지 임원을 놓친 적이 없으며, 현재도 대학 학생회에서 임원을 맡고 있다. 또한 남을 돕는 일을 좋아해 중·고등학교 멘토링, 모교 방문 멘토링 등의 활동을 통해 봉사활동을 꾸준히 하고 있으며, 입시컨설팅회사에 들어가 최종 목표인 교육 컨설턴트를 위한 노력도 하고 있다. 현재 배우고 있는 이공계열의 전문적인 지식과 인문학의 지식을 습득하여 국내에 몇 없는 이공계 출신의 '멀티플레이어형(萬能) 지도자'로 성장하는 것이 꿈이다.

김예원 생글7기 / 고려대 경제학과 13학번 / 대구외고 졸('13)

2013학년도 수능에서 원점수 기준 언수외 296/300점, 총점 482/500점을 기록하고 정시 우선선발로 고려대 정경학부에 합격했다. 고1 3월 모의고사에서 전교 180명 중 130등으로 출발했지만 꾸준한 성적 상승을 통해 수능에서 전교 5등을 기록하고 졸업했다. 고교 시절 교내경제동아리를 설립했으며 교내 락밴드 부장을 맡아 무대 경험을 쌓았다. 기자단 활동 외에도 모의국제회의에 참가하고, 고교연합정치동아리를 창설해 정책토론회를 개최하는 등 다양한 대외활동을 통해 사회과학에 대한 관심을 넓혔다. 대학 진학 후에는 고려대 경제학과 학생회 임원으로 활동하였고 여러 경제캠프에서 경제 멘토로 활동했다. 현재 대학에서 거시경제와 국제무역을 중점적으로 공부하고 있으며, 경제정책을 수립하는 경제전문가의 꿈을 키우고 있다.

김재운 생글6기 / 인하대 신소재공학과 14학번 / 경북 김천고 졸('13)

재수해서 정시로 대학에 합격했다. 고교 재학 시절부터 국어(언어)영역을 좋아해 곧잘 했고, 재수할 때는 3, 6, 9월 모의고사 및 2014 수능 모두 국어영역에서 1등급을 받았다. 어려서부터 글쓰기를 좋아했음에도 과학 공부에서 손을 놓고 싶지 않아 이과로 진학했다. 고교 시절 과학과 맞닿아 있는 여러 문화에 대해 이야기를 논하는 과학토론동아리를 창립했고, 대학생이 되어서는 2014 ICISTS-KAIST 국제 컨퍼런스 참여 및 사회적 기업 '위제너레이션' 인턴 활동 등을 했다. 졸업 후 엔지니어들의 교육을 담당하는 인재개발 부서에서 일하는 것을 목표로 삼고 있으며, 최종적으로는 교양과학 분야 다큐멘터리 PD로 활동하기를 꿈꾼다. '뜻이 있는 곳에 길이 있다.'는 좌우명 아래 보다 넓은 배움을 알리는 것을 자신의 미션으로 삼고 있다.

김재원 생글8기 / 한국외대 아프리카학부 14학번 / 인천 부광고 졸('14)

수시 입학사정관전형과 적성검사전형으로 한국외대 아프리카학부에 합격했다. 고등학교 시절 반장뿐만 아니라 많은 학교 활동에서 리더 역할을 맡았으며, 학교홍보대사로 활동했다. 1학년 때 신문 읽기 및 수학성적향상 스터디 그룹 활동으로 교내스터디 최우수상을 받았으며, 매 학년마다 포트폴리오 경진대회에 참가하여 줄곧 상위권에 자리를 잡았다. 인천의 한 노인 복지관에서 2년 동안 매주 무료급식 봉사활동을 하여 교내에서 가장 많은 봉사활동 시간을 이수, 대표 봉사상을 수상하였다. 대학교에서는 스와힐리어와 스페인어를 이중전공하며 각각의 자격시험을 준비하고 있으며, 학과 축구팀에서 주장을 맡고 있다. 20대에 5개 국어를 구사하는 인재가 되어 국제무대에서 축구 관련 일을 하는 것이 꿈이다.

김재은 생글7기 / 서울대 자유전공학부 13학번 / 광주 동아여고 졸('13)

수시 입학사정관전형으로 서울대 자유전공학부, 연세대 자유전공학부, 고려대 경영학과에 동시 합격했다. 7~8살에 영국에서 초등학교를 다녔고, 16살에 미국에서 고등학교를 다녔다. 토플에서 110점을 받고, GFN 영어토론대회에서 전국 9위로 입상했다. 고1 때 팀장으로서 창의력올림피아드에 참가해 전국 2위를 기록, 국가대표로 세계창의력올림피아드 출전자격을 얻었다. 초중고교 전교 학생회장을 맡았고, 한국은행 청소년 경제캠프 수료, Economic teens 경제동아리 설립 등 경제경영 관련 활동도 했다. 대학에 와서는 멘토링 활동과 학원에서의 입시 자기소개서 컨설팅 등을 했고, 아발론 영어교육에서 학원 강사로 일하기도 했다. 중국 상해에서 1년간 공부하고 돌아와 경영학과 중국학(설계전공)을 전공으로 공부하고 있다.

김현재 생글8기 / 서울대 경영학과 14학번 / 서울국제고 졸('14)

수시 일반전형(입학사정관전형)으로 합격했다. 고등학교 재학 당시 경제멘토링동아리 부장을 맡아 멘토링 교재를 편찬한 경험이 있으며, 교내 자치기구인 사법자치위원회에서 위원장을 역임했다. 또한, 댄스동아리 부장을 맡아 크고 작은 무대에 올랐으며, 교내 오케스트라에서 클라리넷 및 기획부장으로 활동했다. 문화에 관심을 많아 고등학교 친구들과 중국, 홍콩, 싱가포르 속의 한국문화에 대해 연구하고 논문을 작성했다. 중학생 경제 멘토링과 종로구청 영어캠프에 멘토로 참여하며 다양한 멘토링 경험을 쌓기도 했다. 대학교에 입학한 뒤로는 서울대 경영학과 국제교류실 산하 해외봉사 프로그램인 Global Community Service(GCS)에서 스태프로 활동하고 있다. 문화산업분야에서 일을 하고 싶다는 꿈을 가지고 있다.

김호기 생글8기 / 서울대 산업공학과 14학번 / 대구과학고 졸('14)

수시 입학사정관전형으로 카이스트 우선선발 합격을 포함하여 서울대, 연세대, 고려대, 포항공대, 성균관대에 합격했다. 어려서부터 과학에 흥미가 많아 글라이더 제작, 로봇 제작, 지역 영재반 활동 등 과학 관련 활동을 해왔으며, 이를 바탕으로 영재과학고에 진학하게 되었다. 고교 재학 중 꾸준한 성적 상승세를 통해 최종 평균 학점 4.12/4.3으로 고교를 졸업했고, 학급 반장과 동아리 회장을 꾸준히 했으며 대한민국 과학축전에도 참가했다. 소외 계층 지역 아동 재능 나눔 등 다양한 봉사활동에도 꾸준히 참여했고, 현재도 봉사동아리 프로네시스, 해비타트 동아리 햇빛봉사단을 통해 봉사활동을 하고 있다. 이외에도 삼성꿈장학회 대학희망장학생, 영삼성 열정기자단으로 활동하고 있으며, 서울대 산업공학과 밴드 뽕스에서 기타를 치고 있다.

노예은 생글6기 / 고려대 전기전자전파공학부 13학번 / 인천 부평여고 졸('13)

수시 학교장추천전형(입학사정관전형)으로 고려대에 합격했다. 어릴 때부터 수학, 과학을 좋아하고 전자기기에 관심을 가지게 되면서 자연스레 이공계열 진학을 희망했다. 고등학생이 되면서 공과대학 중에서도 다양한 분야를 배운다고 생각했던 전기전자를 전공으로 하여 공부하고 싶다고 꾸준히 생각해왔다. 고등학교에서는 3년 내내 학급 간부직으로 활동했다. 또한 교내의 과학 관련 대회에 꾸준히 참가하려 노력했으며, 특히 탐구대회 수상을 통하여 교외 탐구대회에 참가하기도 했다. 인천시에서 주관하는 고등학생을 대상으로 하는 탐구교실에도 참가하여 인천시교육감상을 수상했다. 현재 학부 2학년생으로 전공과 관련된 기초를 다지고 있으며 정말로 하고 싶어 하는 것이 무엇인지를 탐색하고 있다.

류수현 생글5기 / 경희대 연극영화학과 12학번 / 서울 이대부고 졸('11)

정시로 경희대 연극영화학과에 합격했고, 국민대 연극영화학과에 수석 합격했다. 고교 재학 중 자신의 진로에 대해 진지하게 고민하는 과정에서 문과, 이과, 예체능까지 대한민국 고등학교의 모든 교육과정을 다 경험해 보았다. 고교 재학 중 국제교류동아리와 학생회 활동을 했고 일본으로 해외봉사활동을 다녀왔으며, 정기적으로 교육봉사활동을 했다. 지금은 연극과 영화 일을 할 때마다 느껴지는 촉촉한 긴장감과 두근거림을 정말 사랑해서 연극과 영화를 넘나들며 함께 하고 있다. 현재 연극영화학 과목을 교직이수 중이며 영미문화를 복수전공하고 있다. 앞으로 연극과 영화가 예술교육으로서 어떤 역할을 해낼 수 있을지 기대하고 있으며, 사람들에게 긍정적인 변화와 영향을 줄 수 있는 교육자가 되는 것이 꿈이다.

박성연 생글7기 / 서울대 경영학과 13학번 / 서울 영파여고 졸('13)

수시 지역균형선발전형(입학사정관전형)으로 합격했다. 고등학교를 내신 1.0등급으로 졸업했으며 전국연합학력평가에서 전 영역 99%가 넘는 백분위를 유지했다. 텝스 1+등급, 신HSK 4급을 취득했다. 고등학교 3년간 학급 임원으로 활동했고, 교외동아리를 조직하여 테샛과 매경TEST에서 고교동아리대항전 1위를 거두었다. 현재 경영학 및 법학에 관심을 가지고 공부하고 있으며 봉사활동에 열정을 가지고 있다. 기타동아리 중학생 멘토링, KOCW 대학 영어강의 스크립트 작성 재능 기부 봉사활동, SNU BUDDY 교환학생 봉사활동, 삼성드림클래스 겨울캠프 영어강사 등의 봉사활동을 하였으며, 현재는 서울대 경영학과 모금봉사동아리 '십시일반' 활동과 서울대 공식봉사단 프로네시스 나눔실천단의 집행부 활동을 하고 있다.

박영준 생글7기 / 경찰대 행정학과 13학번 / 제주 제일고 졸('13)

경찰대와 서강대 커뮤니케이션 학부에 동시 합격했다. '경찰'과 '기자'라는 두 가지 꿈에 대한 고민 끝에 경찰대학을 선택했다. 고교 재학 중 모의고사에서 한 번도 언어 영역에서 1등급을 놓친 적이 없으며 언수외 원점수 290점 이상을 6회 기록하였다. 고교 시절 친구들과 독서토론동아리, 봉사동아리 등을 만들어 주도적으로 활동하였고 학교에서 시행한 학습멘토링에도 멘토로 참여하였다. 대학교에 재학하면서 학생회 위원 등으로 활동하였고 현재는 문화예술교육협회에서 주관하는 '형동생만들기' 멘토링 프로그램에서 서울대 의대와 육군사관학교 학생들과 함께 사회복지 대상자들의 멘토로 활동하고 있다. 현재는 대학에서 다양한 경찰분야를 공부함과 동시에 경찰 현장실습을 통해서 경찰로서의 마음가짐을 배우는 등 경찰 간부가 될 준비를 하고 있다.

박준형 생글8기 / 건국대 글로컬캠퍼스 경제학과 14학번 / 서울 장훈고 졸('14)

정시로 대학에 합격했다. 모의고사 수학 1등급을 단 한 번도 놓치지 않는 등 어려서부터 수학 성적이 좋아 이과 진학을 권유받았지만 고1 때 경제에 관심을 가지게 되어 경제학과 진학을 목표, 문과를 택했다. 고교 3년간 방송부장으로 활동하며 리더십을 배웠고, 경제동아리 부회장을 맡아 동아리를 이끌며 테샛, 모의주식투자, 국제 시장에 대한 분석 및 발표 등을 하며 경제 지식을 쌓았다. 현재 대학 야구동아리에서 내야수로 활약하고 있으며, 금융 분야를 중점적으로 공부해 금융권에 취업하길 희망하고 있다. 아무리 힘든 시기가 있더라도 인생의 일부분으로써 지나가는 시기 중 하나라고 생각하면 쉽게 그 시기를 넘길 수 있다는 의미로 '이 또한 지나가리라.'라는 좌우명을 가지고 있다.

배수민 생글6기 / 성균관대 심리학과 12학번 / 경기 과천외고 졸('12)

정시 우선선발 4년 전액장학생으로 성균관대 사회과학계열에 합격했으며, 성균관대 인문과학계열과 중앙대 경영학과에 동시 합격했다. 고등학교 때는 경제경영동아리를 직접 만드는 등 상경계 진학에 관심을 보였지만, 사회과학계열 입학 후 진로 탐색을 하던 중 심리학으로 진로를 바꿨다. 대학 1학년 때 학생회에서 활동했고, 학생회 활동 종료 후 연극동아리에서 배우, 스텝, 연출 등으로 활동하고 있으며, 현재 심리학회에서 논문을 준비 중이다. 연극에서 자신의 가장 큰 열정과 비전을 찾았고, '연극이 인생이고 인생이 연극이다.'라는 신념으로 매 공연을 준비하고 있다. 2015년 1학기에 영국으로 교환학생 프로그램을 다녀왔다. 현재 대학원 진학을 준비 중이며, 상담심리와 연극을 접목시켜 자신만의 새로운 영역을 개척해 나가는 것이 꿈이다.

변혜준 생글7기 / 경희대 국어국문학과 13학번 / 서울 예일여고 졸('13)

수시 입학사정관전형으로 경희대 국어국문학과와 숙명여대 한국어학과에 동시 합격했다. 고교 재학 당시 학생회 정보부장으로 2년간 활동하며 졸업한 선배들과 연계하여 멘토링 제도를 만드는 데 참여했으며, 독서토론 동아리에서도 활동했다. 2학년 때까지는 2점 초반대의 내신을 기록했으나 3학년 때 성적을 올려 1.7등급의 내신으로 고교를 졸업했다. 대학에 입학해서는 여행 동아리에서 활동하고 있고, 2학년에 올라와서 멘토링에 관심을 가지게 되어 한국장학재단에서 진행하는 대학생 지식 멘토링 캠프에 참여하고 있으며, 두산 연강 재단에서 멘토로 활동 중이다. 또한 전공인 한국어 교육에도 관심을 가지고 있어 대안학교에서 탈북 청소년을 대상으로 한국어 교육 봉사를 하고 있다.

서아정 생글8기 / 한양대 컴퓨터전공 14학번 / 대전 둔산여고 졸('14)

정시로 대학에 합격했다. 6월 평가원 모의고사, 9월 평가원 모의고사, 수능에서 모두 언수외 1등급을 기록했으며, 교내 물리올림피아드에서 은상을 수상했다. 외고 입학을 희망하기도 하였으나 과학고 준비반에서 공부하였었고, 수학에 흥미가 있어 이과를 선택하였다. 솔직하고 노는 것을 좋아하며 현재는 거의 공대에 완벽 적응한 공대녀이다. 어릴 때부터 동네 아파트 시세를 외우고 다닐 정도로 돈에 관심이 많아서 자신의 적성에 맞으면서 돈도 최대한 많이 벌 수 있는 방법에 대해 진지하게 고민 중이다. 대학에서는 댄스동아리 '알스아망디'에서 활동하고 있으며, 학과 학술동아리 '알로하'에서 알고리즘에 대해 배우고, 전 세계의 대학생들이 프로그래밍 실력을 겨루는 ACM-ICPC 대회에서 한국본선에 진출했다.

서아진 생글7기 / 연세대 정치외교학과 13학번 / 서울 한영외고 졸('13)

수시 일반전형(논술전형)으로 연세대 자유전공에, OKU 미래인재전형(입학사정관전형)으로 고려대 정경대학에 동시 합격했다. 많은 것을 경험해보고자 자유전공을 택했고, 가장 잘 맞는 분야인 정치외교학과로 전공 진입했다. 7살 때부터 5년 동안 독일에서 거주해서 어릴 때부터 다양한 환경과 문화에 대해 관심이 많았다. 고교 재학 중 모의유엔대회에 10번 넘게 참가하며 의장단과 사무총장까지 맡는 등 대외활동을 많이 했다. 토플 117점, ZD(독일어 시험) 1등급을 가지고 있다. 대학에서는 연세대 모의유엔총회 대표단에 들어가서 5,000명이 넘는 많은 나라의 학생들이 참가하는 'NMUN 뉴욕' 대회에서 1등을 했다. 도전정신을 가지고 다양한 경험을 쌓고 있으며 '노력은 배신하지 않는다.'는 자신의 모토처럼 매순간 최선을 다하며 살고 있다.

서유진 생글7기 / 서울대 불어교육과 13학번 / 서울 대원외고 졸('13)

수시 일반전형(입학사정관전형)으로 서울대 불어교육과에, 일반전형(논술전형)으로 고려대 정치외교학과에 우선선발 합격했다. 언어에 관심이 많아 독학으로 텝스 913점을 획득했고 전국프랑스어시낭송대회에서 금상을 수상했다. 고등학교 때부터 다양한 사람을 만나고 여러 경험에 도전해보고자 전국 25개 학교가 참여하는 청소년정치외교연합에서 학교장이자 임원진 역할을 수행했고, 매달 치매노인센터나 건대 소아병동 등에서 다양한 봉사활동을 했다. 대학 입학 이후에는 전국대학생정치외교연합과 외국인 교환학생교류동아리에서 1년간 활동했고, 터키로 워크캠프를 다녀왔으며, 여러 대입 멘토링 활동에 참여했다. 경제학, 불어, 영어, 스페인어를 열심히 배워 우리나라 중소기업이 해외에 진출할 수 있는 무역길을 여는 것이 꿈이다.

손소연 생글7기 / 동국대 정치외교학과 14학번 / 전남 광양제철고 졸('14)

정시로 대학에 합격했다. 어렸을 때부터 국제 사회현상과 외교에 관심이 많아 다양한 여행기를 읽었으며, 고교 재학 중 한국지리와 세계지리를 집중적으로 공부했다. 2012년 경향 글로벌 청소년 외교포럼에 참가하여 외교에 관한 다양한 강연을 듣고 관련된 활동을 하였으며, 교내 스터디그룹에서 2012 여수 엑스포에 대한 보고서를 만들며 세계적인 행사를 진행할 때 어떤 점이 중요한지, 어떤 점을 보완해야 할지를 연구했다. 고등학교 3학년 때 담임선생님의 권유로 동국대 북한학과에 지원하여 합격했다. 이후 정치외교학에 대해 깊고 넓게 공부하고 싶어 정치외교학과로 전과하였고, 문화기획을 연계전공으로 배우고 있다.

손지원 생글8기 / 경희대 경제학과 14학번 / 인천외고 졸('14)

수시 네오르네상스전형(입학사정관전형)으로 대학에 입학했다. 중학교 2학년 때 적성검사를 통해 회계사란 직업을 알게 되고 회계사 사무소에 방문해 프로그래밍 체험을 하면서 경제에 관심을 갖기 시작하였다. 고등학교 3년간 3개의 경제프로젝트에서 팀장을 맡아 진행, 활동 우수상을 수상하였다. 또한 한국경제 경제체험대회와 청소년 드림경제 교실, 경제동아리 리더십 포럼 등에 참가했고, 청소년 경제 독후감 대회에서 우수상을 수상했다. 경희대에서 축구동아리, 경제학회, 경제학과 집행부의 임원으로 활동 중이며, 경제교육봉사를 하고, 영국으로 International Camp를 다녀오기도 했다. '내 현재가 내 미래이다.'라는 좌우명 아래 꿈을 꾸기만 하는 것이 아니라 실현시키기 위해 노력하고 있다.

신정련 생글6기 / 부산대 영어교육과 12학번 / 부산 삼성여고 졸('12)

수시 고교우수자전형(입학사정관전형)으로 합격했다. 어릴 때부터 무대에 나가고 사람들 앞에 서는 것을 좋아해 고등학교 때는 반 대표로 연극 주인공을 맡아 무대를 꾸미기도 했다. 고등학교 내내 반장, 부반장 등을 맡았고 대학에서는 학과 대표를 맡았다. 대학 1학년을 마치고 미국 뉴욕으로 1년간 어학연수를 다녀왔다. ASA College와 NYFA의 단기 프로그램들을 수료하고 SIT에서 주관하는 TESOL 프로그램을 수료하는 등의 다양한 활동을 통해 세상을 보는 시각을 넓혔다. 2014년부터는 학원 강사와 과외 등을 지속적으로 하고 있으며, 그 외에도 부산국제영화제에 자원봉사자로 참여하는 등 다양한 활동을 경험하려 노력하고 있다. 스스로를 돌이켜 봤을 때 언제나 점차 발전하는 사람이 되는 것이 꿈이다.

심윤보 생글8기 / 전주교대 초등사회교육과 14학번 / 전북 순창고 졸('14)

고교를 수석으로 졸업했다. 생글생글 학생기자를 비롯한 다양한 대외활동과 진로활동 경험을 바탕으로 수시 합격을 노렸으나 정시로 대학에 합격했다. 대학 진학 후 전액장학생에 선정되었으며, 상위 수준의 학점을 유지하고 있다. 학창시절 학원이나 과외 같은 사교육에 의지하지 않고 스스로에게 맞는 공부법이나 효율적인 공부 습관을 기르려 노력했다. 고등학교 때 경제동아리를 창설하여 회장으로서 동아리 활동을 기획하고 해나갔다. 대학교에 입학해서도 금융감독원과 경제교육협의회에서 주최하는 경제 및 금융 교육을 듣고, 삼성 드림클래스 강사 활동과 같은 봉사활동을 꾸준히 하고 있다. 초등교사라는 진로가 확실하지만, 내실을 다질 수 있는 다양한 활동에 관심을 많이 가지고 있다.

오민지 생글6기 / 고려대 경영학과 14학번 / 부산국제외고 졸('13)

수시 일반전형(논술전형)에서 우선선발로 대학에 합격했다. 평소 외국어에 관심이 많아 고교 재학 중 중앙일보 주최 영어 말하기 대회 금상, 교내 외국어 말하기 대회 일본어 부문 대상을 수상한 바 있다. 고교 재학 당시 교내 경제동아리 '경제탐험대'에서 활동하며 경제에 대한 전반적인 지식을 습득하였다. 중앙대 모의논술고사에서 전국 1등을 한 바가 있으며 생글 논술경시대회 등 다수의 논술 관련 대회에서 입상하였다. 또한 유니세프 틴즈에서 2년 6개월 간 봉사활동을 하였다. 대학교에 진학한 이후에는 고려대 교육방송국 KUBS에서 아나운서로 활동하면서 교내 방송 송출을 담당하고 있다. 1년의 재수를 끝내고 대학에 입학했으나 아직 이렇다 할 꿈을 찾지 못해 앞으로 나아갈 길에 대한 고민을 많이 하고 있는 중이다.

오유진 생글5기 / 성균관대 영어영문학과 13학번 / 서울 대원외고 졸('11)

정시로 대학에 합격했다. 2011학년도 '불수능'에서 언어와 외국어 모두 원점수 96점, 백분위 99%를 기록했지만 그에 못 미친 수학 성적 때문에 재수를 결심했다. 그 이후 눈물겨운 사정 끝에 2011학년도에도 갈 수 있었던 대학에 전 학기 장학생으로 입학했다. 중학생 때 미국에서 1년간 거주했다. 고등학생 때는 중국어과에서 공부했고, 밴드 동아리에서 키보드를 맡았다. 대학에서는 학생회 임원과 반장(Peer Leader)으로 활동했으며, 중앙동아리(밴드)의 회장으로 활동하며 드럼을 맡고 있다. 과외생의 영어 내신 성적을 40점 이상 올려준 경력이 있으며, 한경 테샛리더스 캠프에 멘토로 여러 회 참여했고, 삼성드림클래스 여름캠프에서 중학생 10여 명과 한 달간 동고동락하며 영어와 춤을 가르쳤다. 경영학을 복수전공하고 있으며, 문화사업과 관련된 진로를 탐색 중이다.

원지호 생글8기 / 서울대 경제학부 14학번 / 경기 남양주 광동고 졸('14)

수시 입학사정관전형으로 서울대 경제학부, 연세대 경제학부, 고려대 정경학부에 동시 합격했다. 1.07등급의 내신으로 졸업하였으며, 고등학교 재학 당시 경제동아리를 만들어 회장으로 활동했다. 테샛 고교생 경시 부문에서 2번 최우수상을 수상하였고(테샛 S급), 매경TEST 일반인 부문에서 최우수상을 수상하였으며(매경TEST 최우수등급), 한경 경제체험대회에서 동상을 수상하였다. 그 외에도 기획재정부 소셜미디어 기자단으로 활동했고, 서울대 데이터마이닝 캠프를 수료했다. 책에 관심이 많아 고등학교 시절부터 독서토론회나 책모임에 자주 참여하였다. 경제학을 지속적으로 공부하고 싶어서 경제학부에 진학하였으며 서양사에도 관심이 많다. 현재 대학에서 게임개발동아리 등 다양한 동아리 활동을 즐기고 있다.

이소영 생글7기 / 경희대 경제학과 14학번 / 서울 해성국제컨벤션고 졸('14)

정시 특성화고특별전형(입학사정관전형)으로 경희대 경제학과, 가톨릭대 경영학부, 숭실대 경영학과에 동시 합격했다. 실무 영어와 컨벤션에 대해 경험하고자 컨벤션 특성화고등학교에 입학하였으며 이후 경제에 관심이 생겼다. 고등학교 1학년 때부터 경제 관련 활동을 주도적으로 하기 시작했다. 교내 경제동아리 회장을 맡으면서 경제신문 제작, 경제 페어와 세미나 참석 등 경제 관련 경험을 쌓았다. 더 나아가 금융에도 관심이 생겨 동아리원들과 모의투자를 해보고 다양한 금융상품에 대해 연구했다. 금융과 재무에 대해 자세히 이론적으로 공부하고자 경제학과에 입학했다. 현재 고등학생 입학사정관전형 멘토링을 하고 있으며, 다양한 경험을 하고자 언론정보학 다전공을 준비 중이다.

이소은 생글7기 / 고려대 미디어학부 14학번 / 경기 김포외고 졸('14)

정시로 대학에 합격했다. 고등학교 재학 당시 경제동아리 부장을 맡아 모의 경제 골든벨과 주식 투자 대회 등을 직접 개최한 경험이 있으며, 학급 반장과 디자인 소그룹 'Popcorn maker'의 부장을 역임했다. 패션 회사를 설립하겠다는 꿈으로 각종 경영, 패션 관련 포럼과 대회에 참가했다. Explorer@UNIST 캠프의 경영 프로젝트에서 1위를 하였고, 국내·국외 SPA 브랜드를 비교 분석하는 논문을 작성하였으며 책 100권 읽기 목표를 달성하였다. 영상을 결합한 패션 회사를 만들기 위하여 미디어학부에 진학하였고 현재는 옷 사진을 수집하는 영화광이다. 대학 입학 후 SBS 예술단에서 3개월 동안 인턴으로 활동하였다. 크리에이티브 디렉터가 되어 한국에 문화 예술 복합 공간을 창조하는 것이 꿈이다.

이은석 생글4기 / 서울대 국어교육과 11학번 / 경기 고양 능곡고 졸('10)

2011학년도 수능에서 총점 532/550점, 백분위 상위 0.1%를 기록하고 정시로 서울대 국어교육과에 수석 합격, 고려대 국어교육과에 우선선발 전액장학생으로 합격했다. 고교 내신은 1.11이며, 전국 독서발표대회 대상(문화관광부장관상), 경기도 토론대회 금상(경기교육감상)을 수상했다. 학생회, 도서부(신문부), 해외봉사활동 등 다양한 활동에도 적극적으로 참여하였다. 서울 광신고, 서울 여의도고, 경남 거창고 등에서 학습 멘토로 활동하였으며 2010년부터 국어와 논술을 꾸준히 가르치고 있다. 『미래로 수능기출문제집』언어영역 해설서, 서울 구로구 중학 시험대비 국어 문제집 집필에 참여했다. 현재 대학에서 국어교육학을 공부하며 교사의 꿈을 키워나가고 있으며 대학원 진학을 준비하고 있다.

이주원 생글7기 / 한국외대 경영학전공 14학번 / 부산 동래여고 졸('13)

수시 일반전형(논술전형)으로 대학에 합격했다. 모든 평가원 모의고사에서 국어와 수학영역 1등급을 받았다. 고등학교 재학 당시 경제·진로 탐구 동아리에 몸담으며 기업들을 탐방하고, 연구 및 창업캠프 참가 등의 활동을 하였다. 또한 부산광역시 교육청 주최 독서토론대회 등 다수의 토론대회에 출전해서 수상하며 인문학, 철학, 경제학의 소양을 넓혔다. 대학교 입학 후 초등학교에서 일일교사로 경제 수업을 진행하기도 했고, 대학생 재무 설계 프레젠테이션에도 참가했다. 외국어 학회에서 중국어와 스페인어를 공부하기도 하고, 유명 기업인에게 멘토링을 받는 등 특기와 흥미를 살려 다양한 활동을 하고 있는 중이다. 대학 재학 동안 할 수 있는 모든 것을 경험해보며 하고 싶은 일들을 찾는 것이 현재 목표다.

이지현 생글7기 / 연세대 언론홍보영상학부 14학번 / 경기외고 졸('14)

수시 일반전형(논술전형) 우선선발로 연세대 언론홍보영상학부에, 수시 특기자전형(입학사정관전형) 우선선발로 연세대 아시아학부에 합격했다. 사교육 없이 영어 공부를 해 IYF 영어말하기대회에서 전국 3등, 경기도 1등의 성적을 거뒀으며, 한국해양연구원에서 주최한 청소년 국내해양탐사단에 선발되어 전국의 해양연구원을 견학하는 활동을 했다. 경기 안산시 영재반에 소속되어 2년간 수학과 과학 교육을 받았으며, 영재반 산출물 프로젝트 대회에서 교육장상을 수상했다. 2014년도 『자이스토리』 국어 문학 B형과 독서(비문학) B형의 후기 집필에 참여했다. 연세대에 재학하면서는 학회 '떠울림'과 댄스동아리 '하와'에서 활동하고 있고, 부산 국제광고제에 출품하여 본선에 진출하는 등 활발한 활동을 하고 있다.

이훈창 생글7기 / 성균관대 경영학과 14학번 / 광주 광덕고 졸('13)

재수를 하여 정시로 성균관대 경영학과와 한양대 경영학과에 우선선발 4년 장학생으로 합격했으며, 원광대 한의예과에도 동시 합격했다. 고교 3년간 모의고사에서 국어와 영여영역 1등급을 놓치지 않았다. 1등급 초중반대의 내신으로 졸업하였고 중고교 내내 학급 반장을 맡았다. 고등학교 때는 경제동아리를 창립해 활동하며 아하경제 경제정책제안대회에 출전해 은상을 수상했다. 현재 대학교 테니스부에서 활동하고 있으며, 인생의 의미를 찾기 위해 고전을 하루에 한 쪽씩 읽는 것을 생활 습관으로 삼고 있다. 견문을 넓히기 위해 여행을 다니고 사람들과 어울리기를 좋아한다. 공인회계사시험(CPA)에 합격해 대형회계법인에서 일하다 후에 회계사무소를 차려 잔잔하지만 행복한 삶을 사는 것이 목표다.

임우미 생글6기 / 서울교대 음악교육과 13학번 / 전북 전주 유일여고 졸('12)

재수 후 정시로 대학에 재학 중인 학교를 포함해 이화여대 국어교육과, 서울시립대 세무학과에 동시 합격했다. 고2 초부터 본격적으로 공부에 뜻을 두고 학업에 매진하였으나 1년 내내 눈에 띄게 드러나는 결과가 없었다. 하지만 계속 포기하지 않고 기초를 다지는 공부에 매진했고, 그 노력은 3학년 때 빛을 발하여 3학년 내내 성적이 오르는 결실을 맺었다. 공부 방법에 눈을 뜨고 성적이 오르다보니 욕심이 생겨 재수를 결심하게 되었고, 약 1년 내내 독하게 공부하여 2013학년도 6월 평가원 모의고사, 9월 평가원 모의고사에서 전 과목 1등급을 기록했다. 수능은 기대에 못 미치는 결과를 받았지만 오히려 그것을 기회로 삼아 자신의 적성에 맞는 대학을 다시 한 번 고민하게 되었고, 바라던 대학에 합격하여 만족하면서 생활하고 있다.

정금진 생글6기 / 서울교대 영어교육과 15학번 / 경남 거제옥포고 졸('12)

정시 일반전형으로 합격했다. 중3 1학기를 마치고 10개월간 공립교환학생으로 미국 인디애나주에서 공부했으며, 고등학교 3년간 전 과목 내신 1등급을 받았다. 교내 경제동아리 회장과 생글생글 학생기자로 활동하면서 국제경영 컨설팅으로 방향을 잡아 2012년도에 수시 입학사정관전형으로 연세대 경영학과에 입학했다. 연세대 진학 후 여러 대외활동을 거치며 상담과 교육에 관심을 갖게 되어 교사로 진로를 수정하였고 교대 진학을 위해 2015학년도 수능을 재응시하여 서울교대에 입학했다. 현재 서울교대를 사랑하는 모임(서사모)의 멘토로 활동 중이며, 교내 국악동아리에서 거문고를 연주하고 있다. 미술과 여행을 좋아하여 다양한 경험을 바탕으로 직접 글을 쓰고 삽화를 그려 책을 내는 것이 인생의 꿈 중 하나이다.

조성준 생글7기 / 고려대 경제학과 13학번 / 강원 춘천고 졸('13)

수시 학교장추천전형(입학사정관전형)으로 합격했다. 강원도에서 고등학교를 다니며 서울의 높은 수준의 학생들에 대한 동경과 부러움을 계기로 다양한 전국단위 대외활동에 참여했다. 청소년 겨레 얼 살리기 토론대회에서 전국 1위를 차지해 문화체육관광부장관상을 수상하였고, 전국자유총연맹 토론대회에서 은상(3위), 하이원 영어 말하기 대회에서 우수상을 수상했다. 또한 '2011 자랑스러운 강원 청소년 상'을 받아 독일을 비롯한 유럽 4개국 연수를 열흘 동안 다녀왔다. 대학에 입학해서는 학생회 임원과 락밴드 보컬로 활동하고 있고, 전공인 경제학 이외의 분야를 공부하고자 정치외교학회에서 공부를 하고 있다. 이외에도 무료 교육봉사활동을 비롯한 다양한 활동을 경험하면서 '소통'에 대한 능력과 꿈을 키우고 있다.

진현지 생글8기 / 가톨릭대 프랑스어문화학과 14학번 / 경기 안산 원곡고 졸('14)

수시 잠재능력우수자전형(입학사정관전형)으로 합격했다. 초등학교 때부터 학급 반장을 맡아왔으며 현재 학과 대표를 맡고 있다. 고교 시절 유럽문화에 대한 관심이 많아 유럽문화 탐구 동아리를 개설하여 회장을 맡아 활동했다. 특히 프랑스에 관심이 많아 동아리 내에서 직접 프랑스의 이슈들을 전하는 신문을 출판했다. 각종 프랑스독후감대회, 독서토론대회에서 수상하며 자신이 좋아하는 프랑스에 대해 많은 학문적 탐구를 했다. 대학에 와서는 프랑스인들의 한국어 도우미를 맡아 하고 있으며, 가톨릭대 입학사정관실 소속 기관동아리 '날아가대'에서 활동하며 중고등학생들에게 입시에 대한 도움을 주고 있다. 스튜어디스라는 꿈을 가지고 있으며, 어머니와 함께 아프리카에 학교를 세워 한국어 선생님이 되는 것이 인생의 최종 목표이다.

최승희 생글7기 / 한국외대 아랍어과 14학번 / 대전 전민고 졸('14)

정시로 한국외대 동양어대학, 한국외대 국제통상학과에 합격했다. 미국에서 태어나 8살 때까지 살았다. 고2 중반까지 수학 때문에 성적이 좋지 않았으나 수학을 극복하면서 성적이 오르기 시작하여 고3 6월 평가원 모의고사에서 언수외 원점수 290점, 백분위 99를 기록했다. 어려서는 천문학에 관심이 많았고, 현재는 경제학을 비롯한 사회과학에 관심이 많다. 대학에서는 축구부 '쌰이딴'에서 수비수로 활약하고 있으며, 야구부 '빠따쓰'에서 3루수로 활동하며 사회인 야구리그에 출전하여 경기를 뛰고 있다. 1학년 2학기 때부터 학과 배정을 받아서 아랍어를 배우고 있다. 새로운 언어를 배우는 게 쉽지는 않지만 최대한 즐기면서 하나씩 익혀나가고 있으며, 상사에서 직장 생활을 하다 중동을 거점으로 하는 무역회사를 차리는 것이 꿈이다.

최재영 생글6기 / 중앙대 신문방송학부 13학번 / 광주 살레시오고 졸('13)

수시 입학사정관전형으로 중앙대 신문방송학부, 경희대 언론정보학과에 합격했다. 초중고 내내 교내 방송부 회장으로 활동했고, 학생회 간부 활동 등을 하면서 교내 행사를 주최하고 진행하며 리더십을 함양했다. 또한 학생인권조례로 인한 교칙 개정에도 참여했으며, 학생 대표로 광주광역시장과의 대화에 참여하기도 했다. 한국경제신문 생글생글 학생기자를 비롯해 광주광역시청 명예기자단 부단장, 광주광역시교육청 홍보기자단 등 기자 활동을 많이 했다. 방학에는 지역아동센터에서 봉사활동을 하면서 시간을 보냈다. 광주광역시장으로부터 표창패를 받았으며, 생글생글 최우수 기자로 선정되어 한국경제신문사장상을 받았다. 대학 진학 후 예비 언론인을 향해 나아가고 있으며, ROTC 55기로 선발되어 장교로 군복무를 할 예정이다.

홍성현 생글6기 / 서울대 경제학부 13학번 / 경기 고양외고 졸('13)

수시 특기자전형(입학사정관전형)으로 우선선발 합격했다. 고교 재학 중 거의 모든 모의고사에서 언수외 원점수 290점 이상을 기록했으며, 2013학년도 수능에서는 언수외 원점수 297점을 기록했다. 고교 재학 당시 전국고등학교경제연합(UHEC)의 회장으로 활동했으며, 전국경제인연합회로부터 지원금을 받아 고교생 대상 경제캠프를 개최했다. 이외에도 제3회 국제청소년학술대회(ICY)에서 우수학자상, 제2회 KYASS 학술대회에서 정보통신산업진흥원장상 등 논문대회에서 다수 수상했다. 입학사정관전형으로 대학에 합격한 이후 정보도 없이 고생하는 학생들이 안타까워 페이스북 메시지 등으로 도와주던 것을 시작으로 학생과 부모님들을 대상으로 다수의 멘토링 및 강연을 진행하게 되었다. 2014년 12월 23일 부로 육군에 입대했다.

황보미 생글8기 / 건국대 경영학과 14학번 / 서울 정의여고 졸('14)

수시 KU자기추천전형(입학사정관전형)으로 합격했다. 서울 정의여고 36대 학생회장, 노원구 및 도봉구 교육 연합 공동체 14대 회장, 대한학생회(전국고교학생회장연합) 11대 회장 및 사회적 협동조합 초대 이사장으로서 활발하게 대외활동을 하며 경험을 쌓고 있다. 교내활동도 활발하게 하여 교내 논술대회에서 최우수상, 교내 토론대회에서 은상을 수상했으며, 학교를 빛낸 학생으로 선정되어 서울학생상을 수상했다. 대한학생회 회장으로 재직하며 청소년을 대상으로 하는 꿈에 관한 강연 '꿈지락'과 전국고교학생회장 토론회 및 리더십 연수 등을 총괄했다. 미래에는 사회에 공헌하는 사람으로서 사람을 중요시 하는 마음으로 우리나라 사회뿐만 아니라 세계의 구성원들을 지원하고 응원하는 사람이 되는 것이 목표다.

Part**1**

! 코칭

1-1 공부 일반론

Q. 학원 안 다니고 공부를 할 수 있을까요?

A. 독학으로도 잘만 하면 충분히 가능합니다. 오히려 학원 다니는 게 효율성이 떨어질 수도 있어요. 오가는 시간이며, 학원에서 친구들이랑 떠드는 시간이며…. 독학을 하려면 스스로 모든 걸 계획하고 공부해야 하니 학원 다니는 것보다 신경 쓸 게 많아서 힘들 수 있다는 점도 고려해야 합니다. (원지호 생글8기, 서울대 경제학부 14학번)

A. 인강이라는 게 서울 유명 학원 강사의 학원 강의를 동영상으로 촬영해서 제공하는 거잖아요. 그러니 인강을 수강하는 게 학원 다니는 거랑 다를 바 없죠. 오히려 지방의 보통 학원들보다 더 나을 거예요. 인강 강사들은 전국 최고의 강사들이니까요. 물론 학원에서처럼 다른 사람이 케어해주는 공부가 아니라 혼자 스스로 해나가는 공부를 하는 만큼 자기관리를 잘해야 합니다. (이정훈 생글5기, 성균관대 경영학과 11학번)

A. 저는 학원 안 다니고 공부했어요. 외고 입학 전에도 다니지 않았지만 장학금 받으면서 입학했고, 학교 다닐 때에도 내신이나 수능을 위한 학원은 다니지 않았어요. 대신에 수업을 열심히 듣고, 국어 같은 경우 수능 공부를 위해 단권화를 하는 등의 노력을 했어요. 학원을 다니느냐 다니지 않느냐 보다는 본인의 진도 상태와 본인에게 어떤 장단점이 있는지를 확인해야 해요. (이지현 생글7기, 연세대 언론홍보영상학부 14학번)

A. 저는 고등학교 3년 동안 학원을 거의 안 다녔고, 다녔을 때도 오히려 실망했던 기억이 있네요. 오히려 학원을 다니지 않아도 인터넷 강의를 잘 활용한다면 시간 관리에도 도움이 되고, 자신과 잘 맞는 강사 분을 이용한다면 학원보다 효과도 좋을 것이라고 확신해요. 다만 자기관리가 부족한 경우에는 인터넷 강의가 독이 될 가능성이 높다고 생각해요. (박영준 생글7기, 경찰대 행정학과 13학번)

A. 저는 학원 안 다니고 공부하는 게 더 좋은 것 같아요. 제가 고등학교 1학년 때까지는 수학 학원에 다니다가 2학년 때는 학원을 다니지 않고 수학을 공부했었어요. 오히려 학원을 다니지 않을 때 성적이 많이 올랐어요. 학원을 다니지 않고 공부를 하면 자기 스스로 학습 계획을 세워 공부를 하니까 자신에게 맞는 방법으로 공부할 수 있고, 자신의 수준에 맞게 공부할 수 있으니까 더욱 좋더라고요. 그리고 학원을 다니지 않으니까 불안한 마음에 더 열심히 하게 되기도 했어요. (손소연 생글7기, 동국대 정치외교학과 14학번)

A. 저는 학원 안 다녔어요. 논술 과외를 조금 받기는 했지만 학원보다는 인강을 선호했어요. 의지만 있다면 자기 시간 활용하면서 인강을 듣는 것을 추천할게요. 하지만 냉정하게 스스로 판단해서 자신이 의지력도 부족하고 실력도 부족하다면 과외를 받거나 학원에 가는 것을 추천합니다. (최승희 생글7기, 한국외대 아랍어과 14학번)

A. 저는 고등학교 3년 내내 학원에 다녔습니다. 언어는 기출문제 풀이와 독해 방법을 알려주는 학원을 다녔고, 수학은 저학년 때는 개념과 선행 학습, 고학년 때는 문제 풀이 위주의 학원을 다녔습니다. 영어는 학교 수업으로 공부했네요. 고3이 되어서는 언어는 EBS 교재의 작품을 풀이해주는 학원에 다녔고, 수리와 외국어는 EBS 교재를 독학했습니다. 언어의 경우 워낙 EBS 교재의 양이 방대하기 때문에 저로서는 학원을 다니는 것이 더 효율적이었습니다. (배수민 생글6기, 성균관대 심리학과 12학번)

A. 학원 안 다녀도 가능합니다. 하지만 불안하면 다니는 게 좋습니다. 저도 중학교 때는 학원에 다니다가 고등학교에 진학하면서 학원과 과외의 수를 줄였습니다. 학원을 다니는 게 성적에 직결된다고 말씀드릴 수는 없지만 자신이 불안하거나 잘 모르는 부분을 채울 수단으로써 학원은 충분히 훌륭합니다. 그러한 부분을 학교 선생님을 통해 채울 수 있다고 생각한다면 학원 다니지 않아도 됩니다. (김도민 생글8기, 서울대 경영학과 14학번)

A. 사실 학원은 독이 될 수도 약이 될 수도 있습니다. 저는 고등학교 전까지는 피아노, 미술, 영어 학원을 제외하고는 단 하나의 내신 학원도 다니지 않았습니다. 중학교 때는 학원을 다니지 않아도 학업에 지장이 없다고 판단했고, 그 판단을 바탕으로 학원을 가지 않고도 잘할 수 있다고 어머니를 설득했습니다. 하지만 평범한 중학교를 떠나 특목고에 진학하게 되니 벅차더군요. 많은 친구들이 학원을 통해 공부를 많이, 그리고 깊이 하고 와서 따라잡을 수가 없었습니다. 그때 저는 혼자 힘으로는 높은 학업 성취를 달성할 수 없다고 판단했고, 그때부터 수학과 과학 학원을 다녔습니다. 지금 보면 그 결정을 아주 잘 내린 것 같습니다. 무조건 학원을 다녀라, 또는 다니지 말아라 할 수 있는 문제가 아닙니다. 상황에 따라, 자신의 능력에 따라 결정할 일이라고 생각합니다. (김호기 생글8기, 서울대 산업공학과 14학번)

A. 솔직히 학원을 다니지 않고 인터넷 강의나 EBS를 통해 공부를 할 수도 있지만 자기관리나 자제력이 약한 편이라면 학원에 다니는 것을 추천해요. 하지만 학원에 너무 묶여 있는 느낌이 답답하다면 자신에게 꼭 필요한 과목 위주로 단과 학원을 다니는 것도 좋은 방법이에요. (류수현 생글5기, 경희대 연극영화학과 12학번)

A. 저는 초중고 통틀어 학원을 다닌 적은 한 번이에요. 고등학교 수학을 전혀 따라잡지 못하고 도움을 구할 곳이 없어 자포자기 하고 있었는데, 그때 다녔던 학원이 1대1 수업이어서 저에게 큰 도움이 되었어요. 저는 그 전까지 학원을 한 번도 다니지 않고서도 웬만한 진도를 따라잡을 수 있었고, 상위권에 자리 잡을 수 있었습니다. 개인적으로 학원 다니지 않는 것을 추천합니다만, 다녀야 할 경우 (굉장히 모범적이고 딱딱한 답안이지만) '혼자 해결하기 어려운 분야에 대해 자신에게 맞는 시스템을 가진 학원'을 선택하셨으면 해요. 무조건적으로 대형 강의 따라다니지 마시고, 어느 과목의 어떤 부분을 어떤 식으로 보충했으면 하는지 신중히 고민하고 선택하시기 바랍니다. (이주원 생글7기, 한국외대 경영학전공 14학번)

Q. 제가 정확하고 꼼꼼히 푸는 타입이라서 그런지 모든 과목에서 문제 풀이를 할 때 시간이 부족합니다. 수능까지 1년 조금 더 남았는데 이제 시간 재어가며 풀어야 할까요?

A. 네. 시간 재며 푸세요. 시간이 촉박하다는 압박감에 실력 발휘가 제대로 안 되고 있네요. 수능은 자신이 아는 것을 확인하는 것이기도 하지만 시간 싸움이기도 해요. 1년 남짓 남은 기간 동안 한 문제당 얼마만큼

의 시간을 배분해야 할지 몸으로 익히는 훈련도 필요하다고 생각합니다. 그렇지만 시간에 쫓겨서 압박감 때문에 문제 자체가 눈에 들어오지 않을 정도로 떨기만 하고 문제에 집중하지 않으면 안 돼요. (이주원 생글7기, 한국외대 경영학전공 14학번)

A. 고등학교 1~2학년 때는 정확하게 푸는 연습을 계속해왔다면, 고3 때는 시간 배분 연습도 중요하다고 생각해요. 시험은 어찌됐건 제한된 시간 안에 주어진 문제를 정확히 풀어야 하는 것이니까요. 그렇다고 시간만 재면서 무작정 시간에 쫓기다가 아는 문제도 틀려서는 안 되겠죠. 시간을 줄이려면 결국 본인이 약한 파트를 찾아야 합니다. 모의고사를 풀다 보면 유독 시간이 많이 걸리는 파트가 있을 거예요. 그 부분에 대한 책을 따로 사서 풀어본다든가, EBS 강의를 찾아보는 등의 방법으로 약한 부분을 보강한다면 시간을 줄이는 데 도움이 될 거예요. (신정련 생글6기, 부산대 영어교육과 12학번)

A. 남은 1년의 시간 동안 충분히 보완할 수 있는 문제라고 생각해요. 수학이나 탐구는 양치기와 반복을 하게 되면 극악의 난이도가 아닌 이상 저절로 시간을 배분하는 요령이 생기실 겁니다. 영어도 난이도가 하향되고 있으므로 EBS 교재 지문을 충분히 보고 단어 암기 꾸준히 해주시면 시간 넉넉할 겁니다. 문제는 국어인데, 국어는 시간을 고려하며 문제를 풀게 되면 촉박함 때문에 문제에서 요구하는 언어적 사고를 하는 데 방해를 받는 경우가 많은 것 같네요. 전 국어는 '원샷원킬' 원칙에 따라 충분히 생각하고 푸는 연습을 했습니다. 어차피 국어는 검토를 해도 아리송한 문제가 있을 수밖에 없으니 충분히 고민하고 다음 문제로 넘어가는 연습을 한 것이죠. 국어는 10월 전까지는 국어 과목에서 요구하는 사고방식을 완전히 체득할 수 있도록 한 문제 한 문제에 신중을 기하시고, 실력이 충분히 갖춰진 10월부터는 일주일에 한두 회 정도 기출문제를 풀며 시간 재보는 것을 추천합니다. (김범진 생글8기, 서강대 경영학과 14학번)

A. 시간이 부족하면 시간을 단축시키는 것이 우선이라고 생각해요. 저는 천천히 풀다가 충분히 맞을 수 있는 문제를 건드려보지도 못 하는 것보다는 실수를 하더라도 시간 내에 다 푸는 것이 더 낫다고 생각해요. 모의고사를 한 회분씩 시간 재며 푸는 연습을 해야 하고, 문제별로 시간을 정해서 푸는 것도 효율적인 방법이에요. (박영준 생글7기, 경찰대 행정학과 13학번)

A. 이제 시간 재며 푸는 연습을 시작하면 좋을 것 같아요. 시간은 문제를 푸는 데 능숙해짐으로써 극복할 수 있어요. 꼼꼼히 푼다는 게, 문제가 안 풀리면 처음부터 다시 풀고 다시 풀고 하는 건 아니겠죠? 그런 경우에는 식을 쓴다든가 줄을 친다든가 하는 방식으로 헷갈리는 부분부터 풀어내려고 해야 할 것 같아요. 평소에는 시간이 남아도 수능 날에는 시간이 모자랄 수 있으니 미리미리 연습을 해놓는 것이 좋겠죠. (이지현 생글7기, 연세대 언론홍보영상학부 14학번)

A. 당연히 이제부터는 시간을 재가며 풀어야 합니다. 처음에 시간을 재면서 풀다 보면 수능이 가까워지면서는 시간을 재지 않아도 몸에 밴 시계로 시간 내에 문제를 풀 수 있게 될 겁니다. 또한 시간을 재면서 풀어야 자신이 어떤 부분에서 시간이 많이 걸리는지, 어떤 부분이 부족한지 더 쉽게 파악할 수 있습니다. (김도민 생글8기, 서울대 경영학과 14학번)

A. 정확하고 꼼꼼히 푸는 것 역시 습관에서 비롯되었다고 생각합니다. 문제를 시간 내에 푸는 것이 습관이 되지 않아서 시간이 부족할 때가 생긴다고 감히 생각합니다. 따라서 시간을 재고 모의고사를 과목별로 틈틈이 풀어보는 것이 습관화된다면 조금이나마 리듬감이 생기면서 도움이 될 것입니다. (김영주 생글6기, 경희대 전자·전파공학과 13학번)

A. 꼼꼼하게 푸는 것은 문제를 잘못 보거나 실수를 해서 오답을 선택할 확률을 낮춰주기 때문에 좋은 습관입니다. 그러나 시간이 부족해서 문제

를 다 풀지 못하고 이로 인해 등급이 떨어지는 일까지 발생한다면 꼼꼼하게 보지 않는 것과 다를 것이 없고, 오히려 더 안 좋습니다. 따라서 이제 1년 조금 더 남은 시점이라면 일주일 단위로 모의고사 분량을 정해놓고 주말에 시간을 재면서 푸는 연습을 하는 것이 좋습니다. (최승희 생글7기, 한국외대 아랍어과 14학번)

A. 우선 시간이 부족한 것이 실력이 부족한 데서 오는 것인지 아니면 성격에서 비롯한 것인지를 살펴볼 필요가 있습니다. 만약 전자라면 1년간 자신의 실력을 더욱 탄탄하게 다지는 데 비중을 둬야 할 것이고, 후자라면 문제 푸는 방법을 바꿔야 합니다. 지나치게 꼼꼼한 것도 좋지 않습니다. 완벽주의는 일을 그르치기 마련입니다. 아무리 앞쪽을 완벽하게 푼다고 해도 뒤에 있는 문제를 풀지 못하면 의미가 없잖아요. 저도 수험생 시절 같은 문제로 고민을 했었습니다. 항상 뒷부분을 못 풀고 시험이 끝나는 경우가 많았죠. 문제 푸는 방법을 바꿔야 합니다. 너무 자신을 완벽주의에 가두지 마시고 자신을 믿으세요. 그냥 물 흐르듯이 푸세요. 안 풀리는 문제가 있으면 넘어가고, 아는 문제는 의심 없이 빨리빨리 풀어버리는 거죠. 그리고 남는 시간에 넘어간 문제를 풀고 푼 문제를 다시 확인하세요. 이렇게만 하셔도 시간에 대한 부담이 전보다 많이 줄어들 겁니다. 그리고 경험에 비추어 봤을 때 실질적으로 실전 연습을 위해 시간을 재고 푸는 건 수능 한 달 전부터 해도 충분합니다. (고원진 생글7기, 건국대 경영학과 14학번)

A. 공부를 할 때 가장 위험한 게 양치기, 그리고 시간에 쫓겨서 대충 푸는 것이라고 생각해요. 저는 고3에게도 시간 맞춰 푸는 연습을 하지 말라고 하고 싶어요. 무조건 정독 다음에 속독이에요. 정확성이 올라가면 속도는 저절로 따라서 올라가기 때문에 수능이 아직 1년이나 남았다면 정확성을 올리는 게 더 중요할 것 같아요. 조급하게 생각하지 말고 멀리 보세요. 시험 볼 때도 마찬가지고 조급함은 큰 적이에요. 시간 맞춰 푸는 건

수능 한 달 전부터 해도 충분하다고 생각합니다. (정금진 생글6기, 서울교대 영어교육과 15학번)

A. 수능이 1년 하고도 조금 남았으면 많이 남았네요. 시간에 쫓기는 문제 풀이를 할 때가 아닙니다. 개념 잘 다지고, 그 다음으로 문제 유형 섭렵하고, 유형 어느 정도 익혔다 싶으면 한 문제나 한 지문 단위로 시간 재면서 풀어보다가 수능 두 달 정도 앞둔 시점에서 시간 재면서 모의고사 풀면 돼요. 순서를 밟으면서 차근차근 공부해가다 보면 어느새 시간을 신경 쓰지 않았는데도 여유 있게 문제를 다 풀어내는 자신을 발견할 겁니다. (임우미 생글6기, 서울교대 음악교육과 13학번)

A. 꼼꼼하게 푸는 습관은 좋은 것 같아요. 그래야 나중에 실수도 줄일 수 있고 자신이 푼 문제에 대해서는 정확하게 알고 넘어갈 수 있어요. 하지만 9월 평가원 모의고사를 기준으로 해서는 시간을 재면서 공부하는 습관이 필요할 것 같아요. 수능은 실력도 중요하지만 시간 관리도 중요합니다. (서아진 생글7기, 연세대 정치외교학과 13학번)

A. 일단 시간을 재어가면서 푸는 것보다 시간이 부족한 원인을 확실히 찾아야 해요. 정확하고 꼼꼼히 푸는 타입이라서 그렇다면 괜찮지만 자신도 모르는 사이에 집중이 깨져 문제를 보며 멍 때리거나 한 문제, 한 유형에 너무 시간을 많이 소비한다면 고칠 필요가 있어요. 특히 후자의 경우 그 문제 유형을 집중적으로 공부해 익숙해진다면 시간 모자라는 문제는 저절로 해결될 거예요. (류수현 생글5기, 경희대 연극영화학과 12학번)

Q. 음악 들으면서 공부해도 되나요?

A. Case by case입니다만, 전 절대적으로 추천하지 않습니다. 인터넷에서 올라오는 우스갯소리들 보면, 수능 시험 볼 때 후크송이 머릿속에서 반복적으로 재생되어 망했다는 이야기 있잖아요. 음악 들으면서 공부해보신 분이라면 모의고사 때 한 번 쯤은 경험해보셨을 것 같아요. 저 또한 그런 경험 때문에 재수 때는 아예 음악을 듣지 않았습니다. 정말 힘들 때는 공부가 끝난 뒤 집에 와서 쉬면서 듣긴 했지만 공부할 때는 일체 듣지 않았어요. 수능 날 머릿속에서 노래가 계속 재생되는 경험을 하고 싶지 않다면 웬만하면 듣지 않기를 바랄게요. (김재운 생글6기, 인하대 신소재공학과 14학번)

A. 수학 공부할 때 많이들 그러는데, 그러면 안 돼요. 수학과 음악은 몇몇 예외 빼면 다들 쥐약이에요. 노래 따라 부르면서 자연스럽게 숫자 하나씩 넘어간다든가, 풀이를 생략한다든가, 생각이 꼬이든가 하지는 않나요? 전 맨날 음악 들으면서 수학 문제 풀다가 실수하는 게 습관이 되어서 호되게 고생했어요. 수능 볼 때는 아무 소리도 들리지 않으니 소리 없이 공부하는 연습도 하셔야 해요. (조성준 생글7기, 고려대 경제학과 13학번)

A. 음악을 들으면서 공부하는 것이 습관이 되면 나중에는 음악을 듣지 않으면 공부가 되지 않습니다. 저는 주변이 시끄럽거나 집중이 안 될 때 가사가 없는 클래식 음악만 가끔 들었습니다. 항상 시험을 보는 환경과 가장 유사한 환경에서 공부를 해야 합니다. 시험 볼 때 음악을 들을 수 없다면 공부할 때도 가급적이면 듣지 않는 게 좋겠죠. 심리학적으로도 기억을 저장하는 시점에서의 환경과 기억을 인출(retrieval)할 때의 환경이 유사할 때 인출이 가장 잘 일어납니다. (배수민 생글6기, 성균관대 심리학과 12학번)

A. 음악 듣는 거 추천하지는 않습니다. 주변이 너무 시끄러울 때는 음악을 들으면서 공부하는 것이 잠시는 좋을 수 있지만 최대한 시험 환경에 맞추어서 공부해야 하는 수험생이 음악을 들으면서 공부하면 시험 환경 적응에 도움이 되지 않을 수 있습니다. (오민지 생글6기, 고려대 경영학과 14학번)

A. 알려져 있는 사실이나 전반적인 경향으로나 '음악을 들으면서 공부하면 공부에 방해가 된다.'는 것은 분명합니다. 하지만 공부법은 사람마다 다릅니다. 어떤 사람은 정말 음악을 들으면서 해야지만 공부가 잘 되기도 합니다. (김현재 생글8기, 서울대 경영학과 14학번)

A. 저는 음악을 들으며 공부하는 것에는 반대하는 입장입니다. 특히 국어나 영어와 같이 집중하여 글을 읽어야 하는 경우에 음악은 집중력을 흐리게 하는 요인이 되고, 그게 아니더라도 시험을 보는 중간에 그 음악이 뇌리에 맴돌아 집중을 하지 못했던 경험이 있습니다. 쉬는 시간에 음악을 들으며 충전의 시간을 갖는 것에 대해서는 긍정적으로 생각하지만, 음악을 들으면서 공부하는 것에 대해서는 집중력을 흐트러뜨릴 수 있다는 점에서 부정적으로 생각하는 입장입니다. (박성연 생글7기, 서울대 경영학과 13학번)

A. 저도 처음엔 음악을 들으며 공부했고, 그것 때문에 많이 혼났습니다. 하지만 계속 음악을 들으며 공부하다가 저도 모르게 언젠가부터 진짜 집중을 해야 하는 상황이 오면 음악을 안 듣게 되었습니다. '과제가 바로 내일까지 제출인데, 내가 과연 음악을 들으면서 과제를 할까?'를 생각해보시면 알 거라 믿습니다. 음악을 들으면서 공부는 해도 되지만, 그때는 본인이 지금 하고 있는 이 공부가 중요하지 않다, 또는 절박하지 않다고 판단해서 그렇게 하고 있다는 것을 스스로 인정은 해야 한다고 생각합니다. (김호기 생글8기, 서울대 산업공학과 14학번)

A. 국어, 영어를 풀 때는 듣지 마세요. 국어, 영어 문제는 지문에 내용이 있는 문제들이어서 음악을 들으면 집중력이 떨어질 수밖에 없어요. 수학 같은 경우, 저처럼 수학을 싫어한다면 음악을 들으면서 능률이 오를 수도 있지만, 고3이라면 안 들으면서 푸는 연습이 굉장히 중요합니다. 실전 시험장에서 음악을 들을 수는 없잖아요. (오유진 생글5기, 성균관대 영어영문학과 13학번)

A. 저는 수학 공부를 할 때 음악의 도움을 많이 받았어요. 원래 계산이 조금 느린 편인데, 리듬감 있고 템포가 빠른 음악을 들으면서 공부하면 신기하게도 계산이 빨리 되더라고요. 졸릴 때도 잠시 음악을 들으면서 잠을 깨기도 했어요. 하지만 가사가 있는 음악은 별로 추천하지 않아요. 특히 국어, 영어를 공부할 때 가사가 있는 음악을 듣는 것은 공부에 집중하는 데 방해가 된다고 생각해요. (류수현 생글5기, 경희대 연극영화학과 12학번)

A. 국어나 영어 같이 글을 읽고 흐름을 파악해야 하는 과목들은 음악을 들으면서 공부하는 데 개인적으로 방해가 됐던 것 같아요. 하지만 수학 문제를 혼자서 풀 때는 음악을 들으면서 해도 괜찮았어요. 오히려 집중하는 데 도움이 됐던 적도 많아요. (김보미 생글7기, 이화여대 스크랜튼학부 13학번)

A. 저는 수학을 제외한 다른 과목은 음악을 들으면 집중이 잘 되지 않아 수학 풀 때만 음악을 들었습니다. 음악을 들으면서 수학을 풀 때도 정말 잡생각이 너무 많아 공부가 힘들 때 비트가 빠른 음악을 통해 잡생각을 없애려고 할 때만 들었고요. 이건 개인 편차가 큰 사항인 것 같은데, 아무래도 실전에서는 음악을 들으면서 문제를 풀 수는 없으니 웬만하면 음악 듣는 것은 지양하시는 게 좋을 것 같습니다. (김범진 생글8기, 서강대 경영학과 14학번)

A. 저는 평소에 음악 듣는 걸 좋아해서 공부가 너무 안 될 때 음악을 이용했던 것 같아요. 집중이 잘 안 되거나 잠이 올 때는 음악 들으면서 수학 문제를 풀면 어느새 수학 문제에 집중하게 되더라고요. 문제가 안 풀린다 싶으면 음악을 끄고 문제 풀이에 더 집중했어요. 음악 듣는 걸 공부하는 데 있어서 도구로 사용한다면 문제되진 않는다고 생각해요. (이소영 생글7기, 경희대 경제학과 14학번)

A. 저는 수학을 풀 때는 음악을 들으면서 했어요. 국어나 영어는 지문을 읽어야 하고 또 그것을 이해해야 하기 때문에 음악을 들으면 집중이 되지 않았어요. 수학 같은 단순한 계산을 요구하는 과목 같은 경우에는 음악을 들으면서 해도 나쁘지 않을 것 같아요. (서아진 생글7기, 연세대 정치외교학과 13학번)

A. 귀 건강을 생각하면 별로 추천하고 싶지 않지만, 나름 장점도 있다고 생각해요. 영어나 국어 공부를 할 때 음악을 듣는 것은 절대 금해야 하지만, 수학 문제를 풀 때는 자연스레 잡생각을 하게 되거든요. 잡생각이 꼬리에 꼬리를 물게 되면 사소한 일도 갑작스레 걱정이 되기 시작하죠. 저는 수학 문제를 풀 때 음악을 들으면 잡생각은 안 하게 되더라고요. 그래서 때론 수학 문제를 풀 때 전략적으로 음악을 들었던 경우도 있어요. (이소은 생글7기, 고려대 미디어학부 14학번)

Q. 스톱워치를 이용해서 하루 공부 시간을 분 단위로 체크하는 방법에 대해서는 어떻게 생각하세요?

A. 저는 하루 단위로 공부 시간을 스톱워치로 체크해서 공부계획표에 적었어요. 물론 쉬는 시간이나 잠깐 화장실에 가는 시간에는 시계를 멈췄고요. 처음에 익숙하지 않을 때는 종종 스톱워치를 켜거나 멈추는 걸 잊어버릴 때도 있었어요. 하지만 확실히 공부 시간을 매일 확인하다 보니 같은 시간을 책상 앞에 앉아 있어도 얼마나 더 집중해서 공부했는지 알 수 있어서 좋았습니다. (정금진 생글6기, 서울교대 영어교육과 15학번)

A. 저는 현역 때나 재수 때나 매일 시간을 쟀어요. 상대적으로 공부를 많이 한 날이 기준이 되어 공부가 잘 안 되는 날에는 반성을 하게 되더라고요. 하루 동안의 대략적인 공부 시간을 알아내는 정도로 이용하면 좋을 거 같아요. (이주원 생글7기, 한국외대 경영학전공 14학번)

A. 저는 분 단위로 공부 시간을 체크해서 스터디 플래너에 매일 기록했습니다. 확실히 매일 기록하다 보면 어느 날 공부를 덜 했고 더 했는지 한 눈에 보여서 자신을 돌아보는 데 좋습니다. 기록을 높게 세우고 싶어서 공부하기 싫어도 참고 공부하게 되는 효과도 있더라고요. (배수민 생글 6기, 성균관대 심리학과 12학번)

A. 저는 분 단위로까지는 체크하지 않았지만 몇 시부터 몇 시까지 공부했다고 표기함으로써 공부한 시간을 체크했습니다. 공부한 시간을 체크하는 것은 성취감에도 도움이 되고, 자신이 얼마나 공부했는지를 나타내주는 척도이기 때문에 분 단위까지는 아니더라도 공부한 시간을 체크하는 것을 추천합니다. (김도민 생글8기, 서울대 경영학과 14학번)

A. 공부 시간을 측정해서 자신이 얼마나 오랫동안 공부를 하고 있는지 아는 것도 좋아요. 하지만 하루에 공부할 수 있는 시간에는 분명히 한계

가 있고, 짧은 시간이라도 집중하는 것이 오래 공부하는 것보다 더 효율적일 수 있다고 생각해요. 그래서 만약 공부 시간을 측정한다면 공부한 시간 중에서 본인이 정말 집중했던 시간을 측정하는 것이 옳다고 생각해요. (류수현 생글5기, 경희대 연극영화학과 12학번)

A. 저는 굳이 그렇게 하지 않았어요. 저도 고3 때 스톱워치를 사용하기는 했지만 공부 시간을 체크하는 용도로는 사용하지 않았습니다. 수능 기출문제나 모의고사를 풀어볼 때 실전처럼 시간을 체크하는 용도로 수능을 100일 정도 앞둔 시점부터 사용했던 것 같아요. 제 생각엔 책상 앞에 앉아 있는 시간을 체크하는 것은 크게 의미가 있는 것 같지 않아요. 오히려 오늘 할 일들이 무엇인가를 플래너에 확실히 정리해두고, 그것을 얼마나 달성했는지를 체크하는 것이 더 중요하다고 생각합니다. (박성연 생글7기, 서울대 경영학과 13학번)

A. 저도 스톱워치를 이용해본 적이 있어요. 그런데 그렇게 하는 게 공부하는 데 굳이 필요한가 싶더라고요. 그 날 하기로 계획한 일을 다 하는 것이 중요하지, 공부한 시간을 체크하는 것은 별 필요가 없다는 생각이 들어서 몇 번 해보다가 안 했어요. 대신 항상 공부하는 책상 위에 시계를 두고 공부했어요. 바로 눈앞에 시계가 있으면 시간이 계속 흐르고 있는 게 보이니까 각성하는 데 도움이 되더라고요. (김보미 생글7기, 이화여대 스크랜튼학부 13학번)

A. 사람마다 다르겠지만 저는 별로였어요. 고3 초기에는 스톱워치로 공부 시간을 일일이 쟀어요. 고3 때는 제가 듣던 인강 선생님께서 하루에 14시간은 공부해야 한다고 말씀하셔서 항상 목표를 14시간으로 잡았는데 한 달 정도나 가능했지 그 이후로는 12시간을 넘기기가 힘들더라고요. 그러다 보니 항상 제 자신을 채찍질하기만 했고, 어느새 시간을 재는 것이 스트레스로 다가왔습니다. 그런 생각이 든 이후로는 시간을 전혀 재지 않았어요. 재수할 때도 처음에는 스톱워치로 시간을 재려다가 고3 때의 기

억이 나서 재지 않았습니다. 대신 방법을 바꿨어요. 시간을 재는 것이 정량적이었다면, 정성적으로 점검을 했습니다. 오늘 하루 정말 열심히 공부했는지 스스로 하루를 되새겼어요. 그리고 열심히 하지 않은 것 같다고 느끼면 야자가 끝난 후에도 따로 더 공부하는 식으로 했습니다. (김재운 생글6기, 인하대 신소재공학과 14학번)

A. 저도 고2 때 그렇게 해봤는데 추천할 만한 공부 방식은 아닌 것 같아요. 시간을 재면서 공부하다 보니 오히려 공부 시간에만 집착하게 되더라고요. 그 대신 그 날 공부할 양을 정확히 정해서 어떻게든 하루 안에 다 끝내도록 더 집중해서 공부해봤는데 그게 더 좋았어요. 사람마다 다르니까 한 번 시도해보고 자기한테 맞지 않는다고 생각되면 과감히 버리세요. (이소영 생글7기, 경희대 경제학과 14학번)

A. 저도 스톱워치로 시간을 재본 적이 있었습니다. 하지만 오히려 스톱워치에 정신이 팔려서 공부에 집중을 할 수가 없더군요. 그런 제 자신을 보고서 그 방법은 저와 맞지 않는 방법이라고 깨달았던 것 같습니다. 그 후로는 스톱워치를 사용하지 않았지만, 공부를 적게 했던 날에는 다음날에 그 전날의 분량까지 몰아서 공부했던 기억이 나네요. '놀 땐 놀고 할 땐 하자.'였던 것 같습니다. 사람마다 다 다른 공부 방법이 있기 때문에 이것에 대해서는 충분히 의견 차가 날 수 있다고 생각합니다. (김호기 생글8기, 서울대 산업공학과 14학번)

A. 사실 공부 시간과 성적 향상이 정확히 비례하는 건 아니죠. 책상 앞에 아무리 오래 앉아 있어도 옳은 방법으로, 효율적으로 하지 못한다면 노력에 비해 성취는 적을 테니까요. 대신 스톱워치를 활용하는 좋은 방법이 있습니다. 시간을 재면서 '이 시간 동안만은 다른 생각 않고 지금 눈 앞에 있는 내용에 집중하겠다!' 하는 거죠. 그리고 5분, 10분, 15분, 이렇게 집중 시간을 늘려나가는 겁니다. 저도 실제로 썼던 방법입니다. (임우미 생글6기, 서울교대 음악교육과 13학번)

Q. 공부할 때 노트 정리 하셨나요? 노트 정리는 꼭 잘 해야 하나요?

A. 머릿속에 개념들이 체계적으로 정리가 안 되었다는 생각이 들 때나, 노트 정리를 하면 완벽하게 개념 틀이 정립 될 거 같을 때 노트 정리를 하면 좋을 거 같아요. 저는 국어 문법, 수학 개념(도입-공식-증명-심화), 영어 문법, 사탐 과목들을 노트에 정리했는데 몇 년을 덧붙이고 또 덧붙여서 저의 인생 노트가 되었어요. 노트 필기는 크게 두 가지가 있다고 생각해요. 차례를 베껴 쓰고 그 단원에 어떤 개념이 있는지 간단히 직접 써보며 개념의 흐름을 알아보는 식, 그리고 기본 개념을 참고서처럼 정리하고 부가 설명하는, 예컨대 심화문제들을 만날 때마다 덧붙이는 식이요. 노트의 오른쪽 면에만 정리를 하고, 덧붙일 내용은 비워놓은 왼쪽 면에 계속 써내려 가면 평생의 자산이 될 겁니다. (이주원 생글7기, 한국외대 경영학전공 14학번)

A. 저는 정리노트를 만들었어요. 언어는 작품에 관한 정리, 수리는 개념에 관한 정리, 외국어는 문법에 관한 정리, 그리고 사탐은 개념 정리를 했어요. 꼭 해야 하는 것은 학생의 공부 스타일에 따라 다르겠지만 막판에 그 많은 책들을 다 돌려 보는 것보다는 공부하면서 자신이 중요하다고 생각한 것을 정리한 노트를 보는 것이 더 간단하겠죠? (서아진 생글7기, 연세대 정치외교학과 13학번)

A. 공부할 내 낭연히 노트 정리를 했죠. 수업 시간엔 선생님께서 하시는 말씀 다 적었고, 자습할 때는 모르는 것만 따로 정리했어요. 그러고 나서 흰 종이에 자습할 때 정리한 노트 내용을 떠올리며 다시 적어 봤어요. 기억이 안 나는 명칭은 일부러 인터넷을 검색해보며 머릿속에 각인시켰죠. 하지만 제 친구 중엔 수업 시간에 집중하고 애매한 부분만 필기하는 아이도 있었어요. 정말 공부를 잘하는 아이였는데, 수업 내용을 거의

다 외우고 있더군요. (이소은 생글7기, 고려대 미디어학부 14학번)

A. 노트는 국어에서는 어법 외울 것을 기록할 때, 영어에서는 문법과 단어를 암기하는 데에, 수학에서는 개념을 정리할 때 활용했어요. 특히 수학 개념과 영어 문법은 기록을 하는 과정 자체도 많은 도움이 되기 때문에 활용하면 좋아요. 탐구에서는 노트 정리가 당연히 필요합니다. 한국사의 경우 흐름의 문제이기 때문에 흐름을 따라서 노트에 기록을 했고 윤리와 사상은 인물별로 노트에 정리를 했어요. 노트 정리가 귀찮을 수 있어도 나중에 남는 거예요. 다만 노트를 꾸미거나 예쁘게 하려고 하지는 않았으면 해요. 깔끔하기만 하면 됩니다. 노트 정리에 너무 많은 시간이 투입되어서는 안 돼요. (최승희 생글7기, 한국외대 아랍어과 14학번)

A. 개인적으로 탐구 과목에서 노트 정리가 가장 효과적이라 생각해요. 아무래도 암기를 요하는 과목의 특성인 것 같습니다. 노트 정리를 잘하시는 분도 있고 안 하는 분도 있는데 노트 정리를 통해 단권화를 해두면 정말 편합니다. 다만 노트 정리를 하는 과정에서 시간을 너무 많이 뺏기거나 시각적으로 예쁜 단권화를 하려는, 배보다 배꼽이 큰 상황에 빠질 것 같다 싶으면 자제하는 게 좋을 것 같네요. (김범진 생글8기, 서강대 경영학과 14학번)

A. 노트 정리를 예쁘게 하고 싶을 수 있지만 그러다 보면 노트 정리의 본질을 잃기 쉬워요. 노트는 자기만 알아보고 이해하면 돼요. 그리고 나중에 볼 것을 염두에 두고 그 내용을 상기할 만한 힌트도 같이 적어주면 좋아요. 선생님께서 이해를 돕기 위해 들어주신 예시 같은 것들이요. 저는 선생님 농담도 나중에 내용 떠올리기에 좋을 거 같다고 판단되면 노트에 적어놨었어요. 그리고 필기를 깔끔하게 받아 적는 데에 급급해서 수업 내용을 놓치는 학생들이 많은데, 그렇게 해서 적은 필기는 나중에 봐도 무슨 말인지 몰라요. 차라리 수업 내용에 집중하고 지저분하게 적는 게 나아요. 아무리 그래도 노트는 깔끔하게 정리하고 싶다면 수업 시간에는 수

업 내용을 충실히 이해하는 데 힘쓰고, 받아 적을 게 있으면 연습장에 키워드 중심으로 대충 휘갈겨 놨다가 쉬는 시간을 이용해서 노트에 정리하세요. 야자 시간까지 미루지 말고 최대한 수업 내용에 대한 기억이 남아 있을 때 빨리 정리해야 합니다. 그리고 예습을 하면 수업 내용이 교과서 어느 부분에 있는지도 바로 찾을 수 있고, 수업 내용에 대한 이해도도 높아져서 수업을 듣는 동시에 깔끔하게 노트 필기를 하는 게 가능해져요. 여기서 예습이라는 건 배울 내용을 다 공부하는 게 아니라 수업 시간에 배울 내용이 이전 수업의 내용과 무슨 관련이 있는지, 대단원과 소단원은 어떻게 구성되어 있는지, 무슨 내용을 배우게 될지 등을 개략적으로 훑어보는 것을 말합니다. (임우미 생글6기, 서울교대 음악교육과 13학번)

A. 사람마다 스타일이 다 다르겠지만 저는 노트 정리가 중요하다고 생각합니다. 자신만의 개념으로 정리한 또 하나의 개념서이니까요. 그런데 노트 정리를 잘할 필요는 없어요. 여기서 잘한다는 의미는 '깔끔하게, 보기 좋게' 정도로 해석하면 될까요? 그냥 자기가 보기에 편하면 그걸로 충분합니다. 형식이 어떻든 글씨가 어떻든 아무런 상관이 없어요. 자기 스타일대로 만들면 됩니다. (김재운 생글6기, 인하대 신소재공학과 14학번)

A. 노트 정리는 공부한 것들을 복습하고 내용들을 머릿속에 정리하는 작업에 확실히 도움이 된다고 생각해요. 하지만 노트 정리를 꼭 예쁘게 할 필요는 없어요. 글씨를 못 써도 상관없어요. 노트에 하든, A4용지에 하든, 목차 중심으로 정리하든, 키워드 중심으로 정리하든, 마인드맵으로 하든 자신이 자신이 노트를 잘 알아보고, 나중에 노트를 봤을 때 공부한 것들을 상기시킬 수만 있으면 된다고 생각해요. (류수현 생글5기, 경희대 연극영화학과 12학번)

A. 수능 공부에 있어서는 노트 정리가 굳이 필요하다고 생각하지 않아요. 오히려 한 교재에 정리하는 단권화 작업이 중요하다고 봅니다. 그런데 내신에 있어서, 선생님의 말씀을 귀담아 듣고 필기하는 것이 특히나 중요

한 역사나 일반사회, 지리 등의 사회 과목의 경우에는 필기노트가 필요하다고 생각합니다. 교과서에 모두 필기할 수 있을 만큼 적은 양이 아니라면 필기노트를 만들어서 선생님께서 어떤 부분을 중점적으로 설명하셨는지를 숙지한다면 내신 시험에 큰 도움이 될 것이라고 봐요. (박성연 생글 7기, 서울대 경영학과 13학번)

A. 저는 개인적으로 책과 노트가 너무 너저분하게 필기가 되어 있고 줄이 쳐져 있으면 다시 보기도 힘이 드는 데다 별로 보기가 싫더라고요. 게다가 손도 느린 편에다, 한 번 노트를 쓰기 시작하면 깔끔하게 해야 되는 강박 같은 것도 있어서 노트를 만드는 데 시간이 너무 많이 걸렸어요. 그래서 저에게는 노트 정리나 오답노트가 시간낭비였어요. 그래서 공부하다 모르는 개념이 나오면 문제 바로 밑에 개념 풀이를 적어두고 그 개념에 대한 키워드를 형광펜이나 색깔 펜으로 표시를 해두었어요. 그 후에 다 푼 문제집들을 주기적으로 한 번씩 꺼내서 틀린 문제를 다시 풀고, 바로 밑에 정리해두었던 개념들을 다시 익히는 식으로 반복해서 공부했어요. 나중에는 문제집을 넘기며 제가 표시해놨던 키워드만 봐도 모든 내용이 떠올랐어요. (신정련 생글6기, 부산대 영어교육과 12학번)

A. 노트란 저에게는 그저 수업 시간에 필기한 것들밖에 없었던 것 같습니다. 간혹 어려운 수업의 경우 수업 때는 A4 용지에 낙서하듯이 필기하고 수업이 끝난 후 따로 공책에 멋있게 정리하긴 했지만요. 제 생각에 노트 정리의 목적은 나중에 다시 꺼내보기 위한 것보다는 그때그때 학습했던 것을 기억하게 하는 것에 더 초점이 맞춰져야 합니다. (김호기 생글8기, 서울대 산업공학과 14학번)

A. 모든 과목을 노트 정리 할 필요는 없다고 생각합니다. 모든 내용을 다 받아 적을 수 있다면 좋겠지만 현실적으로 불가능한 게 사실입니다. 과목 안에서도 중요하다고 생각하는 것을 받아 적을 능력이 필요합니다. 하지만 국사와 같은 암기 과목들은 필기를 통해 공부하는 것이 더 효율적

이기 때문에 자신만의 노트 정리 방법을 만드는 것이 중요합니다. 자신만의 노트 정리 방법이 있으면 나중에 그 노트를 보고 공부함으로써 시간 절약이 되기 때문입니다. (김도민 생글8기, 서울대 경영학과 14학번)

A. 노트 정리 왠지 해야 할 것 같아서 시도해본 적이 여러 번 있어요. 그런데 잘 정리하는 데만 집중하다 보니 시간을 너무 많이 쓰게 되더라고요. 굳이 노트 정리를 할 필요는 없는 것 같아요. 그 대신 교과서든 학교나 학원 교재든 본인이 많이 보는 책 한 권에 한꺼번에 정리하는 게 더 나아요. 그리고 굳이 예쁘게 할 필요도 없다고 생각해요. (김보미 생글7기, 이화여대 스크랜튼학부 13학번)

Q. 모의고사 오답 정리는 어떻게 하셨나요? 오답노트가 중요하다고 하던데 오답노트 만드셨나요?

A. 오답노트의 경우 수학은 3번 정도 풀고 난 뒤에 모르는 문제들을 정리하였습니다. 시험 기간 3일 전부터 작성하여 하루에 오답노트에 있는 문제 전체를 다 보고, 모르는 문제들만 모아 다음날 다시 보는 형식으로 공부했습니다. (김호기 생글8기, 서울대 산업공학과 14학번)

A. 저는 수리 오답노트를 만들었어요. 틀린 문제만 적어서 틀린 문제들을 적어도 3번은 풀었던 것 같아요. 사람은 똑같은 실수를 빈복한다고 해요. 틀린 것은 정확하게 짚고 넘어가야 하므로 오답노트를 만들어서 그 문제들을 다시 제대로 풀어보는 습관이 중요해요. (서아진 생글7기, 연세대 정치외교학과 13학번)

A. 오답노트, 만들면 좋지만 시간도 오래 걸리고, 방법도 다양한 데다 과연 도움이 될지 의문이 들 겁니다. 오답노트가 도움이 되려면 다음에는

같은 유형이나 같은 내용의 문제를 틀리지 않도록 하는 것이어야겠죠. 일일이 문제를 옮겨 쓰고 자르고 붙이는 거 귀찮잖아요. 저는 매 교시 시험이 끝나자마자 남는 새 시험지를 쟁취해서 거기에 오답 정리를 했어요. 상태가 괜찮다면 자신이 푼 시험지도 괜찮아요. 오히려 그게 더 좋아요. 국영수 같은 경우에는 문제 자체의 해석도 좋지만 자신이 왜 틀렸는지를 꼭 쓰도록 하세요. 그리고 새로운 문제 풀이 방법이나 놓쳤던 개념을 정리하는 식으로 시험지에다 바로바로 정리하는 게 시간 절약도 되고, 시험 당시 자신이 어땠었는지가 떠올려지면서 약점이 보완될 거예요. (이주원 생글7기, 한국외대 경영학전공 14학번)

A. 저는 모의고사를 본 날 저녁에 놀지 않고 항상 오답노트를 만들었어요. 제 오답노트 공부법에는 다음과 같은 장점이 있어요. 첫 번째로, 제가 문제를 틀린 이유를 문제마다 적어놓았어요. 단순 계산 실수, 풀이에 필요한 개념을 생각해내지 못함, 변수를 빼먹음, 이런 식으로 기록했죠. 모의고사 때 쉬는 시간에 틀린 이유를 훑어보면서 저번처럼 이렇게 틀리지 말아야지 하고 마인드컨트롤을 했어요. 두 번째는, 특히 수학에서, 자주 실수하는 것이나 알아두면 유용한 팁을 오답노트 제일 앞 장에 기록해놨다는 거예요. 예를 들면, 특이한 수열(진동하는 수열 등)이나 행렬(같은 것을 두 번 곱하면 영행렬이 되는 영행렬이 아닌 행렬 등), '$ax^2 + bx + c$' 식이 나왔을 때 '$a \neq 0$' 조건이 있는지 확인하기, 로그에서 밑 조건과 진수 조건 빼먹지 말기, 음수에 산술기하평균 쓰지 말 것, 분모는 0이 아니라는 조건 고려하기 같은 것들이요. 이것도 마찬가지로 시험 날 쉬는 시간에 읽었어요. 셋째로, 오답노트 맨 뒷장에 제 모의고사 성적 추이를 적어 놨습니다. 원점수, 표준점수, 등급, 출제기관을 기록해서 성적 변동을 쉽게 확인할 수 있게 했어요. 하지만 제가 하지 말았어야 했던 것이 있는데, 저는 고2 때까지 수학 오답노트를 만들 때 모든 문제와 답을 오답노트에 손으로 베껴 썼어요. 시간 낭비를 한 거죠. 옮겨 적는 시간은 공부

한 게 아니라 그냥 단순한 베껴 쓰기 작업을 한 것에 지나지 않아요. 고3이 되어서야 틀린 문제와 답을 시험지, 해답지에서 오려 붙였어요. 제가 직접 푼 모의고사 시험지는 보존하기 위해서 매 교시 시험이 끝날 때마다 교탁으로 달려가 남는 시험지를 2부 챙겼고, 그 2부의 시험지에서 문제를 오렸어요. 1부로는 모자라요. 오린 문제의 뒷면에 있는 문제도 필요한 경우가 있거든요. (이정훈 생글5기, 성균관대 경영학과 11학번)

A. 저는 수학, 사회, 제2외국어 오답노트를 만들었어요. 수학 오답노트는 한 달 주기로 다시 풀면서 오답노트의 오답노트도 만들었고요. 오답노트 말고 '실수노트'라는 것도 만들었는데, 매달 모의고사를 치면서 실수한 것들을 적었어요. 오답노트와는 다르게 내용을 적는 게 아니라, '아, 무한등비급수 계산할 때 분수 곱셈 오래 걸리네.', '영어 듣기 1번 집중 못함.', '삼각비 자꾸 틀림. 다시 볼 것.' 등 사소하지만 잘못된 습관을 적은 거예요. 매번 모의고사 10분 전에 이 노트를 보면서 마인드컨트롤을 했어요. 실전에서 실수 없이 완벽해지는 것을 목표로 했던 건데 나름 도움이 되었다고 생각해요. (이은석 생글4기, 서울대 국어교육과 11학번)

A. 저는 고1~2 때는 오답노트 정리를 안 했고, 고3이 되어서야 시험지에다 했어요. 고3이 되면 6월, 9월 평가원 모의고사 시험지가 정말 중요해요. 다른 건 몰라도 그건 꼭 보관해둬야 돼요. 처음 푼 시험지에다가 틀린 문제의 나름대로의 해설을 써놓고 나중에 기출문제를 다시 풀 때 그 시험지를 해설지로 쓰면 좋아요. 처음 푼 시험지에 오답 정리를 할 때는 틀리지는 않았지만 헷갈리는 문제도 오답이라고 처리하고 설명을 꼭 적어놓으세요. 추가적으로 사설 인터넷 강의 사이트에서 평가원 모의고사 문제 풀이 강의가 공짜로 열리니까 꼭 들으시고요. 개인적으로 수학은 오답노트를 만드는 것도 좋다고 생각하지만 다시 돌려볼 의지가 부족하다면 굳이 만들지 마세요. 저는 『EBS 수능특강』을 3번씩 풀었어요. 책에 채점 표시를 다른 색으로 3번씩 했죠. 틀린 직후에 답지를 보면서 한 번 풀어

보고, 답지 안 보고도 한 번 풀어보고 그러면서 그때의 순간기억력으로 머리에 넣는 게 제일 효과가 좋아요. (오유진 생글5기, 성균관대 영어영문학과 13학번)

A. 오답노트의 취지에 맞는 다른 공부법을 활용한다면 굳이 오답노트를 만들 필요는 없다고 봅니다. 문제를 틀린 이유를 확실히 알고 다시 반복하지 않도록 철저히 공부했다면 굳이 자르고 오리고 붙이고 베껴가면서 시간을 소비할 필요는 없죠. 오답노트가 필수는 아니에요. (오민지 생글6기, 고려대 경영학과 14학번)

A. 오답노트를 만드는 건 시간이 너무 많이 걸려서 포스트잇을 활용했어요. 틀린 문제 밑에 정답과 제가 이해한 것을 적은 포스트잇을 반으로 접어서 붙여놨어요. 그러면 오답노트랑 거의 동일한 효과를 볼 수 있고 시간도 절약할 수 있어요. (정금진 생글6기, 서울교대 영어교육과 15학번)

A. 오답노트는 개인적으로 추천하지 않아요. 쓰는 데에 시간이 너무 많이 걸려요. 저는 모의고사의 경우 시험지 여백에다가 그대로 오답 정리를 했습니다. 대신 시험지를 깨끗이 보관해놓고, 시간을 내어 오답노트 보듯이 시험지를 보면서 공부했어요. 수능기출문제집 같은 책도 마찬가지였습니다. 틀린 문제나 중요한 문제, 혹은 그냥 맞은 문제더라도 따로 정리할 것이 있으면 여백에다가 그대로 정리했어요. 대신 다음에 풀 때 여백에 정리해둔 것이 바로 보이면 곤란하니까 포스트잇을 붙이고 포스트잇에다가 정리했습니다. 이건 모의고사 시험지도 마찬가지였습니다. (김재운 생글6기, 인하대 신소재공학과 14학번)

A. 모의고사 오답 정리는 항상 모의고사 당일에 전부 끝내는 것을 원칙으로 삼았어요. 따로 공책을 만들어 정리하지는 않았어요. 수리영역의 경우 제가 쓴 틀린 풀이 과정을 다시 훑으면서 어떤 실수로 인해 오답에 이르게 되었는지 검사했어요. 이외의 영역에서도 선택지를 하나하나 다시

읽으면서 오답을 정리하였고요. 그리고 오답 정리를 할 때 문제 상단에 그 문제가 어느 단원, 어느 부분에서 나왔는지를 써두고 그 부분을 다시 공부했어요. (김예원 생글7기, 고려대 경제학과 13학번)

A. 오답노트를 따로 만들진 않았지만 모의고사를 보고 틀린 문제들은 반드시 다시 풀어봤었어요. 그렇게 하면 아는데 단순히 실수한 건지, 아니면 정말 모르는 개념이 있었기 때문에 틀린 건지 파악할 수 있어요. 단순 실수로 인해 틀린 문제들은 다시 풀어보면서 다음에 틀리지 말아야겠다고 다짐하고 넘어가면 돼요. 대신 모르는 개념 때문에 틀린 문제들은 꼭 다시 잘 풀어보고 개념도 머릿속에 넣으며 정리해보는 것이 중요해요. (김보미 생글7기, 이화여대 스크랜튼학부 13학번)

A. 오답노트는 수학이 가장 효과가 좋은 것 같더라고요. 저는 노트 정리하는 게 어려워서 약간 변형했어요. 『자이스토리』 문제 중 틀린 문제에 별표를 쳐놓고 2회독, 3회독 할 때 그 문제만 풀어보는 거예요. 두 번 틀리면 별표 두 개 이런 식으로 반복하면 효율적으로 준비할 수 있는 것 같아요. (김병민 생글8기, 서울대 경영학과 14학번)

A. 저는 게을러서 오답노트를 꾸준히 하지 못했어요. 그래도 수학은 오답노트까지는 아니더라도 풀어본 문제 중에 틀렸거나, 풀어보고서 다음에 다시 풀었을 때 제대로 풀어낼 자신이 없다고 생각한 문제는 표시를 해두고 반복해서 계속 풀어봤어요. 그래도 한 노트에 정리를 꾸준히 해두고 나중에 다시 보면 시간도 확실히 절약되겠죠? (최승희 생글7기, 한국외대 아랍어과 14학번)

A. 저는 오답노트를 만드는 시간과 노력이 아까워서 만들지 않았어요. 대신 『입시플라이』나 『자이스토리』와 같은 수능 및 모의고사 기출문제집에서 틀린 문제를 3가지로 나누어 표시를 해뒀는데, 우선 답을 잘못 보았다든지 하는 단순 실수는 빈 세모 표시를 하였습니다. 그 다음 단계로 한

참을 고민한 후에야 답을 알 수 있었던 문제는 속을 색칠한 세모 표시를 하였습니다. 마지막으로 답지를 보고 나서야 안 문제에 대해서는 별 표시를 하였습니다. 답지를 보고도 이해가 안 되는 문제는 따로 적어놓았다가 선생님께 여쭤보아 알게 된 후에 별 표시를 하였습니다. 이렇게 수능 및 모의고사 기출문제집에 문제를 틀린 이유와 고치는 데 어려움을 겪었던 정도에 따라 틀린 문제를 구분지어 표시해놓으면 굳이 오답노트를 만들지 않아도 다시 풀어볼 때 어떤 문제를 중심으로 봐야할지 쉽게 파악이 되어 좋았습니다. (박성연 생글7기, 서울대 경영학과 13학번)

Q. 좋은 암기 방법 좀 알려주세요.

A. 당연한 소리겠지만 자신에게 맞는 방법이 가장 좋은 방법이라고 생각해요. 들어보셨는지 모르겠지만 『경선식 영단어』라는 영어 단어집이 있는데, 단어의 소리에서 연상되는 사물을 대입시켜서 매우 재밌는 방식으로 암기를 시키는 책이에요. 그러나 저는 그걸 연상하는 데 소비되는 시간이 아까웠고, 단어집에 없는 단어의 경우에는 또 다른 방법이 적용되어야 해서 그 단어집을 선호하지 않았어요. 저는 영어 단어나 사탐 내용 등 암기해야 할 내용들을 종이에 써놓고 자주 보는 방법을 선호했어요. (최승희 생글7기, 한국외대 아랍어과 14학번)

A. 저는 중얼거리면서 외우는 편이었어요. 핵심어만 종이에 적어놓고 설명하듯이 중얼거리면서 외우는 거예요. 적는 데 시간도 별로 안 들어서 좋아요. (정금진 생글6기, 서울교대 영어교육과 15학번)

A. 전 공부할 때 친구들에게 설명해줬던 부분은 잘 잊어버리지 않더라고요. 아무래도 친구가 알기 쉽게 설명해야 하니 저 스스로 말하면서 내

용을 정리했기 때문인 것 같아요. 또 그냥 머리로만 외우기보다는 입으로 한 번, 손으로 한 번, 머릿속으로 한 번, 이렇게 머리와 몸을 동시에 이용해 외우면 더 잘 외워지더라고요. 그래서 사탐 공부할 때는 마치 친구가 옆에 있다고 생각하고 그 친구에게 가르쳐주듯이 말을 하고 손짓도 써가면서 공부했어요. (신정련 생글6기, 부산대 영어교육과 12학번)

A. 저는 제 손으로 정리해서 외웠는데, 인과관계를 생각하면서 외우니까 편했어요. 어떤 부분이 기억이 안 나면 그 부분의 앞뒤가 뭐였는지 기억해내려고 노력했어요. (김도민 생글8기, 서울대 경영학과 14학번)

A. 암기는 기본적으로 노가다를 통한 반복입니다. 무조건 외우자는 생각을 버리고 1~2회는 편하게 읽습니다. 3~4회는 중요한 부분을 밑줄 치면서 읽고, 5회가 넘어가면서부터는 빈 부분을 꾹꾹 눌러 읽는다는 느낌으로 정독하시면 자연스럽게 암기가 될 겁니다. (김범진 생글8기, 서강대 경영학과 14학번)

A. 암기는 오감을 활용하는 게 좋다고 하잖아요. 전 주로 중얼거리면서 써요. 그리고 길을 걸을 때나 쉬는 시간에 자주 보고 입으로 중얼거려요. (손소연 생글7기, 동국대 정치외교학과 14학번)

A. 말하면서 공부하는 것을 추천할게요. 학교나 학원에서는 못 하겠지만 집에서 가족들에게, 혹은 인형이라도 앞에 두고 직접 가르치듯이 본인이 공부한 내용을 설명해보세요. 사회탐구영역에서 특히 효과가 좋아요. (오유진 생글5기, 성균관대 영어영문학과 13학번)

A. 오감을 활용하세요. 저는 소리 내서 읽으면 집중력이 배가 돼서 노시 하나하나 다 외워지더라고요. 소리 내서 읽든, 쓰면서 외우든 눈으로 읽는 것 말고 자신에게 맞는 방법을 꼭 찾으시고, 제일 중요한 건 외우는 것을 귀찮아하지 않는 거예요. 귀찮아서 눈으로만 읽어보고는 자신은 암기를 원래 못한다고 합리화하지 마시고 끈질기게 쓰거나 읽거나 하시길

바라요. 외우기만 하면 그냥 풀리는 문제들이 한두 문제가 아닌데 그거다 놓칠 거 아니잖아요. (이주원 생글7기, 한국외대 경영학전공 14학번)

A. 저는 외워야겠다는 느낌으로 공부하기 보다는 최대한 익숙해지려고 했어요. 예를 들어 영단어를 외운다면 하루에 100단어를 외우겠다고 접근하는 게 아니라 단어집 전체 넓은 범위를 오랫동안 반복해서 보는 거죠. 그렇게 하는 게 오래 기억에 남는 것 같아요. (원지호 생글8기, 서울대 경제학부 14학번)

A. 저는 청록색 형광펜으로 중요한 필기 부분에 밑줄을 쳐놓고, 빨간 셀로판지로 형광펜으로 밑줄 친 부분을 가리고 암기했었어요. 그러면 형광펜 부분이 까맣게 돼서 딱 외울 부분만 보여요. (임우미 생글6기, 서울교대 음악교육과 13학번)

Q. 내신 시험 기간이 다가오는데 공부를 너무 안 해놔서 막판에 밤새서 공부하려고 해요. 밤샘 공부를 해도 괜찮을까요?

A. 저는 추천하지 않아요. 밤을 새기가 워낙 고통스럽기도 하고, 밤을 새면 오히려 머리가 굳어서 잘 들어오지 않는 느낌이 들더라고요. 밤 새는 것보다는 조금 자고 일찍 일어나서 공부를 하는 게 머리가 맑아져서 더 잘되는 것 같아요. (손소연 생글7기, 동국대 정치외교학과 14학번)

A. 저는 실제로 날밤을 샜다가 영어 시험을 완전히 망친 적이 있어요. 밤샘 공부 정말 비추합니다. 포기할 건 포기하고 제발 두 시간이라도 자세요. 완벽하게 공부하려고 욕심내다가 아는 내용도 틀릴 수가 있습니다. (임우미 생글6기, 서울교대 음악교육과 13학번)

A. 저는 밤샘 공부는 별로라고 생각합니다. 저의 경험담인데, 고등학교 2학년 때 윤리와 사상을 시험 전날 밤새서 공부했습니다. 물론 당일치기로 공부하다 보니 간절함으로 인해 집중력은 배가 되었고 성과는 있었습니다. 하지만 이런 밤샘이 익숙하지 않아 시험 때 집중력을 제대로 발휘하지 못했고 하마터면 졸 뻔 했습니다. (김재원 생글8기, 한국외대 아프리카학부 14학번)

A. 밤샘 공부 한다고 하면 정말 말리고 싶습니다. 저는 시험 기간에는 평소보다 더 일찍 자려고 했어요. 대신 아침에 좀 더 일찍 일어나서 시험 범위를 한 번 더 훑어보거나 복습했습니다. 시험을 하루만 보는 것도 아니고 보통 3일에서 4일 정도 시험을 보는데, 하루 정도는 밤을 새도 괜찮을지 몰라도 3~4일째까지 버티지는 못해요. 공부량이 절대적으로 부족한 상황이라면 좀 더 중요한 과목에 더 많이 투자를 한다거나 중요한 내용부터 공부를 하는 전략이 필요하지 밤샘 공부는 아닌 것 같아요. (심윤보 생글8기, 전주교대 초등사회교육과 14학번)

A. 밤샘 공부의 문제는 습관이 될 수 있다는 위험성에 있는 것 같아요. 밤샘을 처음 해보면 잘 되는 경우가 간혹 있는데, 이런 습관이 들면 평소에 공부하는 습관을 잃고 몰아서 공부하는 습관이 들기 때문에 장기적으로는 손해가 될 수 있어요. 다음날 시험이 있다면 계속 피해를 주기도 하죠. (이지현 생글7기, 연세대 언론홍보영상학부 14학번)

A. 물론 공부를 안 해놓았다면 막판에 밤새서 공부하는 것이 공부를 안 하는 것보다 좋겠죠. 하지만 내신 시험 공부는 평소에 해놓아야 하는 것이고, 밤샘 공부가 통하는 과목들이 있고 그렇지 않은 과목들이 있어요. 이해가 필요한 과목들은 밤샘 공부가 별로 통하지 않지만 단순 암기 과목들은 밤샘 공부가 통하는 것 같아요. 시험 전날인데 공부를 하나도 해놓지 않았다 하더라도 포기하지 말고 주어진 시간 동안 끝까지 최선을 다하

세요. (류수현 생글5기, 경희대 연극영화학과 12학번)

A. 절대 밤을 새지는 마세요. 평소보다 늦게까지 공부하는 건 도움이 될 수 있지만 밤을 새는 건 도움이 안 됩니다. 시험 범위까지 다 공부하지 못했더라도 2시간 이상은 자는 게 좋습니다. 밤샘을 했다가는 외웠던 것도 까먹을 수 있습니다. (김도민 생글8기, 서울대 경영학과 14학번)

A. 저는 밤샘 공부를 해서 항상 후회했었습니다. 왜냐면 저는 밤샘 공부와 정말 맞지 않았거든요. 공부는 안 해놨고, 시험은 내일이고, 급해서 밤을 새려는데 눈을 감았다 떴더니 아침이거나, 집중이 정말 안 된다거나 했던 일이 다반사였어요. 잠이 많은 친구들은 정말 밤새면 안 돼요. 저는 잠이 많은데다가 밤을 새고 나면 그 다음날 컨디션이 정말 안 좋아져요. 면역력도 약해져서 감기도 바로 걸리고요. 체력이 약한 친구들에게 밤샘 공부는 정말 최악입니다. (진현지 생글8기, 가톨릭대 프랑스어문화학과 14학번)

A. 저는 고등학교 시절에 단 한 번도 밤을 새본 적이 없어요. 특히 시험 전날에는 늦어도 12시에는 잤던 걸로 기억해요. 밤샘을 하면 집중력이 많이 흐려지게 되고, 시험 당일에도 공부했던 것이 기억나지 않거나 본래 실력을 온전히 발휘하지 못하는 경우가 많습니다. 쏟아지는 졸음을 이겨내려고 에너지드링크를 마시는 친구들도 있었는데, 그 중 대부분이 너무 심장이 두근거려 공부에 집중이 되지 않았다고 해요. 그때그때 공부를 해두는 것이 가장 좋을 것이고, 그렇지 못한 경우에도 밤을 새는 것은 절대 추천하지 않습니다. (박성연 생글7기, 서울대 경영학과 13학번)

A. 시험 전날 밤샘 공부가 효과를 발휘하는 과목과 그렇지 않은 과목을 나누는 것이 무엇보다도 중요한 것 같아요. 사회 과목(특히 역사, 지리 등)과 같이 암기가 주를 이루는 과목의 경우에는 전날 잠을 줄여 공부해도 크게 무리가 없지만, 수리나 언어와 같이 계산이나 독해에 집중이 필

요한 과목의 경우에는 밤을 새는 것이 오히려 시험 당일의 컨디션을 망치게 될지도 몰라요. (김예원 생글7기, 고려대 경제학과 13학번)

A. 밤을 새야만 공부를 마무리 지을 수 있을 땐 어쩔 수 없이 밤을 새야겠지만, 정신이 맑을 때보다 효율이 떨어지는 것은 분명합니다. 가능하면 미리미리 공부하되, 시간이 촉박할 때는 긍정적인 마인드로 밤을 새는 게 최선이 될 수는 있겠죠. (김현재 생글8기, 서울대 경영학과 14학번)

A. 과목마다 다르죠. 탐구 과목이라면 수업 시간에 선생님께서 강조하셨던 부분이나 친구들이 중요하다고 가르쳐주는 부분만 외우면 될 거예요. 하지만 국어, 영어, 수학의 경우라면 일찍 자는 것을 추천하고 싶어요. (이소은 생글7기, 고려대 미디어학부 14학번)

A. 밤샘 공부는 자기 컨디션과 상황에 맞게 해야 한다고 생각합니다. 개인적으로 저는 시험 기간에도 5시간 이상 자지 않으면 다음날 시험 때 집중하기가 힘들 뿐더러 그 후에 치르는 시험에도 영향이 가더라고요. 그런데도 주변 친구들이 시험 전날 잠을 안 잔다기에 저도 따라하다가 시험을 망친 기억이 있어요. 주변 친구들이 밤샘을 한다고 그걸 따라하는 건 최대한 자제하는 게 좋을 것 같아요. 또 밤샘을 해야겠다고 미리 마음을 먹으면 시간이 있을 때도 공부를 미루게 될 가능성이 크기에, 정말 필수 불가결한 상황이 아니라면 밤샘은 추천하지 않아요. (서유진 생글7기, 서울대 불어교육과 13학번)

A. 내신은 밤샘의 효과가 있다고 생각합니다. 저도 고등학교 때 미칠 것 같은 시험 범위 때문에 밤을 새고 시험을 보긴 했어요. 물론 수학이나 국어처럼 두뇌 회전이 자유로워야 하는 과목이 있는 시험 전날에는 충분히 수면을 취했지만 탐구 과목이나 암기가 많은 제2외국어 과목은 밤샘의 효과가 있었네요. 다만 수능이나 모의고사에 있어서는 밤샘 절대 금지이고, 무조건 시험 시간표에 맞는 생체리듬을 가질 수 있도록 수능 시험 한

달 전부터는 일찍 자고 일찍 일어나세요. (김범진 생글8기, 서강대 경영학과 14학번)

A. 내신 시험에서는 벼락치기가 효과가 있을 수도 있어요. 범위가 정해져 있으니 암기 과목처럼 국어, 영어의 지문과 해설을 달달 외운다거나 수학 문제의 풀이를 외울 수도 있겠죠. 그런데 전날의 수면 부족은 다음 날의 집중력 저하로 이어질 수밖에 없어요. 며칠 동안 밤새워 공부를 했다면 막상 시험 시간에는 피곤해서 문제는 잘 안 읽히고 주변이 조용하니 잠은 오고 그럴 거예요. 게다가 기본적인 원리를 파악하고 연습을 해야 하는 문제는 벼락치기로는 풀기 어렵죠. 미리 공부를 해놓는 게 가장 좋지만, 정 시간도 없고 공부도 안 했다면 벼락치기는 하되, 본인에게 필요한 최소한의 잠은 자서 컨디션을 조절해주세요. (신정련 생글6기, 부산대 영어교육과 12학번)

Q. 저는 집중력이 너무 부족한 것 같아요.

A. 집중력은 결국 자기 의지예요. 남들이 해주는 조언을 듣고도 집중이 안 되면 남들이 독하다고 혀를 내두를 정도로 자신을 붙잡아야죠. 저는 운동을 해서 집중력을 회복시키거나 5분 동안 집중 후에 10분 동안 집중, 이후 30분, 1시간 순으로 집중하는 시간을 늘려가는 법을 추천합니다. 참고로 집중력의 한계는 대부분 2시간이라고 하니 2시간 공부 후 15분 정도 휴식을 취하는 등의 방법으로 공부의 강약을 조절해보세요. (김범진 생글8기, 서강대 경영학과 14학번)

A. 저도 집중력 때문에 고민을 굉장히 많이 했었는데요. 우선 가장 먼저 집중을 방해하는 것들에 대해서 분석해봤어요. 1순위가 스마트폰이었

는데, 그래서 저는 독서실에 갈 때 스마트폰을 아예 들고 가지 않았어요. 그 다음 문제는 잡생각이었는데, 그래서 공부하기 최소 5분 전에 자리에 앉아서 머릿속을 가볍게 만들도록 노력했어요. 그래도 공부하다가 딴생각이 날 때는 빈 공책에 생각났던 것들을 적어놓고 쉬는 시간에 그걸 보면서 쉬었어요. 예를 들면 친구와 금요일에 만나자는 약속을 잡기로 했었던 게 생각났다면 갑자기 빈 공책에 '친구랑 금요일에 약속(연락하기)'라고 적어놓고 쉬는 시간에 친구에게 연락을 하는 거죠. 다른 잡생각들도 키워드를 적어놓고 '나중에 생각하자.'라고 다짐하며 학업에 열중할 수 있었어요. (진현지 생글8기, 가톨릭대 프랑스어문화학과 14학번)

A. 단기 집중 공부법으로 가는 것도 좋은 방법입니다. 쉬는 시간을 공부 중간에 적절하게 넣고 공부 과목도 중간 중간 바꿔가면서 하는 방법이에요. 다만 주의할 것이 두 가지가 있어요. 첫째, 집중력 떨어지는 걸 핑계로 공부를 안 하면 안 됩니다. 둘째, 집중한답시고 문제 풀이 중심으로 가다가 개념 정리 놓치는 것도 안 됩니다. (이은석 생글4기, 서울대 국어교육과 11학번)

A. 수업 시간에 집중이 되지 않는다면 엄지발가락을 들어 올려 보세요. 양발의 엄지를 위로 치켜들고 수업을 듣는 겁니다. 졸음도 어느 정도 쫓을 수 있고 집중력도 좋아집니다. 다른 방법으로 째려보기도 있어요. 연기파 배우의 노려보는 눈빛을 흉내 내며 칠판을 뚫어져라 쳐다보세요. 째려보기와 수업 듣기 두 가지를 동시에 신경 쓴다면 수업 내용이 귀에 들어올 거예요. 자습할 때 집중이 안 되면 과목을 계속 바꾸세요. 책을 자주 바꾸더라도 책 펴놓고 아예 다른 생각만으로 시간을 보내는 것보다는 훨씬 낫잖아요? 파스나 맨소래담을 이용하는 방법도 있습니다. 군복무 시절, 군 생활을 1년 이상 하니 허리가 자주 아팠어요. 그래서 쉬는 시간에 공부할 때 허리에 에어파스를 뿌리고 했는데 공부가 잘 되더군요. 파스의 시원함이 정신을 번쩍 들게 해주는 것 같아요. (이정훈 생글5기, 성균관대

경영학과 11학번)

A. 일단 이건 친구만 가지고 있는 문제가 아니에요. 이런 고민이 있다면 지극히 정상인 겁니다. 결과적으로 말씀드리면 집중력 상관 말고 공부하시길 바랍니다. 집중하는 것에 신경쓰다 보면 오히려 강박관념이 생겨서 집중이 더 안 됩니다. 집중이란 게 사실 자기가 의식적으로 '집중해야지!' 한다고 되기가 어렵습니다. 집중은 무의식적으로 되는 거죠. 주변에 공부 잘하는 친구들에게 어떻게 그렇게 집중을 잘 하냐고 물어보세요. 대다수는 자신도 잘 모르겠다고 할 겁니다. 그게 정답입니다. 그냥 하면 됩니다. 다만 이제 여러분은 그게 안 되니까 스트레스를 받는 거죠. 자기가 좋아하는 게임을 할 때나 좋아하는 이성을 만날 때를 가만히 생각해보세요. '아 집중해야지!' 하고 게임을 하거나 '이 친구에게 집중해야지!' 하고 그 이성에게 집중합니까? 아마 이런 사람은 거의 없을 겁니다. 그냥 그 대상이 좋다는 이유 하나만으로 자연스럽게 집중이 되는 거죠. 그렇다면 여러분에게 선결과제는 공부를 즐기고 좋아하는 방법을 배우는 것이겠죠. 재미없는 공부를 어떻게 게임이랑 비교 하냐고 반문하겠지만 공부도 사실 즐길 수 있어요. 제가 썼던 방법을 알려드릴게요. 간단해요. 우선 공부량을 줄이세요. 보통 수험생이 되면 자신의 역량과 상관없이 무리하게 양적으로만 공부하려는 경우가 많아요. 가뜩이나 하기 싫은 공부를 몇 시간 동안 앉아서 하려고 하니 집중이 될 리가 없죠. 정신적, 육체적으로 고생만 하는 거죠. 양적으로 무작정 접근하기보다는 하루하루 겸손하게 하나라도 배운다는 마음을 먼저 가지면 어떨까요? 가령 하루에 영어 지문 하나를 보더라도 뭔가를 얻어 가겠다는 마음으로 공부를 하는 겁니다. 부담이 상당히 줄어들겠죠. 이렇게 배우는 맛으로 공부하면 공부하는 과정에서 즐거움도 느끼고 뿌듯함도 느낍니다. 스트레스도 줄어들고요. 그러다 보면 자연스레 집중력도 많이 향상되고, 공부량도 자연스레 늘어납니다. 적어도 제가 겪은 경험에 비추어볼 때, 집중은 공부 방법의 전환에서 시

작됩니다. 집중이 안 된다는 건 공부를 즐기고 있지 못하다는 것이니 자신이 공부를 즐길 수 있는 방법이 무엇인지 생각하고 공부를 시작하시기 바랍니다. 집중 그 자체에 스트레스 받지 마시고 공부를 즐기는 태도를 기르세요. (고원진 생글7기, 건국대 경영학과 14학번)

Q. 공부 아무리 많이 해도 안 되는 머리가 있나요? 공부와 두뇌에는 상관관계가 있나요?

A. 교육학을 배우는 입장에서 말씀드립니다. 그렇다고 합니다. 하지만 그걸 본인이 어떻게 아나요? 다시 말해서, 정말 자신이 머리가 나빠서 공부를 못하는 건지, 아니면 아직 공부에 쏟은 노력이 빛을 발할 단계가 아닌 건지 어떻게 아나요? 저는 실제로 공부에 쏟은 노력이 빛을 발하기까지 꼬박 1년이 걸렸습니다. 아니면 자신의 공부 방법이 비효율적이라서 공부에 쏟은 시간에 비해 성취가 더딜 수도 있습니다. 저도 그래서 제 공부법의 비효율성을 깨닫고 올바른 공부법을 먼저 익힌 다음에 본격적으로 공부를 시작했어요. 겨울에 눈이 내리는 걸 떠올려보세요. 눈이 내리기 시작한지 얼마 되지 않았을 때는 땅에 닿으면 녹고, 닿으면 놓고 그러죠? 그런데 눈이 내리는 것도 잊고 있다가 어느새 창밖을 보면 소복이 눈이 쌓여 있습니다. 공부도 그와 똑같습니다. 인내심을 가지고 꾸준히 하시길 바랍니다. (임우미 생글6기, 서울교대 음악교육과 13학번)

A. 저는 머리가 좋고 나쁨에 따라서 학습 속도의 차이는 당연히 있다고 생각해요. 게다가 어릴 적부터 책을 많이 읽고 공부를 열심히 한 친구가 더 잘하는 건 당연하겠죠. 그런데 수능은 아이큐 테스트가 아니라는 걸 알았으면 좋겠어요. 특히 머리가 좋아야 한다는 수능 수학에서도 매년 만

점자가 4,000명 정도나 나와요. 그리고 공부 머리가 진짜 안 되어서 공부 못하는 애들은 정말 몇 안 돼요. 다 공부법과 노력의 차이예요. 성적 안 좋은 친구들은 단기간에 성적 올리려고 하지 말고 꾸준히 노력하시길 바랍니다. (정금진 생글6기, 서울교대 영어교육과 15학번)

A. 머리와 공부에는 분명히 상관관계가 있습니다. 하지만 노력을 많이 하면 떨어지는 머리를 충분히 극복할 수 있습니다. 그리고 만약 예체능이나 기타의 진로가 아닌 '공부의 길'을 택했다면 자신의 머리가 좋든 나쁘든 상관 말고 공부를 열심히 하는 것이 최선의 선택입니다. (김현재 생글 8기, 서울대 경영학과 14학번)

A. 천재는 노력하는 자를 이길 수 없고, 노력하는 자는 즐기는 자를 이길 수 없다는 말이 있죠? 우리는 과학자가 아니기 때문에 공부와 두뇌가 정확하게 어떤 상관관계가 있다고 설명할 수는 없어요. 하지만 여기서 분명하고도 중요한 건 마음가짐에 따라 달렸다는 것이에요. 공부를 잘하는 친구들을 보면 학습 내용을 잘 이해하고, 응용력이 강한 면도 있지만, 그만큼 자신을 믿고 자신에게 투자를 하고 즐기는 친구들이 많아요. 할 수 있다는 생각을 가지고 즐겨보세요. 그러면 성적 또한 자연스럽게 따라 갈 거라고 확신합니다. (심윤보 생글8기, 전주교대 초등사회교육과 14학번)

A. 나쁜 머리가 없다고는 할 수 없어요. 그러나 우리가 대학교에 가기 위해 하는 입시 공부가 그렇게 뛰어난 머리를 요구한다고 생각하지는 않아요. 남들보다 머리가 좋지 않다면 남들만큼, 혹은 남들보다 잘하기 위해 훨씬 많은 노력을 해야겠지만 절대로 극복할 수 없는 벽이 있는 것은 아니라고 생각합니다. 저도 수학 성적이 너무 오르지 않아서 '이 머리로는 안 되는구나.' 이런 생각을 많이 했지만 결국은 극복을 했습니다. 머리가 안 된다고 생각이 되면 공부에 투입하는 시간을 늘리세요. (최승희 생글7기, 한국외대 아랍어과 14학번)

A. 두뇌, 혹은 학습재능이라 불리는 것의 영향력은 분명 있다고 생각해요. 결국 중요한 건 그 중요도가 어느 정도냐는 건데, 제 경험상 공부는 다른 분야보다는 재능의 영향력이 비교적 적다고 생각해요. 가령 운동, 노래 실력, 악기 연주, 작곡, 시 짓기, 춤추기 이런 것들에서는 재능의 중요도가 무척 크고, 천재의 영역이 있는 것 같아요. 그렇지만 적어도 입시 공부에서는 위의 것들보다 재능의 영향력이 적다고 확신할 수 있어요. 물론 공부에서도 연구라든지 국제올림피아드라든지의 최고 수준에 가면 천재의 영역이 있는 것 같기는 하지만 대학 입시에서는 아닙니다. 노력으로 이런 격차를 부수고 들어간다고 생각하는 게 가장 좋은 마인드일 거라고 생각해요. 『아웃라이어』라는 책을 보면 성공에 있어서 재능과 노력, 환경의 영향력을 굉장히 치밀하게 분석하고 있는데요, 우리의 직관과 달리 재능에 비해 노력과 환경이 엄청난 힘을 갖고 있다는 걸 알 수 있어요. 많은 위인들의 성공도 사실은 그들의 노력과 환경에서 비롯했다고 생각하면 용기를 얻을 수 있습니다. (김병민 생글8기, 서울대 경영학과 14학번)

A. 공부에 선천적인 요인이 없다고 말한다면 거짓말이겠죠. 실제로 우리 주변에는 타고난 머리로 비교적 적은 노력에 비해 좋은 성적을 거두는 학생도 있고, 반대로 선천적인 이해력이 부족해서 공부에 어려움을 겪는 학생도 많이 있습니다. '머리 좋은' 또는 '머리 나쁜'이라는 말은 처음부터 우리를 조금 갈라놓는 것이 사실입니다. 하지만 그것이 성적에 영향을 미치는 100%라고는 생각하지 않아요. 모든 것이 천성으로 해결되면 공부는 왜 하겠습니까. 비유하자면 선천적인 능력은 메이플스토리를 저음 하면서 부여받는 초기 스탯과 같은 거예요. 그 캐릭터를 키우지 않으면 결국 아무리 능력이 좋아도 레벨 1인 것이고, 비록 처음에 좋은 능력치를 부여받지 못했더라도 열심히 사냥해서 고렙으로 올려놓으면 고수가 되는 거죠. 공부는 세상에 놓인 다른 어떤 일보다도 노력에 의해 변화할 수 있는 영역이라고 생각합니다. 선천적인 두뇌를 원망하면서 공부를 포기하는 것,

얼마나 비겁한 일인가요. 헬렌 켈러는 시각과 청각에 장애가 있는데도 노력으로 극복해서 하버드대에 입학했죠. 영웅소설 같은 위인 이야기 그만하라고요? 그래요. 좋습니다. 하지만 주변을 조금만 둘러보죠. 열심히 해서 이겨낸 사례는 많아요. 제 이야기를 조금 해볼게요. 중학교 때 저는 도덕 점수가 60점을 넘은 적이 없어요. 원래 비도덕적으로 태어나서 그런지는 몰라도 남들이 '착한 것만 찍으면 100점 나온다.'고 말하는 도덕 시험에서 점수를 제대로 받은 적이 없어요. 그래서 제가 고등학교에 오면서 한 짓이 뭔지 아세요? 도덕 교과서에 밑줄 적어도 100번 이상 그으며 읽기였어요. 도덕적이지 못한 제가 도덕 시험을 극복하려면 아예 내용을 전부 외워버리는 수밖에 없을 것 같더라고요. 이런 게 바로 정말 미친 짓 아닐까요? 그래요. 저는 바보 같이 공부했어요. 연필 때문에 교과서가 너무 찢어져서 못 읽게 되면 테이프로 붙이고, 그래도 안 되면 다른 교과서 하나 더 사서 밑줄 다시 그었어요. 그렇게 해서 고1 때 처음 본 도덕 시험에서 93점을 받았어요. 그 시험에서 90점 이상이 전교에 530명 중 7명이었어요. 저의 공부는 과연 머리로 한 것일까요? 그건 아니라고 봐요. 흔히 이야기하는 '노가다'였어요. 경험치 1짜리 슬라임 100마리 잡아서 경험치 100 받고 레벨업 한 거예요. 저는 선천적인 능력이 부족해서 공부하는 데 스트레스 받는 친구들에게 항상 이 이야기를 해줬어요. 그 중에는 '전교 1등이 흔히 치는 뻥'으로 치부하는 사람도 있었지만 그 말을 듣고 실제로 자기도 똑같이 노력해서 성적을 올린 친구도 있었습니다. 거짓말 같다면 믿지 마세요. 하지만 저는 진실만을 말하고 있습니다. 아주 일부분을 제외하면 모든 것은 노력으로 극복 가능해요. 특히 우리 친구들처럼 아직 젊고 활기찬 아이들이면 말이에요. 노력으로 안 되는 것은 더 큰 노력으로 극복하세요. 제가 해주고 싶은 말은 이거예요. '노력해도 안돼요.'라는 말은 비겁한 변명입니다. 한계를 넘을 만큼의 푸쉬(push)를 하지 않은 것이죠. 반성해봅시다. 본인이 생각할 때, 자신이 생각해도 놀라울 정도로 열심히 한 적이 진정 있나요. 저는 도덕 공부하면서 엄지손가락이 언제나 물집으로 가득했고 심지어 그게 짓물러서 피도 자주 났어요. 그리고 엄지 마디는 지금까지도 시큰거릴 정도예요. 포기는 죽기 직전까지 노력해보고 난 다음에 해도 좋아요. 일단은 해보는 거죠. 우선 구체적으로 본인이 어떤 노력을 할 것인지 명시하세요. 그저 대략적으로 '열심히 하는 거야~!'라고 생각만 해서는 안 돼요. 공부 방법과 양을 정해야죠. 공부법은 과목이나 취향에 맞게 설정하세요. 공부량은 평소 본인이 하는 것보다 조금 더 많게, 도전적인 목표를 세우세요. 그걸 수첩으로 만들어서 매일 달성 정도를 기록하는 겁니다. 그리고 목표량의 100%를 달성하게 되면 더 도전적인 목표를 세우고요. 그런데, 보통은 작심삼일이라고 얼마 안 가서 그만두고 마는 경우가 많아요. 공부라는 게 원래 장거리 달리기 아니겠습니까. 한 학기, 1년, 수능 3년 바라보면서 뛰는 거예요. 저는 성적이 금방 오른다고는 하지 않았어요. 다만 꾸준히 노력하면 결과물이 확실히 나온다는 건 장담할게요. 처음에는 이게 맞는 건지 고민도 되고, 별로 소득이 없어 보이기도 하면서 여러 가지 잡념과 포기하고 싶은 욕구가 넘쳐흐를 거예요. 하지만 이걸 이겨낸 사람이야말로 성적을 향상시킬 자격을 받는 겁니다. 노력합시다. 한 가지 더 이야기해주자면 '꾸준한 노력'에 날개를 달아주는 건 '재미 붙이는 것'이에요. 즐겁게 공부하는 사람을 이겨낼 재간은 없어요. 공부에 재미를 붙이는 건 엄청난 시너지 효과를 낳습니다. 공부 그 자체를 즐겁게 하든, 아니면 성적 올라가는 것에 재미를 붙이든 어느 것이든 간에요. 한 번 재미를 붙여보세요. 이건 필수는 아니에요. 재미없다는 사람을 어떻게 재미있게 만들겠습니까. 그거야말로 어불성설이죠. 피나는 노력만으로도 저는 충분하다고 생각해요. 거기까지 할 수 있다면 어떻게든 성공할 테니까요. 다만 저는 보너스 팁을 주는 거예요. 본인이 마음가짐을 어떻게 바꾸느냐에 따라서는 조금 달라질 수도 있다고 생각해요. (이은석 생글4기, 서울대 국어교육과 11학번)

1-2 생활

Q. 연애하면 안 되나요?

A. 절대 안 된다는 말을 하고 싶지는 않아요. 하지만 부모님, 선생님께서 고등학교 때는 웬만하면 연애하지 말라고 말씀하시는 데에는 분명 이유가 있다는 점을 항상 명심하고 있어야 해요. 고등학교 때 연애라고 하는 것은 보통의 친구보다 조금 더 친한 친구를 사귄다고 생각하면 되는데, 그게 정서적으로 안정을 주거나 넘쳐흐르는 감수성을 잘 제어해주는 등의 긍정적 영향을 준다면 저는 연애해도 좋을 것 같아요. 그런데 일정선을 넘어서 시간 관리가 철저해야 할 고등학교 때에 시간 계획을 깨뜨리는 요인이 된다면 무조건 반대예요. 저는 수능 보기 1주일 전에 연애를 시작했어요. 하지만 사실상 고3 내내 거의 반 연애 상태였죠. 그런데 장거리 연애였기 때문에 실제로 만나면서 시간을 보내진 않았기에 긍정적 영향만 받았던 것 같아요. 본인이 어떤 타입인지 잘 생각해보고 신중한

결정을 내리되, 자기관리가 안 되겠다 싶으면 아예 시작을 하지 마세요. 대학 가면 예쁜 여자, 잘생긴 남자 많아요! (김재은 생글7기, 서울대 자유전공학부 13학번)

A. 사람마다 타입이 다를 수 있지만, 어느 한 쪽에 몰두하는 타입의 경우 공부랑 연애는 병행이 불가능하다고 생각합니다. 사실 주위에서 연애하면서 공부도 챙기는 커플을 살아오면서 딱 한 커플 보았던 것 같습니다. 하지만 연애를 하지 않겠다고 마음먹었다고 해서 좋아하는 사람에게 시선이 안 가는 건 아니잖아요? 사랑의 감정이 싹튼다면 어차피 할 거 화끈하게 해보고 화끈하게 정리하라는 충고도 드리고 싶습니다. 추가적으로 저는 고1 때 사귀는 게 그나마 가장 낫다고 생각합니다. (김호기 생글8기, 서울대 산업공학과 14학번)

A. 연애라는 건 자신과 다르게 살아 온 사람을 이해하고, 배우고, 맞춰가는 거라고 생각해요. 자신과 살아 온 세상과는 다른 세상을 만나 본다는 게 인생에서 정말 중요하죠. 하지만 지금 고등학교 다니는 시기도 자신의 인생에 있어서 다시는 돌아오지 않을 중요한 시기랍니다. 많은 학생들이 공부와 연애를 병행할 수 있다고 생각하고, 실제로 그럴 수 있는 사람도 있겠지만, 혹시라도 방해될지 모르는 요소는 가급적 만들지 않는 게 좋은 거 같아요. 공부와 연애 둘 다 중요하지만 그 시기에만 할 수 있는 것을 선택하는 것이 현명한 선택이겠죠. (이주원 생글7기, 한국외대 경영학전공 14학번)

A. 저는 공부랑 연애를 병행할 자신이 없어서 좋아했던 남자랑 안 사귀었어요. 그때 잠깐 힘들긴 했지만 뭐 괜찮았어요. 남자애는 재수했어요. 본인이 연애하면 재수가 확실하다는 전제 하에 연애해도 후회 없을 거 같다고 생각하면 연애해도 된다고 생각해요. 그런데 그때는 사랑하는 감정이 충만할 때라 재수해도 후회 안 할 거 같지만 그 감정 또한 점차 사그라지는 것이고, 결국 나중에 돌이켜보면 후회를 하게 되는 거죠. 그래서

그 시기를 겪어본 사람들이 이성교제 하지 말라는 거 같아요. 모든 게 Case by case이긴 하지만 대다수의 경우 커플 중 어느 한 쪽이 실패하는 거 같아요. (배수민 생글6기, 성균관대 심리학과 12학번)

A. 저는 고등학생 때 연애했었는데, 많은 사람들이 연애는 대학 가서 하라는 이유가 있어요. 물론 연애 그 자체가 나쁜 것은 아니지만 서로 'Win-Win'하면서 하는 연애가 참 어려워요. 멘탈 관리가 참 중요한 고등학생 시절에 서로 간에 큰 버팀목이 될 수도 있지만 독이 될 수도 있다는 큰 위험이 있기 때문에 정말 자기가 자신 있는 것이 아니라면 웬만하면 연애하지 않는 걸 권장하고 싶네요. (손지원 생글8기, 경희대 경제학과 14학번)

A. 연애 안 하는 게 좋아요. 다만, 한다면 같은 가치관을 추구하는 이성과 하는 것을 추천할게요. 그러한 이성과의 연애는 좋은 시너지를 발생시켜요. 그러나 조금이라도 추구하는 것이 다르고 그것 때문에 에너지를 많이 빼앗긴다면 바로 헤어지세요. 여러분은 지금 중요한 시기를 보내고 있습니다. 자신에게 도움이 되지 않는다면 과감하게 일시적으로나마 중단할 수 있는 용기가 있기를 바랍니다. (최승희 생글7기, 한국외대 아랍어과 14학번)

A. 저는 고3 때 연애를 했는데 많이 힘들었었어요. 나름대로 자기관리를 잘한다고 생각하고 있었는데 고3 때 연애 때문에 크고 작은 일이 생기니까 신경이 쓰이는 건 사실이더라고요. 예전부터 만나고 있었던 커플이거나 자신이 자기관리를 정말 잘한다고 생각하는 친구들한테는 굳이 연애를 말리고 싶지는 않지만 고3 때의 갑작스러운 환경 변화는 아무래도 좋지 않은 것 같습니다. (심윤보 생글8기, 전주교대 초등사회교육과 14학번)

A. 사람에 따라 연애가 공부에 방해가 되기도 하고 아니기도 하지만 주변을 둘러보면 입시 때 둘 다 병행해서 성공한 경우는 30% 미만인 것 같

네요. 입시를 앞둔 상황에서 제가 드릴 수 있는 조언은 '현상 유지'입니다. 애인 없는 학생들은 그냥 몇 년만 참으세요. 연애하는 학생들은 서로 잘 얘기해서 관계를 잠시 정리하든가 서로 공부에 방해가 되지 않는 정도에서 서로 응원하고 챙겨주면 긍정적 효과를 주는 것 같기도 합니다. (김범진 생글8기, 서강대 경영학과 14학번)

A. 연애는 그 상대가 중요할 것입니다. 사귀는 상대가 공부하려는 의지가 있고 공과 사를 구분할 줄 아는 사람이라면 본인과 함께 시너지 효과가 일어날 수 있습니다. 저는 무조건 연애가 좋지 않다는 의견은 너무 부정적이라고 봐요. (김영주 생글6기, 경희대 전자·전파공학과 13학번)

A. 하지 말라고 하면 안 하실 건가요? 좋은 감정을 가지고 있는 친구가 있다면, 사랑하는 데에 주저하지 마세요. 하지만 연애에 지나치게 몰입하게 된다면 자신의 생활과 공부가 연애로 인해 휘둘릴 수 있다고 생각해요. 그래서 연애를 하되 학생으로서 해야 하는 일 즉, 공부와의 밸런스를 꼭 지키시길 바라요. 덧붙여 그 연애가 자신의 생활에 활력이 되고, 자신을 더 좋은 방향으로 발전시킨다면 그보다 좋은 일은 없겠죠. (김예원 생글7기, 고려대 경제학과 13학번)

A. 저는 고2 올라갈 때 남자친구를 사귀어서 대학교 1학년 초반까지 2년 넘게 사귀었어요. 연애 초반이 2학년 2~3월이었던 터라 공부에는 크게 영향이 없었고, 그 뒤로는 부모님께서 연애를 반대하시다 보니 오기가 생겨서 공부를 더 열심히 했어요. 그때 남자친구도 수업 태도가 좋아지고 성적이 꾸준히 유지 또는 향상되어서 선생님들께서는 그냥 귀엽게 봐주셨어요. 저는 여러모로 의지도 되었고, 내적 성숙과 인간관계 경험 등의 측면에서 좋았다고 생각해요. 물론 같이 놀기도 많이 놀아서 그 시간에 공부를 더 했다면 수능을 더 잘 볼 수 있지 않았을까도 생각하긴 해요. 제가 다닌 학교는 남녀공학이고 고2 때 남녀합반이어서 커플이 되게 많았는데 주변 사례를 돌아보면 보통 공부를 원래 해왔던 커플들은 서로에게 잘

보이려고 더 열심히 노력하는 경향이 보였어요. 어차피 연애해도 공부할 친구들은 하고 안 할 친구들은 안 해요. 학생으로 해야 할 공부를 제대로 하면서 자기관리도 잘할 자신이 있다면 연애를 굳이 말리진 않고 싶네요. 그러기가 힘들다는 게 문제지만요. 고3 때 사귀기 시작하는 건 비추예요. 이미 연애하고 있다면 깨지는 게 정신건강에 더 안 좋으니 깨지지 말고 서로 공부하도록 독려하는 게 좋을 것 같아요. 남자는 연애하면 공부는 내팽개치고 여자에 푹 빠지는 경향이 있으니 조심하고요. (정금진 생글6 기, 서울교대 영어교육과 15학번)

A. 학창시절 연애는 해봐야 한다고 생각해요. 자신의 생각이 '못 해.'가 아니라 '안 해.'라면, 글쎄요, 저는 꼭 연애를 해보는 것을 추천해드립니다. 제 주위에도 충분히 학업과 연애를 병행하며 높은 성적을 유지한 친구들이 있었고 원하는 대학에 간 친구들도 있습니다. 하지만 연애가 학업에 지장을 준다면 주의해야 할 필요가 있겠지요. 시간 분배를 잘 해서 효율적으로 연애를 하는 것이 중요한 것 같습니다. 제 주변에는 같이 도서관에 가서 공부를 하고 서로 모르는 문제에 대해서 이야기를 나눴던 친구들이 꾸준한 성적을 유지했었습니다. 자기가 생각하기에 연애를 하면 학업에 집중하지 못할 것 같다면 고려를 해봐야겠죠. 그렇지만 다시는 오지 않을 고교시절, 교복을 입고 순수하게 연애를 해볼 수 있을 때 해보는 것을 추천합니다. (진현지 생글8기, 가톨릭대 프랑스어문화학과 14학번)

Q. 잠은 어떻게 해야 좋을까요?

A. 잠에 관해서 고민하는 친구들이 정말 많습니다. 하지만 잠에 관해서 여러분들이 알아두셔야 할 것은, 잠은 적게 자면 반드시 일상생활에 영향을 끼치고, 그렇다고 너무 많이 자도 피곤하다는 것입니다. 그렇기 때문에 여러분이 평소에 몇 시간 정도 자면 다음날 생활에 지장이 없는지를 반드시 알아야 합니다. 저는 하루에 6시간 30분 정도는 자야 다음날에 지장이 없었습니다. 제가 이 정도 시간을 자야 한다는 것을 안 뒤로는 매일매일 규칙적인 생활 습관을 유지하면서 항상 6시간 30분만큼은 꼭 자려고 노력했습니다. 그리고 한 가지 더 중요한 것은 잠을 줄인다고 공부를 더 많이 하는 것이 아니라는 겁니다. 오히려 깨어 있는 시간에 정말 집중력 있게 하고, 나머지 시간에 부족한 잠을 채우는 것이 현명한 방법일 수 있습니다. (조성준 생글7기, 고려대 경제학과 13학번)

A. 충분한 잠은 필수예요. 몇 시간 자는 게 좋다고 정해져 있다고는 할 수 없고, 자기한테 맞는 수면 패턴을 찾아야 해요. 저는 고3 막판에도 졸릴 때는 그냥 잤어요. 선천적으로 잠이 없는 사람도 있어요. 그런 사람에게 괜히 라이벌 의식 느껴서 본인도 조금 자면 망하기 십상이에요. 자기가 정상 컨디션을 유지해서 공부에 집중할 수 있을 정도로 자세요. 그리고 매일 규칙적으로 생활하는 것에 집중해야 해요. 같은 시간에 자서 같은 시간에 일어나기, 수업 시간에 안 졸기 등 말이에요. 특히 수능이 아침에 시작해서 탐구까지 4시 반 정도, 제2외국어 응시하면 5시 반까지 보는 시험이니까 그 시간 동안에는 진짜 졸면 안 돼요. (김현재 생글8기, 서울대 경영학과 14학번)

A. 잠은 충분히 자는 것이 좋아요. 사람마다 다르긴 한데 보통 6~7시간 정도가 괜찮은 것 같아요. 내신 시험 기간이나 특별한 경우를 제외하고는 공부 시간을 늘리기 위해서 잠을 줄이기보다는 깨어 있는 시간에 집

중해서 공부를 하는 것이 좋아요. 그리고 이건 여담인데 오히려 대학에 오면 고등학교 때보다 잠을 못 자는 것 같아요. 대학생의 현실입니다. (류수현 생글5기, 경희대 연극영화학과 12학번)

A. 사람마다 적정 수면 시간은 조금씩 다를 거예요. 저는 전날 잠을 못 자면 그 다음날 하루 온종일 정신을 못 차릴 만큼 잠이 컨디션에 큰 영향을 미쳤어요. 그래서 제가 다음날 생활을 할 수 있도록 4~5시간 정도는 잤어요. 대신 일요일 하루는 푹 자고 오전 늦게 일어나 주중의 피로를 푸는 식으로 조절했어요. (신정련 생글6기, 부산대 영어교육과 12학번)

A. 잠은 충분히 자야 합니다. 못해도 6시간은요. 새벽 3~4시까지 공부하고는 '나 공부 정말 열심히 하는 학생이야.'라고 생각하는 친구들이 간혹 있는데 그렇게 공부하는 것처럼 미련한 게 없습니다. 밤늦게까지 공부하면 뭐하나요. 다음날 학교에 오면 하루 종일 자고, 자습 할 때도 정상 컨디션으로 공부하는 게 아니잖아요. 하루 총 공부 시간을 따져 보면 잠 충분히 자는 학생이 3~4시까지 공부하는 학생보다 훨씬 많습니다. 공부의 질적인 측면에서는 압도적으로 차이가 나고요. (이정훈 생글5기, 성균관대 경영학과 11학번)

A. 수능을 준비하는 학생이라면 무조건 생활패턴을 수능 스케줄에 맞추세요. 물론 내신 시험 기간에는 잠을 좀 줄여도 상관없겠지만 수능을 앞두고는 잠에서 깨어나서 두뇌가 활성화되기까지 최소 2시간 반 정도가 걸린다고 하니 1교시가 시작하기 2~3시간 전에는 일어나세요. 수면 시간은 7시간이 적당하다고 하네요. (김범진 생글8기, 서강대 경영학과 14학번)

A. 충분히 자는 건 정말 중요한 것 같아요. 수능이란 정말 장기적으로 준비하는 시험이에요. 고등학교 1학년 때 3년을 공부해야 대학에 간다는 생각에 막막했던 기억이 나네요. 그렇게 긴 기간 공부를 해야 하는 만큼 체력이 부족해진다면 집중력 부족이나 의지력 상실이 뒤따라오는 것 같아

요. 수면은 체력을 결정짓는 중요한 요소 중 하나인 만큼, 주변 친구가 몇 시간 자느냐에 신경 쓰는 것보다는 수면 시간을 스스로의 몸에 맞추어야 한다고 봐요. 실제로 외고에서 쭉 전교 1등을 맡아 했던 제 친구는 칼같이 12시에 자고 7시에 일어났어요. 물론 본디 잠을 적게 자서 수면 시간이 짧으면 장점이 있겠지만, 잠이 많다면 자신의 몸에 맞추어 자는 게 중요한 것 같아요. (이지현 생글7기, 연세대 언론홍보영상학부 14학번)

A. 저는 아침형 인간이에요. 11시에 자고, 5~6시에 일어났어요. 『아침형 인간』이라는 책을 인상 깊게 읽고 저를 대상으로 실험을 해봤어요. 언제 자고 언제 일어나면 최상의 컨디션이 나오는지 알아본 거죠. 확실히 아침에 일찍 일어나면 학교 수업 때 집중도가 높아지더라고요. 아침에 집중이 잘 된다는 이야기를 안 믿는 친구들이 많은데, 아침형 인간이 되어보면 그것이 진짜임을 알 수 있어요. 실제로 안 풀리던 수학 문제도 다음 날 아침이면 풀리는 신기한 경험도 여러 번 해봤어요. (김병민 생글8기, 서울대 경영학과 14학번)

A. 잠은 솔직히 개인차가 있다고 생각하는데 저는 일찍 자고 일찍 일어나는 편이었어요. 밤을 잘 못 새기도 하고, 아침에 무언가를 잘하는 편이었거든요. 제 생각에 가장 중요한 것은 일찍 자는지 늦게 자는지가 아니라 일어나는 시간과 잠드는 시간을 일정하게 유지하는 거라고 생각해요. 그래야 규칙적인 생활을 하게 되고 시간을 잘 활용할 수 있는 것 같아요. (손소연 생글7기, 동국대 정치외교학과 14학번)

A. 전 기본적으로 다짐했던 것이 '5시 반 기상, 10시 반 취침'이었습니다. 재수학원이 10시에 끝나면 저는 곧장 학사로 가서 씻고 바로 잠들었어요. 7~8월부터는 밤에도 조금씩 공부하긴 했지만 웬만하면 12시를 넘기지 않으려고 했어요. 철저하게 생체 시계를 수능 시간에 맞춘 거예요. '재수생이니까 그럴 수 있지.'라고 할 것 같아서 말씀드리는데, 저는 현역 때도 7시까지 학교에 도착해서 공부했습니다. 항상 반에 제일 먼저 와서

창문 열고 환기하고 공부했습니다. 여러분도 각자 스타일이 있겠지만 수능을 위해서는 취침시간과 기상시간을 앞당기는 것이 좋습니다. (김재운 생글6기, 인하대 신소재공학과 14학번)

Q. 수업 시간이나 야자 시간에 너무 졸려요. 선배님은 어떻게 하셨나요?

A. 졸릴 땐 자도 좋습니다. 세상에서 가장 바보 같은 행동이 조는 거라고 생각해요. 수업은 수업대로 못 듣고 잠은 잠대로 못 자잖아요. 차라리 어느 하나를 딱 정해서 수업을 들어야겠다면 세수를 하고 와서라도 수업을 듣고, 잘 거라면 푹 잔 후에 수업 내용을 다른 친구들에게 물어보고 공부하는 것이 낫다고 생각합니다. 물론 야자 시간도 마찬가지로 잘 때 자더라도 잔 시간에 못 한 것은 나중에 더 몰아서 해야겠죠. (김호기 생글8기, 서울대 산업공학과 14학번)

A. 사람마다 다르겠지만 전 진짜 잠에 대해 되게 민감했어요. 고등학생 때는 밤에 공부를 많이 해서 학교에서 종종 자곤 했는데, 확실히 느끼는 게 한 번 자면 계속 자요. 차라리 수면 시간을 늘려야지 학교에서 자는 건 정말 아니에요. 재수할 때는 학원에서 잠을 절대 자지 않는 것이 목표였고, 그 목표를 이뤘습니다. 결국 모든 것은 개인 의지에 달렸고 얼마든지 이룰 수 있습니다. 웬만하면 수면 시간을 늘리고 학교에서는 맑은 정신으로 공부하세요. 잠 한두 시간 더 줄인다고 많이 공부하는 거 아닙니다. 정 수면 시간을 줄이고 싶으면 아침에 일찍 일어나세요. 그리고 저는 재수 시절 하루에 에너지드링크를 기본으로 한 캔씩, 심하면 두 캔씩 달고 살았어요. 마셔보니 알겠는데 확실히 건강에 전혀 좋지 않아요. 따라서

에너지드링크 마시는 건 추천하지는 않지만 저는 그때는 그렇게라도 잠을 이겨내겠다는 의지가 있었어요. (김재운 생글6기, 인하대 신소재공학과 14학번)

A. 저는 학교에 일어서서 공부할 수 있는 책상이 있어서 졸리면 항상 그 책상에서 공부했습니다. 그리고 잠이 오면 제가 오늘 할 일들을 떠올리며 자면 안 되는 이유에 대해서 생각했어요. 특히 수업 시간에 선생님께서 말씀해주시는 내용들은 너무 중요해서 자면 손해예요. 시험 문제는 선생님들께서 수업 시간에 말씀하신 내용으로 출제되기 때문에 그냥 자버리면 문제 하나를 놓쳐버릴 수도 있다는 생각을 했어요. 편의점에서 졸음방지 껌이라도 사서 씹어 보는 등 여러 가지 시도를 해보면서 자신에게 가장 효과적인 졸음방지법을 찾아보세요. (진현지 생글8기, 가톨릭대 프랑스어문화학과 14학번)

A. 1교시는 등교 직후라서 졸려도 버틸만해요. 하지만 2교시부터 나른해지기 시작하고 2교시 쉬는 시간엔 대다수의 친구들이 책상에 엎드리죠. 전 2교시 쉬는 시간에 친구들이랑 매점에 자주 갔어요. 매점에 가는 길에 떠들고, 교실로 돌아오는 길에는 음식을 먹으면서 찬 공기를 쐬면 훨씬 정신이 맑아지거든요. 그리고 교실을 둘러보면 정말 눈에서 빛이 나오는 것처럼 열심히 공부하는 친구가 두세 명씩 있어요. 전 그런 친구들 보며 자극받아서 공부했어요. (이소은 생글7기, 고려대 미디어학부 14학번)

A. 이른 아침 수업이거나, 점심식사 후의 수업 시간에는 졸릴 수가 있어요. 이런 경우에는 집중력도 많이 떨어지는데 저는 되도록 이런 일이 없도록 하기 위해서 앞자리에 앉았어요. 그리고 선생님과 눈을 많이 마주치려고 했죠. 수업을 듣는다고 생각하지 말고, 선생님과 의사소통하는 과정이라고 생각하고 수업에 임해보세요. 이야기를 하는 도중에 졸거나 하는 사람은 없겠죠? 야자 시간에 졸릴 때는 주변의 친구들을 보며 정신을 차렸던 것 같아요. 화장실에 다녀오거나, 책상에 몸을 기대는 면적을 최소

화는 자세를 유지하는 것도 좋은 방법이에요. (심윤보 생글8기, 전주교대 초등사회교육과 14학번)

A. 식사 직후에는 특히 졸릴 수밖에 없는 것 같아요. 저는 키높이 책상에서 서서 공부하거나 간단하게 복도를 걸으면서 잠을 깨도록 노력했어요. 그래도 너무 졸리다 싶으면 주변 친구들한테 부탁해서 20분 정도 잤고요. 자려고 했는데 잠이 안 온다 싶으면 바로 정신 차려서 공부했어요. (이소영 생글7기, 경희대 경제학과 14학번)

A. 저는 정말 졸릴 때 잠깐씩 잠을 잤어요. 중요한 것은 '정말' 졸릴 때에요. 조금씩 졸음이 온다고 생각이 들면 그때부터 환경을 좀 바꿔주세요. 예를 들면 일어나서 공부를 한다거나 바람을 쐰다거나 해서 졸음을 깨는 노력을 하세요. 하지만 그렇게 해도 졸음이 계속 몰려온다면 30분 이내로 잠을 자는 것도 좋은 방법인 것 같아요. (서아진 생글7기, 연세대 정치외교학과 13학번)

A. 수업 시간에는 어떻게든 깨어 있으려고 노력했습니다. 조금이라도 졸리면 무조건 서서 수업을 들었어요. 야자 시간에도 마찬가지였고요. 조는 것도 습관이 된다고 생각했고, 진짜 자야할 시간에 제대로 못 잘 거라는 생각이었거든요. 그래도 처음엔 엄청 졸렸는데, 잘 땐 자고 깨어 있을 땐 깨어 있으려고 계속 노력하니까 몸도 적응을 해서 나중엔 안 졸리고 안 피곤하더라고요. (임우미 생글6기, 서울교대 음악교육과 13학번)

A. 저도 솔직히 정말 많이 졸았는데 아직도 후회하고 있어요. 수업 때도 졸아놓고 자습 때도 졸았던 과거의 저에게 거의 환멸을 느껴요. 그리고 여자 후배 분들 주의하세요. 불규칙적으로 자면 일단 다크서클이 생겨요. 다크서클은 한 번 생기면 절대 안 없어지고 가리기도 힘들어요. 명심해요. 덧붙여서 밤에 키 크는 골든타임이 있잖아요. 밤 10시부터 새벽 2시까지요. 이 시간은 키에만 중요한 게 아니라 집중력, 체력, 심지어 체형

에도 영향을 미쳐요. 애매하게 핸드폰을 만지작거리거나 딴 짓을 하다가 새벽 늦게 잠드는 것보다 (현실적으로) 12~1시 사이에 자는 것을 추천할 게요. 수업 때 조는 것이 싫으면 쉬는 시간에 자는 것이 생각보다 도움이 돼요. 저는 너무 졸리다 싶으면 쉬는 시간에 깊게 자고 일어나서 수업을 들으니 집중력이 좋아지더라고요. 수업 시간은 나중에 수능 보는 시간이에요. 그 시간대에 꾸준히 존다면 몸이 그 시간을 자는 시간으로 기억해요. 그러면 실전에서도 정상 컨디션이 아니겠죠. (오유진 생글5기, 성균관대 영어영문학과 13학번)

A. 서서 공부를 하라니, 찬물로 세수를 하라니, 심지어 꼬집거나 싸대기를 때리라니 온갖 노하우들을 주변의 선배들이 알려줄 텐데, 제가 자신 있게 말씀드립니다. 그런 거 다 쓸데없는 짓이고 진짜 졸리면 자야 합니다. ('진짜' 졸린 상태를 전제로 설명합니다.) 서서 공부하는 것이 가장 강력한 잠깨기 방법일 것 같지만 직접 해보십시오. 글씨가 눈에 들어옵니까? 단언컨대 절대 제대로 안 들어옵니다. 10분 내에 읽은 곳 또 읽고 또 읽고 또 읽게 되는 상태로 복귀합니다. 졸음이 한계에 다다른 바로 그 순간에 물 마시기니 스트레칭이니 그런 것들 시도조차 하지 마시고 곧바로 엎드려 15분 주무십시오. 그리고 학교 선생님들께서는 야자 시간에 졸고 있는 학생들 있으면 제발 딱 15분만 잘 수 있게 해주세요. 못 자게 하면 야자 시간 내내 좁니다. 15분 잠깐 자는 것으로 1시간 이상 조는 것을 막는 거예요. 지금 야자 시간인데 졸린 친구는 이 부분 야자 담당 선생님께 보여드리고 엎드려 자세요. 선생님께서는 학생 잘 수 있도록 해주시고 15분 뒤에 깨워주시기 바랍니다. 선생님께서도 공부 많이 해보셔서 진짜 졸릴 때는 답 없는 거 솔직히 아시잖습니까. 그러니까 재워 주십시오. 다만 1시간씩 자는 친구, 상습적으로 자는 친구는 호되게 혼내주시기 바랍니다. 저도 그런 학생은 봐줄 생각 추호도 없습니다. 졸음 상습범은 절대적으로 수면 시간이 부족해서 그렇습니다. 공부량 줄이고, 또는 게임

끊고 밤에 제발 좀 일찍 자세요. 학생이 어디서 게임입니까. 게임해서 참 좋은 대학 가겠습니다. 지금 이 책 읽고 있는 당신은 게임까지 하고도 명문대 갈 수 있는 천재가 아닙니다. 혹시 당신이 그런 천재라면 이 책 읽을 필요 없습니다. 책 옆 친구한테 파세요. (이정훈 생글5기, 성균관대 경영학과 11학번)

Q. 선배님들은 수능 치르기 며칠 전부터 수능 일정대로 생활하고 페이스를 조절하셨는지 궁금합니다.

A. 시간 재는 건 6월 이후, 신체리듬까지 맞추는 건 3주 전부터 했던 것 같아요. 솔직히 이건 그리 중요한 것 같지는 않아요. 어차피 수능 때는 긴장해서 별 차이 없어요. 그냥 너무 중요한 시험이다 보니 사소한 것도 신경 쓰이는 것일 뿐이에요. (이은석 생글4기, 서울대 국어교육과 11학번)

A. 한 달 전부터 많이 신경을 썼어요. 수능 시험을 치는 시간에는 되도록 잠을 자거나 집중하려고 노력했고 되도록 스트레스 받는 일이 없도록 생활했어요. 자는 시간과 일어나는 시간도 일정하게 하려 노력했습니다. 수능 일주일 전에는 자기 전에 수능 시험장에서의 상황과 수능 시험을 치르고 있는 모습을 상상하며 익숙해지려 했어요. (심윤보 생글8기, 전주교대 초등사회교육과 14학번)

A. 사실 저도 굉장히 불규칙적인 생활 습관을 가지고 있었는데, 수능 한 달 전부터는 최대한 규칙적으로 살기 위해 노력했습니다. 수능 시간표에 맞춰 일어나는 시간, 화장실 가는 시간, 밥 먹는 시간, 자는 시간 등을 조절했더니 수능 당일에도 크게 긴장하지 않고 수월하게 시험을 치를 수

있었습니다. (김현재 생글8기, 서울대 경영학과 14학번)

A. 저는 고3 여름방학부터 주말에 자습할 때는 수능 일정대로 공부했었습니다. 수능 한 달 전부터는 수능과 거의 비슷하게 행동했던 것 같네요. (홍성현 생글6기, 서울대 경제학부 13학번)

A. 저는 정시에 올인 했던 케이스라 논술 준비를 거의 안 했기 때문에 한 달 전부터 수능 스케줄처럼 공부했어요. (김예원 생글7기, 고려대 경제학과 13학번)

A. 저는 수능 한 달 전부터 수능 시간에 맞춰서 생활했습니다. 사실 너무 빨리 맞추는 것도 딱히 좋지는 않은 것 같아요. 자기가 부족한 공부를 다 끝낸 뒤에 수능 시간에 맞춰서 생활을 하는 게 좋은 것 같아요. 즉 적어도 한 달 전에는 수능 공부를 완성지어야 하고 남은 한 달 동안 수능 시간에 맞춰서 마지막 마무리를 해야 된다는 뜻입니다. (김도민 생글8기, 서울대 경영학과 14학번)

A. 저는 수능 페이스 조절을 9월 평가원 모의고사 끝나고부터 본격적으로 했고, 주말에는 수능 시간에 맞춰서 공부하려고 노력했어요. (손소연 생글7기, 동국대 정치외교학과 14학번)

A. 2주 전부터는 일찍 집에 와서 9시 반에서 10시 반 사이에 반드시 잠들고 아침 5시 반에서 6시에 일어나도록 연습했어요. 그렇게 하니 밤 9시만 되면 정말 피곤하고 잠이 오더라고요. 덕분에 수능 전날에도 떨리긴 했지만 잠은 푹 잘 수 있었습니다. (정금진 생글6기, 서울교대 영어교육과 15학번)

A. 저는 10월 1일부터 수능 스케줄과 똑같이 움직이기 시작했습니다. 아무리 늦어도 10월 중순 전에는 스케줄을 맞춰야 할 것 같네요. (김범진 생글8기, 서강대 경영학과 14학번)

A. 수능 앞두고 컨디션 관리 잘해야 합니다. 공부를 잘하던 친구들도 컨디션 조절에 실패해서 무너지는 경우를 많이 봤어요. 시험 한 달 정도 전부터 규칙적으로 생활하는 습관을 연습하는 것이 좋은 것 같아요. (원지호 생글8기, 서울대 경제학부 14학번)

A. 수능을 보기 한 달 전부터는 수능 시간표대로 생활 습관을 만듭니다. 기상시간부터 시험, 취침시간까지 수능 날과 똑같이 움직이는 것입니다. 또, 각 영역 시험 시간에 맞는 공부를 합니다. 예를 들어, 수능 시간으로 언어 시험 시간에 언어 공부를 하고, 수리 시간에 수리를 공부합니다. 이렇게 하면 시험 전날 잠이 안 온다든지, 늦잠을 잔다든지 하는 일은 줄일 수 있겠죠. 각 영역 시간에 맞춰 공부를 하는 것은 심리학적으로 기억의 인출(retrieval)을 도와주기 때문에 시험 대비에 좋습니다. (배수민 생글6기, 성균관대 심리학과 12학번)

A. 전 재수를 시작하면서부터 공부 시간을 수능 시간이랑 똑같이 맞췄어요. 항상 5시 반에 기상했고, 이를 위해 보통 10시 반, 아무리 늦어도 12시에는 잠자리에 들었습니다. 8시 40분에 국어 공부, 10시 20분에 수학 공부하는 식으로까지는 하지 않았어요. (김재운 생글6기, 인하대 신소재공학과 14학번)

Q. 수능 당일에 컨디션을 좋게 하려면 어떻게 하면 되나요?

A. 수능 당일 아침에 어떨 것인지를 계속해서 상상해 보세요. 시뮬레이션을 거치면 새롭거나 당황스러운 상황에 마주칠 가능성이 줄어들고, 컨디션 유지도 수월해질 수 있어요. 평소와 똑같은 것을 먹고 똑같은 일을

하는 것도 컨디션을 유지할 수 있는 방법일 것 같아요. (이지현 생글7기, 연세대 언론홍보영상학부 14학번)

A. 이미지 트레이닝을 추천합니다. 수능 전날에 차분히 잠에서 깨서 수능 시험장에 도착해 시험을 보고 시험이 끝나는 과정을 쭉 상상해보는 겁니다. 시험을 보다가 처음 보는 문제가 나왔다거나, 수능 시험장에 가는 길에 차가 막힌다든가 하는 가능한 모든 상황을 상상해보고 대비하면 예기치 못한 상황에서 차분하게 대처할 수 있을 것 같네요. (김범진 생글8기, 서강대 경영학과 14학번)

A. 저는 수능 전날에 일단 무조건 푹 자려고 노력했어요. 원래 잠자리에 드는 시간보다도 훨씬 이른 시간인 8시에 잠자리에 들었어요. 너무 일찍 잠자리에 들어서인지 긴장해서인지는 몰라도 11시 정도에야 잠이 들었던 것 같아요. 수능 당일 아침에는 밥 맛있게 먹고 과일도 먹고 따뜻한 물도 마시고 친구들이랑 얘기하면서 긴장을 풀려고 했어요. 고사장에 일찍 도착해서 적응도 하고 긴장을 푸는 시간을 가졌더니 도움이 됐던 것 같아요. (김보미 생글7기, 이화여대 스크랜튼학부 13학번)

A. 평소와 똑같이 하는 것이 중요해요. 예를 들어, 중요한 날이라고 괜히 안 먹던 아침을 먹어서 배탈이 나거나 하면 안 되잖아요. 저는 수능 전날 평소에 하던 그대로 행동하려고 했어요. 대신 긴장해서 잠을 설치는 걸 대비해서 평소보다 일찍 잠자리에 누워 그 다음날의 제 행동을 정말 자세히 머릿속으로 그렸어요. 시험 치르는 학교로 가는 모습, 고사장의 자리, 거기서 마지막으로 볼 책, 시험지를 받고 문제를 푸는 모습, 점심 먹는 모습 같은 것들을요. 전날에 제가 생각했던 그대로의 모습들이 수능날에 펼쳐지니까 상황이 익숙해지면서 긴장이 풀리더라고요. (신정련 생글6기, 부산대 영어교육과 12학번)

A. 단언컨대 일찍 일어나는 것이 가장 좋습니다. 물론 무턱대고 일찍

일어나는 건 좋지 않죠. 푹 자고 일찍 일어나야죠. 그리고 배변 활동도 원활하게 이루어져야 합니다. 농담 아니에요. 다들 수능 시험장에서 배가 아파 화장실에 가야 하는 그런 끔찍한 경험을 하고 싶지는 않잖아요? 이를 위해서는 평소에 아침에 일어나자마자 배변 활동이 이루어지도록 습관화하는 것이 중요합니다. 장 음료 평소에 드시면서 꾸준히 관리해주세요. (김재운 생글6기, 인하대 신소재공학과 14학번)

A. 수능 당일의 컨디션은 전날 컨디션에 달린 것 같아요. 무리하게 공부하지 말고 오답노트나 정리노트를 보면서 편하게 보내는 게 좋아요. 저는 개인적으로 평소에 아침을 먹지 않아서 굳이 수능 날 아침을 챙겨 먹지는 않았어요. 간단히 간식 정도 먹으면서 긴장 풀도록 노력하면 좋을 것 같습니다. (이소영 생글7기, 경희대 경제학과 14학번)

A. 시험 당일에는 마인드컨트롤이 가장 중요합니다. 시험장에 여유 있게 도착해서 화장실도 미리 다녀오고, 마치 수행평가를 치른다는 느낌으로 가벼운 마음을 갖습니다. 저는 떨거나 긴장하면 실수를 하기 때문에 '난 뭘 해도 될 놈이야.', '오늘은 나의 날이다.', '집에 가서 엄마가 해준 맛있는 불고기 먹어야지.' 등을 되뇌며 긴장을 떨치려 노력했습니다. 한 영역이 끝나면 잘 봤건 못 봤건 아예 잊어버리고 다음 영역을 준비해야 합니다. 실제로 제 친구 중엔 언어를 망친 줄 알고 낙담해서 나머지 영역도 모두 망쳤는데, 채점 결과 언어를 가장 잘 본 친구도 있었습니다. (배수민 생글6기, 성균관대 심리학과 12학번)

A. 첫째, 아침 쾌변은 필수입니다. 수능 2~3일 전부터는 음식 관리 잘 해야 합니다. 수능 날에 설사 할 수도 있으니 매운 음식은 먹으면 안 되고, 치킨이나 탕수육 같이 소화 잘 안 되는 음식도 피하세요. 요구르트를 마시는 등 각종 방법을 동원해서 수능 날 아침에 기상하자마자 완벽하고 완전한 배변이 가능하도록 몸 상태를 만드세요. 둘째, 복장 관련입니다. 자신이 평소 모의고사 볼 때의 복장 상태로 수능을 보는 게 좋습니다. 모

의고사 볼 때 항상 교복 입었는데 수능 날에 사복을 입으면 불편할 수 있어요. 두꺼운 옷 하나 입기보다는 얇은 옷을 여러 벌 입어서 체온 조절을 용이하게 하라고들 하는데, 저는 동의하지 않습니다. 얇은 옷 여러 벌 입으면 무거워서 어깨 뭉치고 피로도가 증가해요. 시험 보는 중에 옷을 더 꺼내 입거나 입고 있던 옷을 한 벌 벗을 수도 없고요. 조용히 시험 보고 있는데 눈치 보여서 못 합니다. 가벼우면서도 따뜻한 패딩 가져가는 게 훨씬 좋습니다. 슬리퍼도 가져가야 돼요. 저는 아예 슬리퍼 신고 갔어요. 셋째, 먹는 것 관련입니다. 초콜릿 같은 고칼로리 간식을 챙겨 가세요. 수능 날에는 심리적 압박감 때문에 평소 모의고사 치를 때보다 에너지 소모가 더 심해요. 쉬는 시간에 초콜릿을 섭취하면서 에너지를 보충합시다. 초콜릿으로는 성이 차지 않으면 식염포도당이라는 걸 먹는 것도 나쁘지 않아요. 격렬한 운동을 하는 사람들이 먹는 알약 형태의 포도당인데, 약국에서 처방 없이 살 수 있어요. 2~3알만 사면 돼요. 그냥 씹어 먹어도 되고, 물이랑 함께 먹어도 됩니다. 청심환은 먹고 나면 졸릴 수 있으니 수능 전에 미리 먹어보는 게 좋습니다. 중요도 낮은 모의고사 치를 때 시험해보세요. 생리통이 심한 여학생은 날짜 계산해서 피임약이나 생리 지연시키는 약 먹는 것도 좋은 방법입니다. 학교 앞에서 나눠주는 음료수나 초콜릿은 먹지 마세요. 가끔씩 음료수에 설사약 타서 장난치는 정신 나간 사람들이 있어요. 넷째, 준비물 관련입니다. 시계는 바늘시계만 됩니다. 수능 날 시험장 앞에서 파는 수능시계는 수능 시험에서 사용할 수 없어요. 그리고 샤프심 챙겨가세요. 혹시 예전에 중국산 샤프심이 뚝뚝 부러져서 학생들이 피해 봤다는 이야기 들은 적 있나요? 그거 제가 응시했던 2011학년도 수능 때 일이에요. 1교시 끝나고 다른 샤프심 있는 친구 찾느라 쉬는 시간을 다 썼어요. 다섯째, 수능 날의 상황을 머릿속으로 자주 상상하세요. 아침에 일어나서, 몇 시쯤에 차를 타고, 어디에서 내려서 후배들의 응원에 어떻게 환호해주고, 시험 때 답안은 수험표 뒷장 어디에 기재하고, 점심은 어떻게 해결하고, 시험 마치고 집에 어떻게 갈 건지 이런 모든 것들을 평소에 머릿속으로 시뮬레이션을 돌려 봐야 시험 날에 마음이 편해요. 평소 모의고사는 항상 자기 교실에서 보니까 이런 걸 안 해도 되지만, 수능은 다른 학교에서 보는 경우가 많고, 점심을 도시락으로 해결해야 하기 때문에 평소 모의고사와는 여러 가지 상황이 많이 달라요. 그래서 당황하지 않기 위해, 수능 날 환경에 미리 익숙해지기 위해 시뮬레이션을 해야 하는 거예요. (이정훈 생글5기, 성균관대 경영학과 11학번)

A. 수능 시험 날에는 반드시 평소와 같은 분위기로 시험을 치르라는 팁을 드리고 싶습니다. 그리고 초콜릿 살 때 안에 위스키 같은 건 없는지 잘 확인해 보세요. 저는 수능 날 영어 시험 전에 위스키가 든 초콜릿을 먹고 이온음료를 마셨다가 얼굴이 화끈화끈한 채로 영어듣기평가를 봤습니다. (김도민 생글8기, 서울대 경영학과 14학번)

Q. 시간 관리를 잘하려면 어떻게 해야 하나요? 플래너 써야 하나요?

A. 네. 플래너를 써야 해요. 고등학교 때 공부하는 과목이 한두 과목이 아니잖아요. 그 모든 과목의 세세한 진도와 공부 시간 안배를 머릿속에 집어넣고 있다면 상관없겠지만, 대부분의 경우에는 플래너를 쓰는 게 가장 효율적이에요. 저는 아침에 스쿨버스를 타고 등교하는 시간에 그 날 공부할 것들을 미리 체크해서 세세하게 적어놓았어요. 저는 후배들에게 플래너에 관해서 조언해줄 때 플래너를 어떻게 짜고 있는지를 가장 먼저 물어요. 99%의 후배들은 보통 그 날 공부해야 할 과목과 분량만 순서를 매겨서 적어놓고 끝내요. 그리고 그 날 공부가 안 끝나면 다음날로 미루

거나 자책하다가 끝나죠. 그래서 플래너를 쓰면서 가장 중요한 점은 공부해야 할 것들을 그 날 일정(수업, 쉬는 시간, 그 날의 활동 등)을 고려하여 세세하게 비어 있는 시간에 안배하는 거예요. 그렇게 해놓으면 그 시간에 '아, 나는 지금 무슨 공부를 하고 있어야 하는데.'라는 생각이 들어 친구들과 떠들다가도 할 일을 체크하고 조금이라도 하게 되죠. (김재은 생글7기, 서울대 자유전공학부 13학번)

A. 시간 관리에는 플래너보다 좋은 것이 없다고 생각합니다. 저는 평소에 쓰는 플래너와 시험을 앞두고 쓰는 플래너가 있었습니다. 우선 그 날 할 일이 무엇인지 목록을 쓰고 공부할 수 있는 시간을 현실적으로 판단하여 적은 다음, 할 일 목록을 그 시간에 분배하는 방식으로 플래너를 작성하였습니다. 그런데 공부를 하다 보면 예상 시간보다 오래 걸려 원래의 계획이 조금씩 틀어지는 경우가 있는데, 이런 경우 유동적인 조정이 필요합니다. 저는 할 일 중 더 중요하고 제가 부족하다고 느끼는 것에 우선순위를 두어 주어진 시간에 최선을 다하여 끝낸 후 마치지 못한 공부는 다음날에 하였습니다. (박성연 생글7기, 서울대 경영학과 13학번)

A. 플래너나 다이어리도 좋지만 그냥 작은 수첩 하나로도 충분해요. 저는 특히 매일 해야 할 것들을 적어 놓는 To Do List의 도움을 많이 받았어요. 리스트를 하나하나 지우는 쾌감도 있고 공부뿐만 아니라 간단하게 메모를 해놓기도 했어요. 월별, 주별 계획은 내신 시험 한 달 전쯤부터 세웠고 평소에는 예습, 복습, 문제 풀이 위주로 To Do List를 활용했어요. 우선순위나 시간 순서대로요. 그리고 계획을 세우는 데 너무 많은 시간을 할애하지 않았으면 좋겠고, 짧은 시간 동안 너무 많은 것을 하려고 하지 말라고 당부하고 싶어요. 오히려 계획은 여유롭게 세우는 편이 좋아요. (류수현 생글5기, 경희대 연극영화학과 12학번)

A. 플래너는 시간 관리하기에 좋은 것 같아요. 간혹 맞지 않아서 쓰지 않는 친구들도 있는데, 공부 잘하는 친구들을 보면 대부분 플래너를 쓰니

다. 각 과목에 투자하는 시간을 효율적으로 분배하는 것이 플래너를 쓸 때 잘 되는 것 같아요. 하지만 플래너 쓸 때 너무 예쁘게 쓰려고 하지 마세요. 본인이 알아보고 본인이 편한 방식으로 쓰는 게 좋아요. 부담가지 않게 계획을 세우는 것도 중요하고요. 몇 번 써보면서 자신만의 방식을 빨리 찾는 게 중요한 것 같습니다. (진현지 생글8기, 가톨릭대 프랑스어문화학과 14학번)

A. 수험생활엔 체계적인 계획이 우선이라고 생각합니다. 아니, 주장합니다. 플래너를 짤 때 하루 계획, 일주일 계획, 한 달 계획이 있잖아요. 일단 한 달 계획은 매달 초에 꼭 짰으면 좋겠어요. 매달 과목별로 목표를 꼭 세우시고, 일주일과 하루 분량을 계산하면 하루 계획은 자연스럽게 나오게 되죠. 그리고 하루 계획을 적어 놓고 무엇을 먼저 할 것인지 순서도 대략적으로 체크했으면 합니다. (이주원 생글7기, 한국외대 경영학전공 14학번)

A. 위의 플래너 얘기에 두 가지 덧붙일게요. 지금은 많이 고쳤는데, 저는 고등학교 때 지나치게 꼼꼼했어요. 한 주의 계획을 짜고 그걸 플래너에 적느라 매주 월요일 야자 1교시 100분 정도를 플래너 정리하는 데 보냈죠. 그런 어리석은 짓 우리 후배들은 하지 말길 바랍니다. 플래너 작성은 간략하게만 하면 됩니다. 그리고 계획 짤 때 항상 주말은 아무 공부 계획도 잡지 말고 비워놓으세요. 장담컨대 월요일부터 금요일까지 계획대로 공부하려고 해도 분명히 공부가 밀릴 겁니다. 보통 계획은 공부 의욕이 넘칠 때 세우기 때문에 자신이 실제로 할 수 있는 것보다 더 많은 양을 공부하도록 계획을 세우거든요. 그러니 주말은 계획을 비워놓고, 주말에는 밀린 공부를 하는 게 계획 짜는 요령입니다. 계획을 잘 지켜서 금요일까지 공부할 걸 다 끝냈다면 주말에는 다음 주 공부를 미리 하면 되고요. (이정훈 생글5기, 성균관대 경영학과 11학번)

A. 플래너를 쓰는 것은 좋은 습관이지만 가끔씩 플래너를 쓰다가 하루

를 낭비해버리는 친구들이 있어요. 중요한 것은 일정한 양을 유지하면서 공부하는 것이고, 플래너는 목차 같은 것이 되어서 언제까지 어느 정도의 진도를 끝내야 한다는 길잡이가 되어 주어야 하는데, 플래너가 목표가 되어 버리는 거죠. 이렇게 주객전도되어 있다면 꼭 고치길 바라요. (이지현 생글7기, 연세대 언론홍보영상학부 14학번)

A. 제가 시간 관리를 잘하는 편이 아니라 저도 많이 고민한 주제입니다. 중학교 때부터 저는 시험 전 어떤 과목을 언제 공부할지만 계획을 세웠던 것 같습니다. 나름 잘 플래너를 짜고 있었다고 생각했는데, 고등학교 입학 후 정말 자세히 쓰는 친구들을 보면서 '나도 자세히 써서 시간 관리를 철저히 해야지.'라는 생각을 품고 있어도 마음대로 되지 않더군요. 노력했지만 오히려 플래너에 정신이 팔리는 것 같아서 결국 그만뒀습니다. 제가 하고 싶은 말은 플래너를 짜는 것 역시 사람마다의 공부 방법입니다. 다른 사람이 시간 관리를 위해 플래너를 만든다고 그걸 반드시 따라 할 필요는 없어요. 계획을 잘 지킬 수 있는 자신만의 방법을 고안해 내면 됩니다. 참고로 저는 월별 플래너를 썼고, 숙제 같은 경우 나온 숙제를 나온 당일에 모두 끝내는 습관을 들여 플래너를 굳이 쓰지 않아도 되었습니다. (김호기 생글8기, 서울대 산업공학과 14학번)

A. 플래너는 너무 거창하고 완벽하게 쓰려하지 말고, 생활의 가이드라인을 잡아주는 효과적인 도구라고 생각해주세요. 써놓지 않으면 뭘 공부해야 할지, 언제 해야 할지가 머릿속에서 복잡하게 얽히는 경우가 많으니 개인적으로는 플래너를 쓰면서 자신이 어떤 공부를 해야 할지 생각해보는 게 좋다고 생각해요. 또, 다 쓴 플래너를 보며 자신이 한 주를 어떻게 보냈는지 반성해보는 시간을 가지면 의외로 자신도 모르게 낭비하던 시간을 줄일 수 있어요. 플래너를 하나 구입해 쓰는 것도 좋지만, 정 안 된다면 A4용지나 노트에라도 꼭 꾸준히, 모아가며 공부하는 걸 추천해요. (서유진 생글7기, 서울대 불어교육과 13학번)

A. 시간 관리를 잘하려면 오늘 할 일을 적고 상기하는 것이 중요하다고 생각해요. 그러기 위해 플래너를 사는 것이고요. 저는 대학생이 된 지금도 하는 방법인데, 월별 달력에 과제의 기한과 어떻게 과제를 수행할 것인지를 적어 놓은 다음, 오늘 할 일 목록에 적어 그것을 단계적으로 수행하는 식으로 과제를 해요. 이렇게 하니까 좀 더 여유롭게 무언가를 할 수 있고, 달성하기도 쉽더라고요. (손소연 생글7기, 동국대 정치외교학과 14학번)

A. 시간 관리를 하는 데에는 플래너를 쓰는 게 가장 좋은 방법이에요. 저도 지금 고3 때의 플래너를 보면 정말 열심히 살았구나 하는 생각이 들기도 해요. 플래너를 작성하는 방법에 대한 팁을 드리자면 시간을 기준으로 짜세요. 예를 들면 1교시에는 언어 공부를 무슨 책의 몇 쪽부터 몇 쪽까지, 2교시에는 수리를 몇 번 문제부터 몇 번까지, 이런 식으로 구체적인 계획을 시간별로 짜면 훨씬 효율적으로 시간 관리를 할 수 있어요. (서아진 생글7기, 연세대 정치외교학과 13학번)

A. 플래너도 오답노트나 단권화처럼 배보다 배꼽이 크게 되는 경우도 있고, 연초에 쓰다가 귀찮아서 안 쓰게 되는 경우가 많아서 저는 큰 포스트잇에 할 일 목록을 써놓고 책상에 붙여놨습니다. 할 일을 할 때마다 지워나가는 식으로 했고, 공부할 것 1장, 과제 1장, 기타 해야 할 것 1장, 이렇게 하루에 포스트잇 3장을 사용했어요. (김범진 생글8기, 서강대 경영학과 14학번)

Q. 공부하다 보면 체력 관리가 필수라던데 혹시 운동을 따로 하셨나요?

A. 저는 고3 때도 체육 시간에 자습 안 하고 열심히 운동했어요. 다들 공부한다고 체육 시간에 자습을 하던데, 전 체육 시간에 정말 열심히 뛰고 떠들며 놀았답니다. 운동하고 교실에 들어오면 정신이 맑아져서 집중이 훨씬 잘 되었어요. 여학생들은 줄넘기 30분 정도 많이 하더라고요. (이소은 생글7기, 고려대 미디어학부 14학번)

A. 보통 겨울방학부터 시작해서 1학기 중간고사를 치르는 4월 말 정도까지는 어느 수험생이나 열심히 공부합니다. 하지만 5월이 넘어가면 휴일도 많고 날씨도 따뜻해지면서 공부가 느슨해지기 마련입니다. 정 공부가 안 된다면 오히려 공부량을 조금 조절하고, 5~6월에 틈틈이 운동을 해서 체력을 기르는 것을 추천합니다. 더운 여름이 오면 체력적으로 지쳐서 집중도 안 되고 처지는 경우가 많습니다. 저도 고3 때 체력적인 부분에서 많이 힘들었기 때문에 2014년에 다시 수험생활을 하면서는 체력 관리도 신경을 많이 썼습니다. 수험생 입장에서 운동을 하루에 몇 시간 씩 하기는 힘들지만 평소에 스트레칭을 꾸준히 하고, 주말엔 줄넘기나 걷기 운동을 하길 권하고 싶네요. 당장 눈앞에 있는 공부보다는 막판 스퍼트를 위해 페이스 조절을 하는 것도 하나의 전략이 될 수 있습니다. (정금진 생글6기, 서울교대 영어교육과 15학번)

A. 체력 관리 중요합니다. 특히 여학생들은요. 제가 고등학교 때에 6월 평가원 모의고사까지는 상위권이었던 여학생들이 9월 평가원 모의고사부터 막판 스퍼트를 하는 순간에 힘이 부쳐서 성적이 떨어진 케이스가 많아요. 제가 다닌 학교는 고3 때 운동을 금지시켜서 쉬는 시간이랑 점심, 저녁 시간마다 산책하는 것으로 운동을 대신 했습니다. (홍성현 생글6기, 서울대 경제학부 13학번)

A. 저는 주말을 이용해서 운동을 했어요. 매주 하는 것은 부담스러웠고 격주로 런닝을 했어요. 런닝을 하면 건강관리가 되는 것은 물론이고 스트레스도 풀려서 좋아요. 그리고 일주일에 많아봐야 세 번 있는 체육 시간에는 되도록 운동하는 것이 좋아요. 선생님께서 체육 시간에 운동할지 공부할지를 자율로 맡기고, 학생들은 운동 대신 공부하는 경우가 있는데 차라리 그때 체력 관리를 하는 것이 좋을 것 같습니다. (최승희 생글7기, 한국외대 아랍어과 14학번)

A. 개인적으로 수능 공부가 막바지에 다가갈수록 제일 힘든 건 잠이 쏟아지는 것도 아니고, 성적이 안 오르는 것도 아니고 바로 몸이 쑤시는 거였어요. 공부에 집중하고 싶은데 목 아프고 몸 쑤시면 진짜 미칠 노릇이에요. 꼭 바른 자세로 공부하시고, 스트레칭 매일매일 틈틈이 해주세요. (임우미 생글6기, 서울교대 음악교육과 13학번)

A. 저는 1~2학년 때 공부보다 운동을 더 많이 했을 정도로 운동을 많이 해놔서 그런지 3학년 때 체력 때문에 힘든 적은 없었어요. 고3 때는 저녁 먹고 남는 시간에 운동장을 산책하는 정도로만 움직였습니다. 아침 7시에 일어나서 밤 12시까지 식사 시간을 제외하고 17시간씩 공부할 수 있었던 것도 미리미리 운동으로 몸을 튼튼하게 해놔서 그런 것 같아요. (김범진 생글8기, 서강대 경영학과 14학번)

A. 운동은 틈틈이 했는데, 사실 운동을 꼬박꼬박 챙겨서 하는 게 전혀 쉽지 않아요. 특히나 체력 향상에 도움이 되는 달리기 같은 유산소 운동은 더더욱 쉽지 않죠. 대신 몸을 가볍게 하기 위해 꾸준히 스트레칭을 했어요. 자기 전에 항상 스트레칭을 했는데, 이건 효과가 좋았던 것 같아요. (김재운 생글6기, 인하대 신소재공학과 14학번)

A. 저는 수능 6개월 전까지는 꾸준하게 제일 좋아하는 운동인 축구를 계속해왔습니다. 친구 관계를 중요시하고, 운동을 하지 않으면 스트레스가

더 쌓이는 저에게는 축구가 피로회복제였으며, 체력 관리에도 큰 도움이 되었습니다. 단, 다음 수업에 지장가지는 않을 정도로만 하는 것이 좋겠죠. (김영주 생글6기, 경희대 전자·전파공학과 13학번)

A. 체력 관리 방법도 사람에 따라 천차만별이라고 생각해요. 남학생들은 이전부터 축구 등의 운동을 해온 경우가 많기 때문에 수험생활 중에도 운동을 통한 체력 관리가 가능해요. 하지만 여학생의 경우에는 평소에 안 하던 운동을 하는 것이 오히려 피로를 증가시킬 수도 있기 때문에 추천하지 않아요. 저는 매일 저녁 걷기, 계단 오르기 정도의 강도가 약한 운동이나 스트레칭을 했어요. 먹음으로써 체력을 보강하는 경우도 있었고요. (김예원 생글7기, 고려대 경제학과 13학번)

A. 저는 원래부터 운동을 싫어하기도 해서 운동은 하지 않고 한약과 보약과 각종 건강식품을 챙겨먹었습니다. 살찌는 것에 상관하지 않고 배가 고프다 싶으면 초콜릿이나 간식을 먹었습니다. 대학 가면 살 빠져요! (배수민 생글6기, 성균관대 심리학과 12학번)

A. 저는 학교에서 방과후교실처럼 운영했던 웨이트트레이닝 수업을 1학년 때부터 3학년 초까지 했었어요. 체력이 약한 편이기 때문에 체력을 키우는 목적으로 했고 많은 도움을 받았었어요. 운동하는 시간이 아깝다고 생각할 수도 있겠지만 장기적으로 본다면 전혀 아까운 시간이 아니라고 생각해요. 특히 3학년 때는 체력이 떨어지는 게 몸으로 느껴져요. 가능하다면 꾸준히 운동을 하고 홍삼 같은 것도 챙겨먹는 게 좋아요. (김보미 생글7기, 이화여대 스크랜튼학부 13학번)

1-3 학교

Q. 맨날 수업 안 하고 딴소리만 하는 선생님 수업이나 너무 못 가르치는 선생님 수업 때는 어떡하나요? 수업 들어야 할까요?

A. 듣지 마세요. 다만, 수업을 안 듣고 자습을 해봤는데 자습이 잘 안 되고 자꾸 딴 짓을 하게 된다면 수업 들으세요. 아무리 안 좋은 수업이라도 배울 점이 하나쯤은 있거든요. 혹시나 자신이 수업 내용을 다 알고 있다는 자만심에 수업을 안 듣는 것이라면 수업 들으셔야 합니다. 못 가르치는 게 아니라 안 가르치는 수업이라면 당연히 안 들어도 됩니다. 저는 개인적으로 수업을 들으라는 담임선생님의 압박에 저항할 용기가 없어서 딴소리를 머리 식히는 용도로 사용했습니다. (이훈창 생글7기, 성균관대 경영학과 14학번)

A. 못 가르치는 수업은 듣되, 안 가르치는 수업 듣지 마세요. 왜 들어요. 고2 때인가 국어 선생님께서 며칠에 걸쳐서 수업은 안 하시고 군인, 경찰, 공무원의 계급 및 조직 체계에 대해 얘기하셨는데 그거 왜 들어야 합니까. 저는 아예 이어플러그 꼽고 자습했어요. 같은 반 친구 중에는 어떻게 딴소리 하느라 수업 4번 동안 진도를 한 페이지도 못 나가냐고 선생님한테 따지는 놈도 있었어요. 잘 보여야 하는 선생님이 아니라면 가끔은 냉철해질 필요가 있습니다. (이정훈 생글5기, 성균관대 경영학과 11학번)

A. 본인이 실력이 떨어져서 선생님께서 못 가르친다고 오해하는 것일 수도 있어요. 하지만 정말 못 가르치는 경우라면 수업 듣지 말고 자기 공부를 하는 게 좋다고 봐요. 최선의 방법은 수업도 다 들으면서 자기 공부도 하는 법을 터득하는 겁니다. 독해지세요. 저는 수업 안 듣는 것에 대해 선생님께 죄송해할 필요가 없다고 생각해요. (김병민 생글8기, 서울대 경영학과 14학번)

A. 선별해서 잘 듣는 게 중요해요. 저는 정 시간 아까우면 틈틈이 수학 문제를 풀었어요. 그리고 수업 안 듣는 것에 죄송해할 필요 없다고 생각하는 것에 대해서는 저는 반대예요. 솔직히 저는 그렇게 심한 선생님을 만난 적이 없어서 그런지 모르겠지만 선생님에 대한 최소한의 예의는 지켜야 한다고 생각하는 편이고, 그런 자만의 태도가 은연중에 드러난다고 생각해요. (정금진 생글6기, 서울교대 영어교육과 15학번)

A. 만약 내신이라면 그런 수업도 다 챙겨들어야 합니다. 결국에 내신 시험은 학교 선생님께서 내시기 때문이에요. 하지만 수능 준비를 할 때 학교 선생님의 수업이 도움이 되지 않는다고 생각되면 인강을 따로 듣고 수업 시간에는 해당 과목의 자료나 책을 읽는 것을 추천합니다. 자기 과목 시간에 그 과목 공부한다고 뭐라 하실 선생님은 없을 거예요. (김범진 생글8기, 서강대 경영학과 14학번)

A. 아주 솔직하게 개인적인 견해를 말할게요. 그럴 때는 눈치껏 할 일을 하는 게 낫고, 내신 공부를 해야 할 기간이면 선생님께서 주시는 힌트나 강조하시는 부분들만 체크해놓고 나머지 시간은 개인 시간으로 활용하는 게 좋아요. 다만 선생님에 대한 기본적인 예의는 지키면서 해야 해요. 선생님 입장에서도 적당히 자기 할 일을 하는 친구들은 그냥 눈감고 넘어가 주시지만, 대놓고 수업을 안 듣고 자습하는 티를 내면 기분이 안 좋으실 수밖에 없어요. 효율성을 추구하되 도는 넘지 말기, 이게 포인트예요. (김재은 생글7기, 서울대 자유전공학부 13학번)

A. 자신이 그 과목 내신을 잘 받을 자신이 있다면 듣지 않아도 좋습니다. 듣지 말고 자기가 해당 수업 과목에서 부족한 부분을 공부하세요. 다른 과목을 공부하지 않고 해당 수업의 과목을 자기가 따로 공부를 하면 그 과목을 공부하는 데에 들어가는 시간을 절약할 수 있습니다. (김도민 생글8기, 서울대 경영학과 14학번)

A. 맨날 수업 시간에 딴소리만 하는 선생님 시간에는 딴소리를 할 때만 조용히 자기 공부를 하세요. 그리고 못 가르치는 선생님의 경우에는 못 가르친다고 느껴지더라도 수업을 듣는 것이 좋습니다. 결국은 수업 내용이기 때문에 얻어가는 것이 있습니다. (최승희 생글7기, 한국외대 아랍어과 14학번)

A. 전 그런 수업 안 들었어요. 국영수 과목을 가르치시는 선생님 수업은 웬만해선 다 들었지만 다른 과목의 선생님 수업에는 이어플러그를 꽂고 다른 과목을 공부했어요. 이어플러그를 꽂아도 소리가 들리기 때문에 상대적으로 집중을 덜 해도 되는 탐구 과목을 공부하거나 과목별 노트 정리를 간단하게 했어요. (이소영 생글7기, 경희대 경제학과 14학번)

A. 저도 그런 선생님 수업을 들었던 적이 있어요. 그런 수업 듣고 있기 정말 괴롭죠. 내신 시험 때문에 왠지 들어야 할 거 같긴 한데, 막상 들으

면 또 이걸 왜 듣고 있어야 하나 싶어요. 그래서 저는 그냥 저 혼자 공부 했었어요. 수업 안 듣는 대신 그 시간 동안 딴 짓 하면서 놀지 않고 그 수업 과목 공부를 혼자 했었어요. 그 수업 시간에 해야 할 공부를 선생님 과 하는 게 아니라 혼자서 하는 거라고 생각하면서요. (김보미 생글7기, 이화여대 스크랜튼학부 13학번)

A. 안 들으셔도 된다고 생각합니다. 하지만 수업 안 듣고 혼자 공부하 더라도 그 수업 시간의 과목을 공부하셨으면 좋겠어요. 자습이 늘어나면 자신이 좋아하는 공부 혹은 필요하다고 생각하는 공부를 주로 하게 되니 까 과목 간의 균형이 틀어지기 쉽거든요. 아무리 자신 있는 과목이라도 그 수업 시간 동안만이라도 공부하자는 생각으로 꼭 봐주세요. 저는 실제 로 고등학생 때 비문학 가르치시는 국어 선생님께서 너무 못 가르치셨어 요. 그래서 수업 시간에 선생님께서 수업하고 계시는 바로 그 지문을 가 지고 제가 생각하는 올바른 분석 방법대로 혼자 공부했습니다. 국어는 평 소에 꾸준히 1등급이 나왔지만 국어 시간에는 꼭 국어 공부를 했어요. (임우미 생글6기, 서울교대 음악교육과 13학번)

Q. 야간자율학습(야자) 꼭 해야 하나요?

A. 저는 야간자율학습이 필수라고 생각하지 않아요. 자신이 어디에서 공부하는 것이 잘 되는지 먼저 알아보고, 그곳에서 공부하는 습관을 기르 는 게 중요하다고 생각합니다. 그게 집이 될 수도 있고, 학교가 될 수도 있고, 독서실이 될 수도 있어요. 저는 항상 방과 후에 집에 와서 1시간의 잠을 자고 일어나 공부하는 습관이 있었고, 그렇게 자고 일어나서 집에서 공부하는 것이 집중이 잘 되고 효율적이기에 3년 동안 그렇게 했습니 다. (박성연 생글7기, 서울대 경영학과 13학번)

A. 제 고등학교 생활에 있어서 가장 중요했던 것 중에 하나가 야자라고 생각해요. 물론 답답하고 너무 오래 책상에 앉아 있어야 한다는 생각이 들 수도 있지만 그러한 공부 환경을 제공해주는 곳은 얼마 없다고 생각해요. 집에 가서 공부하면 그만큼 낭비하는 시간도 많고, 학교에서 친구들이랑 같이 야자를 하면 그 안에서 또 재미가 있고 모르는 것에 대해서는 서로 물어볼 수도 있기에 혼자 공부하는 것보다는 야자를 하는 것이 저한테는 훨씬 효율적이었어요. (서아진 생글7기, 연세대 정치외교학과 13학번)

A. 저는 몸이 아파서 눈물이 절로 나지 않는 이상 야자는 꼭 했습니다. 처음에야 힘들겠지만, 나중에 적응이 된다면 그것이 습관이 돼서 전혀 힘들지 않습니다. '집에 가서 편하게 해야지.'라는 생각은 핑계에 지나지 않습니다. 이런 저런 핑계를 만들지 않고 공부하는 습관이 가장 중요합니다. 그리고 고등학교 때의 즐거웠던 기억 중에는 야자 시간 때의 일이 많습니다. 추억도 쌓고 공부도 하고 일석이조입니다. 대학생이 되니 야자가 그리워요. (배수민 생글6기, 성균관대 심리학과 12학번)

A. 야자는 해야 합니다. 고3이 끝날 무렵이 되면 다들 지치지만 옆에 있는 친구가 공부하니까 자신도 한다는 심정으로 하는 경우가 많습니다. 한 공간에 있는 모두가 공부하는 장소가 많지 않습니다. 적응이 안 되고 조금 불편하더라도 야자에 적응해서 공부하는 것이 시간적인 측면에서도 가장 효율적입니다. (김도민 생글8기, 서울대 경영학과 14학번)

A. 저는 야간자율학습을 무조건 했어요. 제가 판단하기에 저는 유혹에 약한 사람이었어요. 그런데 집에는 침대, TV, 컴퓨터 등 유혹거리가 너무 많았거든요. 집에 가면 쉴 걸 알기에 최대한 학교에서 많은 시간을 공부했어요. 그래서 학교가 일찍 마치는 날이나 주말에도 학교에서 공부하곤 했어요. 그런데 야자 시간이 끝나고 학교에서 공부를 하면 감독 선생님께서 관리를 하지 않기 때문에 분위기가 약간 어수선해지거나 저도 친구들

과 얘기를 하게 되더라고요. 그래서 독서실의 정액권을 끊어 공부를 하다가 다음날을 위해 1시 전에는 집에 갔어요. 공부를 하기 위해서는 본인을 잘 아는 게 중요해요. 본인이 어떤 환경과 분위기에서 집중이 잘 되는지, 어떤 방식이 본인에게 잘 맞는지 말이에요. 후배님이 저처럼 유혹에 약한 사람이라면 학교를 적극 이용하는 게 좋은 방법이에요. (신정련 생글6기, 부산대 영어교육과 12학번)

A. 야자는 하는 게 좋아요. 본인이 학교보다 집에서 집중이 잘 된다 싶으면 집에서 공부를 하겠죠? 그것도 다른 의미에서 야자예요. 하지만 아무래도 주변 사람들이 다들 공부를 하고 있고, 다른 방해하는 것이 없는 학교가 더 집중이 잘 되겠죠. 그 날의 공부를 바로 복습하기만 해도 머릿속에 남는 것이 2배가 넘는다고 해요. (오유진 생글5기, 성균관대 영어영문학과 13학번)

A. 학원을 다니지 않는다면 야간자율학습을 하는 것을 추천해요. 매일 반복되는 일상이 틀에 박힌 것 같고 답답하기도 하지만 확실히 야자를 했을 때 이동 시간도 줄어들고 공부 시간을 더 많이 확보할 수 있는 것 같아요. 친구들과 함께 공부하면서 서로 힘도 되고 자극도 되고요. 그리고 야자의 정말 좋은 점은 고교 시절 추억이 하나 더 생긴다는 거예요. 친구들과 더 많은 시간을 함께 보내고, 그냥 같은 공간에서 공부한다는 사실 그 자체가 추억이 돼요. 물론 그 당시에는 야자를 하는 것이 싫기도 하고 힘들기도 했지만 지금의 저에겐 정말 좋은 추억으로 남아 있어요. 그때가 정말 그립네요. (류수헌 생글5기, 경희대 연극영화학과 12학번)

A. 자, 가슴에 손을 얹고 생각해봅시다. 그리고 솔직해집시다. 야자를 끊고 독서실이나 집에서 공부하면 정말 더 열심히 할 수 있을까요? 공부하기 싫거나 학교를 탈출하고 싶어서 야자를 끊고 싶은 건 아닌가요? 아니라고 대답하겠지만, 정말 솔직해져야 합니다. 학교가 아닌 곳에서 공부하면서 자기가 편의점 가고 싶을 때 편의점 가고, 혹은 다른 학교의 마음

에 드는 학생과 몰래 만나고, 혹은 학교 선생님한테 안 걸리고 담배를 피울 수 있어서는 아닌지요. 정말 그런 것이 아니라면 독서실에 다녀도 좋습니다. 한 달 이상 다녀보고 정말 독서실에서 공부하는 것이 학교 야자 시간에 공부하는 것보다 잘 된다면 독서실에 다니고, 그렇지 않다면 야자를 다시 하기 바랍니다. 여러분을 너무도 잘 아는 형이자 오빠의 간곡한 부탁이자 따끔한 충고입니다. (이정훈 생글5기, 성균관대 경영학과 11학번)

A. 저는 야자 항상 참여했어요. 효율적인 공부를 핑계로 야자를 거부하는 친구들도 있는데 저는 다 헛소리하는 거라고 봐요. 집 또는 독서실에 가면 공부할 것 같지만 솔직히 안 하잖아요. 조금 힘들더라도 끝까지 학교에 남아서 야자를 마치는 것이 정말 큰 도움이 되고 끝나고도 보람차요. 야자 끝나고 친구들과 집에 가면서 간식을 먹거나 얘기를 하는 것도 얼마나 재밌는데요. 저는 주말에도 학교에서 자습했어요. 주말에는 특히나 늘어지기 쉬운데 학교에서 공부를 하면 친구들을 보며 자극도 되고 시간을 헛되이 보내지 않게 돼요. (최승희 생글7기, 한국외대 아랍어과 14학번)

Q. 제가 학교에서 심화반에 속해 있는데, 심화반 학생은 면학실에서 공부를 해야 합니다. 그런데 면학실에서는 공부가 잘 안 돼요. 그래서 심화반을 나가자니 학교에서 심화반 학생에게 각종 대회 참가 우선권을 줘서 선뜻 나가지 못하고 있어요. 어떻게 해야 할까요?

A. 본인이 공부하는 데에 좋은 쪽으로 선택하는 게 최선이라고 생각합

니다. 학교에서 심화반 나갔다고 부당한 처사를 준다면 학교에 부모님을 통해서 항의하는 방법도 있어요. 또, 대회를 비롯한 각종 스펙은 학교에서 안 알려주거나 학교에서 모르는 좋은 것들이 많으니 그런 걸 찾아서 스스로 참가해보는 것도 좋을 거 같아요. (원지호 생글8기, 서울대 경제학부 14학번)

A. 자기 공부가 안되는데도 면학실에 계속 있는 건 아니라고 봐요. 그리고 대회 참가 우선권을 아무리 심화반 학생에게 준다고 선생님들께서 말씀하시더라도 친구가 정말 실력이 뛰어나다면 원칙을 깨고서라도 참가시켜주지 않을까요? (김도민 생글8기, 서울대 경영학과 14학번)

A. 심화반은 웬만하면 나가지 마세요. 저도 3학년 때 나갔었는데 결국 다시 들어갔어요. 거기 있다 보면 얻게 되는 정보도 진짜 많고 친구들이랑 교류하게 되다 보니까 자극도 많이 돼요. 아무래도 잘하는 친구들만 모아놓은 곳이다 보니 공부 얘기를 해도 교실 친구들이랑 할 때와 느낌도 달라요. (서아정 생글8기, 한양대 컴퓨터전공 14학번)

A. 저는 심화반에서 공부 열심히 하다가 방학 보충수업 때문에 선생님들이랑 싸우고 나왔어요. 대체로 중간에 나온 친구들은 끝까지 잘 공부하지 못하고 의지력이 떨어지는 경우가 많았어요. 나오려면 정말 독하게 할 자신이 있어야 해요. (김병민 생글8기, 서울대 경영학과 14학번)

A. 한두 번 정도 환기를 위해 선생님의 허락을 받고 공부 장소를 바꿔보세요. 사실 공부할 때 책상, 의자, 필기구와 적당한 온도만 유지되면 공부는 할 수 있지 않나요? 장소의 문제라기보나는 집중력의 문제인 것 같아요. 심화반의 특권만 얻으려 하지 말고 정말 집중이 안 되면 선생님의 허락을 받고 다른 곳에서 잠시 공부해보세요. (김범진 생글8기, 서강대 경영학과 14학번)

Q. 기숙사에 살면 집에서 통학하는 것보다 공부하는 데 효율적인가요?

A. 효율적이죠. 통학하는 시간만 대략 1시간 정도 절약할 수 있고, 집에 있을 때보다 규칙적인 식사를 할 수 있어요. 저도 고교생활 3년 중 1년간은 기숙사에 살았는데 이 때 가장 생활리듬이 좋았고 성적도 많이 향상되었어요. 물론 친구들과 같이 어울리다 보니 시간을 뺏긴다고도 할 수 있겠지만 그 정도의 시간은 학교를 다니는 학생으로서 충분히 할애해야 한다고 생각해요. (박준형 생글8기, 건국대 글로컬캠퍼스 경제학과 14학번)

A. 기숙사에 살았던 사람으로서 말씀드리면 확실히 효율적이라고 생각해요. 일단 통학하는 시간이 거의 완전히 없어지는 거잖아요. 아침이나 밤에 잘 수 있는 시간도 늘어나서 좋았어요. 삼시세끼를 학교에서 먹으니까 좀 더 규칙적인 식사를 할 수 있어서 그것도 좋았던 것 같아요. 마지막으로 친구들과 24시간을 함께 생활하기 때문에 같이 공부할 수도 있고 동기부여를 하는 데도 도움이 돼요. 공부하는 데도 그렇고 생활적인 면도 그렇고 기숙사에 사는 게 저는 정말 좋았어요. (김보미 생글7기, 이화여대 스크랜튼학부 13학번)

A. 기숙사에 살면 분명히 통학 시간을 아끼고, 체력을 보충할 수는 있습니다. 하지만 가족을 그리워하거나, 밥이 입에 안 맞거나, 친구들하고 과도하게 놀거나 다투는 경우 오히려 공부하는 데에 비효율적일 수도 있습니다. 즉, 사람마다 다르므로 잘 생각하고 판단해야 합니다. (김현재 생글8기, 서울대 경영학과 14학번)

A. 기숙사 생활하는 게 좋죠. 학교 가는 시간도 훨씬 절약되고 외부 문명이랑 차단된 채로 생활하니 공부 이외의 것에 관심이 상대적으로 적게 쏠리니까요. 그런데 고학년이 되면 일부 학생들이 답답하고 예민해져서

통학하고 싶어 하는 것을 보기도 했어요. (이소은 생글7기, 고려대 미디어학부 14학번)

A. 기숙사에 살면 당연히 시간적인 면에서 효율적입니다. 또한 아무래도 학교의 특성상 시스템이 기숙사생을 위주로 돌아갈 수밖에 없습니다. 그리고 자신과 같은 고민을 하는 사람들이 한데 모여 공부를 하는 장소이기 때문에 서로에게 힘도 되고 고민도 나눌 수 있는 곳이 기숙사입니다. 큰 이유가 있는 게 아니면 기숙사에서 생활하는 것을 추천해드립니다. (김도민 생글8기, 서울대 경영학과 14학번)

A. 기숙사 분위기에 따라 달라요. 제가 다니던 학교는 좀 노는 분위기라서 기숙사에 있던 친구가 공부하려고 기숙사를 나온 경우도 있었어요. 하지만 기숙사가 대체적으로 효율적이긴 해요. (정금진 생글6기, 서울교대 영어교육과 15학번)

A. 통학 시간을 잘 활용할 수 있다면 집에서만큼은 휴식을 취할 수 있는 통학도 좋아요. 기숙사는 확실히 시간을 많이 활용할 수 있다는 장점이 있죠. 자기에게 더 필요한 것을 잘 생각해서 선택하세요. (오민지 생글6기, 고려대 경영학과 14학번)

A. 어떤 기숙사냐에 따라 다른 것 같아요. 그 기숙사가 언제 소등을 하는지, 언제 밥을 먹는지, 언제까지 나가야 하는지가 자신과 맞아야겠죠. 기숙사 분위기가 조용한지에 따라서도 다른 것 같아요. 저는 3년을 기숙사 생활을 했는데 학교와 가깝다는 장점도 있지만, 친구들과의 갈등을 피할 수 없다는 단점도 있었어요. 자신이 어떤 것에 더 스트레스를 받는지를 생각하면 선택에 도움이 될 거 같아요. (이지현 생글7기, 연세대 언론홍보영상학부 14학번)

1-4 멘탈

Q. 선배님의 공부 이야기가 궁금합니다. 정신 차릴 수 있는 따끔한 조언 부탁드립니다.

A. 이렇다 저렇다 하는 공부 노하우들을 다 제쳐두고 가장 중요한 건 공부를 하는 마음가짐이에요. 물론 저도 아직 멘탈 약하고 찡찡대는 대학생에 불과하지만 대한민국 입시를 두 번이나 했고, 그 와중에 슬럼프다 뭐다 다 겪어 봐서 하는 말이에요. 저는 모든 후배들이 서울대를 목표로 공부했으면 해요. 허황되다고 생각하고서는 포기해버리지 않았으면 좋겠어요. 물론 다른 학교도 좋지만 서울대를 목표로 하는 친구들은 그만큼의 노력을 해요. 최선의 노력을 다하세요. 그렇게 한다면 목표한 대학에 가지 못하더라도 후회 없이 즐거운 대학 생활을 할 수 있을 거예요. (오민지 생글6기, 고려대 경영학과 14학번)

A. 안 되는 공부가 남이 한 마디 한다고 되면 이 세상에 공부 못하는 사람이 어디 있을까요. 일단 남이 뭔가를 해주기를 바라는 마음부터 버리고 스스로 해보려는 마음을 가지세요. 그리고 선배들 공부법이나 수기에 너무 집착하는 친구들이 있는데, 수기를 읽고 방법을 찾는 것까지는 좋지만 그 이상으로 집착하는 건 시간낭비라고 생각해요. (박영준 생글7기, 경찰대 행정학과 13학번)

A. '하면 된다. 안 해서 안 되는 거다.' 이 마인드를 확실히 새겨두시는 게 좋습니다. 하면 됩니다. 정말로요. 그런데 안 되는 친구들을 보면 대부분 안 해서 안 되는 경우가 대다수예요. 당장 저 역시도 열심히 하다가 수능 직전에 정신 풀려서 마지막에 공부 안 했고, 그래서 원하는 만큼 결과가 나오지 못했어요. 끝까지 해야 돼요. 그리고 끝까지 하지 못하면 무엇보다도 후회가 남게 됩니다. 그러니 끝까지 하면 된다는 생각으로, 생각뿐만 아니라 실천으로 입시에 임해주셨으면 좋겠어요. (김재운 생글6기, 인하대 신소재공학과 14학번)

A. 수능은 멀리 여행을 떠나듯이, 큰 그림 속에서 자신이 가진 하나하나의 능력을 가꿔나가야 하는 장기적인 과정입니다. 단 한 번뿐인 시험이지만 그 한 번의 시험을 치르기 위해서는 많은 준비가 필요하죠. 그저 한 가닥의 운을 믿으며 문제 풀이만 하는 공부 방식은 실패할 수밖에 없어요. 목표를 설정하고 자신의 결점을 하나씩 고쳐나가야 합니다. 여기서의 목표는 대학이나 학과와 같은 거시적인 목표일 수도 있겠지만, '영어 95점 이상 유지', '세계사 안 틀리기'와 같은 작은 수준의 목표부터 하나하나 관리하는 것이 중요해요. 목표를 관리하는 것은 곧 자신을 경영하는 것과 같습니다. 목표를 잊지 않는 사람은 작심삼일을 하지 않으며 누구보다도 성적과 자기관리에서 성공할 수 있어요. 중요한 포인트는 잊지 않는다는 것입니다. 항상 자신을 돌아보는 과정이 필요해요. 저는 공부를 하면서 늘 제게 화를 냈어요. '너 이것 밖에 못하는 녀석이었어?'하고요. 하지

만 그건 자책이 아니라 더 열심히 하기 위한 저만의 방식이었습니다. 한 번 실수한 부분은 끊임없이 노력해서 다시는 실수를 반복하지 않도록 했어요. 같은 문제집을 10번 이상 구입해서 풀 때도 있었어요. 마치 대장장이가 만족하지 않고 계속 망치질을 하듯 말이죠. 만족하지 않는다는 것은 공부에서 정말 중요한 미덕입니다. 자신의 한계를 설정하지 말고 끝없이 목표를 세우고, 끝없이 노력해야 합니다. 공부에 왕도는 없어요. 하지만 경험하고 기억하는 만큼 길이 열리는 법이에요. 공부를 하고자 하는 사람은 자기가 욕심이 많다는 사실을 꼭 인정했으면 좋겠어요. 욕심조차 없는 사람은 공부할 자격이 없습니다. 처음부터 정상에 올라본 사람은 없어요. 입시에 대한 불안감은 수험생 모두가 공통적으로 가지고 있는 감정입니다. 다만 다양한 변명을 대면서 포기하는 사람이 있는 반면, 불안감마저도 자신을 채찍질하는 데 활용하는 사람이 있는 것이죠. 입시는 이처럼 자기 자신의 태도가 가장 중요한 싸움입니다. 가끔은 다른 사람의 조언을 들어도 좋아요. 컴퓨터나 취미 생활에 자신을 숨겨도 좋고요. 하지만 결국 공부에서 되돌아와야 하는 고향, 출발점은 자기 자신이에요. 아직 시간이 남아 있는 수험생이라면 자신을 점검하고 정리해보는 일부터 하길 권합니다. 그 어떤 공부 방법을 소개하는 것보다 이것이 현명한 제안이 아닐까 생각해봅니다. (이은석 생글4기, 서울대 국어교육과 11학번)

A. 공부는 '하면 된다.'가 제 공부지론입니다. 적어도 고등학교 공부에 있어서는 확실합니다. 요령과 기교가 아닌 90% 이상의 노력으로 자신의 공부 실력을 향상시킬 수 있어요. 솔직히 공부가 재미있어서 하는 사람이 얼마나 될까요. 모두가 힘들고 지루하다고 느낄 때 그걸 참고 한 단계 더 진일보하는 사람이 공부를 잘하는 사람이라고 생각해요. (김범진 생글8기, 서강대 경영학과 14학번)

A. 지금 대학 입시를 준비하는 많은 후배들에게 다른 무엇보다도 한 가지만 강조하고 싶습니다. '진짜 가지고 싶은 하나가 있으면, 지금 자기에

게 중요한 다른 하나도 포기할 줄 알아야 한다.'는 것입니다. 제가 입시를 치를 때 학원 선생님께서 해주신 말이기도 합니다. 저는 고3이 되기 전에 남자친구와 헤어진 아픈 기억이 있습니다. 명문대에 합격하는 것을 위해서라면 남자친구 정도는 포기해야 할 것 같았습니다. 그리고 그 대가는 정말 그만한 값어치를 했습니다. 지금 친구와 하는 농구 한 판, 좋아하는 이성 친구, 친구들과 함께 (엄마한테는 독서실 간다고 거짓말 치고) 놀러 다니는 것 모두가 너무나 달콤한 유혹이고 행복일지 모릅니다. 하지만 그 모든 걸 즐기면서 대학에 붙을 수는 없습니다. 많은 고3 수험생들이 동경하는 소위 명문대 다니는 선배들, 모두 수험생 시절에 큰 거 하나씩 내려놓은 사람들입니다. 그렇게 생각하고, 남은 기간 동안 한 번 자신을 걸어보세요. 해내고 난 뒤에 주어지는 보상은 정말 그 무엇보다 달콤합니다. (김민선 생글6기, 고려대 경영학과 13학번)

A. 세상에서 제일 쉬운 것이 공부라는 말이 있습니다. 저도 중학교에 입학하면서 공부를 왜 해야 하는지에 대해 생각해본 적이 있습니다. 사실 더 솔직하게는 다른 것을 해서 제가 먹고 살 수 있을지 고민해봤습니다. 예체능계에서는 1등을 해야 저를 알아주지만 공부에서는 1등이 아니라 중간 이상만 해도 제가 먹고 살 길이 있다는 생각을 했습니다. 공부 말고 다른 분야에 집중해서 1등을 할 자신이 있다면 공부하지 마세요. 그게 아니라면 공부해야 합니다. (김도민 생글8기, 서울대 경영학과 14학번)

A. 따끔한 조언이 필요할지, 아니면 격려가 필요할지는 후배님의 멘탈 상태가 어떠냐에 따라서 달라질 거 같은데, 저는 멘탈을 잡으려고 노력할 때 저 스스로를 많이 돌아봤어요. 격려가 필요할 때면 '이 사람한테 격려 받으면 힘이 날 것 같다.' 하는 사람한테 격려해달라고 했어요. 아주 간단하지만, 엎드려 절 받기지만 굉장히 힘이 돼요. 평소 존경하는 선배든, 선생님이든, 부모님이든, 아니면 친구든 먼저 손을 뻗어보세요. 먼저 손을 뻗는 게 익숙하지 않을 수도 있어요. 그럴 때 저는 플래너에 한 줄 정도

의 명언이나 자극을 줄 수 있는 말을 썼어요. 그 말들은 평소 좋아하는 에세이집이나 시집, 또는 인터넷에서 가져왔고요. 그래서 제 플래너는 누구에게도 보여주기가 민망할 정도로 오글거렸지만 (사실 누구나 그렇잖아요?) 저의 멘탈을 잡아주는 소중한 공책이었어요. 저는 따끔한 조언까지는 아니어도 저에게 항상 자극을 주는 말을 하나 소개하고 이만 답변 마칠게요. '황금왕관을 쓰려는 자, 그 무게를 견뎌라.' (김재은 생글7기, 서울대 자유전공학부 13학번)

A. 저는 공부해도 성적이 안 나와서 힘들다고 말하는 친구들을 위해 저의 얘기를 들려주고 싶습니다. 저는 생각해보면 학교에서 하라는 대로, 부모님이 바라시는 대로 착실하게 행동했던 모범생이었습니다. 그건 제가 원해서 한 거였어요. 좋은 대학 가고 싶고, 성적은 안 나오고, 더군다나 주변에 저보다 열심히 안 하는데 성적은 잘 나오는 친구들 보면 얄미워서 더 독하게 했던 거 같아요. 진짜 스스로 자부할 만큼 정말 열심히 했습니다. 고등학교 2학년 때부터 재수할 때까지요. 당장 결과가 눈에 보이지 않아서 많이 힘들었습니다. 울면서 수업 듣고, 울면서 밥 먹고, 울면서 공부하고, 울면서 잠들었어요. 너무 우울해서 죽고 싶다는 생각도 했습니다. 그런데 별 수 있나요. 제가 죽으면 슬퍼할 가족들이 떠오르고, 안 죽을 거면 뭐라도 해야 하는데 공부 말고는 잘하는 게 없고, 그래서 공부했어요. 제가 할 일은 공부밖에 없으니까, 그냥 결과가 눈에 안 보여도 슬럼프가 찾아와도 그냥 일단 했어요. '이렇게 하다 보면 언젠가는 될 거다. 나는 날마다 조금씩 나아지고 있다.' 이런 굳은 믿음을 가지고요. 그랬더니 성적이 진짜 오르더라고요. 공부 열심히 하기로 마음먹은 지 1년이나 지나서요. 결과는 바라지도 않고, 일단 후회가 남지 않게 열심히만 하자는 거였는데 정말 성적이 오르더군요. 그리고 그 후로 '진인사대천명(盡人事待天命)'이라는 말이 제 좌우명이 되었어요. '사람의 일을 다 하고 하늘의 명을 기다린다.'는 뜻입니다. 이 좌우명은 제가 재수할 때도 늘 곁에 두었

어요. 여러분, 결과를 기대하며 공부하지 마세요. 그러다 보면 얼마 지나지 않아 지쳐서 포기하기가 쉽습니다. 대신에 그냥 '내가 해야 할 일이 공부니까, 지금 이 시기가 지나면 하고 싶어도 할 수 없으니까, 나중에 후회하기 싫으니까, 일단 열심히 최선을 다해보자.'라는 심정으로 열심히만 해보세요. 올바른 방법으로 최선을 다해 노력한다면 언젠가는 반드시 뿌듯한 결과가 나타날 거예요. (임우미 생글6기, 서울교대 음악교육과 13학번)

Q. 공부해도 성적이 오르지 않을 거 같아요. 고1 때 성적이 고3까지 간다는 이야기도 들었어요.

A. 이런 생각 자체가 성적 향상에 전혀 도움이 되지 않는다는 사실을 알아야 해요. 노력은 절대 배신하지 않는다는 말처럼 열심히 노력하면 성적은 향상해요. 공부법과 각자의 역량에 따라 성적의 향상이 나타나는 때의 차이는 있겠지만 분명하게 말할 수 있는 건 성적은 향상된다는 사실이에요. 고1 때 성적이 고3까지 가면 고1 때 성적으로 대학에서 신입생 뽑으면 되지 뭐 하러 고3 때 뽑겠어요. 고1이면 충분히 시간이 많이 남았고 앞으로 발전할 수 있는 가능성도 충분해요. 노력하지 않고 투덜대면 그건 단지 어린 아이의 철없는 불평인 거예요. 간절함을 가지고 노력하세요. (최재영 생글6기, 중앙대 신문방송학과 13학번)

A. 진짜 눈물 날만큼 독하게 해보세요. 성적 오릅니다. 공부를 했는데도 고1 성적이 고3까지 가는 경우는 그냥 딱 남들 공부하는 만큼만 했으니까 그런 거 아닐까요? 공부 안 하면 성적은 떨어지는 것이고, 남들 하는 것만큼만 하면 유지되는 것이고, 남들 하는 것보다 더 치열하게 독하

게 하면 오르는 겁니다. 간단해요. (임우미 생글6기, 서울교대 음악교육과 13학번)

A. 이런 얘기는 정말 자신이 공부에 관해 할 수 있는 모든 노력을 기울이고 나서 하세요. 해보지도 않고 이런 말 하는 학생들은 자신감을 좀 더 가지세요. 공부하기 싫다는 변명으로 밖에 들리지 않습니다. 남들이 어떻다더라 하는 얘기도 자신이 충분히 바꿀 수 있습니다. 저도 고1 때는 전교 200명 중에서 100등 안에도 못 들었지만 고3 때는 성적우수상도 받았어요. 모든 건 여러분이 얼마나 노력하느냐에 달려 있어요. 저를 비롯하여 제 주변 친구들 중에 정말 간절히, 열심히 공부한 친구들은 모두 그 결실을 맺었습니다. 정말 간절하게 노력하세요. (김범진 생글8기, 서강대 경영학과 14학번)

A. 고1 때 성적이 고3까지 간다는 건 입시 관련 이야기 중에 가장 말도 안 되는 소리입니다. 제 친구 이야기 하나 들어볼까요? 수학을 잘하는 친구였는데, 국어랑 영어는 수학과 차마 비교할 수 없을 정도로 못했어요. 이 친구는 정말 열심히 하던 친구였어요. 고1 때부터 차근차근 열심히 공부했죠. 그런데도 성적이 전혀 안 나왔어요. 국어, 영어가 4등급 위로 나온 적을 못 봤던 것으로 기억해요. 그게 고3 초기까지 그랬어요. 생각해 봐요. 고1 때부터 고3 초기까지 2년 동안 죽어라 공부했는데도 성적이 나오지를 않아요. 얼마나 답답하겠어요? 그 절망스러운 기분은 자기 자신이 아니고서야 아무도 모를 거예요. 그런데 진짜 웃긴 게, 6평 때 국어와 영어를 각각 2등급씩 찍더니 수능에서는 결국 국어는 만점, 영어는 1등급이 나오더라고요. 당연히 수학은 1등급이었고요. 이 친구는 한양대 기계공학과 갔어요. 이왕 얘기한 김에 다른 친구 얘기도 해볼게요. 이 친구는 더 웃겨요. 위의 친구는 수학이라도 잘했지, 얘는 수학도 잘하는 편이 아니었어요. 저희 학교가 국영수 성적에 따라 A, B, C 세 반으로 나눠서 공부했는데 얘는 1학년이 끝날 때까지 세 과목 다 A반으로 간 적이 한

번도 없었던 것으로 기억해요. 하지만 얘는 훨씬 더 독했어요. 고등학교 1학년, 공부가 뭔지도 제대로 모르는 시기에 항상 새벽까지 기숙사 독서실에서 남아 공부하더라고요. 2학년 되니까 조금씩 치고 올라오더니 2학년 말에는 전교권에서 놀았어요. 3학년 때는 모의고사에서 5등 밑으로 내려간 걸 못 봤어요. 결국 카이스트에 수시로 합격했습니다. 진짜 노력이란게 무엇인지 보여준 친구들이 너무나도 많기에 전 지금도 가끔 이 친구들을 생각하며 항상 열심히 살려고 노력합니다. 그러니 믿으세요. 열심히 하면 수능 전에는 반드시 그 진가가 나옵니다. (김재운 생글6기, 인하대 신소재공학과 14학번)

A. 공부하면 성적은 반드시 올라요. 그렇다고 공부하는 절대적인 시간과 성적이 비례하는 건 아니지만, 공부해도 성적이 오르지 않는 건 절대 아니에요. 저는 수학을 싫어했고 못했어요. 고1 첫 모의고사를 보고 나서 엄청난 충격을 받았죠. 못하는 건 알았지만 이렇게 못하는 줄은 몰랐어요. 그래서 수학을 열심히 해야겠다고 생각하고 야자 시간의 절반 이상은 항상 수학 공부하는 데 투자했었어요. 성적이 오르긴 했지만 하는 것에 비해서는 오른 것도 아니었어요. 너무너무 포기하고 싶었지만 포기하지 않고 그렇게 수학과 사투를 벌였더니 결국 고3이 되어서는 안정적으로 1등급이 나오고 6월 평가원 모의고사에서는 100점도 나오더라고요. 지금 당장은 공부해도 성적이 안 오르는 것 같지만 그래도 포기하지 않고 꾸준히 하면 반드시 결과는 나타나게 되어 있어요. 너무 절망하지 마시고 힘내세요! (김보미 생글7기, 이화여대 스크랜튼학부 13학번)

A. 고등학생과 멘토링을 하면 많이 받는 질문 중 하나가 "저는 왜 공부를 해도 성적이 안 오를까요?"입니다. 그럼 저는 "성적이 오를 만큼 공부했나요?"라고 되묻습니다. 성적이 오르려면 100이라는 노력이 필요한데, 50만큼 노력해놓고 성적이 오르길 바라는 것은 욕심입니다. 성적이 왜 안 오를까, 공부 방법이 잘못된 것인가 고민하기 전에 100의 노력을 해보시

기 바랍니다. (배수민 생글6기, 성균관대 심리학과 12학번)

A. 저는 고등학교 입학할 때 선행 학습을 하나도 안 했었어요. 저는 과학영재학교인 대구과학고를 졸업했는데, 중학교 내신과 창의성 문제 검증을 통한 입시를 준비했기에 선행 학습은 안 했습니다. 그런 상태로 선행학습이 많이 되어 있는 다른 학생들과 경쟁을 해야 했어요. 1학년 때는 앞에서보다 뒤에서 등수를 세는 게 훨씬 빠를 정도로 모든 교과목에서 평균 혹은 평균 이하를 기록했어요. 선행을 하지 않았던 것에 대한 씁쓸함과 쓰라린 패배감을 맛보았죠. 거기에 맞물려 학기 초에 시작한 연애로 인해 1학년 1학기의 평균 학점은 4.3만점에 3점에도 미치지 못했어요. (저희 고등학교는 대학교처럼 학점으로 성적이 나왔습니다.) 정신을 차리고 공부를 위해 다른 것을 다 포기하기로 마음먹고 연애 관계도 정리한 뒤 공부에만 몰두했어요. 여름방학 때는 기본기를 다진다는 마음으로 수학과 과학 문제집을 여러 권 구비하여 여러 번 풀었고, 학기 중에도 수학은 10권 정도의 문제집을 보면서 다양한 유형을 접하며 계산 실력도 늘려나갔습니다. 이러한 노력의 결과로 2학기 때부터 성적 향상의 문을 열었고, 꾸준한 학습과 성실한 태도로 졸업할 때까지 성적 향상 그래프를 그릴 수 있었어요. 정말 독하게 하면 누구든지 성적 향상 가능합니다. (김호기 생글8기, 서울대 산업공학과 14학번)

A. 고1 성적이 끝까지 간다는 말은 끈기가 없어서 포기하고 싶어 하는 사람들이 자기합리화를 할 때 하는 말이라고 보시면 돼요. 저는 9월 평가원 모의고사 때까지도 국영수, 사탐, 아랍어까지 믿을만한 과목이 없어서 걱정했었어요. 정시 올인이었는데도 9월 평가원 모의고사에서 수학 점수가 80점이었고, 언어는 그동안 90점을 넘었던 적이 한 번 밖에 없었어요. 항상 해오던 대로 뒤돌아보지 않고 집중해서 공부해서 결과적으로 수능을 잘 봤어요. 오히려 자기가 어떤 과목을 잘한다고 생각하게 되면 그 과목에 대해 소홀해질 수도 있어요. 저는 성적이 좋지 못했던 것이 끝까지 어

떤 과목도 방심하지 않고 열심히 공부한 원동력이 되었던 것 같습니다. (김예원 생글7기, 고려대 경제학과 13학번)

A. 수능이 1년 남았는데 준비가 되지 않았다고 여기는 사람들은 제발 좌절하지 않았으면 좋겠어요. 단기간에 바짝 공부해서 수능 점수를 끌어올리는 것이 충분히 가능하고, 그런 사례도 많습니다. 걱정할 시간에 공부를 조금이라도 더 하는 것이 바람직해요. 고3 3월 모의고사 점수가 수능 점수라는 말도 있어요. 어느 정도 일리가 있는 말이긴 해요. 하지만 수학에서 명제가 참이 아니라는 것을 증명하기 위해 반례가 제시되듯이, 자기 자신이 반례가 되면 고3 3월 모의고사 점수가 수능 점수라는 명제는 참이 아니게 됩니다. (최승희 생글7기, 한국외대 아랍어과 14학번)

Q. 수능이 얼마 안 남았는데 9월 평가원 모의고사(9평)를 망쳐서 너무 불안해요.

A. 저도 9평을 망쳤어요. 순간 절망하기도 했지만, 관점을 바꿔보니 긍정적인 생각이 들더라고요. 시험을 망침으로써 제가 왜 이런 성적을 받았는지 다시 고민해보게 되었어요. 저는 모의고사를 보고 나면 항상 시험 볼 때의 컨디션이 어땠는지, 어디서 어떻게 막혔는지, 어느 시점부터 집중력이 흐트러졌는지 등을 체크했어요. 9월 평가원 모의고사가 끝나고 나서도 그렇게 저를 되돌아봄으로써 제 자신을 수능에 최적화시켰어요. 일찍 시험을 망친 게 정신 차릴 수 있는 기회라고 생각하면 좋을 거 같아요. (임우미 생글6기, 서울교대 음악교육과 13학번)

A. 9평을 잘 보면 그 이후로 나태해질 수 있어요. 저는 9평을 못 봐서 그때부터 다른 거 하나도 안 하고 수능 공부만 했어요. 시험을 망친 게

저에게는 좋은 터닝 포인트였던 거 같아요. (서아진 생글7기, 연세대 정치외교학과 13학번)

A. 사실 모의고사를 잘 치는 것보다는 못 치는 것이 더 좋을 수 있어요. 사람 마음이 참 가벼워서 한 번 잘 치면 그 시험 성적을 근거로 자기 실력을 과대평가하기 쉬워요. 불안한 만큼 더 열심히 하면 수능에서 좋은 성적 나올 겁니다. (오민지 생글6기, 고려대 경영학과 14학번)

A. 망친 거면 오히려 본인한테 잘 된 겁니다. 자신이 부족한 걸 확인할 수 있기 때문이죠. 오히려 9평을 망치고 수능 잘 본 사람들이 많습니다. 오히려 그게 동기가 되어서 마지막까지 열심히 했기 때문이죠. 저는 9평 성적이 어느 정도 되어서 우쭐대다가 수능에서 미끄러진 케이스입니다. 어차피 실전은 수능 아니겠습니까. 오히려 자신에게는 기회라고 생각하시고 수능 날까지 더욱 열심히 하시길 바랍니다. (고원진 생글7기, 건국대 경영학과 14학번)

A. 수능이 장기간에 걸쳐 축적된 공부를 통해 푸는 시험인 것은 사실입니다. 그러나 단기간에도 많은 것들이 바뀔 수 있어요. 1개 등급은 한두 문제 차이로 결정 나기 때문에 단기간에도 엄청난 집중력을 발휘한다면 등급을 올릴 수 있습니다. 이전 모의고사에 비해 수능 성적이 잘 나오면 '수능 대박'이라고 많이 하는데 이 수능 대박은 운보다는 수능이 얼마 남지 않은 그 짧은 기간에 공부했던 내용을 통해 발생하는 것이 아닐까 싶어요. (최승희 생글7기, 한국외대 아랍어과 14학번)

A. 저도 9평을 망쳤어요. 제 생각에는 9평은 망치는 게 나아요. 만약 9평에서 매우 만족스러운 결과를 얻었다면 자기가 준비가 다 되었다고 착각할 수 있어요. 국영수 성적이 잘 나왔으니 이제 자신은 국영수는 완성되었다고 생각하고 제2외국어 같이 비중이 떨어지는 과목에 시간 할애를 많이 하면서 과목별 공부의 밸런스를 잃게 될 수도 있어요. 결국 수능에

서는 국영수 성적이 잘 안 나오게 되죠. 2개월간 국영수 공부를 소홀히 했으니까요. 저는 9평을 망쳐서 어떤 과목에서도 자만하지 않고 끝까지 긴장한 상태로 공부했기 때문에 결국 수능에서 여태껏 받아왔던 점수들 중 가장 높은 성적을 받을 수 있었다고 생각해요. (김예원 생글7기, 고려대 경제학과 13학번)

A. 9월에 시험을 잘 봐서 수능을 망친 경우가 딱 저예요. 제가 9평에서 언수외 원점수가 290점이 넘었어요. 그래서 언수외에 대해 가지지 말았어야 할 자신감이 생겼고, 남은 시간 동안 성적이 잘 안 나오던 국사와 한문 공부에 집중했죠. 저는 수능 전날에 중고생이 외워야 하는 한자 1,800자 중에서 모르는 거 체크해서 외웠어요. 결국 수능에서 국사와 한문은 성적이 괜찮았는데 언수외를 망치고 말았네요. 언수외는 절대 끝까지 놓으면 안 됩니다. (이정훈 생글5기, 성균관대 경영학과 11학번)

A. 저도 9평 망치고 수능 잘 봤어요. 9월에는 점수가 전반적으로 안 나왔는데, 그 중 언어를 가장 망쳤어요. 처음으로 3등급을 받았거든요. 등급이 이렇게 나와 본 적이 없어서 많이 당황했어요. 이를 극복하기 위해 수능 전까지 매일 모의고사를 반 세트씩 풀었고, 수능에서는 원점수 100점을 받았어요. 9평에서 언어 점수가 잘 나왔더라면 아마 그런 의지와 노력이 안 나왔을 거예요. 후배님들도 위기를 기회로 바꾸는 힘을 가졌으면 좋겠어요. (김재은 생글7기, 서울대 자유전공학부 13학번)

A. 저는 고3 6평과 9평 모두 언어가 2등급이 나왔습니다. 불안하기도 했지만 뭔가 믿음이 있었어요. 수능이 진짜이고, 저는 수능 때 될 놈이라는 믿음이요. 결국 수능에서는 원점수 99점, 백분위 100, 표준점수 136점을 받았습니다. 불안한 마음은 성적의 적입니다. 자신을 믿으세요. (배수민 생글6기, 성균관대 심리학과 12학번)

A. 수능이 얼마 안 남은 상태에서는 9월 평가원 모의고사를 잘 보든

못 보든 불안한 건 마찬가지예요. 잘 보면 수능에서는 떨어질까 불안하고 못 보면 수능 역시 못 볼까봐 불안하죠. 불안한 것을 떨쳐내고, 오답을 확실하게 정리해서 수능 때는 같은 문제를 틀리지 않게 하는 것이 중요해요. 실수해서 틀렸거나, 시간이 부족했거나 하는 등의 오답 이유를 생각하고 잘 마무리해서 수능 때 그런 일이 없도록 하면 9월 모평을 못 본 것이 나쁜 일만은 아니겠죠? (심윤보 생글8기, 전주교대 초등사회교육과 14학번)

Q. 제 주변 친구들이 공부를 너무 잘해서 질투 나요.

A. 질투가 나는 것은 당연한 거예요. 그리고 특히 예민하고 감성적인 그 시기엔 더 그런 것 같아요. 그래서 자신이 친구들을 질투한다고 하더라도 '내가 나쁜 건가.'라고 생각하지 않아도 돼요. 자신의 감정에 솔직해질 필요가 있어요. 그리고 질투는 지금보다 높은 곳을 바라보게 하고 긍정적인 자극을 줄 수 있다고 생각해요. 그리고 한 가지 당부하고 싶은 것은 공부를 잘하는 친구들을 보고 과도한 열등감을 갖거나 공부에 대한 자신감을 잃지 않았으면 좋겠어요. (류수현 생글5기, 경희대 연극영화학과 12학번)

A. 친구들이 공부를 잘하면 시기하지 말고 같이 공부해야겠다고 마음먹으세요. 시험 기간에 친구들에게 서로 질문하는 경우가 많은데, 친구들이랑 이야기하다 보면 서술형 문제의 감도 잡히고 자신이 친구에 비해 어떤 약점을 가지고 있는지 정확히 알 수 있어요. 자기 것만 열심히 하다 보면 친구가 뭐하는지는 모르니까 서로 공유를 많이 하는 게 좋아요. 친구를 적 또는 자신의 등급 빼앗는 사람으로 생각하지 말고 같이 잘되어야 하는 소중한 사람으로 여기세요. (이소은 생글7기, 고려대 미디어학부 14학번)

A. 저도 외고를 다니면서 친구들과의 수준 차이를 느껴서 엄청 힘들었어요. 주변 친구들이 잘한다고 너무 마음 쓰지 마세요. 친구들이 잘하는 게 있는 것처럼 본인도 다른 사람보다 잘하는 게 무조건 적어도 하나는 있어요. 그리고 제가 힘을 많이 얻었던 말이 있어서 소개해드릴게요. 'The reason we struggle with insecurity is because we compare our behind-the-scenes with everyone else's highlight reel.'이라는 말이에요. 우리는 자신의 단점을 남들의 장점과 비교하기 때문에 힘들어하는 거래요. 주변 친구들을 보면서 너무 힘들어하지 마세요! (김보미 생글7기, 이화여대 스크랜튼학부 13학번)

A. 질투하세요. 마음껏 질투하기를 권합니다. 자신이 가질 수 없는 것을 가진 사람에 대해 질투하는 것은 소용이 없지만, 자신이 충분히 가질 수 있는 것을 가진 사람에 대한 질투는 자신을 그 단계까지 올려주는 좋은 원동력이라고 생각해요. (최승희 생글7기, 한국외대 아랍어과 14학번)

A. 뭐든지 생각하기 나름입니다. 특히 친구에 대한 질투심이 폭발하는 때가 수능 전에 친구들이 대학에 수시로 붙는 걸 볼 때예요. 그때 흔들리기 쉬워요. 저도 흔들리지 않았던 건 아니지만, 어차피 제가 지원하지 않았던 대학교라고 생각하며 개의치 않으려고 했어요. 더 나아가서는 제가 가고 싶은 대학교에 지원할 수도 있는 잠재적 경쟁자가 사라져줘서 오히려 고맙다고까지 생각하기도 했어요. (김예원 생글7기, 고려대 경제학과 13학번)

A. 저도 질두심 많이 느꼈죠. 친구에게 질투심을 안 느끼는 게 이상한 거예요. 특히나 머리 좋은 애들에게는 더욱 그렇죠. 제 학교 친구 중에도 수업 시간에 맨날 자고, 야자 시간에도 맨날 자고, 주말에는 맨날 PC방 가는데 내신도 좋고 모의고사는 전교 1~2등 하는 놈이 있었어요. 이런 친구는 그냥 무시하는 게 정신건강에 좋습니다. 사실 보통 공부 잘하는

친구들은 그만큼의 고생과 노력을 했다는 것을 명심하세요. 그리고 자기 자신한테 물어보세요. '나는 정말 저 친구들을 질투할 만한가. 저 친구만큼, 혹은 저 친구 이상으로 공부를 더 많이, 열심히 했는가.' 그럼 바로 답이 나와요. 질투할 시간에 그 친구만큼 열심히 하려고 한 글자라도 더 공부하는 것이 답이에요. (김재운 생글6기, 인하대 신소재공학과 14학번)

A. 주위 친구들에게 흔들리지 않으려면 자신만의 기준이 딱 잡혀야 해요. 그러기 위해서는 고교 초반 공부를 시작할 때 장기적인 계획을 잘 세워야 합니다. 친구들이 많이 보는 교재 따라서 자신이 보던 교재를 버리고 그 교재로 갈아타거나, 남들이 많이 다니는 학원이 있다고 그 학원으로 옮길 필요 없어요. 자신이 세운 장기 계획을 믿고 소신껏 밀고 가세요. (임우미 생글6기, 서울교대 음악교육과 13학번)

A. 공부를 잘하는 친구들에게 질투를 한다는 게 적당한 선까지는 공부에 대한 동기가 될 수 있어요. 하지만 이런 질투가 너무 심해서 친구관계에 지장을 끼친다면 자신 그대로를 인정할 줄 아는 방법을 배워야 할 것 같네요. (박영준 생글7기, 경찰대 행정학과 13학번)

A. 질투는 스스로를 갉아 먹을 뿐이에요. 자신보다 공부 잘하는 친구가 있다면 그 친구는 어떤 공부에 어떻게 대응하는지, 자신보다 시간을 적게 쓴다면 어떤 것에 집중하기 때문에 그런 건지를 살펴보세요. 질투는 결국 상대방을 찌를 뿐만 아니라 자기 자신도 찌르게 돼요. 고등학교 때 사귀었던 친구는 정말 소중한 친구예요. 성적 때문에 그런 친구를 놓치지 않으셨으면 좋겠어요. (이지현 생글7기, 연세대 언론홍보영상학부 14학번)

A. 저도 그런 질투심 정말 많이 느꼈습니다. 제 주변에 정말 소위 괴물들 밖에 없어 보였고, 다른 친구들이 공부를 저보다 안 했는데도 저보다 성적이 잘 나오면 정말 슬프고 화나고 복잡 미묘한 감정들을 느꼈습니다. 하지만 지금 생각해보면 그런 질투심이 오히려 저를 자극해서 제가 여기

까지 올 수 있었습니다. 그래서 저는 그런 질투심을 느끼지 못하는 학생들이 오히려 안타깝습니다. 이런 면에서는 질투심을 느낀다는 것 자체가 좋은 것이라고 생각합니다. 다만, 질투심이 남을 끌어내리는 것이 아닌, 자신을 끌어올리는 도르래로써 작용해야할 것입니다. 이건 후담이지만 알고 보니 제가 질투심을 느꼈던 친구들은 미리 선행 학습을 충실히 해왔거나 제가 자고 있는 새벽에 열심히 공부를 했던 것이었습니다. 성적은 공부 시간에 비례한다는 말이 괜히 있는 게 아닌 것 같습니다. (김호기 생글8기, 서울대 산업공학과 14학번)

A. 저도 처음에는 공부를 잘하는 친구들에게 질투심을 느꼈어요. 그런데 생각해보니 어차피 제 경쟁자는 제 주변의 친구들뿐만이 아니라 같은 해에 수능을 치는, 얼굴도 모르는 엄청난 수의 수험생들이더라고요. 그렇게 생각하니 제 옆의 친구들까지 경쟁자로 보기는 싫더라고요. 이후에도 성적이 더 오르는 친구들을 보면 부럽긴 했지만 이전만큼 너무 연연해하지는 않았어요. 대신 열심히 하는 친구가 있으면 그 모습을 본받아 '나도 열심히 해야겠다. 내 주변만이 아니라 전국에는 이렇게 열심히 하는 많은 수험생들이 있다.'는 생각을 하며 더 노력했어요. (신정련 생글6기, 부산대 영어교육과 12학번)

A. 어쩌면 모순된 것으로 들릴 수도 있지만 두 가지 마음을 동시에 가지는 게 좋은 것 같아요. 하나는 친구들로부터 자극을 받아 열심히 해야겠다는 동기가 생겼으면 좋겠고, 다른 하나는 친구들을 향했던 시선을 돌려 자신을 향하도록 했으면 좋겠어요. 결국 문제는 남이 잘하는 것이 아니라 자신이 부족한 것에서 비롯한 경우가 많기 때문에 자기 자신을 반성하면서 개선점을 찾는 것이 도움이 되리라 생각합니다. (박성연 생글7기, 서울대 경영학과 13학번)

A. 주변 친구들이 누구인지 다시 한 번 잘 살펴보세요. 질투를 느껴야 할 이유가 뭔지 생각해보세요. 생각해보면 여러분은 전국의 수많은 수험

생들과 함께 공부를 하는 중이에요. 바로 옆의 친구들은 여러분들과 함께 해야 할 사람들이고요. 그런데도 불구하고 주변을 보며 질투한다는 건 너무 좁은 생각인 것 같아요. 옆의 사람을 질투하기에는 세상이 정말 넓다고 생각해요. 이렇게 마인드컨트롤 하시는 게 가장 좋아요. 자극을 받되 긍정적 영향만 흡수하고 나머지는 생각하지 않는 훈련을 하시길 바라요. (김재은 생글7기, 서울대 자유전공학부 13학번)

A. 저도 고등학교 때 저랑 친한 친구들이 공부를 너무 잘해서 질투를 했었어요. 하지만 저와 그 친구들은 최종적으로 바라보는 목표 즉, 꿈이 다르다는 것을 깨달은 후에 질투심을 없앨 수 있었어요. '저 친구는 저 친구대로 자신의 목표를 위해 열심히 하는 중이구나. 나도 더 열심히 해야겠다.'라고 생각했어요. 비록 지금 친구가 더 잘나 보이고 더 대단해 보일지라도 저는 제 인생의 목표가 있고 저만의 방향으로 잘 가고 있다고 생각했기에 더 열심히 할 수 있었습니다. (진현지 생글8기, 가톨릭대 프랑스어문화학과 14학번)

Q. 저는 시험 볼 때 너무 긴장되는데 극복하는 법 없나요?

A. 제가 시험 긴장이 원래 좀 있는 편이었는데 '그냥 틀리면 틀리는 거지.'하고 마음을 비우고 시험을 보니까 좀 편하더라고요. 수능 때는 용감함을 넘어서 거의 약간 인생 포기한 사람이 된 것 같은 기분으로 '다 떨어지면 1년 더 하면 되지.'라는 마음으로 시험을 봤어요. 누구나 다 긴장하니까 자신만 긴장한다고 생각하지 마세요. 그리고 모의고사를 치를 때 긴장하고 시험 봐서 낮게 나온 성적을 자신의 성적이라고 인정하고 받아

들이는 자세가 필요합니다. 수능 때 긴장하면 결국 자신이 받을 수 있는 최고 성적은 못 받는 거잖아요. '이번 시험은 내가 긴장해서 못 본 거야.'라고 스스로 위안을 삼지 말아야 한다는 뜻입니다. (원지호 생글8기, 서울대 경제학부 14학번)

A. 시험 볼 때 긴장되는 건 어쩔 수가 없어요. 시험 때 긴장해서 공부한 것이 생각나지 않는 것을 커버할 만큼 많은 공부를 하는 것이 이상적이지만 그게 쉬운 게 아니죠. 스스로 마인드컨트롤을 하는 게 정말 중요하다고 생각해요. 저는 시험을 보는 횟수가 많아질수록 경험이 쌓이면서 점점 긴장하지 않게 됐어요. '승희야 괜찮아.' 이런 식으로 속으로 스스로에게 말을 걸면서 긴장을 풀었어요. (최승희 생글7기, 한국외대 아랍어과 14학번)

A. 자신감이 부족하면 긴장하게 되는 것 같아요. 마인드컨트롤을 잘 할 수 있도록 연습하는 게 좋아요. 저는 고2 때 내신 시험을 보기 전에 성적이 떨어지고 있는 과목에 대한 트라우마가 생겨서 시험 볼 때 스트레스성 복통으로 보건실에 실려 간 적도 있어요. 그러다가 저 스스로 만족할 수 있을 만큼 문제를 많이 풀어보면서 자신감을 찾았던 거 같아요. (김재은 생글7기, 서울대 자유전공학부 13학번)

A. 긴장은 불안감에서 비롯되고, 불안감은 결국 자신의 공부가 부족하다고 느끼기 때문에 생겨요. 저는 시험장에 들어가기 전에 항상 제가 할 수 있는 모든 공부량을 다 채우고 들어가려고 해요. 그러면 시험장에서도 제가 할 수 있는 노력을 다했다고 믿기 때문에 자신에 대한 믿음도 생기고, 그에 따라 긴장도 덜 하고 차분히 시험을 볼 수 있게 되더라고요. 수능이 하루에 결정 나는 시험이지만 그 전에 충분히 많은 예행 시험을 보니 미리미리 연습해보시면서 긴장을 조절해보세요. (김범진 생글8기, 서강대 경영학과 14학번)

A. 저는 시험 보기 전에 저만의 시험 시나리오를 썼어요. 시험 시나리오는 시험을 보기 전에 자주 나오는 부분들을 상기하고, 시험 문제는 어떤 순서로 풀 것이며, 답안지 체크 방식은 어떻게 하며, 검토 시간은 얼마나 사용할 것인지 같은 것들을 생각하는 거예요. 이렇게 자신만의 시나리오를 쓰면 시험 볼 때 긴장되는 것도 줄어들고 위기 상황이 덜 발생하는 것 같아요. (손소연 생글7기, 동국대 정치외교학과 14학번)

A. 이미지 트레이닝이라고 하나요? 실제로 운동선수들이 쓰는 방법인데, 명상을 하면서 경기의 전 과정을 상상한다고 하더라고요. 좋은 방법 같아서 저도 써봤는데 정말 효과가 컸어요. 눈을 감고 그 시험장의 분위기를 상상하면서 시험의 전 과정을 반복해서 수도 없이 떠올렸더니 실제 시험에서 그렇게 크게 떨리지 않더라고요. (임우미 생글6기, 서울교대 음악교육과 13학번)

A. 평소 공부할 때 모의고사 시간에 맞춰서 시험을 쳐보세요. 저는 토요일마다 모의고사 시간에 맞춰서 직접 기출문제나 사설 모의고사를 풀어보면서 시험에 대해 익숙해지려고 노력했습니다. 내신 시험도 마찬가지로 시험에 대한 익숙함을 늘리면 긴장감을 조금은 덜 수 있습니다. (김도민 생글8기, 서울대 경영학과 14학번)

A. 시험 볼 때 긴장을 하지 않는 사람은 없다고 생각해요. 긴장을 하지 않는다면 그건 거짓말이겠죠. 다만 긴장을 잘 컨트롤하는 사람은 분명 있어요. 제가 말씀드리고 싶은 것은 긴장은 꾸준한 훈련을 통해 조금씩 극복할 수 있다는 사실이에요. 긴장감으로 인해 실전에서 실력을 제대로 발휘하지 못하는 친구들 중에는 낯선 환경과 분위기를 탓하는 친구들이 많아요. 예를 들어 '처음 가보는 학교라 더 긴장되었다.' 같은 거죠. 그런데 사실 긴장감은 외부환경보다는 자신의 마음 속 불안에서 비롯되는 경우가 더 많아요. 그런데도 학생들은 긴장감을 자기가 컨트롤할 수 없는 환경의

탓으로 돌림으로써 자신의 실수를 합리화하려고 하는 거죠. 결론은, 시험 전에 긴장이 된다면 '나는 잘할 수 있다.'는 주문을 끊임없이 외우세요. 저는 모의고사를 치를 때 책상 위에 '나를 믿자.', '시험 종료 5분 전에는 무슨 일이 있어도 답안지 작성을 시작하자.', '헷갈리는 문제는 일단 과감히 넘기자.' 등, 제가 시험 중 자주 범하는 실수들을 쓰고 되새김으로써 시험에 대한 마음의 준비가 되었다는 걸 상기시키려 노력했어요. (김예원 생글7기, 고려대 경제학과 13학번)

A. 이건 심리학 강의에서 들은 내용인데, 본인만의 루틴(routine)을 만드는 것이 중요하다고 하네요. 심호흡은 기본이고, 평소에 본인이 시험을 보며 긴장될 때마다 '차분하게 시험 보자.', '시험을 즐기자.' 같은 구절을 되뇌는 연습을 하는 겁니다. 그리고 저는 일부러라도 입 꼬리를 올려 웃는 표정을 지으면 기분이 좋아진다고 들어서 이를 연습했어요. 실제로 수능 시험장에서 안정을 찾는 데 많은 효과를 봤습니다. (정금진 생글6기, 서울교대 영어교육과 15학번)

Q. 공부할 때 잡생각이 너무 많이 나요.

A. 공부하는 책상에 본인을 자극하는 것들을 프린트해서 붙여놓으세요. 공부 명언이라든가, 가고 싶은 대학교 사진이라든가, 수능 수석 합격 수기 같은 것들이요. 잡생각 들 때 그거 한 번 쳐다보세요. 한꺼번에 많이 붙이지는 마세요. 이게 보다 보면 적응돼서 더 이상 자극이 되지 않는 때가 오게 됩니다. 그때 다른 거로 교체하세요. 저는 공부 잘하는 친구들 이름을 제 기숙사 책상에 적어놓기도 했습니다. 라이벌 의식은 아주 강력한 자극제죠. 다만 그걸 친구들한테 걸리면 사이가 안 좋아질 수도 있어요. (이정훈 생글5기, 성균관대 경영학과 11학번)

A. 누구나 공부할 때 잡생각이 나는 순간이 찾아옵니다. 그때 가장 중요한 능력이 잡생각이 나도 책을 들여다보고 집중하려고 하는 능력인 것 같아요. 공부가 안 된다고 책을 덮어버리면 그게 계속 반복돼서 결국은 공부하는 습관이 사라지게 됩니다. (박영준 생글7기, 경찰대 행정학과 13학번)

A. 잡생각이 너무 날 때는 스스로 자기 최면을 걸듯이 멘탈을 잡는 것이 가장 중요하다고 생각해요. 물론 잠깐 다른 것을 하는 것도 도움이 되고요. 그런데 잡생각을 지워보겠다고 다른 것을 하는 시간이 길어지면 안 되고 정말 잠깐이어야 돼요. (최승희 생글7기, 한국외대 아랍어과 14학번)

A. 잡생각이 날 때는 억지로 참고 공부하지 말고 노트나 A4용지에 생각나는 것들을 한 번 써보는 게 좋아요. 그리고 나서 5분에서 10분 정도 들여 그 생각을 마무리한 다음, 그 노트나 A4용지를 버리고 깔끔하게 공부를 다시 시작하는 게 좋습니다. 정 안 되면 밖에 나가 바람을 쐬고 오세요. 혹은 고민이 있다면 쉬는 시간, 여가 시간을 활용해 이를 친구들, 부모님, 선생님과 이야기해서 최대한 고민을 풀고 공부 시간에는 공부에 집중하도록 노력해보세요. (서유진 생글7기, 서울대 불어교육과 13학번)

A. 잡생각은 없애려고 해봐야 없어지지 않습니다. 차라리 자신에게 잡념을 스스로 해소할 시간적 여유와 휴식을 주세요. 저는 힘들거나 딴 생각이 들 때 과감히 선생님한테 말씀드리고 야자를 빠지거나 학원을 빠지고 놀러 나갔습니다. 아까운 시간일 수 있지만 그렇게 해서 공부의 리듬을 되찾고 집중할 수 있다면 그건 투자입니다. (이은석 생글4기, 서울대 국어교육과 11학번)

A. 공부에 집중이 되지 않아서 잡생각이 나는 것 같아요. 저는 그런 경우에 미래에 제가 하고 싶은 게 무엇인지 상상해보고 그걸 이루려면 당장 공부를 해야 한다며 마음을 다잡고 억지로라도 공부했어요. 공부를 해야

만 하는 동기가 있다면 절실한 마음에 공부를 열심히 하게 되는 것 같아요. 그러한 동기가 없다면 만드는 것이 중요하고요. (이소영 생글7기, 경희대 경제학과 14학번)

A. 잡생각이 나지 않는 사람은 아마 세상에 없을 거예요. 그러나 그 잡생각을 얼마나 하지 않고 집중해서 공부를 하느냐가 성적에 나타나는 거죠. 잡생각이 난다면 차라리 그 생각에 대한 결론을 내리고 나서 공부를 시작하면 될 것 같고, 그래도 잡생각이 계속 난다면 그냥 자리에서 일어나서 세수를 한다거나 잠깐 스트레칭을 하는 것도 추천해요. (박준형 생글8기, 건국대 글로컬캠퍼스 경제학과 14학번)

A. 잡생각이 나는 건 너무나도 당연한 것이랍니다. 공부하고 있는 과목의 문제를 풀 때 머릿속으로 끊임없이 원리에 대해서 생각을 해보세요. 자신에게 말을 거는 방법도 좋아요. '소은아, 이 문제는 이렇게 풀리는데, 여기서는 이런 원리를 쓴 거야~.' 하는 식으로요. (이소은 생글7기, 고려대 미디어학부 14학번)

Q. 게임, 핸드폰 같은 유혹거리는 어떻게 멀리하셨어요?

A. 인터넷, 게임, 핸드폰을 하고 시간을 보면 한숨이 나오죠. 후회하는 날이 한두 번이 아니었죠. 전 제 자신이 너무 쪽팔리고 싫고 답답해서 특단의 조치로 핸드폰을 꺼두었어요. 필요할 때만 핸드폰을 하고 바로 껐죠. 물론 스마트폰이 아니었고요. (이소은 생글7기, 고려대 미디어학부 14학번)

A. 저는 의지가 약한 편이라 애초에 유혹거리가 될 만한 것들을 사전에 다 없애버렸어요. 고3 때는 핸드폰도 없애고 인터넷은 인강 들을 때만 썼

어요. 심지어 인강 사이트 이외에는 접근을 차단해버렸습니다. 의지박약한 저를 잘 알기에 일말의 여지도 남기지 않은 거죠. (배수민 생글6기, 성균관대 심리학과 12학번)

A. 저는 야자가 끝나고 집에 가는 동안에는 SNS를 하거나 핸드폰을 봤어요. 이런 식으로 자신에게 시간을 좀 주세요. 하고 싶은 걸 아예 안 하는 게 오히려 안 좋을 수 있어요. 시간을 정해 놓고 인터넷을 하거나 게임을 하는 것도 나쁘지 않은 방법인 것 같아요. 하지만 당연히 시간을 잘 지켜야 하고 절제력 또한 있어야겠죠? (서아진 생글7기, 연세대 정치외교학과 13학번)

A. 저는 재수학원을 다니면서 학사 생활을 했습니다. 인터넷은 지하 독서실에 컴퓨터가 있어서 할 수는 있었지만 가급적 멀리하려고 노력했어요. 핸드폰은 2G폰을 사용했고, 그마저도 방에 놔두고 다녔습니다. 거의 알람용이었어요. 기본적인 자기 의지가 가장 중요하고, 추가적으로 공부에 집중할 수 있는 환경을 조성하는 것이 필요하다고 생각합니다. (김재운 생글6기, 인하대 신소재공학과 14학번)

A. 개인적으로 저는 제 자신이 그런 유혹거리를 멀리할 수 없다는 것을 알았기 때문에 계획표를 짤 때 쉬는 시간을 아예 길게 한 번으로 잡았어요. 그 시간에 푹 쉬면서 인터넷이나 핸드폰을 했고요. 그런데 SNS는 안 하는 것이 좋은 것 같아요. 저와 제 주변 사람들은 수험생 때 페이스북을 지웠어요. (오유진 생글5기, 성균관대 영어영문학과 13학번)

A. 저는 스마트폰을 사용하기는 했지만 데이터도 다 차단하고 카카오톡은 삭제, 페이스북은 비활성화를 하였습니다. 아무리 자제력이 뛰어난 사람이더라도 어플이 깔려 있으면 자꾸 하게 됩니다. 핸드폰으로는 문자와 통화만 하고 공부할 때에는 핸드폰을 가방에 넣어 두어 아예 손을 안 대려고 노력했습니다. (김범진 생글8기, 서강대 경영학과 14학번)

A. 저는 공부할 때 핸드폰을 끄고 멀리 던져놓습니다. SNS는 고등학생 때나 지금이나 업무용으로만 사용하기에 SNS에 푹 빠져 살지는 않습니다. 게임은 고등학생이 된 이후로 한 적이 없네요. 고등학교 때 기숙사에 살아서 게임을 할 환경이 안 되었거든요. 게임을 안 하니 게임을 못하게 되죠. 게임을 못하니 게임을 더욱 안 하게 됩니다. 게임을 안 하는 선순환에 걸린 거죠. 사실 이건 유혹을 뿌리치는 기술이 필요한 게 아니라 의지의 문제예요. TV도 안 봅니다. 한두 번 안 보면 계속 안 볼 수 있습니다. 드라마는 일부러 시작 안 합니다. 1화를 보면 마지막 화까지 보게 되는 것이 드라마죠. 야구도 일부러 입문 안 했습니다. 프로야구 경기는 거의 매일 있잖아요. 야구에 빠지면 매일 야구 보게 돼요. 해외축구는 경기가 시작하기 전에 잡니다. 다음날 화장실에서 큰일 보면서 또는 버스에서 5분짜리 하이라이트로 보면 됩니다. 사실 그것도 안 보는 게 좋습니다. 여기에 일일이 적을 수는 없지만 이 책의 공동저자 대부분은 고등학생 때 일부러 2G폰을 사용했습니다. 핸드폰을 2G폰으로 바꾸든가, 데이터가 적은 요금제로 바꾸세요. 저는 지금 데이터 750MB짜리 요금제 쓰고 있고 핸드폰에 게임, 페이스북, 심지어 네이버까지 없고 카카오톡은 알람 다 꺼놓습니다. 집에 와이파이도 없애길 바랍니다. (이정훈 생글5기, 성균관대 경영학과 11학번)

A. 자신과의 약속을 정하는 게 가장 스트레스도 덜 받고 좋지 않을까요? 핸드폰 등을 하는 시간을 언제 얼마 동안으로 정해두는 거죠. 예를 들면 매주 토요일 오후 8시부터 9시까지는 웹툰을 보는 식으로요. 물론 그렇게 노는 시간이 길면 안 되겠죠. 공부 시간에는 핸드폰을 아예 꺼놓고 보지 않기로 하고요. 저는 모의고사 같은 시험을 잘 봤을 때라든지 계획했던 공부를 다 했던 날이면 보상 형식으로 가끔씩은 그런 것들을 했었어요. (심윤보 생글8기, 전주교대 초등사회교육과 14학번)

A. 솔직히 유혹거리를 눈앞에 두고 멀리하기란 정말 어렵습니다. 그냥

아예 없애세요. 게임 계정 탈퇴하고, 컴퓨터에 일정 시간 지나면 차단되는 프로그램 설치하시고, 스마트폰 없애세요. 눈앞에 두고 참는 것보다 차라리 없애는 게 스트레스도 덜 받고 훨씬 나아요. (임우미 생글6기, 서울교대 음악교육과 13학번)

A. 저는 핸드폰이나 게임보다 TV가 더 강력한 유혹의 대상이었어요. 특히 드라마나 예능이요. 특히 TV는 보다가 안 보기가 참 힘든데 몇 번 안 보다 보면 내용을 잘 모르게 되어서 점점 안 보게 되더라고요. 역시 처음 몇 번이 중요한 거 같아요. TV 안 보려고 일부러 제가 좋아하는 프로그램이 끝나는 시간을 넘겨서 집에 오거나 야자를 밤 11시까지 하고 집에 오곤 했어요. 정말 무언가가 보고 싶으면 차라리 1번만 보면 끝나는 영화를 보는 것도 좋은 방법이에요. 저는 입시가 끝나고 드라마를 처음부터 끝까지 몰아서 보았답니다. 여러분도 조금 참았다가 나중에 몰아서 보세요. (류수현 생글5기, 경희대 연극영화학과 12학번)

Q. 슬럼프를 극복하는 노하우가 있으신가요?

A. 저는 그냥 공부 접고 푹 쉰답니다. 친구들이랑 얘기도 많이 하고 한풀이도 하고 게임도 하면서요. 그런데 그 빈도수가 많아지면 안 되겠죠. 그리고 중요한 건 공부를 안 하고 쉬었던 것의 여파가 그 이후에도 영향을 미치면 안 된다는 거예요. 쉬었으면 다음날부터는 공부 열심히 해야겠죠? (조성준 생글7기, 고려대 경제학과 13학번)

A. 재수학원에 앉아 샤방한 대학생 친구들을 바라보며 지금 이 순간을 눈물 나게 후회하고 있는 모습을 상상했습니다. 헛되이 흘려보내고 있는 이 시간이 수능 날 이후엔 돌이키고 싶어도 돌이킬 수 없는 순간이란 걸

되뇌었죠. (배수민 생글6기, 성균관대 심리학과 12학번)

A. 제가 『스티브 잡스』 책을 읽고 자극을 많이 받았어요. 그래서 그 책에서 읽었던 부분을 읽고 또 읽었어요. 아니면 특정 목표치를 넘으면 자신에게 선물을 주는 자신만의 룰을 만들어도 좋아요. 운동도 좋은 방법이에요. 운동하고 나면 잡생각이 사라지거든요. 특히 남학생들에게는 운동 강력하게 추천합니다. (이소은 생글7기, 고려대 미디어학부 14학번)

A. 재수할 때 슬럼프가 3~4번 찾아왔어요. 제가 그동안 100을 쌓아놨는데 한 순간에 90이 사라지고 10만 남은 느낌이었어요. 아무 이유 없이 영어 독해가 안 되고, 잘 알던 것도 헷갈리는 순간이 왔던 거예요. 10을 하루아침에 다시 100으로 만들려고 하지 않았어요. 하루하루 5만큼씩만 쌓아서 다시 100을 만들려고 했어요. 꾸준히만 하려는 생각이었어요. 제 문제점에 대해 생각을 많이 했어요. 그리고 혼자 끙끙 앓지 않고 학원 선생님을 찾아가서 상담을 받았어요. 힘들 때 주변 사람과 이야기를 하고 조언을 구하는 게 정말 필요해요. 상담을 거친 후에 제 문제점에 대해 더 정확히 알게 되었어요. 결국 슬럼프를 극복한 후에는 100을 넘어 120까지 실력이 올라왔어요. (임우미 생글6기, 서울교대 음악교육과 13학번)

A. 공부해야 한다는 압박감은 그냥 쿨하게 던져버리고 하루 푹 자거나 어디 놀러 가세요. 저는 하루 날 잡고 서울 여행을 한 적도 있어요. 아니면 반대로 공부 의욕이 생기게 EBS 공부의 왕도 같은 프로그램을 보는 것도 괜찮아요. (김재원 생글8기, 한국외대 아프리카학부 14학번)

A. 저는 슬럼프일 때도 공부했어요. 힘들면 힘든 대로, 잘 되면 잘 되는 대로 그냥 묵묵히 한 거죠. 저는 솔직히 효율적인 공부를 해야 한다는 말을 싫어해요. 컨디션이 좋을 때도 있고 아닐 때도 있겠지만 그런 것에 연연하지 않고 공부하는 게 저만의 철칙이에요. 꼭 저처럼 하라고 강요하는 건 아니에요. 자신의 가치관을 비롯한 여러 가지를 고려해서 스스로

잘 판단해 슬럼프를 극복하는 게 중요한 것 같아요. (김재운 생글6기, 인하대 신소재공학과 14학번)

A. 고1~2 때 슬럼프가 온다면 주말을 이용해 하루 여행을 가거나 취미 활동으로 스트레스를 풀면 되지만 고3은 경우가 다릅니다. 고3은 쉬운 문제를 풀면서 머리를 식히세요. 고1~2 국어, 영어 문제를 풀면서 고생한 두뇌에게 휴식을 주는 것입니다. 매일 고3 문제 풀다가 고1~2 문제 풀면 굉장히 쉽게 풀려서 기분이 좋아질 거예요. 채점하면 아마 거의 만점 나올 거고요. 기분도 좋고 기초도 다시 다지면서 슬럼프를 해소하는 방법인 거죠. 저는 수학을 좋아해서 공부하기 싫을 때 수학 공부했어요. 머리 쓰는 재미가 있거든요. (박준형 생글8기, 건국대 글로컬캠퍼스 경제학과 14학번)

A. 공부가 손에 안 잡힐 때는 자기만의 스트레스 돌파구를 찾는 게 좋은 거 같아요. 잠을 자고 집중해서 다시 공부를 한다든지요. 저는 노래방 가는 걸 좋아했어요. 고2 때는 통기타를 사서 독학을 시작하기도 했고요. 어떠한 방법으로든 자기 자신한테 적절하게 보상을 해주고 공부를 열심히 할 동기부여를 시키는 것이 중요해요. (김재은 생글7기, 서울대 자유전공학부 13학번)

A. 공부가 손에 안 잡힐 땐 쉽거나 제가 좋아하는 과목으로 공부 과목을 바꿨어요. 그래도 안 되겠으면 스트레칭을 해서 몸을 풀고 다시 공부했어요. 잠깐 쉬고 공부하기도 했고요. 제가 고등학교 3학년 때 3월 모의고사부터 9월 평가원 모의고사까지 계속 성적이 떨어졌었어요. 그때는 수능 본 이후에 서울에 있는 대학에 다니는 것을 계속 상상하면서 하루 최소 공부 시간을 정해놓고 공부하면서 버텼어요. (손소연 생글7기, 동국대 정치외교학과 14학번)

A. 공부가 손에 안 잡힐 때는 아주 잠깐이라도 숨 돌릴 시간을 갖는

것이 중요하지만 딴 짓이 장기화되고 습관화되면 정말 안 좋다고 생각해요. 스스로 통제 가능하다고 생각하는 선에서 스트레스를 푸는 것이 좋아요. 수학 강사 신승범 선생님께서 항상 하시는 말씀이 있는데, 공부는 관성이라는 거예요. 공부 안 된다고 놓아버리면 그 기간이 계속 길어져요. 재밌는 과목부터라도 조금씩 계속 공부 시간을 늘리는 게 중요하다고 생각해요. 연장자와 상담을 하는 것도 좋은 방법이에요. 선배들과 이야기하는 것은 마음가짐을 새로이 하는 데 큰 도움이 됩니다. (최승희 생글7기, 한국외대 아랍어과 14학번)

A. 사람은 누구나 슬럼프가 오기 마련이에요. 슬럼프를 인정하고 여유를 가지세요. 공부량을 줄여 자유 시간에 웹툰을 본다거나, 운동을 하는 등의 활동을 하세요. 그리고 목표를 재설정합니다. 아무래도 슬럼프는 목표가 상실되거나, 가지고 있는 목표를 이룰 수 없을 것 같은 두려움과 불안함에서 시작되는 것이 대부분이니까요. 오늘 하루 수업 시간에 졸지 않기와 같은 작은 목표를 정해 꼭 성취할 수 있도록 하세요. 자연스럽게 슬럼프 극복이 될 거예요. 다만 쉰다고 아예 공부를 놓아버리면 공부하던 습관을 잃어버려요. 한참 쉬다가 오랜만에 연필 잡으면 드는 어색한 느낌 다들 알 거예요. 휴식도 필요하지만 영어 단어 몇 개, 수학 문제 몇 개라도 꼭 공부하세요. (심윤보 생글8기, 전주교대 초등사회교육과 14학번)

A. 공부는 하기 싫다는 생각이 들면 더 하기 싫어지는 법이죠. 저는 공부가 힘들어질 때 더욱 더 책상에 붙어서 집중하려고 했습니다. 공부도 관성 같은 게 있어서 슬럼프라고 공부를 내려놓으면 다시 원래 히던 만큼의 집중도에 이르기까지 더 많은 시간이 걸리더라고요. 답답할 때는 운동을 하거나 자신의 스트레스 해소 방법을 사용해본 후 다시 차분히 책상에 앉아서 공부하는 게 최고인 것 같아요. (김범진 생글8기, 서강대 경영학과 14학번)

A. 공부에 있어서 가장 중요한 건 마인드예요. 물론 저도 공부를 그렇

게 잘하지는 않았지만 공부를 잘하기 위해서 제일 중요한 건 이런저런 요령이 아니라 자신의 목표를 이루기 위해 얼마나 부끄럽지 않게 노력하는가예요. 졸리고 힘든 거 알지만 그래도 극복해야 합니다. 수험생에게 있어서 기본이자 기본은 자신의 성실함을 돌아보는 겁니다. 자신을 되돌아봤을 때 부끄러운 시간이 있다면 반성하고 자세를 고쳐야 해요. 목표했던 대학교를 가보든지 해서라도 마음을 다시 먹으세요. (오민지 생글6기, 고려대 경영학과 14학번)

A. 열심히 공부하다 갑자기 고3 때 꽤 긴 시간 동안 슬럼프가 왔어요. 이겨내는 방법은 결국 공부인 것 같아 책상에 억지로라도 앉아 있었지만 집중이 안 됐어요. 그렇게 저는 혼자 속으로만 앓다 힘들어서 주변 사람들에게 터놓기 시작했어요. 이야기를 하다 보니 제 슬럼프의 원인은 결국 수험생이라는 타이틀이 주는 압박감이었어요. 친구들과 얘기하면서 저만 이런 고민을 하는 게 아니라는 것을 깨달았어요. 좋은 선생님들과 부모님과 얘기를 나누면서 제가 지금 해야 할 일에 대해 생각할 수 있었어요. (신정련 생글6기, 부산대 영어교육과 12학번)

A. 저는 슬럼프를 극복하려고 인터넷에서 공부를 해야 하는 이유 등 공부의 원동력이 될 만한 것들을 찾아보았지만, 그런 것보다도 한 번의 성적 향상으로 인해 저를 보는 주변의 시선이 달라진 것이 저로 하여금 공부해야겠다는 자극을 주었던 것 같아요. (김호기 생글8기, 서울대 산업공학과 14학번)

1-5 진로

Q. 저는 고1인데 입학식 날부터 선생님께서 진로를 빨리 정하라고 하셨어요. 하지만 저는 뭘 하고 싶은지 아직 잘 모르겠고 심적으로 압박감만 들어요.

A. 선생님께서 무리하시네요. 고등학생이면 충분히 경험을 쌓을 나이이지 미래를 결정할 나이는 아니라고 생각합니다. 대학 입학처에서도 학생부에 기록된 진로 사항이 바뀌어도 감점이나 불이익을 당하지 않는다고 말하기도 했습니다. 대학생들도 자신의 진로를 결정하지 못하고 고민하는데 고등학교 1학년이 진로를 결정하는 건 아니라고 봅니다. 대신 고3 때 입시와 자신의 미래에 대한 고민을 시작해보세요. 아마 선생님께서도 지금 진로를 굳히라는 건 아니실 거예요. (김범진 생글8기, 서강대 경영학과 14학번)

A. 저는 이제 대학교 2학년이 되지만 제가 뭘 하고 싶은지 아직도 정확히 말하지 못해요. 자신이 어떤 활동에 특기와 흥미를 보이는지를 아는 게 진로를 결정하는 것보다 더 중요한 것 같아요. 실제로 대학교 교수님들께서도 1학년은 어떤 진로를 결정하기에는 아직 이른 시기라는 것에 대해 동의하세요. 너무 부담감 갖지 마시고, 본인이 좋아하는 활동을 찾으세요. (이지현 생글7기, 연세대 언론홍보영상학부 14학번)

A. 고1이면 충분한 시간이 있어요. 저는 중학생 때부터 언론인이 꿈이었는데 대학교에 와서 다양한 학문을 경험해보고는 중고등학교 학창시절에도 하지 않았던 진로 고민을 이제야 하고 있어요. 고등학교 1학년이면 뭘 하고 싶은지 보다 자신이 뭘 좋아하는지를 고민해보는 게 순서라고 생각해요. 좋아하는 것을 알아야 자신이 뭘 하고 싶은지에 대한 심화된 고민 단계에 접어들 수 있어요. (최재영 생글6기, 중앙대 신문방송학과 13학번)

A. 저는 대학생이 되었는데도 진정으로 무엇을 하고 싶은지 잘 모르겠어요. 확신하고 있던 꿈도 불안하게 느껴질 때가 참 많답니다. 이게 자연스러운 거예요. 그렇지만 한 번쯤은 자신이 무엇을 할 때 가장 즐거운지에 대해서 생각해 볼 필요가 있어요. 어쩌면 그것이 힘겨운 고등학교 시절을 꿈이라는 이름으로 보살펴 줄 수 있거든요. (이소은 생글7기, 고려대 미디어학부 14학번)

A. 진로를 빨리 정하면 그만큼 그 진로에 대해 준비할 수 있는 시간이 많아지잖아요. 그래서 선생님께서 진로를 되도록 빨리 정하라고 하신 것 같아요. 그런데 사실 진로 고민은 대학 진학 후에도 끊임없이 해야 할 것이에요. 진로 결정이 빠르면 좋지만 그렇다고 제대로 된 고민 없이 진로를 결정해서는 절대 안 돼요. 누구보다도 치열하게 간접경험들을 통해 관심 있는 분야를 찾아야 해요. 저는 중학교 3학년 때부터 제 꿈이었던 경영컨설턴트와 관련된 다큐멘터리를 보고 책을 읽으며 꿈을 키웠어요. 비

교적 결정이 빠른 편이었기 때문에 확실히 준비할 시간이 많아 학생부종합전형(입학사정관전형)을 쓰기에 유리했어요. 그렇기 때문에 진로를 탐색하는 과정을 최대한 빨리 진행하는 건 추천하고 싶어요. 그러나 진로의 결정은 충분한 탐색 후에 이루어져야 한다는 점을 꼭 잊지 말았으면 해요. (김재은 생글7기, 서울대 자유전공학부 13학번)

A. 선생님께서 진로를 빨리 정하라고 하시는 건 한국 교육 여건의 특성상 1학년 중반 이후면 문, 이과가 나뉘기 때문입니다. 물론 이후에 바꿀 수 있는 기회가 주어져요. 그러나 일단은 자신이 정한 쪽으로 공부의 포커스가 맞추어지기 때문에 바꾸더라도 극복이 어려워지는 것이죠. 또한 입학사정관전형을 준비하는 경우 자신의 활동 흐름이 지망 학과에 맞추어지는 것이 좋기 때문에 빨리 진로를 정해서 활동 포커스를 그 분야에 맞추는 것이 도움이 됩니다. 그러나 빨리 정해야 한다는 압박감 때문에 강제로 진로를 떠올리는 것은 좋지 않아요. 따라서 정 떠오르는 것이 없다면 이른 시간에 문, 이과 적성 정도만 파악하는 것이 좋을 것 같아요. (최승희 생글7기, 한국외대 아랍어과 14학번)

A. 진로를 지금 정한다고 그게 친구의 미래가 될까요? 단언컨대 그렇지 않다고 말씀드릴 수 있습니다. 당장 저 역시도 제 진로에 대해 확신이 서지 않아요. 절대 부담 갖지 마세요. 대신 경험의 폭을 넓히세요. 고등학생이 할 수 있는 것은 매우 제한적이지만, 그래도 진로 관련 프로그램이 많으니 이것저것 다양하게 참여해보는 것이 중요하다고 생각합니다. 가장 기본은 성적이에요. 그래야 나중에 선택의 폭이 넓어지니까요. 한 가지 더 말씀드리고 싶은 건, 본질을 파악했으면 좋겠습니다. 제 최종 목표는 '세상을 바꾸자.'입니다. 초등학생도 아니고, 참 어이없죠? 그런데 한 번 들어보실래요? 제 장래희망은 다큐멘터리 PD가 되어 교양과학 분야의 다큐멘터리를 제작하는 것이고, 좀 더 자세히 말씀드리면 '문화'에 대한 이야기를 전하는 것입니다. 과학과 맞닿아있는 사회, 경제, 언어 등으로부터

나오는 수많은 문화들에 대해 이야기함으로써 사람들에게 메시지를 전하는 것이 제가 하고 싶은 일입니다. 궁극적으로는 제가 전한 메시지 하나하나가 사람들의 머리를 울리고 마음을 울려 그렇게 조금씩 세상을 더 나은 방향으로 바꿔나가는 것이 목표입니다. 본질은 무엇인가요? 세상을 더 나은 방향으로 바꾸자는 것이죠. 저는 세상을 더 나은 방향으로 바꿀 수 있는 제게 더 맞는 수단이 존재한다면 망설임 없이 진로를 바꿀 생각입니다. 가장 궁극적이고 본질적인 것이 확고하다면 수단은 크게 중요하지 않아요. 친구가 지금 당장 고민하는 건 수단에 대한 부분이라고 생각합니다. 수단에 대해 끙끙 앓지 말고, 본질을 생각하세요. 위에서 진로를 정하는데 부담을 가지지 말라고 했는데, 본질적인 부분에 대해서는 많이 생각해보면서 조금은 그림을 그려두는 게 좋아요. 저는 지금 와서 돌이켜보니 '세상을 바꾸자.'는 최종 목표가 어렸을 때부터 무의식적으로 들었던 생각이었더라고요. 지금부터 천천히 최종 목표를 생각해보세요. 조급해하지 마시고요. (김재운 생글6기, 인하대 신소재공학과 14학번)

A. 아직 자신이 무엇을 하고 싶은지 모를 경우, 본인이 어떤 것에 관심이 있는지 알아가는 시간이 필요하다고 생각합니다. 학생은 아직 1학년이니 교과 및 비교과 등 자신이 흥미를 가지고 있는 활동과 체험을 통해 자신을 알아가는 과정이 필요합니다. 자신을 아는 것이 진학하고 싶은 학과를 설정하거나 입시 준비를 할 때 큰 도움이 되기 때문이에요. 방학을 이용해서 여러 전공체험, 적성검사 등을 해보고 자신의 진로에 대한 방향성을 잡는 것이 중요하겠네요. (진현지 생글8기, 가톨릭대 프랑스어문화학과 14학번)

A. 고등학교 때 진로를 구체적으로 정하는 건 거의 불가능합니다. 사람은 하고 싶은 것, 원하는 것이 많습니다. 그 중 제일 하고 싶은 것도 수시로 바뀌죠. 그리고 어린 나이에는 자신이 어디에 소질이 있고 흥미가 있는지 판단하기 어려워요. 이 책의 저자들이 생글생글 학생기자들이죠.

생글생글 신문을 창간하신 분께서도 한 강연에서 이렇게 말씀하셨습니다. 직장을 두세 곳 옮기고, 어쩌다 신문사에 입사한 뒤, 40세 정도가 되어서야 자신이 어떤 기질을 가지고 있고 어떤 직업이 어울리겠는지 비로소 조금씩 깨닫게 됐다고요. 위의 답변에서도, 그리고 저자 소개 파트에서도 많은 대학생 선배들이 자신도 아직 뭘 할지 모르겠다고 했죠? 저도 제가 대학을 다니면서 어떤 준비를 해야 할지 22살에 군대 와서야 정했습니다. 휴가를 이용해 대학교 선배들, 또는 현재 사회에서 일하고 있는 현직자 분들이나 50대 어른들을 만나면서 상담도 많이 받았어요. 책도 읽고 글도 많이 찾아 읽었고요. 물론 제가 그려나가는 커리어가 언제 어떻게 바뀔지 모르는 일입니다. 인생은 계획한 대로 되는 게 아니잖아요. 저는 대학교 2학년 정도 마쳐야 자신의 커리어를 그나마 조금이라도 그릴 수 있다고 생각해요. 대학교 1학년도 어려서 안 돼요. 그러니 고등학생 때는 하나의 직업을 자신의 진로로 정하지 말고 그냥 두루뭉술하게 상경계열, 언론계열, 공학계열, 법조계열 이런 식으로만 생각해두세요. 두세 개를 골라도 됩니다. 그리고 대학에 와서도 복수전공, 부전공, 전과 등을 통해서 충분히 자신이 입학할 때 골랐던 진로와는 다른 길로 방향을 바꿀 수 있어요. 대학원에 진학해서 진로를 바꾸는 방법도 있습니다. 예를 들어, 공대를 졸업하고 로스쿨에 진학, 변호사 시험에 합격해서 변호사가 될 수도 있어요. 친구 중에는 무용학과인데 신문방송학을 복수전공해서 언론계로 진로를 바꾼 경우도 있네요. 진로 탐색을 위해 어느 학과에서 무엇을 배우는지 알고 싶은 친구들은 장서가 출판사의 〈나의미래공부〉 시리즈 책을 사서 읽어보세요. 책 제목이 『MT ○○학』으로 된 시리즈입니다. 『MT 경영학』, 『MT 정치외교학』 이런 식으로요. 학과에 대한 정보를 얻는 데 도움이 많이 될 겁니다. 부키 출판사의 〈전문직 리포트〉 시리즈도 추천합니다. 현직자들이 자신의 직업과 직무에 대해 소개한 책 시리즈이고, 책 제목이 『○○○이(가) 말하는 ○○○』으로 되어 있습니다. 저는 『회계사가 말하는 회계사』, 『금융인이 말하는 금융인』을 읽었네요. 직종에 대해 자세히 설명한 책이라 고등학생에게는 어려울 수도 있습니다. (이정훈 생글5기, 성균관대 경영학과 11학번)

Q. 저는 완전한 문과 성향인데 부모님께서는 문과 가면 대학 가기 힘들다고 이과 가기를 바라세요. 어떻게 해야 할까요?

A. 자신이 정말 문과 성향이라면 이과에 갔을 때 좋은 결과를 내기 힘들겠죠. 부모님 말씀의 맞는 점과 틀린 점을 스스로 잘 생각해 보세요. 본인이 문과에 갔을 때 궁극적으로 무엇이 하고 싶은지, 문과에 가려고 하는 이유는 무엇인지, 문과를 선택할 때의 장단점과 이과를 선택했을 때의 장단점 중에서 어떤 것이 더 장기적이고 우선순위가 높은지 생각한다면 성급한 결정을 막을 수 있을 것 같아요. (이지현 생글7기, 연세대 언론홍보영상학부 14학번)

A. 본인 스스로 '완전한 문과 성향'이라고 말할 정도면 반드시 문과에 가야죠. 성향에도 안 맞는 이과를 택하면 고생하고 스트레스 받고 성적도 당연히 안 나올 텐데 부모님 말씀이 그리 중요한가요? 주변 사람들의 말에 휘둘리지 마시고 본인에게 맞는 길을 본인이 선택하셨으면 좋겠어요. (임우미 생글6기, 서울교대 음악교육과 13학번)

A. 확실하게 말할 수 있는 건 문과생이 이과생보다 대학 가기가 어려워요. 수능 탐구영역 응시자 수로 문과생과 이과생의 인원을 추정해볼 수 있는데, (수학A형/B형으로 추정하기도 하는데 이과생 중에 수학A형 응시자가 많기에 탐구영역으로 추정하는 게 더 정확하다고 봅니다.) 2014학년

도 수능에서 탐구영역 응시자 중 사탐 응시자는 337,134명(탐구 응시자의 57.5%)이었고, 과탐 응시자는 235,946명(탐구 응시자의 40.3%)이었어요. 2015학년도에는 사탐 응시자가 332,880명(탐구 응시자의 58.1%), 과탐 응시자가 230,377명(탐구 응시자의 40.2%)이었고요. 문과생이 이과생보다 10만 명 정도 많다는 거죠. 하지만 대학에서 뽑는 문과와 이과의 정원은 거의 비슷해요. 취업도 문과가 이과보다 훨씬 어려워요. 이는 기본적으로 우리나라가 제조업 중심 국가이기 때문입니다. 우리나라 대기업 떠올려보세요. 삼성전자, 현대기아차 등 대부분 제조업을 하는 기업입니다. 그래서 공대생이 많이 필요한 겁니다. 다시 본론으로 돌아와서, 문과 출신 구직자가 이과 출신 구직자보다 4배 정도 많은데, 기업에서는 이과 출신을 문과 출신보다 2배 정도 더 많이 채용합니다. 그래서 단순히 산술적으로 계산해보면 문과 출신이 이과 출신보다 취업 경쟁률이 8배 더 높은 거죠. 충격적이죠? 대학교에 와서 선배들과 이제 졸업할 때가 된 여자 동기들을 보며 제대로 느끼고 있지만 대학 입시지옥은 문과 취업난에 비하면 아무것도 아닙니다. 고등학교 때로 돌아간다면 무조건 이과를 택할 거라고 말하던 경제학과 선배도 있었어요. (이정훈 생글5기, 성균관대 경영학과 11학번)

A. 저도 참 많이 고민했던 문제예요. 결론부터 말하자면, 정말 문과에 흥미가 있다거나 진로가 뚜렷하다면 문과에 가되, 뚜렷한 목표는 없는데 그냥 수학이 싫어서 문과에 가고 싶은 것이라면 극구 말리겠습니다. 제가 이공계다 보니 이공계 중심으로 이야기를 하는 것일지도 모르지만, 우리나라는 기본적으로 기술로 먹고 사는 나라이고, 처우의 차이가 있을 수는 있지만 취업률은 이공계가 압도적으로 높습니다. 어느 대기업 인사팀 임원께서는 연고대 경영학과보다 충남대 공대가 취업 더 잘 된다고도 말씀하셨어요. 단순히 대학 가기 힘들다는 이유로 이과를 가는 것이라면 안타깝지만 뚜렷한 목표가 없다는 것으로 볼 수 있고, 그렇다면 이과를 가는

것이 어떻게 보면 차선이라고 할 수 있겠네요. 다만 뚜렷한 목표가 있고 그것에 확신이 있으시다면 그저 취업이라든지 먹고 살 걱정만으로 이과를 가는 것도 말리고 싶습니다. 이과가 대학 가기 쉽다고 하는데, 그것도 점점 옛말이 되어가고 있는 추세예요. 문과생과 이과생의 비율은 대략 6대4 정도라고 보면 됩니다. 요즘 워낙 취업 등 여러 문제로 이과생의 수가 점점 증가하고 있어요. 대학에서 뽑는 학생 수는 문과랑 이과랑 비슷한데, 이과생의 수가 적기에 이과 학생이 비교적 낮은 성적으로도 대학 진학이 수월했습니다. 그런데 사람 수가 비슷해지면 얘기가 달라지죠. (김재운 생글6기, 인하대 신소재공학과 14학번)

A. 객관적으로 본다면 대학을 가고 취업을 하는 데에 이과가 유리한 것은 맞는 말이에요. 그러나 본인이 희망하는 과에 진학해서 좋아하는 일을 하는 것이 성공한 인생이라고 봐요. 부모님의 입장에서는 자녀의 편안한 삶을 위해 이과 진학을 바라시는데 이는 부모님과의 대화를 통해 해결해야 할 것 같아요. 실제로 공대에 입학했는데 적성이 안 맞아서 상경대, 인문대로 전과하는 경우가 다수 있어요. 저도 수학 성적이 제일 좋았지만 경제라는 과목이 좋고 진로도 상경계 쪽으로 희망해서 부모님과의 대화를 통해 의견 차이를 해결하고 경제학과에 진학하게 되었어요. (박준형 생글 8기, 건국대 글로컬캠퍼스 경제학과 14학번)

A. 이과가 대학 가기 쉬운 것은 사실이지만 그만큼 공부의 양이 문과에 비해 많습니다. 사람에 따라 다르게 볼 수도 있지만 내용도 더 어렵고요. 이과에서는 최상위권 학생들이 의대, 카이스트, 포스텍 등으로 많이 빠지기 때문에 문과에 비해 낮은 성적으로도 더 높은 네임밸류의 대학교에 진학이 가능합니다. 그러나 완전한 문과 성향이어서 이과 공부를 해내지 못한다면 소용이 없습니다. 따라서 공부를 감당할 수 있을지 살피는 것이 중요합니다. 물론 꿈을 좇으라고 하고 싶습니다. 그러나 대학 진학, 취업 등 현실적인 관점에서는 이과를 더 추천해드리고 싶습니다. 실제로 문과

의 상경계열에서 담당한다고 생각되는 많은 분야에 이과 출신들이 포진해 있습니다. 우리나라의 손꼽히는 대기업의 경우 신규 채용의 80%를 공대생으로 충당하고 있고, CEO의 50% 이상이 공대 출신입니다. 자신의 꿈이 무엇인지 잘 살피고, 앞서 언급된 것들도 고려해서 정하기를 권장합니다. (최승희 생글7기, 한국외대 아랍어과 14학번)

A. 문과를 가냐, 이과를 가냐, 선택은 자기의 몫이에요. 다른 누군가가 이래라저래라 할 수 있는 것이 아니죠. 우선 자기 인생에 중요한 가치가 무엇인지 곰곰이 생각해보세요. 만약 학생이 자기 성향에 맞는 공부를 하는 것이 행복하다면 문과로 진학하세요. 다만 이후 직업을 선택할 때 이공계 출신들보다 '눈에 보이는' 직업의 선택폭이 좁은 것은 감안해야겠죠. 반대로 스스로가 상대적으로 순조로운 대입과 안정적인 취업을 우선순위에 둔다면 이과로 가세요. 단 자신이 선택한 분야와 자신이 원하는 진로 사이에서 타협이 필요하겠죠. 부모님의 말씀을 듣기 전에, 자신이 원하는 것이 무엇인가에 먼저 귀를 기울여보세요. (김예원 생글7기, 고려대 경제학과 13학번)

1-6 스킬

Q. 수능 정답의 선택지 패턴이나 경향이 궁금합니다. 알아두면 찍을 때 참고할 수 있을 거 같아서요.

A. 수능 영어 출제 기준에 '지문을 수험자가 끝까지 읽을 수 있도록 유도한다.'라는 게 있어요. 그래서 내용 일치이나 끼워 넣기, 문법 문제 같이 도중에 답이 나오면 지문을 더 이상 읽을 필요가 없는 문제의 정답은 1번, 2번보다는 4번, 5번이 많아요. 이런 문제들에서 1번, 2번이 적게 나왔기 때문에 빈칸추론 문제에서는 상대적으로 답으로 1번, 2번이 많이 나옵니다. (이은석 생글4기, 서울대 국어교육과 11학번)

A. 수능은 선택지 1~5번 개수가 고르게 분포하니까 모르는 문제를 찍어야 한다면 자신의 마킹된 OMR카드를 보고 가장 적은 선택지 번호로 찍으라는 얘기를 들어봤을 겁니다. 진짜 선택지 번호가 고르게 분포하는지 알아보기 위해 2012학년도부터 2015학년도까지 4개년치의 모든 수능

과 모의평가 답안지를 일일이 다 셌습니다. 그 결과를 알려드릴 테니 혹시 이거 알아놨다가 흔들릴까봐 걱정되는 분은 여기서부터 읽지 마세요. 선택지 패턴은 언제든 그 규칙이 깨질 수 있으니 맹신하지도 말고요. 이 규칙 깨져도 책임지지 않습니다. 기댓값이라는 용어를 사용할게요. 평균적으로 나와야 하는 선택지 개수입니다. 예컨대 영어는 45문제이니 이걸 5로 나누면 9가 나오죠? 그 9를 기댓값이라고 부를게요. ①국어입니다. 답안지 개수가 그다지 고르지 않네요. 기댓값 9로부터 최대 4개까지 차이가 나네요. 50문제였던 2013학년도 시험까지는 그래도 꽤 고르게 분포했는데, 45문제가 되고 나서는 한 선택지당 7~13개의 분포를 보입니다. 고로, 국어는 개수가 적은 번호를 찍어도 틀릴 수 있습니다. ②수학은 2014 9평 B형과 2012 6평 가형, 총 2번을 제외하고는 4개의 선택지는 4개, 1개의 선택지는 5개가 나왔어요. 그러니까 2번의 평가원 시험 빼고는 모든 수능과 모의평가에서 고르게 정답이 분포했다는 거죠. 그 2번의 예외에서는 각각 44535, 34554의 분포를 보였습니다. 이 경우에도 한 선택지에서 정답이 6개 이상이었던 적은 없어요. 혹시 자신이 다 풀었는데 한 선택지에서 답이 6개 이상 나왔다면 해당 문제들을 다시 풀어보기 바랍니다. 수능에서는 4개의 선택지는 4개, 1개의 선택지는 5개라는 규칙이 틀린 적이 없으니 규칙을 믿어 봐도 좋을 거 같네요. ③영어는 2014 6평 A형을 제외하고는 모두 기댓값으로부터 ±1개의 분포를 보였습니다. 2014 학년도 이후 45문제일 때는 8~10개씩 정답이 나왔고, 그 이전에 50문제였을 때는 9~11개씩이었어요. 예외가 모의평가에서 1번만 있었다는 점에서 신뢰할 만한 규칙이라고 할 수 있겠습니다. ④사탐은 전혀 고르지 않습니다. 기댓값은 4인데, 정답은 2~6개씩 분포하네요. 그나마 규칙을 찾자면 정답이 1개이거나 7개 이상인 선택지는 없다는 건데, 글쎄요, 전혀 도움이 되지 못할 것 같네요. ⑤과탐은 사탐과는 다르게 고르게 나옵니다. 기댓값 4로부터 ±1개의 분포, 즉 선택지당 3~5개가 나오는데, 예외는 4

번 있었습니다. 2014 6평 화학 I 42446, 2012 수능 생물 II 34643, 2012 9평 생물 I 43256, 2012 6평 지구과학 I 24446 이렇게입니다. 정답이 44444였던 경우도 4번 있습니다. 2012 6평 물리 I, 2012 수능 물리 II, 2014 수능 지구과학 I, 2015 9평 물리 II가 그랬어요. 사탐은 이런 적이 없습니다. 안정적인 규칙을 가지고 있긴 한데 예외가 수능에서도 나왔다는 점이 좀 찝찝하네요. ⑥제2외국어/한문에서는 단 한 번의 예외 없이 무조건 기댓값 6으로부터 ±1개의 분포, 즉 선택지당 5~7개가 나왔습니다. 66666은 아랍어에서 3번 나왔네요. 2013 9평, 2012 수능, 2012 9평이었습니다. 찍는 사람이 많은 과목이다 보니 이렇게 맞춘 것 같은데, 최근에는 그런 적이 없다는 점도 기억하길 바랍니다. ⑦그 이외의 규칙을 말씀드리면, 앞쪽이나 뒤쪽에 번호가 몰려 있는 경우가 많았습니다. 예컨대 사탐에서 1~15번까지는 5번이 안 나오다가 16~20번에서 5번이 4개가 나온 적도 있어요. 2011 수능 한국근현대사는 1~5번 정답이 54321이라서 많은 수험생들의 머리를 아프게 했죠. (이정훈 생글5기, 성균관대 경영학과 11학번)

Q. 수학 찍는 법은 없나요?

A. 이건 제 친동생이 주관식 문제를 찍을 때 사용하는 방법인데요, 주관식 답은 자연수만 가능하잖아요. 그래서 자연수가 나오도록 분수에 일정 수를 곱해서 답이 나오게 하는 문제가 있어요. 가령 '~를 계산한 값을 a라고 할 때, 100a의 값을 구하여라.' 같은 문제요. 이럴 때는 100이 곱해져서 자연수가 되는 분수를 생각해보세요. 제 동생은 모의고사에 나온 이 문제에서 왠지 a가 4분의 1일 것 같다는 느낌이 들어서 답을 25로 찍어서 맞췄더라고요. (정금진 생글6기, 서울교대 영어교육과 15학번)

Q. 시험 날에 쓸 수 있는 팁 있으신가요?

A. 저는 시험 날 쉬는 시간에 항상 다음 과목 공부를 했어요. 큰 개념 말고 세세하게 외워야 하는 것들을 봤죠. 외워야 하는 것의 앞글자만 따든지 해서 그걸 계속 중얼거리며 외우는 거예요. 종이 울리고 책을 집어넣은 뒤에도 머릿속으로는 그걸 계속 중얼중얼 외워요. 감독관 선생님이 들어오셔서 시험지와 OMR카드를 배부하는 그동안에도 계속 중얼거리다가 시험이 시작하자마자 문제지 여백에 중얼거리던 걸 적어요. 적어 놓은 뒤에 문제지를 훑으면서 해당 내용의 문제를 찾고 그걸 먼저 풉니다. 한 문제 맞추고 시험 시작하는 거죠. 쉬는 시간 활용을 잘하면 이렇게 한두 문제 더 맞출 수 있어요. 그러니 친구들이랑 답 맞추지 말고 다음 과목 공부하세요. (이정훈 생글5기, 성균관대 경영학과 11학번)

A. 수능 날에 문제집이나 개념서를 바리바리 싸들고 가지 마세요. 가장 좋은 건 평소에 자주 보던 노트를 가져가는 겁니다. 각 시험이 시작하기 전에 잠깐잠깐 보는 거죠. 전체 내용을 다 보다 보면 모르는 내용 때문에 불안해지고 마음이 흔들릴 수 있어요. 노트를 보면서 가볍게 복습하는 게 좋아요. (오민지 생글6기, 고려대 경영학과 14학번)

A. 저는 과목마다 제가 약한 파트가 무엇인지 포스트잇에다가 적어놓고 시험 시작하기 1분 전에 확인하면서 실수하지 않기 위해 되뇌었어요. 또한 간단하게 '잘 풀 수 있어. 실수 하지 말자.'와 같은 문구도 적어놓으면서 최대한 마인드컨트롤을 했어요. (이소영 생글7기, 경희대 경제학과 14학번)

Q. 수능 문제 푸실 때 번호 순으로 푸시나요? 아니면 선배님만의 특별한 순서가 있으신가요?

A. 저는 웬만하면 대부분 번호 순으로 풀었는데 가끔 국어에서 과학 지문 같은 게 이해가 안 되면 인문사회 쪽부터 풀고 다시 돌아갔었어요. 이건 자기에게 맞는 방법이 올바른 방법인 것 같아요. (서유진 생글7기, 서울대 불어교육과 13학번)

A. 저는 순서대로 풉니다. 출제자 분들이 최선의 순서로 문제를 배열하셨을 거라고 믿고 있거든요. (오민지 생글6기, 고려대 경영학과 14학번)

A. 수리 같은 경우에 저는 일단 번호 순서대로 풀되, 3점짜리든 4점짜리든 딱 한 번에 안 풀린다 싶으면 일단 넘어갔어요. 그렇게 시험지를 한 번 훑으며 쉬운 문제들을 다 풀어서 자신감을 높이고 난 뒤 나머지 문제들을 풀었어요. (오유진 생글5기, 성균관대 영어영문학과 13학번)

A. 원래 문제 푸는 스타일은 제각각이죠. 모의고사 보다 보면 자기만의 스타일이 생길 거예요. 저는 쉬운 것 먼저 풀고 어려운 것을 나중에 풀곤 했어요. 예를 들면 영어에서 장문 독해는 듣기를 하면서 풀고, 빈칸추론 문제는 맨 마지막에 풀었어요. (심윤보 생글8기, 전주교대 초등사회교육과 14학번)

A. 저는 오히려 번호 순으로 풀지 않으면 앞 문제가 걱정이 돼서 제대로 못 풀었던 것 같아요. 앞에 풀지 못한 문제들을 제쳐두고 뒤에서부터 풀면 오히려 더 긴장이 되더라고요. 시간이 촉박해져서 앞 문제를 제대로 보지 못할 것 같다는 생각이 들어서요. 처음부터 특별한 순서로 풀었다면 그 방식이 익숙해져서 그 나름대로 효과가 있었을 텐데, 저는 처음부터 순서대로 풀어서 그랬던 것 같네요. 어떤 방법이든 익숙해져서 제대로 빨리 풀기만 하면 괜찮을 거예요. (노예은 생글6기, 고려대 전기전자전파공

학부 13학번)

A. 저는 번호 순서대로 풀었어요. 시험지를 앞뒤로 넘기면서 안 풀었던 문제를 찾는 것이 훨씬 더 시간 낭비라고 생각했어요. 번호대로 풀다가 모르는 문제가 있으면 별표를 크게 치거나 그 페이지를 접어서 표시를 해 놨어요. 그러면 다시 풀 때 금방 찾을 수 있어서 좋았어요. (서아진 생글7기, 연세대 정치외교학과 13학번)

A. 국어는 순서대로 푸는 편인데, 수학은 2~3점 문항을 먼저 풀고 4점 문항을 푸는 편이었고, 영어는 빈칸추론 문제를 맨 마지막에 풀었어요. 수학의 경우, 4점 문제를 풀 때 아무래도 시간이 많이 남아 있는 편이 심적으로 부담이 덜하거든요. 영어는 요즘 빈칸추론 문제가 많이 쉬워졌지만 예전에 빈칸추론 문제가 어려웠을 때 가장 부담스러웠던 문제 유형이라 일부러 마지막에 남겨서 편하게 풀었어요. 제가 아는 동생은 국어를 풀 때 시험지 넘기는 소리가 너무 신경이 쓰여서 아예 맨 마지막 파트인 문학부터 푼다고도 했네요. 여기에 대해서는 딱히 정답이 없는 것 같아요. 하지만 본인이 특별히 신경이 쓰이거나 자신 없는 파트가 있다면 그 부분을 먼저 혹은 나중에 푸는 게 시간 안배나 심리적인 측면에서 좋은 것 같아요. (정금진 생글6기, 서울교대 영어교육과 15학번)

A. 괜히 특별한 순서로 풀다가 빠뜨리고 못 푸는 문제가 있을 것 같아서 번호 순으로 풀었습니다. 다만, 2번 읽어서도 모르겠는 경우에는 별표를 치고 넘어가서 마지막 문제까지 간 후에 다시 별표 친 문제들만 골라서 풀었습니다. (배수민 생글6기, 성균관대 심리학과 12학번)

A. 웬만하면 번호 순으로 풀었지만 자기가 편한 방식대로 푸는 게 시간 관리나 집중력 측면에서 훨씬 낫다고 생각해요. 자기가 편한 방식을 찾고 계속해서 그 방식을 쓰면서 연습하는 게 필수라고 생각합니다. (박영준 생글7기, 경찰대 행정학과 13학번)

A. 제가 생각하기에 시험 볼 때 문제 푸는 순서는 정말 중요해요. 왜냐하면 처음부터 어려운 문제를 만나서 계속 고민하다 보면 시간이 정말 빨리 가거든요. 저는 저만의 수리영역 푸는 방식이 있었습니다. 수능 수리영역 30문제는 2점짜리 4개, 3점짜리 13개, 4점짜리 13개로 구성되어 있어요. 저는 일단 쉽게 풀 수 있는 2~3점짜리 문제를 우선으로 풀었어요. 그리고 4점짜리 문제 중에서 쉬워 보이는 걸 (공부를 하다 보면 이 문제가 쉽게 풀릴 문제인지, 시간이 좀 걸리는 문제인지 대충 파악할 수 있는 능력이 생길 거예요.) 순서대로 풀면서 남은 문제들을 차근차근 줄여나갔어요. 그렇다면 계산을 해봅시다. 2~3점짜리 문제들은 다 합해서 정말 오래 걸려도 30~40분이면 풀 수 있습니다. 그리고 4점짜리 중에서 쉬운 문제는 3~4분도 안 걸려서 풀리는데, 그러한 문제들이 9~10문제 정도 돼요. 이렇게 빨리 풀 수 있는 문제들을 몽땅 먼저 풀고 나면 이론적으로는 정말 어려운 3~4문제에 투자할 수 있는 시간을 35분 정도 확보하게 됩니다. 한 문제에 10분 정도씩 쓸 수 있다는 거죠. 이렇게 해서 어려운 문제만 나중에 풀게 되면 문제에 더 집중할 수 있어요. 풀 문제가 더 남아 있다는 고민이 없으니까요. 물론, 이 방법을 쓰기 전에 2~3점짜리는 '껌'처럼 쉽게 풀 수 있는 탄탄한 기본을 먼저 갖춰야겠죠. (조성준 생글7기, 고려대 경제학과 13학번)

Part2

수능

2-1 **수능 일반론**

Q. 전체적인 수능 공부에 대한 조언을 듣고 싶습니다.

A. 수능이라는 시험은 말 그대로 응시자의 수학 능력을 알아보는 시험입니다. 국어는 지문 속에 담긴 내용을 바탕으로 응시자가 얼마나 논리적으로 추론을 할 수 있는지를, 수학은 응시자가 얼마나 집중할 수 있는지를, 영어는 응시자가 얼마나 노력했는지를 측정하는 것입니다. 탐구는 응시자가 자신이 원하는 대학에 가기 위해 보여야 하는 최소한의 성의입니다. 물론 한 과목 한 과목 깊이 들어가면 쉬운 것이 없겠지만 간단하게 말하자면 이렇습니다. 역으로 말하자면, 위에 적어놓은 부분에만 신경 쓰면 고득점도 사실은 별로 어렵지 않다는 뜻입니다. (김민선 생글6기, 고려대 경영학과 13학번)

A. 수능은 '수학 능력'을 평가하는 시험이기 때문에 학교 수업이나 내신 관리와는 다른 차원에서 준비해야 효과적입니다. 무작정 지식을 습득

하기보다는 과목별, 학년별 공부법을 미리 이해하고 나름의 장기적인 계획을 세우는 것이 더 좋은 방법입니다. 수능은 어떻게 보면 가장 공정하면서도 가장 불공정한 시험이라고 느껴질 수 있습니다. 대학에 입학할 고등학생을 선발할 때 '수학 능력'을 기준으로 한다는 것은 직관적으로 당연한 일입니다. 하지만 수학 능력의 핵심인 '논리력'과 '사고력'은 모든 학생이 다 다를 수밖에 없습니다. 이러한 수학 능력은 어릴 때부터 책을 읽고, 글을 쓰고, 창의적인 생각을 하고, 호기심을 갖는 등 다양한 학습활동을 통해 성장합니다. 또한 선천적인 지능이나 후천적인 노력에도 어느 정도 영향을 받을 것입니다. 저는 이러한 형태의 능력, 즉 수능에서 궁극적으로 평가하고자 하는 '수학 능력'을 '내공'이라 부르고 싶습니다. 내공을 쌓는 것은 결코 쉽지 않습니다. 하지만 실제 수능에서는 '내공' 이외의 요소도 상당히 중요합니다. 빈칸추론 유형에 익숙해진다거나, 지문보다 보기를 먼저 읽는다거나, 고전시가의 빈출 어휘를 준비한다거나, 심지어 선택지의 개수를 맞추어 찍는 방법까지, 수능 성적에 영향을 미치는 요소들은 어마어마합니다. 저는 이것을 '기술'이라 부르고 싶습니다. 기술을 키우는 것은 내공에 비해 쉬운 과정입니다. '내공'과 '기술'의 관계는 어떤 것이 좋고 나쁜 우열의 관계가 아닙니다. 내공이 모자라다면 기술을 키우는 공부를 하면 됩니다. (김병민 생글8기, 서울대 경영학과 14학번)

A. 사실 어떤 문제를 해결함에 있어서 가장 중요한 것은 그 근본을 찾아가는 것이죠. 수능도 마찬가지입니다. 수능의 뜻을 해석해 보면 대학수학능력시험, 즉 배움의 능력을 측정해 보는 시험입니다. 배움의 능력 중 수능에서 가장 큰 비중을 차지하는 것이 이해력입니다. 이해력을 갖추게 되면 모든 문제를 풀 수 있다는 이야기입니다. (물론 문법 등 조금 다른 성격을 가지고 있는 과목이나 분야들이 있긴 하지만 말입니다.) 따라서 이해력을 키우려고 노력하는 것이 수능 고득점을 향한 첫 번째 걸음이 됩니다. 이를 위해서는 자신이 풀고 있는 문제가 무엇인지, 공부하는 내용이

어떤 내용인지 생각하면서 수능을 대비하는 것이 가장 현명한 방법입니다. 다른 사람들이 한다고 그냥 열심히 기계적으로 문제만 풀면 어느 정도는 성적이 올라갈 수 있겠지만 결국엔 한계를 드러내게 됩니다. 여러분이 무슨 공부를 하는지, 또 틀린 문제는 왜 틀렸는지 철저하게 성찰하고 생각, 또 생각하시길 바랍니다. 수능 고득점의 해법은 스타강사에게도, 여러분의 부모님에게 있는 것이 아니라 치열한 고민을 통해서 여러분이 스스로 여러분 속에서 끌어내는 것입니다. 여러분이 가장 큰 선생님이자 고득점으로 갈 수 있는 가장 빠른 길임을 명심하세요. (이훈창 생글7기, 성균관대 경영학과 14학번)

A. 수능 준비는 사실상 '개념 정립 → 수능 기출문제 공부' 이 두 단계예요. 이 두 단계 사이에는 매우 많은 단계들이 함축되어 있어요. 단원 간 통합 개념 정리, 문제 풀이, 심화 개념 정리…. 이런 것들이 모두 수능 기출문제에 들어 있어요. 결국 수능 기출을 제대로 분석한다면 모두 공부할 수 있다는 거죠. 이를 위해서 가장 중요한 것이 개념의 확실한 정립이에요. 개념이 서있지 않다면 아무리 수능 기출을 풀어도 보이는 게 없어요. 제가 재수학원을 다녔을 때 학원에서 총 세 바퀴의 사이클을 돌렸어요. 1사이클은 개념 정립, 2사이클은 문제 풀이, 3사이클은 파이널이에요. 그런데 1사이클이 언제 끝났냐면 7월 초였어요. 2월 초부터 시작해서 말이에요. 가장 길었죠. 불안했냐고요? 당연하죠. 문제를 풀어야 될 거 아니에요. 그런데 선생님들께서는 단호하셨어요. "개념이 정립되지 않으면 아무리 문제를 풀어도 남는 게 없고 문제 하나하나를 분석할 힘도 없다." 이제는 적극 동의합니다. 개념 정립은 너무나도 중요해요. 개념은 문제를 풀면서 동시에 정립하는 것이 자신의 스타일에 적합하다고 하는 친구들이 있어요. 그 말, 당연히 동의해요. 그저 개념만 보는 건 너무 지루하죠. 그런데 그 문제가 수능 기출이 되어서는 안 돼요. 수능 기출은 한 문제 안에 매우 다양한 개념들이 통합되어 있기 때문입니다. 가장 좋은 건 EBS

교재예요. 『EBS 수능특강』쉽다고 무시하고 안 푸는 친구들도 있는데, 그거 두 바퀴만 돌려도 개념 정립에는 충분합니다. 말씀드렸듯이, 수능 준비가 두 단계라고 했잖아요. 2단계에 들어선 순간에도 1단계가 끝났다고 생각해서는 안 됩니다. 개념 공부는 수능 전날까지도 반복해줘야 해요. 물론 그때쯤에는 지엽적인 부분보다는 자신이 약한 부분 위주로 보는 게 맞겠죠? 시기에 따라 그에 맞게 적절한 개념을 공부하는 게 중요합니다. 무엇보다도 개념 공부에 끝은 없다는 것을 명심하세요. 계속해서 보고 또 봐야 합니다. 예를 들어, 수학 4점짜리 문제를 풀었다면 문제 풀이 이후에 그 문제에 들어간 개념에 대한 단원을 정리한다든지 하는 식으로 수능 기출문제 공부 단계에 들어간 이후에도 개념을 손에서 놓지 않아야 한다는 거죠. (김재운 생글6기, 인하대 신소재공학과 14학번)

A. 흔히들 우리나라의 교육이 '주입식'이라는 비판을 하곤 합니다. 하지만 수능은 주입식 공부만으로는 좋은 결과를 얻을 수 없는 시험입니다. 수능은 무작정 외우는 능력을 평가하는 시험이 아니라 기본 개념을 이해하고 실제 문제 풀이에 적용할 수 있는 능력이 있는지, 그리고 대학생활 및 사회생활을 좀 더 편하게 할 수 있는 정보 처리 능력이 있는지 평가하는 시험이기 때문입니다. 따라서 수능을 잘 보기 위해서는 개념 이해와 기초 실력 다지기에 집중해야 합니다. 시중에 수능 성적을 단기간에 올려준다는 책과 인터넷 강의들이 널려있습니다. 하지만 이런 공부법들은 수능 준비 기간이 3개월 이하밖에 남지 않은 수험생이 아니라면 절대로 시도해서는 안 됩니다. 수능이 7개월 이상 남았다면 편법을 찾지 말고 정도(正道)대로 기초를 쌓아야 합니다. 7개월이 남았다면 2~3개월가량은 기초 다지기에 집중하고, 나머지 3개월은 생각하며 문제 푸는 연습을 하며 유형 문제를 익히고, 나머지 한 달은 실전 훈련에 집중한다면 단기간에 올바르게 수능을 대비할 수 있습니다. 기초를 다지는 것이라 함은 국어는 지문 분석 능력, 수학과 탐구 과목은 기본 개념, 영어는 단어와 문법 그

리고 독해 능력을 다지는 것을 의미합니다. 1학년인 친구들은 지금 이 공부를 하셔야 해요. 특히 고3이 되어서도 모의고사 3~4등급 나오는 친구들은 고1 때 개념 공부를 제대로 안 해서 그런 경우가 대부분이에요. 개념 공부를 마친 뒤에 유형별 문제 풀이를 하고, 또 그 후에 실전 모의고사 문제를 푸는 겁니다. 처음부터 실전 문제 푸는 거 아니에요. (임우미 생글6기, 서울교대 음악교육과 13학번)

A. 처음에 개념을 배울 때는 최대한 정확히 이해하고 정리해두는 것이 중요해요. 그러나 한 번 개념을 정리하고 난 다음에 공부를 할 때는 개념 정리와 문제 풀이를 따로 떼어내서 생각하지 않았어요. 이미 한 번 정리했기 때문에 따로 또 노트를 만들거나 다른 개념서를 보는 것은 시간 낭비라고 생각했어요. 그래서 문제 풀이를 하면서 헷갈리는 개념은 그때마다 다시 짚고 넘어갔고, 개념을 다시 보고 싶다면 제가 처음에 공부한 개념서를 보거나 교과서를 찾아봤어요. 생각보다 교과서가 쉬운 말로 개념 정리가 잘 되어 있어요. 그리고 하나의 문제집에서 최대한 많은 내용을 가져가려고 노력했어요. 예를 들어, 영어 문제집을 푼다면 거기서 단어, 문법, 독해까지 다 해결하는 거죠. 괜히 번잡하게 많은 문제집을 사서 다 풀지 못하는 것보다 하나의 문제집을 풀더라도 그 한 권은 처음부터 끝까지 마스터한다는 생각으로 공부했어요. 다 푼 문제집은 버리지 않고 모아두어 가끔씩 다시 꺼내보아 틀린 문제를 되짚어 보고 해당 개념도 다시 되뇌었어요. 문제집 한 권이라도 이런 식으로 공부한다면 개념부터 문제 풀이까지 잡을 수 있을 거예요. (신정련 생글6기, 부산대 영어교육과 12학번)

A. 모든 시험에서 가장 중요한 것은 출제자의 의도입니다. 수능 문제는 고교과정에서 배운 내용 중 중요하고 핵심적인 부분을 가장 깔끔하게 정리한 문제입니다. 때문에 시험의 완성도가 매우 높습니다. 또한 평가원에서는 고등학교 과정을 넘어가는 수많은 편법적인 풀이 방법 역시 인지하

고 있기 때문에 정확한 방법이 아닌 방식으로는 풀기 어렵게 수능을 출제합니다. 즉, 수능을 잘 볼 수 있는 엄청난 왕도는 없다는 말입니다. 하지만 반대로 말하면 이는 수능 공부의 정석이 존재한다는 말로 이해할 수 있습니다. 수능은 고교과정에 충실한 학생이라면 누구나 지장 없이 문제를 풀 수 있게 출제됩니다. 때문에 수능에서 가장 중요한 것은 국어, 영어, 수학의 기본 능력을 키우는 것입니다. 국어나 영어라면 글을 빠르고 정확하게 독해하는 능력, 수학은 주어진 개념을 정확히 이해하고 문제의 유형과 푸는 방법을 파악하는 능력 등이 이에 해당할 것입니다. 이러한 기본기는 단순한 문제 풀이만으로는 이루어지기 어렵습니다. 때문에 1~2학년의 경우 문제 풀이보다는 지문이나 문제 자체에 집중하면서 공부를 하고 다양한 글을 읽는 것이 중요합니다. 따라서 문제 풀이의 양을 늘리는 것보다는 한 문제를 보더라도 정확하고 꼼꼼하게 보는 방식이 더 효율적일 것입니다. 또한 수능에서 요구하는 능력은 기출문제에 잘 나타나 있습니다. 다른 문제를 많이 풀기보다는 기출문제를 반복해서 보면서 평가원이 수능에서 학생에게 요구하는 능력을 키우는 데 집중하는 것이 더 효율적인 공부 방법일 것입니다. (홍성현 생글6기, 서울대 경제학부 13학번)

Q. 고1인데 모의고사 점수가 너무 안 나와요.

A. 고1 때의 모의고사 성적은 너무 걱정하지 않아도 돼요. 전 고1 때 모의고사 성적이 너무 안 나와서 정말 걱정 많이 했는데 고3 때는 점수가 잘 나왔어요. 고1, 고2 때의 모의고사 유형과 고3 때의 유형은 다르니 너무 걱정하지 말고 학교 공부 위주로 차근차근 공부하세요. 꾸준히 기본기를 쌓다 보면 고3 모의고사에서는 좋은 점수가 나올 거예요. (오유진 생글5기, 성균관대 영어영문학과 13학번)

A. 점수가 안 나오는 게 당연한 겁니다. 중학교 때의 시험과는 유형이 매우 다르기 때문에 강남에서 수능형으로 선행 학습한 학생이 아니라면 당연히 점수가 잘 안 나옵니다. 너무 걱정하지 마세요. 이제 시작인 겁니다. (오민지 생글6기, 고려대 경영학과 14학번)

A. 고1 모의고사는 신경 쓰지 마세요. 저는 고3 때 국영수에서 거의 항상 1등급이 나왔지만 고1 첫 모의고사에서는 국영수 모두 2등급이었어요. 고1 모의고사와 수능은 출제진이 다르기 때문에 문제를 내는 방향성도 달라요. 고1 모의고사는 시험 시간이 얼마나 길고, 시험 문제지는 어떻게 생겼고, 시험 문제는 어떤 모양으로 나오는지를 알기 위해 푼다고 생각하세요. 차라리 고2나 고3 문제집을 풀거나 내신에 집중하셨으면 좋겠어요. (이지현 생글7기, 연세대 언론홍보영상학부 14학번)

A. 고1이면 수능을 공부한 적이 없는데 점수가 잘 나오는 게 이상한 거 아닌가요? 물론 타고난 머리 덕분에 공부를 안 해도 점수가 나오는 친구들도 있겠지만, 우리 친구는 그런 경우가 아니잖아요? 그럼 그렇다고 해서 공부 때려치우고 새우 잡으러 갈 거예요? 아니잖아요. 뭐라도 해야 될 거 아니에요? 지금 자신의 상황에서 최대한 할 수 있는 걸 하고, 지금보다 딱 10배 더 노력해보세요. 그럼 성적은 분명히 오르게 되어 있어요. (배수민 생글6기, 성균관대 심리학과 12학번)

A. 고1은 아직 시간이 충분히 있어요. 조급해하지 말고 기본부터 공부하세요. 기본부터 공부하는 방법을 모른다면 EBS 강의를 수준별로 꾸준히 들어보세요. 그러면 감이 잡히실 거예요. (이소은 생글7기, 고려대 미디어학부 14학번)

A. 고등학교 1학년이라면 모의고사 점수에 크게 연연하지 않아도 돼요. 또한 고등학교 1학년 때에는 탐구영역보다는 국어, 수학, 영어에 초점을 맞추어 공부할 필요가 있습니다. 모의고사로부터 자신이 어디에서 취약한

지 분명히 파악하고 이를 보완하기 위한 노력을 해야 해요. 예를 들면 자신이 영어 어휘가 부족하다, 문법이 부족하다, 수학에서 함수 부분에 대한 이해가 부족하다, 국어 고전문학을 이해하는 것이 어렵다 등 자신이 부족한 부분을 모의고사를 통해 파악하세요. 파악한 부족한 부분에 대한 탄탄한 기본기를 쌓는 것이 모의고사 점수 자체보다 훨씬 중요하다고 생각합니다. (박성연 생글7기, 서울대 경영학과 13학번)

Q. 시기별 수능 공부법이 따로 있을까요?

A. 공부의 방법은 시기별로 따지는 게 아니라 자신의 실력을 기준으로 결정해야 된다고 생각합니다. 각 과목마다의 실력을 체크하고 거기에 대한 대안의 형식으로 공부해나가는 게 중요하다고 봅니다. (오민지 생글6기, 고려대 경영학과 14학번)

A. 민지누나 말대로 수능 공부는 과목별로 자신의 강점과 약점을 파악해서 하는 것이 좋아요. 하지만 탐구 과목은 고3 올라가기 전에 한 번씩은 다 끝내놓아야 편한 것 같아요. (심윤보 생글8기, 전주교대 초등사회교육과 14학번)

A. 시기별 수능 공부법이 따로 있지는 않다고 봐요. 최대한 수능 범위를 일찍 끝내고 EBS 연계 문제집이랑 평가원 기출문제를 풀어보는 게 좋아요. 늦어도 고3 3월 전까지는 수능 국영수와 탐구 시험 범위를 모두 끝내는 게 좋다고 생각해요. 특히 한국사 하던 친구들은 고3 되서 탐구 과목 바꾸면 힘들 수 있어요. (이소은 생글7기, 고려대 미디어학부 14학번)

A. 다른 과목들은 잘 모르겠지만 적어도 2학년에서 3학년 겨울 넘어갈 때는 탐구 과목이 한 번은 마무리가 되어 있어야 합니다. 3학년 넘어가서

탐구 과목을 시작하려면 늦기 때문입니다. 그리고 한 달 전에는 모든 과목이 마무리가 되어 있어야 수능 시간에 맞추면서 공부를 하고 마무리를 할 수 있습니다. (김도민 생글8기, 서울대 경영학과 14학번)

A. 고등학교 2학년 중반 때까지는 개념을 완벽하게 익히는 것이 매우 중요합니다. 물론 탐구의 경우에는 조금 다를 수 있지만 국영수 만큼은 개념을 확실히 익혀 놓아야 해요. 특히 수학이 무엇보다도 개념을 익히는 것이 중요한데, 고2 시기까지 남들보다 뒤쳐졌다고 해서 개념은 넘긴 채 문제 풀이에만 집중해서는 안 돼요. 고2 중반 이후에는 개념을 복습하면서 최근 3개년 수능 및 평가원 모의고사 기출문제를 풀어보는 것이 좋습니다. EBS 연계 교재는 자신이 수능을 보는 시기에 나오는 것들을 나오는 순서대로 풀어보고 복습하는 것이 좋아요. 보통 2월에 『EBS 수능특강』이 나오는데, 빨리 구매해서 풀어보고 반복해서 보세요. EBS 연계 교재는 외우려고 하기 보다는 지속적으로 반복해서 봄으로써 외워지는 것이 바람직합니다. 이렇게 해서 암기된 부분들이 시간 싸움을 벌이는 수능 실전에서 큰 도움이 될 거예요. 공부할 때 과목 밸런스 잘 지키세요. 부족한 과목에 시간을 더 투자하는 것은 맞지만 과목 밸런스가 크게 무너질 만큼 한 과목에 치우쳐서는 안 돼요. (최승희 생글7기, 한국외대 아랍어과 14학번)

A. 1~2학년은 국영수에 중점을 많이 두고 탐구는 내신 기간에만 바짝 하세요. 탐구는 2학년 끝나는 겨울방학에 본격적으로 시작하면 됩니다. 국영수의 전체적 틀은 2학년 끝날 때까지 완성하세요. 완성해야 할 틀이라 함은 국어는 자기만의 모의고사 문제 푸는 스타일 확립, 수학은 개념 마스터, 영어는 문법 다 떼고 어휘도 다 커버되도록 하는 겁니다. 2학년 겨울방학 시작하면서부터 탐구 과목은 인강 강사 한 분 골라서 개념강의부터 시작해서 커리큘럼 따라가세요. 꼭 모든 커리큘럼을 다 들을 필요는 없습니다. 저는 개념강의랑 파이널만 들었어요. 그리고 이때부터 국영수는

수능, 평가원 모의고사 기출문제를 공부하세요. 『미래로 수능기출문제집』 시리즈 추천합니다. (이정훈 생글5기, 성균관대 경영학과 11학번)

A. 수능은 장기전입니다. 그만큼 자신이 언제 어떻게 공부를 할 것인지 계획을 잘 세우는 것이 중요합니다. 고등학교 1~2학년 때는 내신 공부를 충실히 하며 전 과목에 대한 개념을 철저히 다지는 것이 좋습니다. 본격적인 수능을 위한 계획에 따른 공부는 고2 겨울방학부터 시작하세요. 총 4단계로 나눠서 1단계 고2 겨울 ~ 3월, 2단계 3월 ~ 6월, 3단계 6월 ~ 9월, 4단계 9월 ~ 수능으로 짜는 것을 추천합니다. 세부적인 계획은 각자 실력에 따라 다를 수 있지만 1단계와 2단계에서는 개념과 기출문제 위주, 3단계는 고난도 문제 풀이, 4단계에서는 실전 연습 및 개념 복습으로 하면 됩니다. 고3 1학기 내신은 정말 중요하므로, 고3 학생들은 수능 공부와 내신 공부의 균형을 잘 유지하기 바랍니다. 보통 고3 때는 학교 진도를 EBS 교재로 나가는 경우가 많아서 내신을 공부하면서 EBS를 정복한다고 생각하면 좋습니다. 과목별 밸런스를 지키는 것도 매우 중요합니다. 본인이 한 과목이 부족하다고 해서 그 과목을 몰아서 공부하다가 다른 과목의 성적이 더 떨어지는 케이스를 수도 없이 봤습니다. 저는 항상 국영수 1:2:3, 사탐 과목당 주 3시간 정도의 밸런스를 유지해서 공부를 했습니다. 특히 국어와 영어는 매일 꾸준히 하는 것이 중요하므로 계획을 세울 때 참고하길 바랍니다. (정금진 생글6기, 서울교대 영어교육과 15학번)

Q. 평가원 기출문제 중요하나요?

A. 가장 중요합니다. 6월 평가원 모의고사, 9월 평가원 모의고사, 그리고 수능은 수능 출제 기관인 한국교육과정평가원에서 출제한 시험이잖아요. 이것부터 먼저 공부하고, 그 후에 시간이 남으면 교육청 모의고사를 공부하는 겁니다. 보통 이 시험들을 '기출문제'라고 부릅니다. 평가원 기출문제는 두세 번 풀어도 안 아까워요. 최근 5개년 정도만 풀면 충분하지만 여유가 된다면 그 이전의 문제를 풀어도 되는데, 너무 옛날 수능 문제는 유형이 많이 다르니 공부하지 않아도 된다는 것이 중론입니다. 가능하면 평가원 기출문제는 개념이랑 실력이 좀 쌓인 후에 푸세요. 흔히들 문제가 아깝다는 말을 하는데, 기출문제는 양이 한정되어 있어서 그래요. 특히 국어는 답을 다 외우게 되면 나중에 기출문제가 진짜 필요할 때 그냥 습관처럼 풀게 되어서 아까워요. 실력이 없을 때 기출문제를 풀면 잘 모르니까 대충 풀고, 틀리고, 답 확인하는 과정을 반복하게 되어서 별 도움이 안 돼요. 실력이 좀 쌓여야 기출문제를 풀면서 논리도 세우고 틀려보기도 하면서 공부의 효과가 있어요. 그런데 막상 실력 쌓고 문제 풀려고 하는데 답이 다 기억나면 도움이 안 되니까 개념도 잘 모르는 상태에서 기출을 풀면 안 좋다는 거죠. 수능 공부에 있어서 제일 중요한 것은 평가원의 논리를 받아들이는 것입니다. 수능 문제를 출제하는 기관은 평가원입니다. 따라서 학교 선생님, EBS, 사설 문제집의 논리보다는 평가원의 논리에 자신을 맞춰가는 것이 중요합니다. 이를 위해서는 기출문제를 단순히 푸는 것을 넘어서, 그 속에 있는 논리를 찾아내려 노력해야 합니다. 맞은 문제도 제대로 된 사고과정을 거쳐서 맞은 것인지 꼭 확인하고, 틀린 문제는 특히 더 유념해서 '이 문제에서 평가원의 논리가 어떻게 진행되는지'를 살펴봐야 합니다. 이처럼 기출문제는 수능 공부에 있어서 자기실력을 키울 수 있는 가장 확실한 이정표라고 할 수 있습니다. (김현재 생글8기, 서울대 경영학과 14학번)

A. 기출문제는 매우 중요합니다! 수능 공부에서 가장 중요한 거예요. 교육청 모의고사나 사설 모의고사는 그리 중요하지 않아요. 출제진이 다르기 때문에 문제의 질도 떨어질 뿐만 아니라 출제 경향성이 완전히 다르고, 평가원과는 아예 다른 마인드로 문제가 나오는 경우도 종종 있어요. 그렇지만 평가원 기출문제는 그 문제를 낸 사람들이 결국 수능 출제자가 됩니다. 특히 국어의 경우, 어떠한 경향으로 문제를 이해해야 하는가를 분명히 해주는 것이 평가원 기출문제예요. 평가원에서 해설하는 방식으로 지문과 선지를 이해해야 문제를 풀기 수월할 거예요. 문제의 경향성이란 정말 중요한 거예요. 저는 극단적으로 교육청 모의고사만 잘 치는 친구와 평가원 모의고사만 잘 치는 친구를 봤어요. 둘 다 잘 치면 좋겠지만 한 가지를 선택하라면 평가원만 잘 치는 친구가 훨씬 나아요. 평가원 기출문제는 반복해서 풀수록 이해도가 높아집니다. (이지현 생글7기, 연세대 언론홍보영상학부 14학번)

A. 가장 중요한 게 기출문제예요. 저는 영어는 비교적 많이 풀지는 않았지만 국어, 수학, 과학은 재수 시절 1년 동안 수능 기출 전체로는 각각 3회독 정도, 부분적으로까지 감안하면 5회독 이상 했던 것으로 기억해요. 영어야 워낙 EBS 교재의 영향이 컸기에 좀 소홀히 했을 뿐이지, 그래도 전체 1회독, 부분적으로 2회독은 했었어요. 누군가 그러잖아요. '기출은 소중하다. 그러니깐 아껴 풀어라.' 전 반대 입장이에요. 물론 많이 공부하면 답이 떠오르죠. 그런데 답을 체크하는 게 공부가 아니라는 것을 확실히 아셔야 해요. 지문 분석, 선지 분석뿐만 아니라 문제를 푸는 과정에서 떠오르는 사고들을 점검하는 것도 공부예요. 그렇기에 수능 기출 공부는 '다다익선'입니다. 많이 풀수록 좋아요. 대신 아까도 말했지만 단순히 답만 체크하는 것이 아니라, 문제를 푸는 과정 전체를 점검한다는 생각으로 공부하셔야 도움이 됩니다. (김재운 생글6기, 인하대 신소재공학과 14학번)

Q. 수능 기출문제를 꼭 풀어야 하는 과목이 있나요?

A. 이건 심하게 말하면 거의 어이없는 질문이라고까지 할 수 있어요. 이런 말이 있죠. 역사를 배우는 이유는 똑같은 실수를 반복하지 않기 위해서이다. 모든 수능 과목 공부에서의 기본은 기출문제입니다. 수능도 문제 배열 구조나 유형, 그 시기의 트렌드가 있기 때문에 EBS 연계 교재만큼, 아니 EBS 연계 교재보다 더욱 중요한 게 기출문제들이에요. 시간이 부족하다면 최근 것부터 거슬러 올라가며 풀어보세요. 그렇다고 무작정 문제 풀듯이 풀지만 말고요. 당해 연도의 시험지들을 같이 놓고 어떤 공통점과 차이점이 있는지 꼼꼼히 분석해 보는 것도 필요합니다. (이주원 생글7기, 한국외대 경영학전공 14학번)

A. 국영수는 모두 풀어야 합니다. 평가원 기출 마인드는 언제나 유사한 방향을 가리키고 있어요. 국어와 영어는 지문 이해의 방식이 일관성이 있는데 기출문제를 통해서 감을 잡을 수 있고, 수학 기출문제는 풀면 풀수록 정형화된 패턴이 보일 거예요. 혹시 문제를 몰라서 찍어야 할 순간이 왔을 때, 평가원 기출 방향에 대한 이해도가 높으면 찍어서도 맞을 가능성이 꽤 높아집니다. (이지현 생글7기, 연세대 언론홍보영상학부 14학번)

A. 사실 모든 과목이 다 중요하지만 국어는 수능 기출문제를 꼭 풀어야 한다고 생각합니다. 저는 국어의 경우 평가원 기출문제로만 공부해도 된다고 생각해요. 평가원 국어 기출문제의 정밀함을 따라갈 다른 시험은 존재하지 않습니다. (김범진 생글8기, 서강대 경영학과 14학번)

A. 수능 기출문제는 모든 과목 다 푸셔야 합니다. 영어는 최근 3~4개년치만 풀면 되고, 국어와 수학은 10개년 정도까지 풀면 된다고 봐요. 옛날 영어 기출문제는 너무 쉬워서 의미가 없어요. 기출문제집은 『미래로 수능기출문제집』 시리즈와 『마더텅』 시리즈를 추천할게요. 『미래로 수능기출문제집』 시리즈는 해설도 좋고 책이 깔끔해서 보기 좋아요. 『마더텅』

시리즈는 기출문제를 연도별로도 분류하고 주제별로도 분류해놓은 게 장점이고요. (정금진 생글6기, 서울교대 영어교육과 15학번)

A. 모든 기출문제가 중요하지만, 그 중에서도 '꼭' 풀어야 하는 게 있다면 국어영역이라고 생각합니다. 국어 공부는 평가원의 사고에 내 사고과정을 맞추어 가는 것이라서 평가원 문제를 꼭 보셔야 합니다. 특히 비문학은 어디서 가져온 글을 '복사-붙여넣기' 하는 게 아니라 출제진들이 편집을 하기 때문에 출제한 곳이 어디냐에 따라서 지문의 질이 많이 달라져요. (임우미 생글6기, 서울교대 음악교육과 13학번)

Q. 사설 모의고사는 어떤가요? 사설 모의고사 공부하는 것도 도움 되나요?

A. 사설 모의고사에 엄청 큰 의의를 두고 공부할 필요까지는 없다고 생각해요. 개인적인 경험으로는 사설 모의고사 문제 중에는 좀 자잘한 문제들도 꽤 있었고 필요 이상으로 복잡한 문제들도 있었어요. 사설 모의고사를 풀고 점수가 안 좋게 나왔다고 해서 좌절할 필요는 전혀 없어요. (김보미 생글7기, 이화여대 스크랜튼학부 13학번)

A. 학교에서 치르는 사설 모의고사는 그냥 모의고사에 익숙해진다는 정도로만 생각하세요. 심지어 재수학원 사람들은 사설 모의고사 보지 말라고까지 해요. 학교에서 치르는 시험은 풀긴 풀되, 틀렸다고 기분 나빠하거나 사설 모의고사 해답지의 논리 보지 마세요. 평가원의 논리에 익숙해지세요. (오유진 생글5기, 성균관대 영어영문학과 13학번)

A. 사설 모의고사는 최근 7개년(국어는 10개년) 정도의 평가원 모의고사와 수능 기출문제를 2~3번 정도 돌리면서 정말 철저하게 분석한 후 더

이상 풀 게 없을 때는 한두 번 풀어보시는 것도 나쁘지 않다고 생각해요. 사설 모의고사 중심의 공부는 지양하세요. (김범진 생글8기, 서강대 경영학과 14학번)

A. 사설 모의고사는 문제의 질이 평가원 기출문제에 비해 상대적으로 안 좋은 편이에요. 평가원 문제랑 출제 방향이나 포인트가 다른 부분이 있어요. 그러니 사설 모의고사 보고 점수에 실망하거나 자만하지 마세요. 사설 모의고사에 나온 국어 작품 정도는 참고할만한 것 같아요. (류수현 생글5기, 경희대 연극영화학과 12학번)

A. 사설 모의고사는 출제진에 따라 난이도도 천차만별이고 평가원에서 실제로 그다지 중요하게 생각하지 않는 공식 등에도 비중을 두는 경우가 있어요. 실제 수능과 관련성이 크게 없는 만큼 오답 정도만 가볍게 살펴주시면 될 것 같아요. (이지현 생글7기, 연세대 언론홍보영상학부 14학번)

A. 사설 모의고사는 새로운 문제를 가지고 시간 안에 푸는 연습을 할 수 있다는 것, 그리고 자신이 알고 있는 잘못된 개념이나 실수요소 등을 발견하는 것 외에는 아무 의미가 없다고 생각하셨으면 좋겠어요. 이상한 문제도 많고, 난이도도 평가원 문제랑 달라요. (임우미 생글6기, 서울교대 음악교육과 13학번)

Q. 공부하다가 제 실력이 어느 정도인지 확인하고 싶을 때는 뭘 풀어야 할까요? 학교 모의고사로만 실력을 확인하는 건 좀 불안해서요.

A. 다른 연도의 모의고사나 수능 문제를 풀어보세요. 어떤 연도의 사람들이 공부를 못한다거나 잘한다거나 하지 않고 매년 수준이 비슷해요. 다른 연도의 문제를 풀어보고 등급컷에 맞춰보면서 자신의 수준을 확인해보세요. (김도민 생글8기, 서울대 경영학과 14학번)

A. 저는 학교에서 모의고사를 한 달에 한 번쯤 봐서 그거로도 충분했는데…. 혹시 수능 기출문제 안 보셨으면 보고, 그래도 너무 불안하면 사설 모의고사라도 한 달에 한 번 정도는 보세요. 고3 때 불안해서 자꾸 모의고사 문제집만 푸는 경우가 있는데 모의고사 푸는 시간은 그냥 실력 확인하는 시간이지 공부하는 시간이라고 보면 안 돼요. 사설 모의고사는 수능 직전에 시간 관리 연습, 감 잡기 용도로 생각하고 몰아서 풀어도 늦지 않아요. (박영준 생글7기, 경찰대 행정학과 13학번)

A. 자신의 실력이 시험 성적이라고 생각하세요? 자신의 실력은 시험을 통해서 점수로 확인할 수 있는 게 아닙니다. 평소에 꾸준히 오답 분석을 하면서 자신의 문제점을 발견하셔야 자신의 실력을 확인하실 수 있는 겁니다. 오답 분석을 할 때 그냥 '답이 이거구나.'하고 넘어가지 마시고 '왜 난 이 답을 못 찾았을까?', '왜 난 이 답을 골랐을까?' 하고 궁리하면서 파고 들어보세요. 자신의 문제점을 발견하고 본인의 수준을 자연스럽게 파악하게 되실 겁니다. (임우미 생글6기, 서울교대 음악교육과 13학번)

A. 평가원 기출문제를 푸세요. 고3 때 최종적으로 도달해야 할 난이도의 시험이기 때문에 가장 정확한 척도가 될 거에요. 물론 지금까지 봤던 문제 중에서 중복되는 문제가 많을 수도 있고, 그게 실력을 정확히 평가하는 데 방해가 된다고 생각하실 수도 있어요. 그렇지만 한 번에 한 세트

를 푸는 식으로 하면 모든 문제가 기억나지는 않을 테고, 전반적으로 실력 확인을 하고자 할 경우 이것 이상으로 좋은 문제는 없다고 감히 말씀드리고 싶어요. (이지현 생글7기, 연세대 언론홍보영상학부 14학번)

Q. 국영수 성적이 안 좋은데 탐구 과목 열심히 해서 만회해도 되나요?

A. 아니요. 결국 중요한 건 국영수입니다. 국영수 성적을 탐구 과목으로 만회하기는 제도적으로 힘들어요. 제일 걸리는 것 중 하나가 수시에서의 수능최저학력기준인데요. 국영수 성적으로만 최저학력기준을 설정하는 학교들이 꽤 많아요. 탐구 과목을 아무리 잘 봐도 국영수 성적이 안 나오면 떨어지는 겁니다. 힘들더라도 열심히 해서 국영수 성적을 올려보는 게 더 좋을 것 같아요. (김보미 생글7기, 이화여대 스크랜튼학부 13학번)

A. 국영수가 훨씬 더 중요합니다. 탐구로 만회한다고 생각하지 말고 국영수 자체에서 성적을 회복하세요. 최선을 선택해야지 차선으로 도전하는 건 비겁한 겁니다. (오민지 생글6기, 고려대 경영학과 14학번)

A. 과목별 공부 밸런스는 반드시 지켜야 해요. 제 주변에도 그냥 수시 최저등급만 맞춘다고 특정 과목 버리고 공부하다가 망해서 재수한 친구들이 꽤 많았어요. 특히 고3들 수시 원서 쓰고 마음 벌렁벌렁해서 마치 자기가 벌써 합격한 것 마냥 공부 많이들 안 하는데 수능 칠 때까지 아직 끝난 게 아니란 거 명심하길 바라요. (정금진 생글6기, 서울교대 영어교육과 15학번)

A. 수시에서 최저기준을 맞출 때 탐구 과목을 활용할 수도 있지만 일반적으로는 국영수가 우선입니다. 탐구 과목 때문에 발목이 잡혀 더 나은

대학에 아쉽게 못 갈 수는 있지만, 국영수가 안 되면 대학을 가는 것 자체가 어렵습니다. (김도민 생글8기, 서울대 경영학과 14학번)

A. 국영수 성적이 안 나온다고 해서 탐구 과목 파는 것은 정말 어리석은 짓이라고 생각해요. 국영수탐을 균형 있게 공부하는 것도 중요하지만 국영수가 항상 최우선입니다. 저희 학교에는 사탐을 정말로 잘해서 사탐 선생님께 많은 예쁨을 받았지만 국영수에는 소홀한 나머지 평소 원하던 대학에 가지 못한 친구도 있었어요. 학생들이 가고 싶어 하는 주요 대학들은 탐구 과목 반영 비율이 대개 10% 정도일 거예요. 탐구 과목을 등한시 하지는 말되 국영수보다 우선시하면 안 돼요. (최승희 생글7기, 한국외대 아랍어과 14학번)

A. 탐구 과목보다는 국영수에 초점을 두는 게 맞는 것 같아요. 많은 대학들이 수시 전형에서 수능최저학력기준으로 국영수가 몇 등급이냐를 따지지 탐구가 몇 등급이냐는 그렇게 따지지 않아요. 특히 논술전형은요. 그렇기 때문에 탐구보다는 국영수를 잘 보는 것이 훨씬 더 유리해요. (서아진 생글7기, 연세대 정치외교학과 13학번)

A. 문과의 경우를 말씀드리자면, 정시에서 사탐의 비중이 어느 정도 있지만 그렇게 높지 않아요. 거의 대부분 10% 정도입니다. 그래서 국영수 공부를 포기하고 사탐을 공부하는 것은 옳지 않다고 생각합니다. 6월, 9월 평가원 모의고사가 끝나고 나서 부족한 국영수 점수를 사탐으로 만회하겠다고 하며 사탐만 공부하는 친구들을 많이 봤었는데, 사탐 점수는 오히려 더 오르지 않고 국영수에서도 피를 본 친구들이 많았습니다. 어느 정도 과목별 공부량의 비율을 맞추되, 특정 과목을 포기하는 일은 없어야 합니다. (손소연 생글7기, 동국대 정치외교학과 14학번)

Q. EBS 수능 연계 교재들에서의 수능 출제 빈도와 체감 정도, EBS 교재와 수능의 난이도 차이가 궁금합니다.

A. 연계 교재들의 출제 빈도는 거의 똑같아요. 즉, 어느 교재에서 뭐가 나올지 모르기 때문에 골고루 전부 공부해야 해요. 솔직히 영어 빼고는 EBS 연계의 체감은 별로 안 커요. 그리고 EBS 교재 연계 지문이 나오면 그것은 시간 단축용에 불과하지 실제로 고득점을 좌우하는 건 비연계 지문이라는 걸 기억하길 바라요. 최대한 EBS 교재로 시간을 단축할 수 있는 여지와 구문력을 기르고, 비연계 고난도 지문에 공부 시간을 쏟아 부으면 돼요. (정금진 생글6기, 서울교대 영어교육과 15학번)

A. 보통 국어, 영어가 체감하는 정도가 높은 편입니다. 제가 치렀던 2014학년도 수능에서는 정말 많이 느꼈어요. 특히나 영어는 푸는 시간을 확 줄여줘요. (김재운 생글6기, 인하대 신소재공학과 14학번)

A. 국어는 EBS 교재에서 연계가 되는 경우 교재에서 나왔던 작품의 다른 부분이 나오는 경우가 대부분입니다. 즉, EBS 교재에서 본 지문이 나오는 일은 거의 없습니다. 비문학도 보통 같은 주제의 다른 글이 나옵니다. 해당 지문을 본 적이 있다면 '이 내용 배웠었는데.'라는 느낌만 들고, 해당 주제를 경험해본 만큼 글을 좀 편히 읽을 수 있는 수준으로 글이 재편되어 나오는 정도입니다. 영어는 지문 내용이 상당히 겹치게 나오는 편이고 똑같은 경우도 있으나, 이 경우에는 문제 유형이 판이하게 바뀌게 됩니다. 빈칸 채우기나 주제 찾기 문제가 어법 문제 등으로 바뀌어 나오는 것이 대표적입니다. 문장 순서가 약간씩 바뀌어 나오는 경우도 있고요. 체감 상으로 EBS 교재의 연계 정도가 많이 느껴지는 건 영어, 국어, 수학 순입니다. 추가적으로, 노벨상 후보로 언급되거나 신변에 변화가 있는 작가를 집중해서 보라는 말도 있습니다. (홍성현 생글6기, 서울대 경제학부 13학번)

A. 단호하게 말할 수 있는데 국어와 영어 과목만 EBS 교재를 참고하세요. 정말 최고 수준의 국어, 영어 실력을 가지고 있다면 굳이 안 봐도 되겠지만 그게 아니라면 EBS 버프를 느껴야 합니다. 국어나 영어는 지문 자체가 유사하게 나와서 도움이 많이 돼요. 그러나 수학이나 탐구는 개념이 확실하면 연계되든 안 되든 다 가능합니다. 유형을 외워서 푼다는 건 말이 안 되는 거거든요. (오민지 생글6기, 고려대 경영학과 14학번)

Q. 인터넷 강의(인강) 보는 거 좋나요?

A. 저는 인터넷 강의 적극 추천합니다. 공부하는 방법을 모르거나 이해가 잘 안 되는 과목들은 인터넷 강의를 활용하는 것이 훨씬 좋습니다. 하지만 스스로가 인터넷 강의 계획을 잘 세우고 지켜나갈 수 있어야만 효과를 볼 수 있어요. (박영준 생글7기, 경찰대 행정학과 13학번)

A. 저는 기숙사에 살았기 때문에 밖에 나가는 것이 여의치 않아서 인강으로 공부했습니다. 시간을 절약할 수 있고 원하는 시간에 들을 수 있다는 점, 그 과목에서 뛰어난 실력의 강사를 고를 수 있다는 점이 좋습니다. 하지만 의지가 약하다면 다 듣지 못하게 되거나, 딴 짓을 하게 되어 효율이 떨어질 수 있다는 점은 고려해야 합니다. (김현재 생글8기, 서울대 경영학과 14학번)

A. 인강은 개인차가 심한데 저는 인강 하나도 안 들었어요. 제 생각에 인강이 탁월한 효과를 볼 수 있는 건 첫 번째로 사탐, 두 번째로 영어 문법, 세 번째로 수학 개념인 것 같네요. (김병민 생글8기, 서울대 경영학과 14학번)

A. 저는 학원에 다니지 않고 인강으로 공부한 케이스예요. 학원에 가는

시간을 절약하면서 자신이 원하는 문제와 풀이만 볼 수 있다는 것이 인강의 큰 장점인 것 같아요. 특히 EBS 인강은 체계가 잘 되어 있어서 질의 응답도 빠른 편이고, 빠른 배속으로 들을 수 있고, 무엇보다 선생님들께서 잘 가르치세요. 하지만 자신의 공부 방법이 인강과 맞지 않는 경우에는 과감히 포기하는 게 옳다고 생각합니다. (이소영 생글7기, 경희대 경제학과 14학번)

A. 저는 인터넷 강의 덕을 많이 봤습니다. 특히 수학과 사탐영역을 거의 인강으로 공부했었는데, 학원 오가는 시간을 아끼고, 제가 듣고 싶을 때 들을 수 있고, 이해되지 않거나 놓친 부분을 다시 들을 수 있다는 점이 인강의 큰 장점이라고 생각합니다. 다만, 인강 듣는 것을 관리해주는 사람이 있다면 더 효과적으로 공부할 수 있을 겁니다. 선생님이나 부모님, 혹은 친구들과 함께 인강 스케줄을 짜보고 그 스케줄을 지키는지 확인을 해달라고 부탁해보시면 큰 도움이 될 거라고 생각합니다. (서유진 생글7기, 서울대 불어교육과 13학번)

A. 저는 인터넷 강의를 예습이나 복습의 용도로 사용했습니다. 방학 때 미리 듣고, 학기 중에 그 부분을 수업 시간 때 다시 배우면서 부족한 부분을 복습하는 용도로 인강을 사용했습니다. 한 가지 당부를 드리자면, 인강을 완전히 배제하라는 것은 아니지만 인강에만 의존하는 것은 매우 위험한 공부 방법입니다. (김도민 생글8기, 서울대 경영학과 14학번)

A. 도움이 될 때도 있고, 안 될 때도 있죠. 남들 의견에 휘둘리지 마시고, 자신에게 정말 필요한 강의인지 고민해보고 결정하세요. 그리고 한 번 결정하시면 그냥 끝까지 가세요. "나는 이렇게 공부했는데 성적 엄청 올랐어."라는 친구의 말에 '친구 방법이 더 좋은가? 갈아탈까?' 이러지 마시고요. 어떤 교재든 인강이든 한 길만 오롯이 파면 성적 오릅니다. (임우미 생글6기, 서울교대 음악교육과 13학번)

A. 개념을 완전하게 모르는 과목은 인강을 보는 게 좋고, 학교 수업으로도 개념이 잡히는 과목을 인강으로 굳이 다시 본다면 그것은 시간 낭비에 가까워요. 학교에서 이해 안 된 부분을 부분적으로 찾아서 들어도 좋아요. 친구들이 듣는다고 해서 따라듣거나 하는 것은 절대 금물이에요. (김재은 생글7기, 서울대 자유전공학부 13학번)

Q. 수능을 반영하지 않는 전형에 지원하더라도 수능 공부는 계속 해야겠죠?

A. 당연하죠! 여러분이 수시에 100% 합격한다는 보장이 없기 때문에 수능을 버리고 입시를 치른다는 생각은 정말 큰 도박입니다. 또한 대부분의 수시 전형도 '수능최저등급'이라는 수능을 반영하는 시스템을 가지고 있으니 수능 공부를 안 할 거라는 생각은 버리시는 게 좋아요. (조성준 생글7기, 고려대 경제학과 13학번)

A. 대입을 준비하면서 한 우물만 파는 것이 좋을 수도 있지만 적어도 수시 1개와 정시라는 두 개의 카드는 가지고 있어야 합니다. 끝까지 수능을 준비해야 합니다. (김도민 생글8기, 서울대 경영학과 14학번)

A. 수능 공부는 계속 하시는 게 좋아요. 입시는 합격이 확정되어서 예치금을 입금할 때까지는 계속되는 싸움이에요. 불의의 사고가 생겨서 수시로 대학을 가지 못할 경우, 오류가 생길 경우 등 상상할 수 있는 모든 경우를 생각하면 수능 공부를 하는 것이 스스로를 더 안정시켜 줄 수 있다고 생각해요. (이지현 생글7기, 연세대 언론홍보영상학부 14학번)

A. 수능 준비 열심히 하세요. 수능 성적이 받쳐주면 수시에서도 높은

대학을 골라 쓸 수 있어요. 심지어 수시에서 모의고사 성적표를 내면 붙는다는 루머도 많이 돌았었는데 그건 사실인지 잘 모르겠네요. (김병민 생글8기, 서울대 경영학과 14학번)

A. 수능은 절대 놓아선 안 됩니다. 대학을 위한 보험이자 최후의 보루가 되어야 합니다. 제 주변에서 부푼 꿈을 안고 수시에 지원했다가 모두 불합격하고 결국 정시로 가는 친구들을 많이 보았습니다. 그 친구들이 하나 같이 하는 소리가, "수시 쓸 시간에 수능 공부나 할 걸."이었습니다. 자신이 수시로 합격할 수 있는지 냉철하게 판단해보고, 설령 합격 가능성이 보이더라도 수능은 놓아선 안 됩니다. (배수민 생글6기, 성균관대 심리학과 12학번)

A. 수능은 입시의 기본입니다. 교육과학기술부에서는 논술전형의 비중을 줄인다고 했지만 2015학년도 대학 입시에서 그 전년보다 오히려 논술을 보는 곳이 1곳 더 늘어났고 정원 역시 대체로 비슷한 수준이었어요. 대신에 교육과학기술부 지시에 의해 논술전형을 줄이거나 그대로 유지하는 대학교의 경우 최저학력수준기준이 그대로이거나 오히려 상향되었습니다. 입학사정관전형과 같은 특정 몇몇의 제도를 제외한다면 수능이 결국에는 반영됨을 보여주는 것이죠. 예를 들어, 매년 최고의 경쟁률을 자랑하는 논술전형을 살펴봅시다. 컨설턴트들이 강연을 할 때마다 하는 말을 인용해 보면 '이과생은 수리와 탐구 1등급, 문과생은 언어, 수리, 외국어 1등급만 맞으면 못 가는 대학이 없다.'라는 말이 있죠. 이것은 논술전형 우선선발을 충족하는 인원이 미달되는 경우가 태반이기 때문에 나오게 된 말이에요. 이외에도 최저학력기준을 충족하지 못하여 서울대 지역균형선발전형에서 탈락하는 사례 등의 다양한 경우를 살펴봤을 때 수능은 입시의 기본요건이에요. (김영주 생글6기, 경희대 전자·전파공학과 13학번)

2-2 국어

Q. 국어 공부를 어디서부터 어떻게 시작해야 할지 갈피를 못 잡겠어요. 문제집을 풀어도 뭔가 답답하고요. 어떻게 해야 할까요?

A. 국어는 '문학 개념 + 비문학 독해력 + 문제 푸는 바른 자세'를 갖추는 것이 핵심입니다. 상위권 학생 중에 감에만 의존해서 국어 공부를 소홀히 하는 경우가 많은데, 2014학년도 수능부터 과목 명칭이 언어에서 국어로 바뀌면서 강화된 것이 '지식'적인 측면입니다. 특히 문과생들이 치러야 하는 국어 B형의 경우 문법 파트가 어려워졌고, 고전시가도 원문 그대로 출제를 하는 편이기 때문에 꼼꼼하고 체계적인 공부가 필요합니다. 전체적으로 국어를 어떻게 공부해야 할지 모르겠다는 학생에게는 『국어의 기술』이라는 책을 추천합니다. 국어영역을 어떻게 접근해야 할지에 대한 방법론이 잘 나와 있어서 고등학교 1~2학년 학생들이 보면 좋을 것 같습

니다. (정금진 생글6기, 서울교대 영어교육과 15학번)

A. 국어는 시간만 있으면 누구나 웬만큼은 풀 수 있습니다. 빠른 시간 내에 정확하게 문제에서 요구하는 핵심을 파악하며 읽어 내려가는 것이 중요합니다. 기본적으로 논리성을 기를 필요가 있고, 저는 문제를 먼저 읽고 푸는 습관을 들였습니다. 또한 국어 수업 시간에는 딴 짓을 하지 않고 선생님이 주시는 제한시간 내에 문제를 풀어내는 연습을 하였습니다. 이러한 방법이 저에게는 비문학이나 문학 지문에서 시간을 유연하게 조절할 수 있게 해주었습니다. (서아정 생글8기, 한양대 컴퓨터전공 14학번)

A. 국어는 기본적으로 적은 양이더라도 꾸준하게 공부하면서 감을 잃지 않는 것이 중요합니다. 1~2학년의 경우, 많은 국어 지문을 경험하지 못했음에도 모의고사 문제 풀이에 집중하는 경향이 있습니다. 그러나 1~2학년은 문제 풀이보다는 다양한 글을 빠르고 정확하게 독해하는 연습을 하고 다양한 문학 작품을 경험하는 것이 더 중요합니다. 이를 위해서는 모의고사 문제 풀이보다는 모의고사의 각종 지문들을 문단별로 요약하는 등의 훈련을 통해 글이나 지문 자체의 독해 능력을 키워야 합니다. 독해 능력을 키우고 다양한 지문을 접할 수 있는 방법은 바로 '지문 독서하기'입니다. 모의고사나 문제집을 풀 때 우리는 수많은 지문을 봅니다. 그러나 대부분의 학생은 이를 문제 풀 때만 잠시 볼 뿐 지문에 집중하지는 않습니다. 하지만 이 때 보는 지문이야말로 독해 능력을 키울 수 있는 가장 좋은 기회라고 할 수 있습니다. 비문학 지문을 볼 때는 관련 지식이나 상식을 쌓는다는 느낌으로 편하게 독서를 하면서도 각 문단이나 전체 지문의 내용을 간단히 요약하고 글의 흐름을 파악해보는 훈련을 할 수 있습니다. 고등학교에서의 비문학의 경우 다양한 주제를 고등학생이 이해할 수 있는 수준에서 다루고 있으므로 다른 어떤 글보다도 고등학생이 읽기에 가장 적합한 형태를 가지고 있습니다. 때문에 다양한 책을 읽기가 어렵다면 여러 문제집의 비문학 지문을 읽는 것이 좋은 훈련이 될 수 있을 것입

니다. 문학도 마찬가지입니다. 대부분의 학생이 모의고사 문제를 풀다가 문학 작품의 지문이 흥미로워 추가적으로 읽어보고 싶다는 생각을 해본 적이 있을 것입니다. 이 때 본인이 재미있다고 느꼈던 글이라면 해당 작품 전체를 읽어보는 것 역시 좋은 훈련입니다. 이런 방법을 통해 스트레스를 받지 않으면서도 많은 문학 작품을 경험할 수 있습니다. 이런 과정을 반복하면 해당 작품의 작가에 대한 기본적인 내용을 자연스럽게 숙지하게 됩니다. 이를 통해 많은 작가의 성향, 시대적 배경, 소설에서 상징적으로 쓴 단어들의 의미를 쉽게 파악할 수 있게 됩니다. 이후 해당 작가와 비슷한 성향을 가진 작가나 비슷한 시대의 작가의 작품을 읽는 식의 방법으로 수능에 출제되는 많은 작품을 접하고 이를 자연스럽게 체득할 수 있습니다. 이렇게 쌓은 지식과 독해 능력은 수능 문제 풀이를 때 많은 도움이 될 것입니다. (홍성현 생글6기, 서울대 경제학부 13학번)

A. 국어는 성적이 잘 오르지 않는 과목이라고 많이들 알고 계십니다. 맞는 말입니다. 그 이유는 편법이 통하지 않는 과목이기 때문입니다. 시중 국어책에서 알려주는 편법들은 그 책에서만 통할 때가 많습니다. 요지는 '어떤 지문이 나와도 당황하지 않고 지문을 분석해낼 수 있는 능력을 길러야 국어 성적이 오른다.'는 것입니다. 이 능력을 한 번 길러놓으면 어떤 모의고사에서도 자신감이 생기며 점수 패턴이 일정해지고, 대학에 와서도 전공 서적을 읽을 때 단락별로 의미가 읽히며 저절로 분석이 되는 기적을 경험하게 되실 겁니다. (임우미 생글6기, 서울교대 음악교육과 13학번)

A. 국어는 공부해도 성적이 오르는 게 눈에 보이지가 않아서 공부하기 힘든 과목이에요. 1학년이면 일단 문제 푸는 스킬이랑 기본적인 작품을 공부하세요. 그리고 나서 웬만큼 문제 푸는 방법을 터득하시면 2학년이 끝날 때까지 자신이 약한 부분을 집중적으로 공부하셔야 해요. 예를 들어 비문학이 약점이라면 비문학 공부 비중을 늘리는 거죠. (박영준 생글7기, 경찰대 행정학과 13학번)

A. 국어는 문제를 푸는 것보다 지문을 확실히 분석하는 것이 좋다고 생각합니다. 수능이 치러진 지 약 20년이 지났는데, 이제 나올만한 문학은 다 나왔고 비문학의 형태도 거의 정형화되었습니다. 그래서 추천하는 공부 방법은 과거 기출문제 지문을 분석해보는 겁니다. 이런 방법으로 공부하면 문학의 경우 어떤 작가의 새로운 작품이 등장해도 그 작가의 다른 작품을 배웠기 때문에 당황하지 않고 문제를 해결해 나갈 수 있습니다. 그리고 비문학도 글의 구조가 다 있고 그에 따라 주제가 편성되는 것이기 때문에 많은 글을 읽다 보면 자연스럽게 구조가 파악되면서 내용이 파악될 것입니다. (박준형 생글8기, 건국대 글로컬캠퍼스 경제학과 14학번)

A. 저는 여기서 설명하려는 국어 공부법은 원래는 이과생을 위한 방법이에요. 이과생들은 국어는 사치라고 생각하는 경향이 있어요. 수학에 시간을 많이 투자해야 하니까요. 그걸 감안해서 최소한의 시간으로 최대한의 효율을 낼 수 있는 저만의 공부법을 소개할게요. 문과생은 제 공부법을 시간을 늘려서 적용하면 될 거예요. 기본적으로 국어에 투자하는 시간은 일주일에 400분을 넘기면 안 돼요. 400분이 많다고 생각할 수 있는데 이 정도의 시간도 투자하지 않는다면 국어 천재가 아닌 이상 고득점은 힘들어요. 이 400분을 100분씩 4개로 쪼개요. 그 중 200분은 기출문제를 풀었고, 200분은 EBS 교재를 풀었어요. 100분을 다시 30분과 70분으로 나눠서, 30분은 문제 푸는 시간, 70분은 푼 문제를 분석하는 시간으로 잡았어요. 한 지문 당 5분씩 잡고 30분 동안 문학 3지문, 독서 3지문, 총 6지문을 풉니다. 푸는 속도가 느린 친구들은 매우 힘들겠지만 계속해서 이렇게 훈련하셔야 합니다. 그래야 수능 때 여유 있게 풀 수가 있어요. 5분이 지나면 덜 풀었어도 다음 지문으로 넘깁니다. 한 지문을 절대 시간 내에 한 번에 다 풀 수 없다고 생각하세요. 물론 풀면 좋죠. 그런데 그렇게 하려고 부담을 가지다 보면 시간 안배에 어려움을 겪게 됩니다. 이렇게 시간을 안배하면 실제 국어영역 시험지를 한 번 다 봤을 때 보통 40

분 정도가 남아요. 특히나 어려운 지문은 두세 번 반복해서 보면서 푸는 게 좋아요. 2014학년도 수능 국어 디스크 지문 아시나요? 전 처음 봤을 때 안 풀렸지만 5분 넘자마자 지체 없이 넘겼어요. 그렇게 시험지 한 번 다 보고, 다시 와서 풀었는데도 안 풀리더라고요. 또 넘겼어요. 마지막 세 번째 검토할 때 10분 정도 남았는데, 그때 돼서야 풀렸어요. 한 번에 다 풀려고 부담 갖지 말고 시간 안배가 훨씬 더 중요하다는 것을 명심하세요. 70분간의 분석 시간에는 노트를 정리했어요. 국어만큼은 정말 노트 정리를 권하고 싶어요. 왜냐하면 그냥 지문 옆 공간에 쓰기에는 양도 많을뿐더러 다시 보기도 너무 힘들어서 그래요. 적어도 국어 노트만큼은 수능 시험장에 들어가서까지 보게 될 아주 귀중한 책이 될 것입니다. EBS 교재 1년 치 + 수능 기출문제 약 10년 치 분량의 분석이 많아도 얇은 노트 5권을 넘어가지 않아요. 얼마나 원천만을 모았겠어요. 그리고 가장 중요한 건 그 많은 양의 문제를 일일이 분석하면서 늘어난 여러분의 실력이에요. 노트는 그것의 증거입니다. 꼭 필기하기를 부탁드릴게요. 노트 정리는 영역에 상관없이 작품 정리를 위주로 합니다. 문학은 작품의 내용을 위주로 참고서를 참조해가면서 자신만의 방법을 구축해가면서 만드시는 것이 좋습니다. 저는 시어의 의미, 단락별 내용, 시상, 발화형식 등을 정리했어요. 독서영역은 단락별로 요지 정리와 전체 주제만 정리해주셔도 충분합니다. 그렇게 정리만 해봐도 새 지문을 볼 때 전에 정리를 하던 것이 체화되어 문제를 풀면서 머릿속으로 요지를 정리하게 되고 전체 주제를 잡게 되어 보다 명확한 내용이 머리에 남은 상태로 선택지를 볼 수 있게 됩니다. 그리고 노트 정리를 할 때 정리가 안 되는 부분이 있으면 참고서에 정리되어 있는 내용을 보거나 학교 선생님께 질문하시는 게 가장 좋습니다. (김재운 생글6기, 인하대 신소재공학과 14학번)

A. 국어는 고전문학이든, 현대문학이든, 비문학이든 주어진 지문 안에서 사고할 수 있는 유연함이 필요합니다. 지문 안에 있는 것이 아닌 것을

골라낼 수 있을 만큼 자신의 사고를 한정할 수도 있어야 하고, 특정한 발화 또는 주장의 의도를 추론해낼 수 있을 만큼 논리성을 발휘할 줄도 알아야 합니다. 그리고 이런 유연한 사고를 얻는 방법으로는 여러 문학, 비문학 작품을 접해보는 것이 정도(正度)라 하겠습니다. 말 그대로 책을 많이 읽는 것입니다. 시간이 상대적으로 많은 고1 학생에게 추천합니다. 문학 비문학 가리지 않고 읽다 보면 자신도 모르게 사자성어나 맞춤법, 문장 호응 같은 것을 자유자재로 다룰 수 있게 됩니다. 시간이 모자란 고2, 고3 학생들은 일단 습관적으로 비문학 지문을 풀어보기를 추천합니다. 문학 작품을 하나라도 더 머리에 넣어야 한다고 생각하는 학생들도 있겠지만 사실 그렇게 해봤자 틀릴 문제를 맞힐 정도의 실력 향상은 일어나지 않습니다. 오히려 주입식으로 외운 작품 주제나 교훈 때문에 실전에서 그 작품이 나왔을 때 색안경을 끼게 되어 해당 문제의 의도와는 다른 답을 고르게 될 가능성이 높습니다. 비문학 지문을 하루에 두어 개라도 습관적으로 풀면 우선은 논리 추론 능력에서 향상이 일어납니다. 문학 작품은 이 소설이, 이 시가 무슨 말을 하는 건지 알아보는 수준만 되면 됩니다. (고어(古語) 숙지, 자신이 보기에 난해한 작품 이해하기 등) 비문학을 완벽히 풀 수 있게 되었을 때가 '시간이 남을 때'이니 그때 문학 작품에 집중하는 것이 낫습니다. (김민선 생글6기, 고려대 경영학과 13학번)

Q. 국어 공부하실 때 기출문제 분석도 하셨나요?

A. 저는 다른 과목도 그렇지만 국어는 특히 기출문제가 중요하다고 생각해요. 다른 문제에 비해서 기출문제가 깔끔하기도 하고 기출문제를 풀어봐야 평가원에서 물어보고 싶은 게 뭔지를 알 수 있어요. (박영준 생글7기, 경찰대 행정학과 13학번)

A. 무조건 해야 됩니다. 어떻게 해야 할지 감이 안 잡히면 기출문제 분석 인강이 시중에 나와 있으니 한 번 들어보시는 것을 추천합니다. (김범진 생글8기, 서강대 경영학과 14학번)

A. 당연히 했죠. 국어는 내신과 수능 공부법이 다릅니다. 내신 같은 경우는 수업 시간에 선생님께서 말씀해주시고 필기해주신 거 위주로 공부하되, 시험 기간에는 그 내용을 생각하면서 교과서를 정독하는 방식을 추천합니다. 하지만 수능 공부법은 좀 다른데요. 일단 수능 언어영역에 필요한 기본 개념 (현대 문학의 일반적인 분석법이나 비문학 독해법) 등을 공부하신 뒤에, 기출문제를 빠삭하게 분석을 하셔야 합니다. 언어영역 평가원 모의고사와 수능 기출문제를 자세히 분석하다 보면 매년 문학 작품이나 비문학의 주제는 달라도 지문 속에서 어떤 내용을 문제로 낼 것인지, 그 문제 유형은 뭐가 있는지 등을 분석하기가 용이합니다. 이 분석을 할 수 있다면 수능 언어영역에서 고득점을 받을 수 있답니다. 다만, 혼자 터득할 수는 있지만 시간이 오래 걸릴 수도 있고, 난이도도 있기 때문에 개인적으로 언어는 인터넷 강의를 추천해드릴게요. (조성준 생글7기, 고려대 경제학과 13학번)

A. 국어는 기출문제가 가장 중요해요. 혼자 기출 풀어보고 틀린 것을 잘 고민해보는 방식이 제일 좋다고 생각해요. 혼자 공부하기 어려우면 인강의 도움을 받을 수 있는데, 반드시 기출문제를 중심으로 한 강의를 들어야지, 그렇지 않으면 단순히 말만 번지르르한 강의가 될 수도 있어요. (김병민 생글8기, 서울대 경영학과 14학번)

A. 기출문제 공부해야죠. 나왔던 지문이니 또 나오진 않겠다고 안 보는 건 손해예요. 실제로 두 번 이상 나왔던 지문도 꽤 많아요. 지문을 읽고 문제만 푸는 것이 중요한 게 아니에요. 기출문제를 여러 번 풀어보면서 지문에서 어떤 형식으로 문제를 뽑아냈는지, 문제를 어떤 식으로 냈는지

를 느껴봐야 해요. (오유진 생글5기, 성균관대 영어영문학과 13학번)

A. 국어는 무엇보다도 기출문제 분석이 가장 중요합니다. EBS 교재 연계 정책이 시행된 이후로 EBS 교재에만 의존하고 기출문제를 소홀히 하는 학생이 많은데, 국어는 생각보다 연계 체감률이 높지 않습니다. 저 또한 고3 현역 때, 6월 및 9월 평가원 모의고사 언어영역 시험이 무척 쉽게 나와서 EBS 교재만 풀고 공부를 소홀히 하다가 수능 때 언어 점수가 많이 떨어졌었습니다. 그 당시 EBS 교재에서 봤던 작품이 많이 나왔음에도 불구하고 문제가 변형되어서 어려웠던 기억이 납니다. EBS 연계 교재는 나올 때마다 한 번 정확하게 풀면 그거로 됩니다. 기출문제는 듣기 문제를 제외하고 45문제 체제였던 2008학년도 수능까지 풀면 충분합니다. (07수능부터는 언어가 듣기 포함 60문제입니다.) 기출문제 분석은 『마르고 닳도록』이라는 문제집에서 추천하는 기출문제 3회독 분석법을 적극 추천합니다. 처음 1회독은 시간에 구애받지 않고 천천히 1회분씩 한 번에 풉니다. 채점 후에는 맞은 건 왜 맞았고, 틀린 것은 왜 틀렸는지 정답의 근거와 오답의 근거를 전부 찾아서 시험지에 표시를 합니다. 이때는 해설지를 보지 않고 최대한 본인 스스로 생각해서 분석하는 것이 좋습니다. 저는 모의고사 1회분을 1회독 할 때 문제 풀이와 분석까지 3~4시간 정도 걸렸습니다. 하루에 다 하려고 하지 말고 2~3일에 나눠서 일주일에 2~3번씩 하면 충분합니다. 그렇게 1회독을 끝내고 나면, 2회독 때는 시간에 맞춰서 풀고 분석 때는 해설을 반드시 참고합니다. 틀렸거나 헷갈렸던 문제에는 별표를 쳐놓고, 3회독 때 별표 친 지문만 다시 복습하는 방식으로 공부하세요. 저는 이렇게 3회독을 끝낸 후 2015학년도 6월 평가원 모의고사 국어 시험에서 100점을 받을 수 있었습니다. (만점자 0.5%) 기출문제 분석은 3회독까지만 하면 충분합니다. 그 이상 보면 너무 답이 외워져서 오히려 효과가 반감됩니다. 6월 평가원 모의고사까지 기출문제 3회독을 끝냈다면 9월 평가원 모의고사를 치를 때까지는 교육청 모의고사와

EBS 교재를 중심으로 공부한 후, 9평 이후에 평가원 기출을 한 번 더 풀며 감을 살리는 것이 좋을 것 같습니다. (정금진 생글6기, 서울교대 영어교육과 15학번)

Q. 국어 기출문제를 여러 번 풀어서 답이 기억나는데, 그래도 풀어봤던 기출문제를 반복해서 푸는 것이 좋을까요? 아니면 사설 모의고사를 보는 건 어떤가요?

A. 기출문제를 풀고 분석할 때 답의 이유를 명확히 알고 넘어갔다면 언젠가 기출문제의 공통적인 특징이 보이기 시작할 거예요. 그렇다면 따로 사설 모의고사를 볼 필요는 없어요. (이소은 생글7기, 고려대 미디어학부 14학번)

A. 국어는 답이 기억나도 기출문제가 좋다고 생각해요. 문제 풀 때 답을 찾는 것보다 문제가 요구하는 능력이 뭔지 생각해보세요. (박영준 생글 7기, 경찰대 행정학과 13학번)

A. 국어는 답이 기억이 나도 기출문제 지문을 분석하는 게 중요해요. 사설 모의고사는 지문이 별로예요. 평가원 기출문제 지문들을 분석하다 보면 공통점이 어느 순간 보일 거예요. (오유진 생글5기, 성균관대 영어영문학과 13학번)

A. 여러 번 풀어서 답이 기억나더라도 풀어봤던 기출문제를 반복해서 푸는 것이 좋을 것 같아요. 단, 문제를 많이 풀어서 답이 모두 기억난다면 그때부터는 답을 체크하는 것이 목적이 아니라 정답은 지문의 어느 부분에 근거해서 정답이고, 오답은 지문의 어느 부분에 근거해서 오답인지 자세하게 흔적을 남기는 방법을 쓰면 효과를 더 높일 수 있어요. 이를 통

해서 문제가 만들어지는 방식이나 출제의도를 이해하는 데 도움을 받을 수 있어요. (이지현 생글7기, 연세대 언론홍보영상학부 14학번)

A. 그래도 기출문제를 다시 풀어보는 것이 나아요. 아니면 최근에 시중에 나오는 기출문제를 조금만 바꾼 문제집을 사서 풀어보는 것도 좋습니다. 사설 모의고사는 그냥 어렵고 꼬인 문제를 푸는 용도로만 사용하세요. (김도민 생글8기, 서울대 경영학과 14학번)

A. 거의 다 아는 거랑 확실히 아는 거랑은 별개의 문제라고 생각합니다. 오답노트를 통해서 틀린 부분을 확실하게 짚고 넘어가야 해요. 확실하게 알고 있는지의 기준은 남에게 설명할 수 있는지의 정도로 나타낼 수 있을 것 같습니다. (최재영 생글6기, 중앙대 신문방송학과 13학번)

A. 국어는 사설 모의고사가 그렇게 좋을 것 같지는 않아요. 정답 시비가 많기도 하고요. 문제가 출제되는 방법이나 원리를 이해하기 위해서 기출문제를 복습하는 것이 더 좋을 수 있을 것 같아요. (오민지 생글6기, 고려대 경영학과 14학번)

A. 기출문제는 확실히 공부해야죠. 특히 국어에서 나오는 선택지는 반복적으로 나와요. 자주 나오는 선택지는 그 의미를 확실히 파악해놓으면 좋아요. (박준형 생글8기, 건국대 글로컬캠퍼스 경제학과 14학번)

A. 평소에 지문 분석 훈련 하시죠? 그 틀 가지고 그대로 하시면 봤던 지문인지 새로운 지문인지는 상관이 없어져요. 기출문제는 중요하니까 계속 반복하셔야 하고, 봤던 지문이라도 처음 보는 지문처럼 여기고 분석의 틀을 그대로 적용해서 공부하려고 노력하세요. 특히 비문학 분석은 평가원 기출문제를 가지고 반복하는 게 좋고, 문학은 새로운 지문도 괜찮습니다. (임우미 생글6기, 서울교대 음악교육과 13학번)

Q. 주위에서 국어는 감(感)이라고 많이 하더라고요.

A. 말도 안 되는 소리입니다. 모든 게 다 '삘'로 해결되면 국어를 왜 가르치나요. 국어에서 '삘'이나 '감' 운운하는 건 성적 나쁜 애들이 괜히 변명으로 드는 말입니다. 아니면 소위 꼼수나 비법이라는 말로 학생들을 속이려는 나쁜 아저씨들의 꼬임이든지요. 물론 '감'이 아예 필요 없는 건 아니겠죠. 하지만 국어 문제는 제시된 지문과 단락의 힌트 속에서 '구조화된 논리'로 답을 찾아내는 게 포인트입니다. 비유하자면 코난이나 김전일이 범인을 잡을 때 '아, 저 녀석이 범인이구나!'라는 심증만이 아니라 물증이 필요하다는 거죠. 우리는 반복적인 학습 속에서 이 언어적 '증거'를 찾는 법을 배워야 합니다. (이은석 생글4기, 서울대 국어교육과 11학번)

A. 답답합니다. 감에 의존하다 보면 시험에 아는 지문이 많이 나오느냐 모르는 지문이 많이 나오느냐에 따라서 점수가 오락가락 하게 됩니다. 누군가는 그걸 컨디션 문제라고 하더군요. 컨디션 문제가 아니라 그냥 실력이 없는 거예요. 국어를 '감'이라고 할 수 있는 사람들은 타고난 언어적 감각이 있어서 매 시험마다 1등급 나오는 애들이에요. 국어, 얼마든지 지문 분석 훈련을 통해서 성적 올릴 수 있습니다. 그렇게 해서 올린 성적은 견고해요. 쉽게 요동치지 않습니다. (임우미 생글6기, 서울교대 음악교육과 13학번)

A. 특히 문학을 감으로 푼다고들 많이 하는데 그렇게만 풀면 절대 정확하지 않습니다. 문제에 따라 의미가 달라지는 것이 문학이기 때문에 감으로 풀면 절대 좋은 점수를 받을 수 없습니다. 정확하게 타당한 근거로 답을 찾아 나가는 것이 중요합니다. (변혜준 생글7기, 경희대 국어국문학과 13학번)

A. 국어는 절대 감이 아닙니다. 국어 문제들을 자세히 보면 이게 어떠한 사고과정을 거쳐서 답이 되는 건지 명확히 알 수 있어요. 그리고 그

답을 찾아내는 과정을 익혀가는 것이 국어를 공부하는 방법입니다. 국어를 감이라고 치부하고 공부를 하지 않는다면 점수가 떨어지면 떨어졌지, 절대 오르지 않는답니다. 하지만 정확히 공부하는 방법을 알면 국어는 공부하면 반드시 성적이 오릅니다. (조성준 생글7기, 고려대 경제학과 13학번)

A. 국어는 절대 감으로 푸는 게 아니에요! 국어 공부를 할 때, 생각 외로 많은 친구들이 지문을 끝까지 꼼꼼히 읽지 않고 풀어요. 흔히 감이 좋다는 친구들은 여기서 중요한 부분을 찾아내서 답과 연결하는 게 좀 빠른 친구들이에요. 그런 감이 없다고 느끼는 친구들은 엉뚱한 부분을 중요하게 읽고 정작 진짜 중요한 부분은 지나치기 때문에 그런 경우가 많아요. 중요한 부분이 어떤 부분인지 정확히 모르겠다면 정독을 하는 습관을 길러야 해요. 지문에 대한 이해도는 문제를 푸는 지표이기 때문이겠죠? (이지현 생글7기, 연세대 언론홍보영상학부 14학번)

A. 국어는 '하면 오르는' 과목입니다. 흔히들 국어가 '해도 안 오르고, 안 하면 내려가는 과목이다.'라고 하잖아요. 또, 감으로 푼다고 하는 대표적인 과목이 국어죠. 다 거짓말이에요. 저도 고등학교 때까지는 감으로 풀었어요. 그래도 잘 나왔어요. 안정적인 1등급은 아니었지만 나쁘지는 않았죠. 다른 게 안 나와서 문제였지, 국어만큼은 자신 있었으니까요. 그럼에도 가끔은 삐끗하는 점수가 나오더라고요. 전 그냥 '감이 안 좋았네.'로 치부하고 넘겼어요. 그런데 재수를 하면서 모든 걸 다 바꿔보자는 각오로 1년을 보냈어요. 그러면서 국어 공부까지도 싹 다 바꿨죠. 그렇게 얻은 결론이 '하면 오르고 잘 안 내려간다.'였어요. 1년 내내 국어만큼은 안정적으로 1등급을 챙겼죠. 국어가 정말 꿀 같은 과목이란 걸 알아줬으면 좋겠어요. 최소한의 시간 투자로 최대한의 점수를 받아갈 수 있는 과목이라고 생각해요. (김재운 생글6기, 인하대 신소재공학과 14학번)

A. 그 감은 결국 공부를 통해 길러지는 '내공'입니다. 많은 지문들을 끊

임없이 읽으면서 독해력을 기르는 것이죠. 독해력과 별개로 문법, 작문 파트의 경우 공부한 만큼 풀 수가 있으니 일정량 이상 공부하는 것을 게을리 하면 안 돼요. (최승희 생글7기, 한국외대 아랍어과 14학번)

A. 분명히 국어 문제를 풀 때 감이 좋은 친구들이 있어요. 하지만 누구나 공부하다 보면 다른 사람들이 감이라고 하는 게 뭔지 알 수 있어요. 그리고 혹시 그 감이 원래부터 좋은 학생들도 자만하지 말고 공부를 해야 합니다. 보통 국어를 감이라고 하는 이유가 '왜 이 선지가 정답인지 논리적으로 설명은 못하지만 이게 정답인 것 같다.'라는 학생들이 많아서 그런데 그걸 논리적으로 설명할 수 있어야 진짜 자기 실력이 되는 거예요. (박영준 생글7기, 경찰대 행정학과 13학번)

A. 저도 그런 얘기를 많이 들었었어요. 그게 무슨 소리인가 했었는데, 고3이 되니 그 감이라는 게 뭔지 알겠더라고요. 감이 생기니까 문제를 푸는 데에 자신감도 생기고 문제 푸는 시간도 줄어들더라고요. 감은 문제를 많이 풀어봐야 생기는 거라고 생각해요. 결국 감은 내공이자 실력이지 다른 게 아니라는 뜻이에요. 저도 1~2학년 때는 이 말이 너무 뻔한 말이라고 생각했는데 3학년이 되니까 무슨 말인지 이해가 가게 되더라고요. 문제를 많이 풀어보는 것만이 거의 유일한 방법이라고 생각해요. (김보미 생글7기, 이화여대 스크랜튼학부 13학번)

Q. 저는 고2인데, 국어가 약해서 지금 개념강의부터 차근차근 듣고 있어요. 그런데 이렇게 한다고 성적이 오를지 불안합니다. 개념부터 다시 공부해보신 선배님 있으신가요? 어떠셨는지 궁금합니다.

A. 아주 잘하고 계세요. 저 고1 겨울방학부터 본격적으로 공부 시작해서 개념과 지문 분석 방법 익히는 것부터 차근차근 했습니다. 당연히 성적 안 올랐습니다. 개념 공부를 하던 단계니까요. 나중에 3학년 되어서는 시험 볼 때마다 거의 다 1등급 받았습니다. (임우미 생글6기, 서울교대 음악교육과 13학번)

A. 국어는 개념은 별로 공부할 게 없어요. 문학은 비유하기, 강조하기, 변화주기 등 중학교 때 배운 것 이상의 개념은 안 나와요. 그나마 추가해 봐야 감정이입, 객관적 상관물 정도 있고요. 문법은 착실하게 개념 쌓고 나머지는 개념 공부와 문제 풀이를 병행하는 것이 올바른 방법입니다. 문제 그 자체보다는 그것을 담고 있는 지문을 분석하는 공부를 해야 해요. (이은석 생글4기, 서울대 국어교육과 11학번)

A. 국어 개념도 초반에는 필요할 수 있어요. 예를 들어 은유나 의인법이나 상징 이런 게 뭔지 잘 모른다면 말이에요. 그렇지만 수능 수준에서는 문학 개념을 깊이 알아야 풀 수 있는 문제는 나오지 않아요. 확신합니다. 그건 직접 기출문제를 풀어 보면 알 수 있을 거예요. 기출문제 반복해서 풀어보고 왜 틀렸는지, 어떻게 맞았는지 공부하는 게 많이 도움될 거예요. 저는 국어 공부를 기출문제로 시작해서 기출문제로 끝냈어요. 고3이 아니라면 시간 맞춰서 모의고사 형태로 풀 필요는 없지만 『자이스토리』 같이 주제별, 유형별로 기출문제를 정리한 교재 열심히 풀고 생각하다 보면 실력 분명히 오를 거라고 생각해요. (김병민 생글8기, 서울대 경영학과 14학번)

A. 개념강의가 본인한테 도움이 된다면 강의 듣고 푸는 게 좋긴 한데, 고3이라면 기출문제 풀이를 병행하세요. 기출문제 풀고 강의 듣고 기출문제 또 풀고! 기출문제는 정말 중요합니다. (오유진 생글5기, 성균관대 영어영문학과 13학번)

A. 개념은 중요합니다. 개념을 모르는 채로 문제를 풀다 보면 문제가 무엇을 원하는지 파악이 안 돼서 감으로만 푸는 경우가 종종 있거든요. 그러니까 개념 공부하는 게 답답하더라도 한 번쯤은 확실히 해두는 게 좋을 것 같아요. (오민지 생글6기, 고려대 경영학과 14학번)

A. 국어는 공부해도 성적이 오르는 게 눈에 보이지가 않아서 공부하기 힘든 과목이에요. 수학이나 영어는 공부를 할 때마다 실력이 오르는 걸 확인하기 쉬운데 국어는 그렇지가 않죠. 제 주위에서도 국어를 공부하는 사람들 대부분이 이런 막막함 속에서 공부법을 바꾸거나 포기하는 경우를 많이 봤어요. 여러분이 어떻게 공부하고 있는지를 몰라서 이래라저래라 말해주기는 힘들지만 자기가 하고 있는 방법에 확신이 없어도 일단은 계속 해보기를 바랍니다. (박영준 생글7기, 경찰대 행정학과 13학번)

Q. 국어 문제를 많이 풀어 보면 점수가 오를까요?

A. 기본적으로 오른다는 쪽에 동의합니다. 국어는 감이라는 소리가 있죠. 그런데 문제를 많이 푼다고 해서 그 감이 좋아지지는 않는 것 같아요. 어느 정도 선천적인 언어 능력이 개개인마다 있는 것 같아요. 그러나 수능에서의 국어는 언어 능력이 좋다고 해서 만점을 받을 수 있는 시험이 아니라고 생각해요. 철저히 수능 유형과 문제 풀이 방식에 익숙해져 있어야 언어 능력도 효과를 발휘할 수 있는 거죠. 그래서 문제를 많이 풀어 보는 게 중요해요. 저는 고3 때 국어 모의고사 반회 분을 모의고사 시간의 절반에서 5분을 뺀 시간을 제한으로 두고 일주일에 3회 정도 꾸준히 풀었어요. (영어도 이렇게 했습니다.) 이 방법으로 계속 훈련을 꾸준히 하다 보니 정말 문제 푸는 기계가 된 것 같았지만 그래도 이게 가장 도움이

되는 방법이었어요. 실제로 이 방법으로 저는 고3 6월 평가원 모의고사에서 3등급이었던 국어 성적을 수능에서는 원점수 100점으로 끌어올렸습니다. (김재은 생글7기, 서울대 자유전공학부 13학번)

A. 많이 풀어 보는 것도 나쁜 방법은 아니에요. 하지만 피드백, 즉 자기가 틀린 문제에 대한 철저한 성찰과 고민 없이 그저 문제만 많이 푸는 건 좋지 않아요. 문제 풀이에 들인 시간보다 더 많은 시간을 할애해서 자기가 왜 이 문제에서 막혔는지, 또 왜 틀렸는지, 맞은 문제라도 어떻게 해서 맞았는지 등을 철저히 성찰하는 시간이 필요해요. 특히 시간이 부족한 친구들은 문학 작품이나 비문학 지문에 대한 이해력이 부족하기 때문에 그런 것이니 피드백이 더욱 더 필요합니다. (이훈창 생글7기, 성균관대 경영학과 14학번)

A. 백날 모의고사 풀어 봐도 푸는 방법을 모르면 틀리는 문제는 계속 틀립니다. 자기 자신을 잘 돌아보세요. 문학 틀리는 사람은 문학만 계속 틀리고, 쓰기 틀리는 사람은 계속 쓰기만 틀릴 겁니다. 그건 푸는 방법이나 사고과정에 문제가 있어서 그래요. 메이플스토리 경험치 얻듯이 노가다만 뛰어서 성적이 오른다면 전국에 있는 학원은 모두 굶어 죽어야죠. 많이 푸는 게 분명 공부에 도움은 될 테지만 그렇다고 해서 성적이 꼭 오르는 건 아닙니다. 명심합시다. 질적으로 승부해야 합니다. 자신의 국어 학습 방법을 점검하고 꼼꼼하게 지문과 문제를 풀어나가야 해요. (이은석 생글4기, 서울대 국어교육과 11학번)

A. 처음부터 단순히 문제를 많이 푼다고 해서 성적이 오르지 않습니다. 개념을 쌓고 지문 분석 훈련을 해서 기초를 단단히 다져놓으셔야 해요. 그 이후에 기초를 바탕으로 지문을 분석하고, 문제를 풀어야 점수가 오릅니다. (임우미 생글6기, 서울교대 음악교육과 13학번)

A. 저는 개인적으로 국어영역 점수를 올리기 제일 좋은 방법은 국어 모

의고사를 많이, 그리고 꾸준히 풀어보고 틀린 문제를 정확히 피드백 하는 것이라고 생각합니다. 정형화된 시험 양식이 있기 때문에 시간을 재면서 여러 번 모의고사를 풀어 보면 점수가 분명 오를 것입니다. 다만, 모의고사를 풀어 보는 것은 본인의 실력을 체크하는 것이지 결코 공부가 아닙니다. 틀린 문제와 부족한 부분을 피드백을 하는 것이 공부하는 것임을 꼭 숙지하시고, 혼자 공부하면서 잘 모르는 게 나오면 선생님과 친구들의 도움을 받아서라도 틀린 문제를 정확히 고쳐주세요. (서유진 생글7기, 서울대 불어교육과 13학번)

Q. 국어 문제를 푸는 선배님만의 노하우 있으신가요?

A. 저는 비문학 문제를 풀 때 부사를 주의 깊게 봤어요. 부사를 바꿈으로써 학생들을 속이려 하는 경우가 많거든요. 예를 들어, 옳은 것 또는 틀린 것을 고르는 문제에서 '약간 배가 고프다.'는 말이 지문에 있다면 선택지에서는 '배가 고프지 않다.'라고 나오는 거죠. (이소은 생글7기, 고려대 미디어학부 14학번)

A. 저는 국어 문제 풀 때 무조건 문제부터 읽었어요. 문제를 읽으면 지문에서 무슨 정보를 찾아야 하고 어떤 것에 집중해야 할지 감이 어느 정도 잡히거든요. 특히 비문학에서 내용 일치 문제나 제목, 부제를 찾는 문제는 지문의 핵심 내용을 대략적으로 알 수 있어서 이 방법이 좋은 듯해요. (정금진 생글6기, 서울교대 영어교육과 15학번)

A. 문제를 먼저 스캔해야 합니다. 특히 문학은 더 그래요. 문제에서 보기를 통해 문학 작품에 대한 해설이나 작가에 대한 소개, 작품의 시대상 등을 설명하는 경우가 많습니다. 그건 이 정보를 참고해서 그 작품을 해

석하라는 것이므로 반드시 먼저 읽기를 권합니다. (이정훈 생글5기, 성균관대 경영학과 11학번)

A. 문제와 보기를 먼저 읽고 지문을 읽으세요. 그래야만 시간도 절약되고, 문제를 풀기 위해 어떤 부분을 읽어야 하는지 쉽게 파악할 수 있습니다. 문제를 많이 푸는 것도 중요하지만 어떻게 푸는지를 빨리 익혀야만 합니다. (김도민 생글8기, 서울대 경영학과 14학번)

A. 영어는 노하우가 많이 적용되는 반면에, 국어에는 딱히 노하우가 없는 것 같아요. 그냥 평소에 지문 분석 훈련이 얼마나 잘 되어 있느냐, 문제를 얼마나 빠른 시간 안에 파악하느냐가 중요하다고 생각해요. 노하우, 쉽게 말해서 꼼수 같은 게 있다고 해도 실력만 있으면 노하우가 굳이 필요하지는 않죠. (임우미 생글6기, 서울교대 음악교육과 13학번)

Q. 국어 모의고사 피드백은 어떻게 하셨는지 여쭤보고 싶습니다.

A. 국어는 틀린 문제의 지문이 다시 나올 확률이 미미하기에 단순하게 정답을 찾는 것이 아니라 문제를 푸는 과정에서 제가 무슨 실수를 했는지를 체크했습니다. (박영준 생글7기, 경찰대 행정학과 13학번)

A. 모의고사를 보고 틀린 문제를 왜 틀렸는지 다시 봤습니다. 그게 왜 정답인지만 보지 않고 해설지를 읽으면서 이건 왜 정답이고 이건 왜 오답인지까지 확인하며 완전히 그 지문을 파악하려고 노력했어요. (김도민 생글8기, 서울대 경영학과 14학번)

A. 일단 체크해두실 것들은 '틀린 것, 맞았는데 헷갈린 것, 찍어서 맞은

것'입니다. 다시 말해서, '확실하게 알고 확실하게 풀어서 맞은 것들' 빼고는 다 체크 대상이에요. 그 다음 체크해놓은 문제 하나하나에 대해 다음 질문에 답하세요. '왜 이 문제의 답은 이거일까?', '왜 나는 이 문제의 답을 이걸로 택했을까?', '왜 나는 이 문제의 정답을 찾지 못했을까?', '다음에 또 이 문제를 푼다고 했을 때 이번처럼 안 틀리려면 어떻게 해야 할까?' 이렇게 냉철한 자세로 오답 분석을 꼼꼼히 하셔야 국어 성적이 오를 수 있어요. (임우미 생글6기, 서울교대 음악교육과 13학번)

A. 저는 틀린 문제에 대해서 오답을 고치는 방식의 피드백보다는 어떤 생각이나 논리에서 오류가 있어 오답에 이르게 되었는지 생각해보고 정리했던 것 같아요. 국어 문제는 유형을 나누기도 애매하고 한 문제씩 접근하는 것도 어렵기 때문에 자신이 자주 범하는 논리의 오류를 찾아내면 다양한 종류의 실수들이 줄어들더라고요. 예를 들어 보편적인 정답의 스멜이 나는 선택지와 비주류 스멜의 '나에게만 끌리는' 선택지 두 개를 마주했을 때, 항상 자신의 선택은 어떠했는지 점검해보고, 그런 상황에서 어떻게 대처할지 나름의 규칙을 세워 놓으세요. (김예원 생글7기, 고려대 경제학과 13학번)

Q. 화법, 작문(화작문) 파트는 어떻게 공부해야 하나요?

A. 화법과 작문은 기존 기출문제와 EBS 교재만 잘 풀고 분석해도 충분히 대비가 가능합니다. 화작이 어려운 친구들은 '지문과 문제 사이의 일대일 대응'을 머릿속에 넣고 꼼꼼하게 문제를 푸는 훈련을 하길 바랍니다. (정금진 생글6기, 서울교대 영어교육과 15학번)

A. 화법, 작문(화작문)은 새로 생긴 지 얼마 되지 않아서 공부할 자료

도, 기출문제도 부족합니다. 따라서 최근 몇 년 간의 화작문 기출문제와 함께 EBS 교재 문제도 공부하는 것이 좋습니다. 하지만 예전 기출문제에서도 쓰기 문제는 작문 문제와 유사한 점이 있으니 풀어보면 좋을 것입니다. EBS 교재 연계는 나왔던 주제를 차용하는 정도이므로 굳이 지문을 기억하려고 크게 공들일 필요는 없습니다. 공부할 때 지문을 읽으면서 중요한 정보를 표시하고 기억하는 연습을 통해 실수를 줄이고, 빨리 풀 수 있도록 시간 단축을 한다면 시험에서 화작문 때문에 어려움을 겪는 경우는 많지 않을 것입니다. (김현재 생글8기, 서울대 경영학과 14학번)

A. 먼저 화법은 말하기라는 본래 과목의 성격과는 달리 텍스트로 성적을 평가하는 다소 모순적인 방식을 취하고 있어요. 듣기 평가가 없어지면서 화법은 단순히 '대화'의 형식을 빌린 독해 문제에 지나지 않게 되었다는 거죠. 문제의 대부분은 내용일치 이상을 묻지 않아요. 즉 화법에서 중요한 건 제시된 대화 지문을 정확하게 (요약적으로) 이해하는 연습을 하는 거예요. 요컨대 독해와 방식이 같다는 거죠. 다만 화법에서는 독해보다 다양한 입장과 담화가 제시되기 때문에 좀 더 집중력이 요구된다는 차이점이 있어요. 화법에서 유독 실수를 많이 하는 사람은 집중력이 떨어지거나 문제를 대강 읽고 푸는 데 익숙한 사람인 경우가 많아요. 화법에서의 실수는 종류가 한정적이에요. 따라서 틀린 문제를 따로 스크랩하거나 반복해서 푸는 것이 많은 도움이 된다고 할 수 있어요. 또 정답과 직접적인 연관이 있는 경우는 드물지만 담화에 관한 기초적인 지식 정도는 학습해 두는 것이 문제 풀이에 도움이 될 거예요. 이제 작문에 대해 설명할게요. 아마도 국어에서 가장 전형성을 띠는 분야가 작문일 겁니다. 언제나 같은 형식에 비슷한 정답이 나오는 문제들이 출제됩니다. 하지만 우리는 명청하게도 항상 같은 문제를 틀리죠. 그 이유는 유형에 대한 정립이 안 되었기 때문이에요. 그래프나 자료를 활용해 초고를 작성하는 문항은 내용 추출의 '타당성'을 기준으로 문제를 보아야 하고, 고쳐 쓰기 문항은 선지에

서 언급한 내용의 옳고 그름을 판별하는 '판단력'이 중요합니다. 이건 거창한 능력이 아니고 경험적으로 획득할 수 있어요. 기출문제를 의식적으로 분석하는 연습만 몇 번 해도 금방 얻을 수 있어요. 생각 없이 문제를 풀지 말고 유형별로 묶어서 공부해보세요. (이은석 생글4기, 서울대 국어교육과 11학번)

Q. 국어 문법은 어떻게 공부하셨는지 궁금합니다.

A. 국어 문법이 생각보다 외울 게 없어요. 그래도 문법 다루는 책들 세 권 정도 반복적으로 보면 문법이 체계적으로 잡히기 시작할 거예요. 그 다음부터는 기출문제를 공부했습니다. (이소은 생글7기, 고려대 미디어학부 14학번)

A. 문법은 문제에 나오는 것들이 주로 정해져 있기 때문에 사설 인강 사이트에서 제공하는 10강 정도 되는 인터넷 강의를 이용하는 것이 도움이 많이 됩니다. 유명한 강사 분들이 정말 나오는 내용들만 짚어서 만들어 놓은 것이니까요. 인터넷 강의를 듣기 싫으신 분들은 평가원 모의고사와 수능 기출문제 중에서 어법 문제만 따로 묶어서 파는 책이 시중에 있으니 그 문제집을 사서 공부하시면 도움이 될 거예요. (조성준 생글7기, 고려대 경제학과 13학번)

A. 국어영역에 나오는 문법은 정해져 있어요. 그래서 저는 문법만을 따로 공부하지는 않았어요. 일단 교과서에 나오는 문법을 우선적으로 익힌 후, 문법 문제가 나오면 그것은 따로 빼두어 공부했어요. 나올 때마다 표시해두고 다 쓴 문제집도 주기적으로 훑어주었기 때문에 문법 내용을 잊어버리지 않고 계속해서 상기시킬 수 있었습니다. 국어영역에 나오는 문

법의 양은 적기 때문에 제가 푸는 문제집에서의 정리만으로도 충분히 개념을 익힐 수가 있었습니다. (신정련 생글6기, 부산대 영어교육과 12학번)

A. 저는 EBS 약점공략특강에서 중요하고 기본적인 국어 문법만 짚어주는 강의를 보았어요. 문법을 체계적으로 공부한 것도 아니고, 그냥 중요한 기본 문법만 공부했을 뿐인데 그 이후로 문법에서 쩔쩔매는 일은 없었습니다. (임우미 생글6기, 서울교대 음악교육과 13학번)

A. 국어는 암기가 필요 없다고 하는 사람이 종종 있는데, 말도 안 되는 소리입니다. 물론 사람처럼 줄줄줄 외워야 풀 수 있는 문제는 아니지만, 국어도 '기본 지식'이라는 게 존재하고 이건 의외로 성적을 가르는 데 엄청난 기준이 됩니다. 문법이 그런 경우죠. 적극적으로 암기를 할 것을 부탁합니다. (이은석 생글4기, 서울대 국어교육과 11학번)

A. 문법은 무엇보다 개념이 매우 중요합니다. 표준 발음법, 맞춤법, 외국어 표기법 등의 개념을 암기와 이해를 통해 어느 정도 숙달해야 합니다. 예전에 공부했던 적이 없다면 독학하기에 어려움이 있을 수 있으므로 문법 인강을 수강하는 것을 권장합니다. 개념을 공부한 뒤 이를 체화하기 위해서는 문제를 많이 풀어보는 것이 효과가 가장 좋은 것 같습니다. 처음에는 문법 파트가 어렵고 생소하게 느껴질 수 있지만 기출문제나 EBS 교재 문제를 계속해서 풀다 보면 감이 생깁니다. 하지만 조금만 공부를 소홀히 해도 감이 떨어지기 쉽기 때문에 꾸준히 복습하는 것을 강력하게 권장합니다. EBS 교재의 연계 체감률은 높지 않지만, 그래도 교재에 실린 문법 문제의 원리는 꼭 완벽하게 이해하는 것이 필요합니다. (김현재 생글8기, 서울대 경영학과 14학번)

A. 흔히 화법, 작문, 문법을 쓰기 파트라고 부르는데, 쓰기 파트에서 변별력 있는 문제들이 바로 문법에서 많이 등장을 해요. 이전에는 문제에서 문법 내용을 설명해주고 그것을 적용하여 푸는 문제가 대부분 출제되었지

만, 요즘에는 교과서 내용 반영한다는 취지로 문법 지식을 이미 알고 있다는 전제 하에 출제되는 문제도 많아졌어요. 그래서 출제빈도가 높은 중요한 문법 내용은 꼭 공부를 하셔야 해요. 꼼꼼한 문제 분석도 필요하고요. 이러한 내용은 학교 수업 시간에도 다루는 내용이니까 놓치지 않는 것이 중요해요. 수능 전에 문법 특강과 같은 인강을 듣는 것도 추천합니다. (심윤보 생글8기, 전주교대 초등사회교육과 14학번)

Q. 문학 공부법, 문제 푸는 법 알려주세요.

A. 문학 작품을 외우면서 공부하는 경우가 많은데, 작품이 어떤 내용이고, 작가가 어떤 성격을 가지고 있으며, 무슨 구절이 어떤 의미를 가지고 있는지를 외우는 것은 작품 해석 능력을 키우는 데 도움이 되지 않아요. 저는 수능을 볼 때 하도 많이 봐서 자연스럽게 외워진 작품은 있었어도 일부러 의식적으로 외운 작품은 없었어요. 사실 문학이라는 게 어려운 게 아니라 그냥 사람에게 일어나는 일을 표현한 거거든요. 작품을 읽으면서 본인이 그 작품을 느끼셔야 해요. 그리고 작품을 시험장에서 해석할 수 있어야 고득점을 할 수 있어요. EBS 교재에서 연계되지 않은 처음 보는 지문도 해석할 수 있어야 1등급이 가능하죠. 그러니까 문학 작품을 볼 때는 작가의 심정이 어떻겠구나 생각하면서 자신을 그 작가나 주인공에게 대입해보세요. (이훈창 생글7기, 성균관대 경영학과 14학번)

A. 국어에서 가장 변별력 있는 파트가 문학인 것 같습니다. 문학은 사실 지식적인 측면이 어느 정도 갖춰져 있지 않으면 접근하기 힘들어요. 일단 학교 문학 수업을 열심히 듣고, 어떻게 문제를 접근하는지를 배우는 게 중요할 것 같아요. 문학에서는 개념어에 대한 확실한 정립이 필요합니다. 특히 4등급 이하인 학생들은 문제에 나오는 용어가 정확하게 뭔지도

모르는 경우가 많습니다. 예를 들면 '애상적인 분위기이다.' 혹은 '풍류를 즐긴다.' 같은 표현의 뜻은 잘 모르고 대충 감으로 찍는 학생들이 많아요. '감각적 이미지'가 뭔지, '설의법'이 뭔지, 심지어 '전지적 작가 시점'이 뭔지 모르는 학생도 꽤 되더군요. 문학 개념어 사전도 시중에 있으니 그런 책들로 문학 개념어를 공부할 필요가 있어요. 권규호의 『문학 개념어 사전』이라는 교재를 추천합니다. 모르는 용어가 나올 때마다 찾아서 공부하면 됩니다. 사실 문학은 지문은 긴데 비문학만큼 정보량이 많진 않아요. 소설은 '인물'과 '갈등' 중심으로 정리해가면서 읽으면 파악하는 데에 도움이 많이 됩니다. 소설에서 묻는 핵심이 바로 인물과 사건이니까요. 특히 고전소설은 인물 관계가 복잡한 경우가 많은데, 그럴 경우에는 '지문 앞 줄거리'에서 관계를 어느 정도 제시해줍니다. 거기서 정리를 잠깐 하고 들어가면 지문 읽는 게 훨씬 편해요. 인물도 그냥 막 동그라미 치지 말고 긍정적 인물은 동그라미, 부정적 인물(혹은 상대방)은 세모, 이런 식으로 표시를 하면서 읽어나가세요. 시도 긍정적 시어와 부정적 시어를 나눠 표시하면서 푸는 것이 좋고, 분석 강의를 듣는 게 좋다고 생각합니다. 시를 외우는 식으로만 공부하는 친구가 많은데, 어차피 모의고사에는 생소한 시가 나오기도 하고, 그 많은 시를 전부 외운다고 해서 시험을 잘 보는 게 아니라서 시를 외우는 방식으로 공부하는 건 별로라고 봐요. 그리고 국어는 무조건 문제부터 읽고 지문을 읽으세요. 특히 문학은 문제에 '보기'가 있으면 무조건 읽으세요. 보기에는 시든 소설이든 작품을 이해하는 관점을 제시해 주는 경우가 많아서 보기를 먼저 읽고 지문 읽으면 이해가 수월해요. (정금진 생글6기, 서울교대 영어교육과 15학번)

A. 문학은 사전 공부를 꽤 필요로 합니다. 글의 분위기는 그 자리에서 파악이 가능하지만 시대적인 배경, 사용된 기법 등은 공부를 해놓지 않으면 풀어나가기 어려워요. EBS 연계 교재에서 많은 작품들이 활용되므로 우선 EBS 연계 교재를 철저히 공부하는 것이 좋아요. 연계되지 않은 작

품들을 위해서 학원, 인강, 기타 교재로도 공부를 해야 합니다. 수학처럼 딱딱 떨어지지는 않겠지만 이 파트를 꾸준히 공부하면 처음 보는 작품이 나와도 기존에 공부했던 것들로 응용이 가능해져요. 따라서 작품을 외우다시피 꾸준히 보는 공부를 함과 동시에 작품을 요소별로 분석하는 능력을 길러야 합니다. (최승희 생글7기, 한국외대 아랍어과 14학번)

A. 문학 파트 역시 '평가원의 논리'가 중요합니다. 이 정도면 간결한 문체라고 할 수 있는지, 이 정도면 비유를 많이 사용했다고 할 수 있는지 기출문제를 통해 평가원의 기준을 확인해가면서 공부해야 합니다. 그러므로 문학 공부에서 가장 먼저 해야 하는 것은 '개념어 공부'입니다. 은유, 직유, 상징, 관조 등의 단어를 모르고서 수능 문학 문제를 정확하게 풀기는 어렵습니다. 따라서 시중에 나와 있는 수능 국어 개념어 교재나 인터넷 강의를 통해 개념어를 빠짐없이 꼼꼼하게 학습할 필요가 있습니다. 이를 잘 정리해두었다가 헷갈릴 때마다 다시 볼 수 있도록 하면 좋습니다. EBS 교재 연계는 교재에 나왔던 문학 작품이 수능에서 나오는 방식으로 이루어집니다. 짧은 시 같은 경우에는 교재에 나온 것 그대로 문제에 사용되지만, 길이가 긴 고전시가나 소설, 시나리오는 교재에서 발췌된 부분이 아닌 다른 부분을 가져오는 것이 일반적입니다. 따라서 교재에 나온 부분만 공부하는 것이 아니라 작품 위주로 학습을 하는 것이 필요합니다. 시간이 여유롭다면 교재에 나온 모든 작품을 꼼꼼히 공부하면 되겠지만, 자신이 가진 시간을 봐가면서 여기저기(인강 강사, 시중 교재)에서 출제 가능성이 높다고 찍어주는 작품을 위주로 공부하는 것도 괜찮습니다. 하지만 적중률은 아무도 예측할 수 없는 것이므로, 정말 아니다 싶은 작품을 제외하고는 모든 작품을 최소한 한두 번은 꼼꼼히 정리하는 걸 추천합니다. (김현재 생글8기, 서울대 경영학과 14학번)

A. 수능에서 아는 문학 작품이 나오면 참 좋겠지만, 그러지 않을 확률이 더 높은 것이 사실이죠. 따라서 수능 문학 파트는 작품 해석력을 기르

는 것이 가장 중요해요. 난생 처음 보는 작품이라고 해도 문제나 선택지에서 문학 작품의 간략한 내용을 파악할 수 있는 경우가 대부분이에요. 여기서 작품에 대한 전반적인 분위기는 어떤지, 인물은 얼마나 등장하고 각각의 성격은 어떠한지, 작품의 갈래적 특성에 대해 묻는 문제가 있는지 등을 파악을 하고 독해에 들어가셔야 합니다. 고전문학과 같은 경우는 인물들을 파악하는 연습을 하고, 어휘를 정리하여 잘 알아두면 쉬운 주제가 대부분이기 때문에 쉽게 접근하실 수 있을 거예요. (심윤보 생글8기, 전주교대 초등사회교육과 14학번)

A. 문학 공부는 분석 위주로 하는 게 요즘 정석인데(이를 '신비평이론 국어교육관'이라고 합니다.), 학교에서 하는 것처럼 세모/동그라미로 긍정, 부정 나누는 거 있죠? 이게 현실적으로 가장 도움이 많이 되는 문학 공부법입니다. 그리고 문학은 요즘 쉬워지는 추세이니 비문학에 공부를 집중하는 게 조금 더 현명하고, EBS 교재 반영이 거의 대부분이니까 EBS 교재 분석 위주로 대비하세요. 기본적인 문학 용어와 기법은 꼭 암기해두길 바랍니다. 이건 문학 공부의 기초입니다. 그 이후에는 텍스트 분석을 공부해야 해요. 문학에서는 인물(화자)의 태도나 사건을 중심으로 내용의 흐름을 정리하는 것을 중점으로 두어야 합니다. 상당히 긴 지문이더라도 그 속에서 반드시 동그라미 치고, 밑줄을 그어야 하는 부분이 존재해요. 출제자가 염두에 둔 바로 그 부분을 찾아야 해요. 공부할 때 처음에 잘 되지 않는다면 반대로 문제를 먼저 읽고 제시문으로 접근하는 방법도 좋아요. 그리고 다른 영역에서는 양적인 공부가 좋지 않지만 적어도 문학에서는 많이 보는 것이 해가 되지 않습니다. (이은석 생글4기, 서울대 국어교육과 11학번)

Q. 고전문학은 어떻게 공부해야 하나요?

A. 고전작품은 진짜 토시 하나 안 틀리게 다 외울 필요까지는 없어요. 그리고 출제되는 작품이 정해져 있기 때문에 따로 전부 정리하는 게 좋을 거예요. 고전작품 관련 인강 하나 들어서 정리하는 것도 도움이 됩니다. (정금진 생글6기, 서울교대 영어교육과 15학번)

A. 수능에 나오는 작품들이 거의 정해져 있기 때문에 빈출 작품의 내용과 포인트 부분을 정확히 아는 게 중요해요. 고전문학은 EBS 연계 문제집에 있는 작품만 제대로 보는 연습을 충분히 하면 문제 푸는 데에 지장 없을 거예요. (이소은 생글7기, 고려대 미디어학부 14학번)

A. 고전문학은 사실 종류가 많지 않기 때문에 외우려고 마음먹으면 예상 가능한 작품들은 외울 수 있습니다. 그게 불가능하다면 문학 공부를 하는 것처럼 기본적인 내용만 외우고 시험장에 들어가세요. 또한 '중요한 게 중요하다.'라는 말을 생각하면서 공부하세요. 고전문학에서 문제를 낼 수 있는 중요한 부분은 한정적이기 때문에 문제를 풀면서 쉽게 넘기지 말고 맞춘 문제도 다시 보면서 공부하는 게 도움이 될 것입니다. (김도민 생글8기, 서울대 경영학과 14학번)

A. 고전문학은 인물 파악이 중요해요. 고전작품 지문에서 공, 대감 등 인물을 지칭하는 말들이 여러 개 있어요. 한 인물을 여러 호칭으로 부르니까 그것들을 기호로 표시하면서 읽으면 인물 파악이 빨라져요. (김보미 생글7기, 이화여대 스크랜튼학부 13학번)

A. 고전시가는 현대 국어 어휘로 외우지 마시고 중세 한국어 어휘로 공부하시면 나중에 편해요. 또 고전시가는 패턴이 정형화되어 있어서 몇 작품 풀어 보면 해결됩니다. (원지호 생글8기, 서울대 경제학부 14학번)

A. 고전문학은 주제와 전개 방식이 한정되어 있어서 공부하기가 쉬운

과목입니다. 해석이 어렵다고는 하지만 수능 문제는 공부를 한 적이 있다면 풀 수 있게 문제를 냅니다. 고전문학에서 문제를 풀기 힘들 정도로 해석이 안 된다면 평소 고전문학에 대한 공부가 부족한 겁니다. (박영준 생글7기, 경찰대 행정학과 13학번)

A. 고전시가나 고전소설은 갈등 관계나 핵심 정서가 정형화되어 있어요. 시대별로 나눌 필요도 없이 그냥 다 비슷해요. 그래서 대표작만 익혀 놓으면 다른 작품들도 쉽게 파악 가능합니다. 배경이나 해설이 주어지지 않은 문제는 작품 자체의 심상이나 표현 기법을 물어볼 거예요. 저는 고3 여름방학 때 고전시가가 약하다는 생각이 들어서 고전시가만을 다루는 인강을 들었어요. 박담 선생님 강의였는데, 강의를 들은 후로는 고전작품 걱정은 전혀 없었습니다. (김예원 생글7기, 고려대 경제학과 13학번)

A. 고전문학은 어휘가 어려워서 그렇지 현대문학보다 훨씬 쉽습니다. 아무래도 옛날 작품이라 주제, 갈등 관계, 이야기 흐름 등이 아주 단순하고 정형화되어 있어요. 고전문학을 공부하면서 나오는 고전 어휘들을 그때그때 외우시기 바랍니다. 어휘가 익숙해지면 그 뒤로는 아주 쉬워요. 문제를 풀 때는 인물의 호칭과 인물 간의 관계를 주의 깊게 보셔야 합니다. 한 인물을 여러 호칭으로 지칭하기에 읽어나가면서 이게 누구를 말하는 건지 파악하셔야 해요. 그리고 한 인물이 누구에는 아버지이고, 동시에 누구에게는 스승이고, 동시에 누구와는 군신 관계이고, 이런 식으로 인물 관계가 복잡하게 얽혀 있습니다. 이걸 파악하면서 읽어야 합니다. 어휘와 인물 호칭 및 인물 간의 관계 파악만 제대로 할 수 있다면 고전에서는 점수 잃을 일이 거의 없을 겁니다. (이정훈 생글5기, 성균관대 경영학과 11학번)

A. 고전은 읽을 줄 아는 것이 관건입니다. 기초적인 작품은 전부 다 공부하면서 감을 기르세요. 특히 EBS 교재에 나왔던 고전이 수능에 연계되고 있으므로 EBS 교재에 나온 고전작품들은 꼼꼼히 공부하는 것을 추천

합니다. (김현재 생글8기, 서울대 경영학과 14학번)

A. 고전시가는 장르 자체가 좀 어색해서 처음엔 어려울 수 있는데 제 생각엔 그 어색함만 해소하면 평소 자기 언어 실력만큼 점수가 나온다고 봐요. 고전시가만 모아 놓은 기출문제를 풀어보고, 잘 안 되면 인강 고전시가 파트만 참고해도 좋아요. (김병민 생글8기, 서울대 경영학과 14학번)

A. 고전문학은 정형화된 주제가 많기 때문에 고어에만 조금 익숙해진다면 오히려 내용 파악이 쉬워요. 그리고 시험에 나오는 고전문학도 한정적이기 때문에 고전문학만 모아져 있는 문제집을 한 권만 풀어 보면 모의고사 때 전혀 모르는 지문을 보는 일은 드물 거예요. 저는 고전문학을 풀 때 헷갈리는 점이 한 등장인물을 부르는 이름이 여러 개라는 점이었어요. 그래서 문제지 빈 칸에 인물 관계도를 간략하게 그리며 호칭들을 정리해 두어서 문제를 수월하게 풀 수 있었습니다. (신정련 생글6기, 부산대 영어교육과 12학번)

A. 저는 고전시가 엑기스를 묶어 놓은 교재로 일주일가량 해석 연습만 팠어요. 왜냐하면 제가 고등학교 다닐 때에는 고전시가가 원문으로 나왔거든요. 요즘은 그럴 필요가 없는데, 고전시가 해석은 현대어로 나오니 현대시와 똑같이 해석하면 돼요. 그리고 요즘 추세가 쉬운 수능이기 때문에 웬만하면 고전에서 모르는 작품은 안 냅니다. 문법에서도 훈민정음 이외에는 잘 안 내듯 말이에요. 다만 유명하지 않은 고전시가를 출제할 경우에는 기존에 자주 출제되던 작품이랑 똑같은 주제를 골라요. 충효라든지 강호한정 같은 것들이요. 이런 익숙한 주제를 내니까 모르는 게 나오면 당황하지 말고 어떤 주제인지 생각해보고 추리하면 문제 풀기 수월할 거예요. (이은석 생글4기, 서울대 국어교육과 11학번)

A. 고전시가는 처음에는 어렵긴 하지만 표현이나 주제가 전형적입니다. 현존하는 고전시가 작품들 어느 정도 계속 보고 공부하면 다 거기서 거기

입니다. 작품 해석이 안 된다면 그건 고전시가 자체를 접한 경험이 얼마 없어서 그런 것이니 일단 고전시가 표현들을 정리하시고 주제 등도 대충 정리해서 모아두세요. 정리해보면 주제가 임금에 대한 충성, 자연, 백성에 대한 사랑 등 몇 가지 안 된다는 걸 알 수 있을 거예요. 시중에서 판매하는 고전시가 정리해놓은 책 봐도 도움이 많이 됩니다. 가장 유명한 고전시가 20여 개만 제대로 공부해두면 나머지도 푸는 데 지장 없을 겁니다. (홍성현 생글6기, 서울대 경제학부 13학번)

Q. 시를 공부할 때 자주 나오는 작가들의 성향 같은 걸 따로 정리해서 기억하면 도움이 될까요?

A. 네. 자주 나오는 작가들의 성향 같은 걸 정리하고 공부하면 그 작가의 모르는 시가 나와도 어느 정도 시의 성격을 예상할 수 있기 때문에 매우 편합니다. (김도민 생글8기, 서울대 경영학과 14학번)

A. 확실히 도움이 됩니다. 시를 쓰는 작가들의 경우 주제나 시를 쓰는 방식이 일관된 경우가 많아서 모르는 시라도 작가를 알면 이해하기 쉬운 측면이 있습니다. (박영준 생글7기, 경찰대 행정학과 13학번)

A. 저는 도움이 된다고 봅니다. 작가의 성향이 시의 성향이 될 수 있으니까요. 그렇다고 해서 시인을 전부 다 알 수는 없으니까 자주 나오는 시인들에 대해서 선생님들이 설명해주시는 것 몇 가지만 기억해두세요. (오민지 생글6기, 고려대 경영학과 14학번)

A. 저는 의견이 달라요. 성향을 외워둔 작가가 나오긴 나왔는데, 외운 거하고는 다른 주제의 시가 나오면 어쩌려고 그러세요? 그런 것보다는 지문 자체를 분석하는 힘을 기르시길 바랍니다. 쓸데없는 일에 힘과 시간을

쏟는 것처럼 보입니다. (임우미 생글6기, 서울교대 음악교육과 13학번)

A. 시의 해석은 그 문제에 주어진 보기에 따라 달라질 수 있기 때문에 무작정 외우는 것은 오히려 독이 될 수도 있어요. 수능은 내신 시험이 아니라는 걸 기억하세요. 낯선 지문을 읽고 그 자리에서 얼마만큼 잘 푸느냐를 평가하는 것이지 암기력 테스트가 아니에요. (정금진 생글6기, 서울교대 영어교육과 15학번)

A. 국어는 특정 지문을 달달 외우는 방법에는 한계가 있다고 생각합니다. 수능에서는 어떤 지문이 출제될지 모르니까요. 그래서 차근차근 모의고사를 풀면서 지문에 입각해서 문제를 푸는 방법을 찾고 이걸 연습해야 합니다. (원지호 생글8기, 서울대 경제학부 14학번)

A. 작가의 성향을 외우는 것이 위험할 수 있는 게, 모든 작품이나 발췌된 부분에서 항상 그 성향이 맞아 들어가는 게 아니에요. 참고삼아서 '아, 맞네.' 하는 정도로만 공부하는 게 좋습니다. (김현재 생글8기, 서울대 경영학과 14학번)

A. 문제를 풀다 보면 자연스럽게 자주 나오는 작가들을 알게 되고 성향을 파악하게 되지만 암기식으로 외워서는 안 됩니다. 문제의 흐름과 관점에 따라 시의 의미는 바뀔 수 있는데 외워버리면 그런 것들을 고려 하지 않고 외운 대로 풀게 됩니다. 배경지식으로써 시를 접해서는 고난이도 문제는 맞출 수 없습니다. 문제에서 요구하는 대로, 있는 그대로 풀어야 합니다. (변혜준 생글7기, 경희대 국어국문학과 13학번)

Q. 독서(비문학) 공부법과 문제 푸는 노하우가 궁금합니다.

A. 수능 국어 비문학은 기출문제가 진리라고 생각합니다. 물론 연계되는 EBS 교재도 중요하지만, 비문학은 연계되어봤자 체감 정도도 낮고, 문제의 코드가 다를 수 있다고 생각해요. 평가원 문제가 까다로우면서도 답의 근거가 명확하므로 우선적으로 기출문제를 공부해야 합니다. 처음엔 단순히 풀고 채점하기보다는 답의 근거를 찾아 연결하는 연습을 하는 것을 추천합니다. 기출문제를 충분히 공부했다면 다음으로 올해 나오는 EBS 교재, 굳이 더 필요하다면 작년 EBS 교재를 공부하는 것이 순서라고 생각합니다. (김현재 생글8기, 서울대 경영학과 14학번)

A. 비문학의 경우, 지문을 분석할 때 단락을 나누어서 단락별로 분석을 하는 것이 중요합니다. 단락 안에서 주제문을 찾고, 핵심 단어에 표시를 하는 연습을 하길 권합니다. 비문학 독해가 약한 학생은 지문을 하나씩 매일 요약하는 훈련을 하면 실력이 많이 좋아집니다. 『마르고 닳도록』의 저자 이찬희씨 홈페이지에서 제공하는 비문학 지문 요약 훈련 자료를 추천합니다. 그리고 기출문제를 공부하면서 정답과 오답의 근거를 지문에서 찾는 연습을 하세요. 정답은 왜 정답이고 오답은 왜 오답인지 찾아내는 연습을 하셔야 합니다. 비문학에서 '다음 중 윗글에서 언급하지 않은 것은?' 혹은 '일치하지 않는 것은?' 이런 문제 유형은 문제를 먼저 읽으면 지문의 내용 파악하는 데 정말 도움이 많이 됩니다. (정금진 생글6기, 서울교대 영어교육과 15학번)

A. 비문학은 지문을 꼼꼼하게 봐야 해요. 여러분이 가지고 있는 배경지식은 다 배제하고, 지문 속에 근거가 다 있으니까 처음에는 시간이 많이 걸리더라도 최대한 지문 속에서 근거를 찾는 연습을 하세요. 과학 지문은 모르는 개념이나 공식이 많이 나오잖아요. 이럴 때는 간단하게 옆에 메모

를 해서 문제 풀 때 한눈에 알아볼 수 있게 해보세요. (김범진 생글8기, 서강대 경영학과 14학번)

A. 비문학은 어떤 지문이냐에 따라 방법이 조금 달라지긴 하지만 결국엔 글을 얼마나 이해했는지를 측정하는 거예요. 제 노하우는 지문을 빠르게 읽어내려 가면서 각 문단마다 내용을 요약하는 거예요. 비문학은 정답을 고르는 것도 중요하지만 시간과의 싸움도 중요하기 때문에 딱 한 번 읽고도 얼마나 핵심 내용을 잘 캐치하느냐가 굉장히 중요해요. 지엽적인 문제가 간혹 있긴 하지만 문제들의 가지가 뿌리를 내린 것을 보면 결국엔 지문의 핵심 내용이에요. (이훈창 생글7기, 성균관대 경영학과 14학번)

A. 비문학은 글을 읽는 과정부터 다른 글과 차별되는 측면이 있습니다. 글을 읽으면서 요점을 파악하고 빠르게 넘어갈 부분과 자세히 읽어야 하는 부분을 구별하는 게 중요해요. 글을 읽으면서 요점에 밑줄을 긋거나 단락마다 중심 내용을 찾아보는 식으로 연습하면 도움이 됩니다. (박영준 생글7기, 경찰대 행정학과 13학번)

A. 비문학 파트는 다른 파트들에 비해 공부를 그리 많이 할 필요는 없어요. 많은 사람들이 비문학 문제의 답은 텍스트 속에 있다고 말하는데, 사실이에요. 그러나 텍스트 분석 능력이 떨어진다면 이게 결코 쉬운 일은 아니죠. 평소에 독서를 많이 했다면 조금의 연습으로도 금방 분석 능력을 키울 수 있지만 그렇지 않다면 지금이라도 매일 꾸준히 비문학을 읽으면서 분석 능력을 끌어 올려야 합니다. 하루 3~4개 지문 정도로 자신이 감당할 수 있는 선에서 최소량을 정하고 꾸준히 공부를 해나가야 해요. (최승희 생글7기, 한국외대 아랍어과 14학번)

A. 독서는 텍스트의 구조 분석이 무엇보다 중요합니다. 핵심어와 중심 문장을 찾고 이 글이 어떤 구조로 논리가 연결되는지 확인하는 거죠. 방법은 직접 펜으로 지문을 해부하는 연습을 하는 겁니다. 각 문단의 내용

을 요약할 수 있도록 중요한 단어와 문장을 찾으세요. '그러나'와 같은 접속사도 꼼꼼히 체크하고요. 다음으로는 문단과 문단이 어떤 관계로 연결되는지 적어보세요. 비판, 예시, 병렬, 과정 설명 등 몇 가지 패턴으로 분석될 수 있을 거예요. 그렇게 지문을 분석하고 나면 문제에 제시된 내용과 1:1 대응을 시켜보세요. 분명 펜으로 댄 부분에 정답이 있을 거예요. 너무 쉬운 공부법이 아니냐고요? 그렇긴 하지만, 사실 이보다 더 좋은 독서 공부법은 없어요. 지문 설명을 한참 들어도 새로운 지문이 나오면 무용지물이잖아요. 결국에는 본인이 글을 분석하는 방법을 체득해서 활용하는 것밖에 묘책이 없어요. (이은석 생글4기, 서울대 국어교육과 11학번)

A. 독서에서는 '평가원의 논리'가 매우 중요하다고 생각합니다. 따라서 지문을 통해 선지의 참/거짓을 가려내기 위해서는 무엇보다 '평가원의 시각'에 익숙해져야 합니다. 예를 들어, 본문에 '사과는 빨갛다.'라고 쓰여 있는데, 문제에서 '사과는 불그스름하다.'라는 선택지가 나온다면 참/거짓을 판단하기가 애매할 수 있습니다. 하지만 만약 수능 또는 평가원 모의고사 기출문제에서, 본문에는 '노랗다'를 쓰고, 문제에서는 '누렇다'를 사용하면서 그 둘을 동의어처럼 취급했다고 가정해봅시다. 그렇다면 '빨갛다 = 불그스름하다' 또한 참이라고 볼 수 있을 것입니다. 이런 식으로 기출문제를 풀면서, '평가원은 이 정도 연결고리면 참으로 여긴다. 이 정도는 비약으로 여긴다.' 하는 것을 최대한 파악하고 익숙해지는 것이 필요합니다. 또한, 사실 관계를 잘 파악해서 정확하게, 실수 없이 푸는 연습을 하는 것이 필요합니다. 아직 수능까지 시간이 많이 남았다면 정설대로 책을 읽는 것이 많은 도움이 될 것입니다. EBS 교재 연계는 비슷한 주제, 키워드를 내는 수준이므로 문제는 풀고, 주제나 키워드를 큼직큼직하게 기억하되, 교재에 실린 그 지문을 분석하는 데 많은 시간을 들일 필요는 없다고 생각합니다. (김현재 생글8기, 서울대 경영학과 14학번)

A. 독서 문제를 접할 때는 '답의 근거는 꼭 지문에서 찾는다.'라는 생각

을 하시고 문제에 접근하셔야 해요. 배경지식이 도움이 될 때도 있지만 오히려 독해하고 문제를 푸는 데 방해가 되는 경우도 많으니 조심하셔야 합니다. 선택지의 정답과 오답을 지문에서 찾으려는 노력을 하면서 각 문단별로 키워드를 찾으셔야 해요. 이러한 키워드는 지문 옆에 메모를 해두는 것이 좋아요. 특히 분류해서 설명하거나 과정을 설명하는 까다로운 문단과 같은 경우에서 유용하게 사용할 수 있어요. 이런 부분에서 까다로운 문제가 출제되기 때문에 메모를 통해 이해와 시간 단축을 동시에 할 수 있습니다. 기출문제 분석도 중요한데, 풀고 꼭 피드백을 하는 과정을 거쳐야 합니다. 분석을 할 때는 문제에서 요구하는 점 즉, 출제자의 의도를 파악하는 연습을 하셔야 해요. 이 문제는 어떤 유형의 문제인지, 어떤 부분을 이해하고 적용해야 하는지 파악하는 연습을 해야 실전에서 적용할 수 있겠죠? (심윤보 생글8기, 전주교대 초등사회교육과 14학번)

Q. 독서(비문학) 기술 지문이 너무 어렵습니다. 항상 답은 지문 안에 있다지만 쉽지가 않네요.

A. 비문학 기술 파트는 제시된 과학 및 기술의 원리와 적용을 추론하는 '이해'를 출제의 중점으로 하고 있습니다. 따라서 답은 지문에 나와 있다는 건 옳은 말이고, 이걸 잘 풀려면 지문을 잘라 보면서 원리가 구현되는 순서를 잘 따아해 보는 게 중요합니다. (이은식 생글4기, 서울대 국어교육과 11학번)

A. 기술 지문은 그냥 읽으면 어렵지만 문제를 보고 지문을 읽으면 조금은 쉬워집니다. 문제와 보기를 읽고 그 문제에 나온 용어를 지문에서 찾아가면서 동그라미를 치며 읽으세요. 그렇게 읽으면 처음에는 이해가 되

지 않더라도 문제를 풀기 위해 그 부분을 다시 읽었을 때 이해가 되는 경우가 많습니다. (김도민 생글8기, 서울대 경영학과 14학번)

A. 저는 3학년 때 이해가 잘 되지 않는 과학, 철학, 경제 관련 국어 지문을 노트에 도식화하면서 이해했어요. 지문에 네모, 동그라미를 표시하면서 수십 번 읽는 것보다 한 번 도식화 해보는 게 이해가 더 빠르더라고요. (손지원 생글8기, 경희대 경제학과 14학번)

A. 저도 비문학을 처음 풀었을 때 시간이 너무 오래 걸렸어요. 지문을 읽을 때는 이해가 되는데 나중에 막상 문제를 풀어보려고 하면 머릿속에 남은 것으로 답을 찾기가 힘이 들더라고요. 그래서 저는 저만의 표시법을 만들었어요. 지문을 읽는 동시에 각 문단에 주제나 주요 문장에는 줄을 치고 핵심 단어에는 네모를 쳐둔다거나, 순서가 나오는 지문에는 번호를 매기는 등 문제를 풀 때 제가 필요한 정보를 빨리 찾을 수 있게 표시를 해두는 거예요. 표시를 하면서 지문을 읽으면 머릿속으로도 내용이 도식화되면서 지문의 이해도 훨씬 잘 되더라고요. (신정련 생글6기, 부산대 영어교육과 12학번)

Q. 어휘나 사자성어는 뭐로 공부하면 될까요?

A. 흠…. 사전이라도 들고 다니실 건가요? 영단어 외우기도 바쁘지 않나요? 따로 뭘 사서 공부하실 필요 없습니다. 그냥 문제집, 교과서에서 접했는데 모르는 것들만 따로 정리해두시면 충분합니다. 믿어주세요. (임우미 생글6기, 서울교대 음악교육과 13학번)

A. 저는 EBS 교재에 나온 것들을 공책에 정리하여 외웠습니다. 그러다가 모의고사 문제들을 풀면서 모르는 어휘나 사자성어가 있으면 제가 정

리한 공책에 추가하여 다시 외우는 식으로 공부하였습니다. (김도민 생글 8기, 서울대 경영학과 14학번)

A. 특별히 시간을 내서 공부하는 것보다는 모르는 어휘나 사자성어가 나올 때마다 정리해서 공부하는 편이 낫습니다. (박영준 생글7기, 경찰대 행정학과 13학번)

A. 어휘나 사자성어는 자신이 모르는 것을 꾸준히 정리하고, 수능에 잘 나오는 어휘와 사자성어를 정리해놓은 책을 사서 암기해야 합니다. (변혜준 생글7기, 경희대 국어국문학과 13학번)

A. 어휘나 사자성어는 매일 5~10개씩 꾸준히 외우는 것이 중요해요. 하루 날 잡아서 공부한다고 해서 해결되는 문제가 아니에요. 책 한 권을 정해서 매일 꾸준히 분량을 정해서 보거나, 국어 공부를 하면서 모르는 사자성어를 표시했다가 노트 한 권에 적어서 복습할 때나 자기 전에 보면 도움이 많이 될 거에요. (박준형 생글8기, 건국대 글로컬캠퍼스 경제학과 14학번)

A. 저는 고등학교에 진학해서 언어와 관련해서 어휘와 사자성어를 따로 공부한 적은 없어요. 모의고사나 문제집이나 어디서든 제가 푼 문제에서 모르는 사자성어가 있으면 매일 들고 다니는 연습장 맨 뒤편에 적어놔서 심심할 때마다 영단어집을 보듯 보고 외웠습니다. (신정련 생글6기, 부산대 영어교육과 12학번)

A. 사자성어는 틈틈이 외워야 합니다. 수능 사자성어를 정리해놓은 작은 책자 같은 걸로 공부한다면 금방 해치울 수 있는데, 미뤄두면 수능 직전에 은근히 부담이 될 수 있으므로 미리 하는 것을 권장합니다. 어휘 문제 공부는 부족하다면 따로 해야겠지만, 평소 책이나 신문을 자주 읽는다면 큰 무리 없이 해결할 수 있을 것입니다. (김현재 생글8기, 서울대 경영학과 14학번)

2-3 수학

Q. 저는 수학을 공부해도 성적이 오르지 않아요. 수학 공부법을 모르겠습니다.

A. 수학 성적은 얼마나 수학 공부에 투자를 했는지, 얼마나 많은, 다양한 문제를 접했는지가 결정한다고 봅니다. 물론 어느 정도 잔머리나 요령은 필요해요. 예를 들면 확실히 알고 푼 문제는 다시 볼 필요가 없으니 다시 안 보는 것 같은 요령 말이에요. 제가 1학년 때는 뒤에서 10등 정도의 성적이었어요. 친구들은 선행 학습을 하고 와서 공부 안 하고도 제 점수보다 2배 높은 점수를 받았어요. 엄청 성질나죠. 물론 지금 생각해보면 그 친구들이 수학에 많이 투자했으니 높은 점수를 받는 게 당연한 거지만요. 중간고사 이후로 수학 문제집을 8권 이상 풀었어요. 그런데 기말고사 때도 등수를 앞에서 세는 것보다 뒤에서 세는 게 더 빠른 겁니다. 친구들이 8권 풀면서도 못한다고 놀리니까 오기가 생겼어요. 그렇게 6개

월 공부하고 나니까 어느 정도 성적이 향상되었고, 쭉 그렇게 공부하니까 수학이 가장 자신 있는 과목이 되었어요. 혹시 지금 기대했던 만큼 성적이 안 나오더라도 포기하지 마세요. 처음에는 노력한 만큼 안 나오는 게 정상입니다. 수학은 3개월 이상은 투자해야 오르는 과목이라고 봐요. 솔직히 짧은 시간 투자해서 되면 누가 수학 걱정하겠어요. 그리고 정말 중요한 것이, 본인이 남들보다 공부를 더 했다고 느껴질 때만이 본인이 최선을 다한 거예요. 친구들이 문제집 3~4권 푸는데 자기는 2권만 풀고 더 좋은 점수 바라는 건 솔직히 아니라고 생각해요. (제가 문제집 강요하는 것 같아서 그런데, 사실은 문제집 권수가 중요한 게 아니라 얼마나 많은 시간을 투자했느냐가 중요한 거예요!) 남들과 같은 3~4권이나 그 이상 풀고 나서야 좋은 성적을 기대해볼만 한 거죠. 그리고 한 문제 풀 때 최대한 고민하고, 최선을 다했다 싶으면 답지를 보고 확인한 뒤, 나중에 다시 풀었어요. 이거 중요합니다. 틀린 문제를 답지 보고 알았는데 답지 덮고 다시 풀면 안 풀릴 때가 굉장히 많아요. (김호기 생글8기, 서울대 산업공학과 14학번)

A. 다른 과목은 모르겠지만 저는 수학만큼은 양치기라고 말할 수 있다고 생각합니다. 유형을 어느 정도 공부했다면 많은 문제를 풀어보세요. 수학은 개념만을 가지고 풀 수 있는 과목이 아니기 때문에 개념만 파지 말고 어느 정도 됐다 싶으면 문제를 푸세요. 많은 문제를 풀다 보면 자신이 부족한 부분이나 취약한 유형을 파악할 수 있습니다. (김도민 생글8기, 서울대 경영학과 14학번)

A. 기출문제를 중심으로 공부하세요. 하지만 고득점을 하기 위해서는 기본 공식과 유형을 풀이하는 것부터 시작해야 합니다. 평이한 난이도의 문제를 중심으로 풀이법을 본인의 것으로 익히는 반복적 공부를 출발점으로 삼으세요. 시기를 두고 문제를 여러 번 푸는 것이 상당히 도움이 될 수 있어요. 그리고 오답노트를 작성하면서 실수를 점차적으로 줄여나가는

거죠. 그런 식으로 점점 난이도를 높여 나가면 어느새 고난이도 문항도 건드릴 수 있는 수준까지 오를 수 있어요. 또 삼각함수나 도형 이해 등 평소에는 소홀히 할 수 있지만 정작 어려워하는 영역을 가까이하기 바라요. 시간을 재며 푸는 것은 무의미하다고 생각해요. 수학은 정확성의 싸움이기 때문에 처음에 오래 걸리더라도 정확한 풀이를 익혀서 본인의 것으로 만드는 것이 중요합니다. (이은석 생글4기, 서울대 국어교육과 11학번)

A. 수학은 역시 개념이 가장 중요합니다. 각종 원리와 공식을 잘 이해하고 자유자재로 활용할 수 있어야 합니다. 학교 수업만으로 개념 공부가 부족하다면 학원에 다니거나 인강을 듣는 것이 꼭 필요합니다. 개념을 익힌 뒤에는 문제를 풀면서 실전 감각을 길러야 합니다. 수학의 경우 기출문제가 많은 편이므로 기출문제를 열심히 푸는 것이 좋습니다. 특히 높은 배점의 문제들은 신선하면서도 어렵게 내기 때문에, 처음 보는 문제라도 당황하지 않고 풀 수 있도록 절대적인 실력을 키우는 것이 필요할 것입니다. 사설 문제집이나 인강의 문제도 좋지만, 평가원 스타일로 낸 문제인지 꼭 확인하고 풀어야 합니다. 수학의 경우 EBS 교재의 연계 체감 정도는 EBS 교재 문제에서 숫자가 조금만 바뀌어도 수능 시험 볼 때 연계가 된 것을 거의 느끼지 못할 정도이며, 연계가 된다고 하더라도 주로 쉬운 문제에서 이루어집니다. 따라서 교재를 풀고 틀린 문제를 다시 풀어보는 정도가 적당한 것 같습니다. (김현재 생글8기, 서울대 경영학과 14학번)

A. 수학은 많은 학생들이 어려움을 가지고 있는 과목입니다. 수학에 어려움을 겪는 학생의 경우 대개 세 가지의 문제점을 가지고 있습니다. 첫 번째는 개념 자체를 이해하지 못하는 경우, 두 번째는 개념은 알고 있으나 특정 문제나 유형을 접할 시 문제 풀이 방법 등을 찾아내지 못하는 경우, 마지막은 계산 실수가 잦은 경우입니다. 각 경우에 따라 공부 방식은 달라야 합니다. 먼저 개념 자체를 이해하지 못할 때는 문제 풀이보다는 개념서에 있는 공식의 도출과정이나 증명과정을 이해하고 스스로 도출 또

는 증명할 수 있을 정도로 연습하는 것이 중요합니다. 해당 단원에서 자주 쓰이는 문제 풀이 방식이나 공식의 경우 이를 도출하는 과정에 해당 단원의 핵심 내용이 대부분 포함되어 있기 때문입니다. 즉, 공식의 도출과정을 이해함으로써 해당 단원의 핵심 내용을 이해하고 개념서의 간단한 유제를 푸는 방법을 통해 이러한 요소가 어떻게 이용되는지를 중심으로 공부하는 것이 좋습니다. 두 번째로 특정 유형에 약하거나 문제 풀이 과정을 찾아내는 데 어려움을 겪는 경우에는 해답을 적극적으로 활용할 필요가 있습니다. 먼저 문제를 풀 때 풀이 방법이 생각나지 않는 경우 그 문제가 어느 단원의 어떤 내용에 관한 문제인지를 파악해야 합니다. 이후 문제가 계속해서 풀리지 않을 경우 해답을 꼼꼼히 보지 않고 빠르게 훑어 전체적인 접근 방식만 파악합니다. 이후 문제를 다시 풀어보고, 풀릴 경우 문제에 표시 후 해당 문제의 단원과 유형을 정리합니다. 문제가 풀리지 않을 경우 해답을 꼼꼼히 보고 이를 따로 정리합니다. 이후 1일, 3일, 7일 후마다 계속해서 문제를 반복해서 풀고, 풀리지 않은 문제는 따로 표시 후 해당 내용의 유형과 개념을 다시 공부하도록 합니다. 이와 같은 방법으로 기출문제집을 반복해서 본다면 수학 실력은 크게 향상될 수 있습니다. 계산 실수 역시 어느 부분에서 실수를 하는지 정리를 합니다. 실수가 반복되는 것도 실력이므로 실수하는 부분을 계속 정리하면 어느 부분에서 본인이 실수를 많이 하는지, 또 어떻게 실수를 하는지 알 수 있게 됩니다. (예를 들어, 특정 계산이나 특정수끼리의 곱셈에서 실수가 잦은 경우를 들 수 있습니다.) 이를 통해 본인의 실수를 점차 줄여나갈 수 있습니다. 수학 문제 풀이의 기본 접근 방법은 마치 사전을 찾는 것과 같습니다. 사전에서 특정 단어를 찾을 때 앞 글자부터 차근차근 찾아가듯이 그 문제가 어느 단원의 어느 내용을 물어보는 것이고, 그 유형에서 주로 사용되는 풀이나 공식, 마지막으로 그 유형에서 실수하거나 잘못 접근할 가능성이 높은 부분과 같은 내용이 자동적으로 연결될 수 있도록 반복해

서 연습한다면 수학 실력의 상승을 가져올 수 있을 것입니다. (홍성현 생글6기, 서울대 경제학부 13학번)

A. 저는 원래 수학을 정말 못했어요. 고1 때는 5등급이 나온 적도 있어요. 그러나 수능 때는 원점수 96, 백분위 98이 나왔죠. 중학교 때 수학을 너무나도 소홀히 한 탓에 고등학교에 올라와서 수학 때문에 고생을 많이 했어요. 어디서부터 시작할 지도 몰랐고 중학교 때 배웠던 개념들이 다시 나오면 몰라서 다시 찾아보기도 했어요. 수학 점수가 조금씩 오르기 시작한 것은 고2 이후였어요. 열심히 해서 수능에서는 한 문제 틀렸습니다. 수학의 기본은 항상 개념이에요. 개념이 곧 실력으로 이어집니다. 보통의 책들은 개념은 짧고 문제 풀이가 많아요. 그러나 우선은 그 짧은 개념 부분에 많은 투자를 해야 해요. 그리고 공부를 하면 할수록 그것이 결코 짧은 것이 아니라는 것을 느끼게 돼요. 반복적으로 개념을 학습하면서 그 원리를 이해하는 것이 정말 중요해요. 개념을 익히면서 문제 풀이를 꾸준히 하는 것도 중요해요. 개념을 알고 있더라도 응용하는 법을 아는 것이 중요하기 때문이죠. 가장 권유하는 방법은 기출문제 풀이입니다. 그러나 실력이 미완성인 상태에서의 기출풀이는 권하지 않을게요. 개념을 배우면서 연습문제들을 풀어 보며 실력을 키우고, 그 후에 기출문제를 풀어보는 것을 권할게요. 평일에는 연습문제를 풀고 주말에 기출문제를 풀어보는 것도 좋은 방법이에요. 물론 고3 때는 기출문제를 푸는 비중을 높여야 합니다. (최승희 생글7기, 한국외대 아랍어과 14학번)

A. 수학은 정말 정직한 과목이라는 말이 맞는 것 같아요. 이과 수학은 잘 모르겠지만 문과 수학은 포기하지 않고 노력한다면 자신이 원하는 점수 받을 수 있을 거예요. 수능 수학 출제범위에 고1 수학은 포함되지 않지만 꼭 공부를 꼼꼼히 하고 넘어가야 해요. 수학이라는 과목이 유기적이라는 특성이 강하기 때문에 기초부터 잘 다져야 4점짜리 문제에 접근을 할 수 있어요. 저는 일단 진도용으로 공부할 기본서를 하나 잡고 평가원

기출문제와 EBS 교재로 문제 경향을 파악하면서 공부했어요. 기본서는 『개념원리』를 봤습니다. 공부하면서 어려운 문제는 체크해두고 반복해서 풀었습니다. 확실하게 아는 것은 과감하게 건너뛰고 약한 부분이나 어려운 부분을 중점적으로 공부해서 발전적인 방향으로 공부하는 것이 좋을 것 같아요. (심윤보 생글8기, 전주교대 초등사회교육과 14학번)

A. 수학은 개념 파악과 문제 분석이 동시에 진행되어야 상위권 점수를 받을 수 있습니다. 수능에서 1등급을 받기 위해서는 모든 개념을 파악한 후 문제에 적용할 수 있어야 합니다. 흔히 수학은 문제를 많이 풀어야 고득점을 받을 수 있다고 하는데, 다량의 문제를 푸는 것보다는 검증된 문제를 정확하게 풀어서 자기 것으로 만드는 것이 중요하다고 생각합니다. 검증된 문제란 지금까지의 수능 및 모의고사와 EBS 교재의 문제를 의미합니다. 그리고 가장 중요한 것은 오답을 정리하는 것입니다. 오답 정리의 본질은 틀린 문제에서의 개념과 계산 방식이 다른 문제에 적용되었을 때 다시는 틀리지 않기 위해서 하는 것입니다. 그리고 수학은 꾸준함이 중요합니다. 매일 5~8문제 정도 단원을 달리해서 문제를 풀어준다면 수학에 대한 감을 잃지 않을 수 있을 것입니다. 제가 추천하는 교재는 『자이스토리』입니다. 기출문제를 단원별로, 난이도별로 모아놓은 책입니다. (박준형 생글8기, 건국대 글로컬캠퍼스 경제학과 14학번)

A. 수학을 잘하기 위해서는 개념 공부가 잘 되어 있어야 한다는 사실은 다 아실 겁니다. 제가 여기서 더 말씀드리고 싶은 것은 개념 공부를 하실 때 책에 나오는 내용들을 줄줄 외우지 마시고 끝없이 '왜?'라는 질문을 던지면서 공부하셔야 한다는 거예요. '왜 이런 공식이 생겼을까?', '왜 이런 개념이 나왔을까?', '왜 이런 약속을 정했을까?' 등 생각나는 질문들을 해결하면서 공부해야만 심화문제에서 개념을 바로 적용할 수 있을 정도로 개념이 완전히 자신의 것이 되고, 기억에도 오래 남습니다. 잊었다고 하더라도 사고과정을 통해 다시 도출해낼 수도 있고요. 이해 과정은 건너뛰고

외울 것만 빨리 외운 채 바로 유형별 문제 풀이로 넘어가는 학생들이 많은데, 정말 그래서는 안 된다고 당부 드리고 싶습니다. (임우미 생글6기, 서울교대 음악교육과 13학번)

A. 수학은 제대로만 공부하면 가장 확실한 과목이라고 할 수 있습니다. 수학에서 가장 중요한 것은 자신감과 정확도입니다. 수학은 개념만 안다고 해서 잘할 수 있는 것이 아니라 부지런히 '손'으로 쓰고 연습해야 실력을 키울 수 있습니다. 저는 고등학교 1학년 때까지만 해도 모의고사 수학 성적이 원점수 50점대, 등급으로는 3~4등급이었습니다. 하지만 꾸준하게 노력한 결과가 고1 말부터 서서히 나타나기 시작해서 2학년 이후로는 1등급이 나왔고, 고3 10월에는 꽤 어려웠던 시험이었음에도 불구하고 100점을 받을 수 있었습니다. 당장 성적이 나오지 않는다고 조급해 하지 말고 끈기를 갖고 공부하는 자세가 필요합니다. 우선 4등급 이하의 학생들은 개념서부터 꼼꼼하게 풀기를 권장합니다. 꼭 『수학의 정석』이 아니라도 상관없습니다. 저는 『개념원리』와 『풍산자』를 봤었습니다. 계산력이 부족한 학생들은 『쎈 수학』 같은 내신용 문제집으로 정확하고 빠르게 푸는 연습을 하는 것이 좋습니다. 수학은 독학이 힘든 편이기 때문에 필요하면 인강 수강을 하는 것을 권합니다. 저는 신승범 선생님 커리큘럼을 따라 공부했습니다. 어떤 선생님이든 본인의 스타일에 맞는 강의를 계획에 따라 착실하고 꾸준히 공부를 해나가면 됩니다. 3등급 이상의 학생들은 고2 겨울방학 때 개념서를 빠르게 복습하고 기출문제를 푸는 것이 좋습니다. 최근 10개년 정도면 충분합니다. 맞은 문제도 그냥 넘어가지 말고 반드시 해설서를 참고해서 다른 풀이법을 익히는 것이 좋습니다. 9평 이후로는 틀린 문제를 다시 풀어보고 맞았으면 넘어가고, 또 틀렸으면 그때 오답노트를 적었습니다. 그 시기에 틀린 문제는 확실한 본인의 취약점이기 때문에 수능 직전에 정리하면 도움이 됩니다. 기출문제는 6월 평가원 전까지 1회독을 끝내고 6평 이후부터는 새로운 고난도 문제를 풀고

틀린 문제를 복습하는 것이 좋습니다. 수능이 다가올수록 새로운 문제만 주구장창 풀기보다는 틀렸던 문제에 집중하길 바랍니다. EBS 교재는 학교에서 진도를 나가는 경우가 많으니 교재가 출간되는 대로, 학교에서 진도가 나가는 대로 풀면 됩니다. 수학은 EBS 교재 연계 체감률이 높지 않기 때문에 EBS 교재에 매달릴 필요는 전혀 없습니다. (정금진 생글6기, 서울교대 영어교육과 15학번)

Q. 문과생은 수학 선행 학습 어느 정도 해야 하나요?

A. 선행 학습은 많이 하면 좋지만, 그 전제는 제대로 이해한 상태로 진도를 나가야 한다는 겁니다. 제 친구 중에는 선행 학습 하나도 안 하고 학교 진도대로만 공부해서 서울대 경영학과 간 친구도 있고, 고등학교 입학 전에 고2 수학 다 떼고 와서도 재수까지 해서 지방대 간 친구도 있어요. 저는 중3 2학기 때 고1 과정을 학원에서 공부했는데, 초반에 학원 강의 듣고 복습을 제대로 안 했어요. 그러다 보니 점점 수업 내용이 이해가 안 돼서 결국 공부를 하나도 안 한 상태나 다름없었어요. 수학 고1 과정을 다 마치고도 조립제법이 뭔지조차 몰랐는걸요. 저처럼 선행 학습하면 안 된다는 겁니다. 이해 못한 채로 1~2년 치 선행 학습 한 것보다 이해 제대로 하면서 1학기 분량만 선행 학습한 게 훨씬 낫습니다. 저는 결국 고등학교 입학하고 나서 차근차근 개념서를 보면서 공부했어요. 늦게 시작했는데도 금방 신노 따라삽더라고요. 주변에 선행 학습 엄청 많이 해놓은 친구 보면서 불안해하지 마세요. 사실 그런 친구들의 대부분은 학원 수업 시간에 교실에 앉아서 그냥 칠판을 바라보고 선생님의 말씀을 귀로 들었을 뿐이에요. 내용을 이해하거나 외운 건 아니면서 그냥 자기 공부 많이 했다고 자만심에 떠들고 다니는 거죠. 선행 학습을 반대하는 입장은

아닙니다. 할 거면 제대로 하라는 겁니다. (이정훈 생글5기, 성균관대 경영학과 11학번)

A. 중학생 때 고등학교 수학 예습하지 마세요. 저는 수학은 진도의 문제가 아니라 개념이 얼마나 잘 잡혀 있느냐의 문제라고 생각해요. 지금 진도에 집중하세요. 친구들이 선행 학습 하는 거 신경 쓰지 말고요. (오민지 생글6기, 고려대 경영학과 14학번)

A. 중학교에서 고등학교 올라갈 때 수학이 부담될 수 있어요. 생각보다 새로운 개념이 많거든요. 선행 학습을 해야겠다면 중3 겨울방학 때 고1 과정을 공부하세요. 정말 열심히 공부해놓으면 기본기가 탄탄해져서 고등학교 초반에 편합니다. 그 이상의 예습은 하지 마세요. 어차피 까먹습니다. (이소은 생글7기, 고려대 미디어학부 14학번)

A. 자신이 감당할 수 있는 만큼이 좋습니다. 현재 학교에서 배우는 것도 감당이 안 된다면 일단 현재 배우는 단계에 포커스를 맞추는 것이 좋아요. 수학은 항상 기초가 중요하기 때문에 기초를 단단히 다져둬야 합니다. 조급해하지 말고 일단 지금 하는 것에 포커스를 맞추면 이후에 배우는 속도가 점점 빨라집니다. (최승희 생글7기, 한국외대 아랍어과 14학번)

A. 선행 학습을 중시하는 친구들도 많던데 저는 선행 학습보다는 복습을 철저하게 해서 완벽하게 자기 것으로 만드는 게 더 중요하다고 생각해요. 방학 때 한 학기 정도는 선행 학습을 하는 것도 좋다고 생각하고요. 아무래도 이 주제는 개인차가 심한 것 같네요. 혹시 선행 학습을 안 했다고 좌절하지는 말았으면 좋겠어요. 학교 진도에 맞춰서 이해하기만 해도 충분하다고 생각합니다. (박영준 생글7기, 경찰대 행정학과 13학번)

A. 저는 중학교 때 고2 수학까지 공부하고 고등학교에 입학했어요. 고등학교 1학년 때는 내신 위주로 공부하면서 미적분 파트 진도 나갔고요. 선행 학습으로 굳이 진도를 엄청 많이 나갈 필요는 없지만, 학교 진도보

다는 조금 빨리 나갈 수 있도록 해서 학교 수업은 복습용으로 듣는 게 좋은 것 같아요. (김재은 생글7기, 서울대 자유전공학부 13학번)

Q. 수학 개념은 언제까지 끝내야 할까요?

A. 수학은 다음 1학기 예습, 전 학기 복습을 통해 문이과 안 가리고 2학년 끝날 때 개념 공부를 끝내는 게 좋습니다. (원지호 생글8기, 서울대 경제학부 14학번)

A. 고2 겨울에는 수학 개념 공부가 다 끝나 있어야 합니다. 고3은 마무리하는 단계이기 때문에 고3 여름까지 개념을 붙잡고 있으면 너무 늦어요. (김도민 생글8기, 서울대 경영학과 14학번)

A. 바람직하게 보자면 고2 때까지는 끝내는 게 좋겠죠. 3학년 때부터는 본격적으로 수능 공부를 해야 하고 모의고사도 봐야 하니까요. 이렇게 말하는 저도 수학 개념을 계속 잊어버려서 고생했었어요. 다루는 범위가 엄청 넓은데 잊어버리는 게 비정상은 아닐 거예요. 제가 유달리 수학에 취약한 것도 있었지만 저는 그렇게 생각해요. 어쨌든 저는 그래서 고3 9월 때까지도 수학 개념을 다시 들여다보고 했었던 것 같아요. 적분을 풀고 있으면 수열을 어떻게 푸는지 생각이 안 나고, 또 행렬을 풀고 있다 보면 확률이 생각이 안 나고 했었어요. 그래서 끊임없이 계속 들여다봤어요. 그랬기 때문에 오히려 더 골고루 계속 공부할 수 있었던 것 같기도 해요. 수학 개념은 고3 들어가기 전까지는 적어도 한 번은 다 보는 게 좋다고 생각해요. 그리고 3학년 때는 계속 수능 공부하면서 모르는 부분, 까먹은 부분을 다시 보고 또 보고 하는 게 좋을 것 같아요. (김보미 생글7기, 이화여대 스크랜튼학부 13학번)

A. 수학 개념은 고등학교 3학년을 앞둔 겨울방학까지 1차로 끝내는 것이 좋습니다. 그 후 여름방학 전까지 한 번 더 공부를 하고, 여름방학부터는 자신이 취약한 부분과 기출문제를 중심으로 공부를 해야 하기 때문에 사실상 마지노선은 고등학교 3학년을 앞둔 겨울방학이라고 하는 것이 맞을 것 같아요. 아무리 늦더라도 고등학교 3학년 여름방학 전에는 끝내야 합니다. 그 이후에는 더 이상 개념을 정립할 시간이 없다고 해도 과언이 아니라고 생각해요. (박성연 생글7기, 서울대 경영학과 13학번)

Q. 수학을 정말 못하는데 중학교 수학을 다시 봐야 할까요?

A. 수학이 안 되면 고등학생 때 중학교 수학 공부해도 돼요. 늦는 거 절대 아니에요. 돌아가는 거 같지만 그게 더 빠른 길이에요. 그리고 공부는 남에게 보여주려고 하는 거 아니에요. 고등학생이 되어서 중학교 수학 보는 게 부끄럽다고 생각하면 안 돼요. (임우미 생글6기, 서울교대 음악교육과 13학번)

A. 중학교 수학의 개념 중에도 수능에 정말 필요한 개념들이 있습니다. 그런 개념도 기억이 안 난다면 정말 간단하게 필요한 개념만을 되짚어주는 인터넷 강의를 찾아서 듣는 것도 한 가지 방법입니다. (박영준 생글7기, 경찰대 행정학과 13학번)

A. 시간이 넘쳐난다면 그러겠지만 보통 그렇지 않잖아요? 현재 진도에 최선을 다하고 필요한 부분만 돌아가서 복습하는 것을 추천합니다. (오민지 생글6기, 고려대 경영학과 14학번)

A. 제 친구 중에도 중학교 수학 개념부터 다시 했던 친구가 있었습니다. 사실 내신 성적이나 최종적인 수능 성적이 탁월했다고는 말하지 못하지만 중학교 수학에서 배우는 개념도 자기가 안 되어 있다고 생각하면 중학교 개념부터 다시 공부하고 오는 게 맞습니다. (김도민 생글8기, 서울대 경영학과 14학번)

A. 수학을 정말 못한다면 중학교 수학을 다시 보는 것을 추천합니다. 중학교 수학은 고등학교 수학의 기본이에요. 고등학교에서 배우는 수학 개념들은 학생들이 대부분 중학교 수학을 완벽하게 마스터했다고 가정한 것입니다. 예를 들어 중학교 수학에서 배우는 사다리꼴, 마름모 등의 도형에 대한 성질은 고등학교 수학을 풀 때도 그대로 사용되지만, 이에 대해 고등학교 때 설명해주지 않죠. 따라서 수학을 못한다면 중학교 수학을 다시 보고 기본 개념을 완벽하게 마스터하는 것도 좋은 방법이라고 생각해요. (김보미 생글7기, 이화여대 스크랜튼학부 13학번)

Q. 지금 고2입니다. 제가 1학년 때 수학이 많이 약했는데, 2학년 여름방학 때 1학년 수학을 복습하는 게 좋을까요?

A. 약했든 약하지 않았든 해야 합니다. 수학에서는 예습뿐만 아니라 복습도 중요한 부분입니다. 어려운 고1 대상 문제집을 하나 사서 풀면서 복습해보세요. (김도민 생글8기, 서울대 경영학과 14학번)

A. 복습하시는 것이 좋을 것 같아요. 1학년 수학에 나오는 원리가 2학년 수학에도 접목되어서 계속 사용되기 때문에 확실히 알고 있으셔야 해요. (이소은 생글7기, 고려대 미디어학부 14학번)

A. 고1 수학은 문과의 경우 고1 이후로는 불필요한 부분이 좀 있어요. 삼각함수 같은 것들이 그렇죠. 그런 것까지 꼼꼼하게 다 알 필요는 없어요. 그러니까 고1 수학이 부족하다면 고2 수학을 공부하면서 부족한 부분을 보충해나가는 방식으로 공부하길 바랍니다. 수학이 공부할 게 많은데 고1 수학 계속 붙잡고 있으면 힘들어요. (오민지 생글6기, 고려대 경영학과 14학번)

A. 문과는 1학년 수학에서는 순열과 조합 같이 몇 가지 단원만 복습하면 되고, 지금은 고2 1학기 수학을 중점적으로 복습하는 게 좋을 것 같아요. 고1 수학 전체를 복습하는 것은 시간적인 측면에서 권유하고 싶지 않은 방법이에요. 수학 선생님께 여쭤봐서 필요한 부분을 알 수도 있고, 수학 강사 신승범 선생님 페이지에 가면 중학 수학과 고1 수학에서 필요한 부분에 대한 강의가 무료로 제공되고 있으니 그걸 참고하는 게 나을 거예요. (최승희 생글7기, 한국외대 아랍어과 14학번)

Q. 수학이 2~3등급 컷 사이에 계속 걸리고 있습니다. 수학이 가장 약해서 고민입니다.

A. 제가 수학이 고1 때 3~4등급, 50점대 왔다 갔다 하다가 고1 말부터 서서히 올라서 고3 때는 안정적으로 1등급이 나왔었는데요, 무조건 문제를 일단 많이 풀었어요. 3~4등급인 친구들은 문제를 대할 때 자신감이 없는 게 가장 큰 문제예요. 계산 실수도 많이 하고요. 개념을 꼼꼼하게 복습하면서 문제를 푸는 연습을 하다 보니 점점 자신감도 붙고 실력도 늘더라고요. 지금 친구가 2학년이면 내신 대비용으로 개념서랑 『쎈 수학』을 꼼꼼히 풀고 겨울방학 때부터 기출문제를 풀면 늦지 않을 거 같아요. 지

금 안정적으로 1등급이 나오지 않는다면 아직 기출문제를 풀 때는 아니에요. 개념서랑 『쎈 수학』 무조건 꼼꼼히 파세요. 수학은 진짜 제대로만 공부하면 제일 확실한 과목인 것 같아요. 특히 문과 수학은 틀이 딱 정해져 있어서 공부만 한다면 충분히 1등급 받을 수 있어요. (정금진 생글6기, 서울교대 영어교육과 15학번)

A. 수학은 문제 많이 푸는 거랑 풀었던 문제를 복습해서 푸는 게 중요해요. 문제를 자주 풀다 보면 실수가 어느새 엄청 많이 줄어요. 친구는 기본이 아직 안 잡혀 있어서 그래요. 『쎈 수학』이나 『개념원리 RPM』 같은 교재부터 먼저 제대로 풀 수 있을 정도로 공부하세요. (서아정 생글8기, 한양대 컴퓨터전공 14학번)

A. 저는 문제 푸는 법을 몰라도 답지를 절대 안 보고 풀이를 할 때 필요한 수학 개념을 문제 옆에 써두고 제가 추측해서 푸는 식으로 공부했어요. 한 문제를 여러 가지 방식으로 푸는 연습도 했고요. 이렇게 하다 보니 나중에는 1~2등급 찍게 되었어요. (황보미 생글8기, 건국대 경영학과 14학번)

A. 문제를 많이 푸는 방법밖에 없다고 생각합니다. 2~3등급이면 어느 정도 개념은 된 상태에서 어려운 문제를 틀리는 것이라고 생각합니다. 어려운 문제를 많이 풀면서 유형 분석을 해야 합니다. 자기가 못 푸는 부분이 있다면 그 파트 문제를 많이 풀어주세요. (김도민 생글8기, 서울대 경영학과 14학번)

A. 수학은 수학답게 풀어야 합니다. 참고로 저 고등학교 2학년 때까지 수학 7등급이었어요. 수학답게 풀어야 한다는 말은 개념에 맞게 풀라는 뜻입니다. 수학은 절대로 배운 것에서 안 벗어납니다. 개념 정확히 알고, 문제에 그 개념을 적용한다는 느낌으로 수학을 풀면 실력 쭉쭉 올라갑니다. 특히 문과 수학은 머리 쓰는 수학이 아니에요. 절대로 머리 굴리는

어려운 과목 아닙니다. 노력만으로 충분히 커버되니까 방법만 정확히 해서 노력한다면 1등급은 껌입니다. (고원진 생글7기, 건국대 경영학과 14학번)

A. 제 친구 중에 수능 문과 범위에 해당되는 『개념 플러스 유형』 책을 10번 넘게 푼 친구가 있어요. 고2 초반까지는 모의고사에서 3등급을 맞더니 고3 되어서는 계속 1등급을 맞더군요. 이 친구는 처음에는 수학이 이해가 안 되어서 답지를 외웠던 아이예요. 답지 외워서 수학이 늘겠나 싶었는데, 꾸준히 답지를 탐독하고 외우더니 어느 순간에 수학에 눈을 뜨더라고요. 수학 해답지를 옆에 끼고 살면 수학 점수는 오를 수 있다고 말씀드리고 싶어요. (이소은 생글7기, 고려대 미디어학부 14학번)

A. 2~3등급의 점수라면 3점짜리 문제보다는 4점짜리 어려운 문제에서 많은 오답이 발생될 것이라고 예상합니다. 2~3등급에서 1등급이 되기 위해서는 기본을 더 다져야 합니다. 나중에 깨닫겠지만 어려운 문제를 풀 수 있게 해주는 것은 스킬보다는 기초입니다. 조급해하지 말고 개념부터 다시 살피면서 문제 푸는 난이도를 조금씩 높여간다면 좋은 결과 있을 것입니다. (최승희 생글7기, 한국외대 아랍어과 14학번)

A. 틀리는 이유를 시험이 끝난 후에 항상 확인하세요. 개념이 부족했다면 그 문제에 관한 개념을 다시 정리하고, 실수라면 오답노트를 정리해서 실수를 줄이세요. 수학은 약하다기보다는 노력 부족이에요. 자신의 약점이 무엇인지 잘 살펴보고 그것을 공략하면 수학은 분명 점수가 오를 수 있는 가능성이 많아요. (서아진 생글7기, 연세대 정치외교학과 13학번)

Q. 수학 교재 추천해주세요!

A. 개념서 하나 정해서 계속 반복해서 푸는 게 도움이 많이 돼요. 저는 『개념 플러스 유형』 개념편 문과 수학 전 범위를 모두 5번 넘게 반복해서 풀었어요. 『수학의 정석』은 수능 패턴이랑 관련 없는 문제가 많아요. EBS 교재는 문제 패턴 확인하는 용도로 쓰세요. (이소은 생글7기, 고려대 미디어학부 14학번)

A. 가장 기본으로 봐야할 책은 교과서예요. 학생들이 교과서는 수학 교재로도 취급하지 않는 경향이 있는데, 개념 잡는 데는 교과서만한 것이 없습니다. 수학적 개념에 대해 가장 설명을 잘 해놓은 것이 교과서입니다. 교과과정을 가장 잘 반영해놓은 책이고 학생들의 성적 스펙트럼을 모두 고려하여 만들었으니까요. 만약 기초 틀을 잡는 데서 더 나아가 깊게 공부하고 싶다면 『수학의 정석』, 그 중에서도 『수학의 정석』 실력편을 공부하는 게 좋습니다. 하지만 수능만을 보기 위해서는 『수학의 정석』 실력편은 마치 소 잡는 칼과 같아서 보통 논술 준비를 위해서 많이 보는 편이에요. 수능만을 위해서라면 교과서 외의 기본서로는 『수학의 원리』를 추천해요. 그런데 더 중요한 건 어느 책을 보든지 한 책을 여러 번 보는 거예요. 사실 교과서만 봐도 충분해요. (김재운 생글6기, 인하대 신소재공학과 14학번)

A. 저는 EBS 교재를 최대한 복습했습니다. 그리고 『쎈 수학』을 기본적으로 항상 추천하는데, 이 교재는 문제에 번호가 다 붙어 있어서 평소 계획을 짜서 공부할 때 용이합니다. 어려운 문제를 풀어보고 싶다면 『블랙라벨』이 괜찮아요. (김도민 생글8기, 서울대 경영학과 14학번)

A. 저는 수학 문제집을 가리지 않았어요. 국어와 영어와 달리 각 학년마다 배우는 원리가 정해져 있고, 문제 역시 그 원리에 대입하여 나온 것이기 때문에 문제집마다 그렇게 큰 차이가 나지 않을 것이라고 생각했어

요. 그래서 어떤 출판사의 문제집인지보다는 어떤 수준을 대상으로 만든 문제집인지에 포커스를 맞추었어요. 기본 개념을 정리하고 싶을 때는 교과서의 설명과 그 밑에 있는 예제 문제들이 가장 좋았습니다. (신정련 생글6기, 부산대 영어교육과 12학번)

Q. 수학 문제를 풀다 보면 오답률이 80%가 넘는 문제가 가끔 있는데 이런 문제도 열심히 풀어야 하나요?

A. 기출문제를 말씀하시는 거죠? 기출문제 중 오답률이 80%를 넘는 것의 특징은 다양한 개념이 녹아들어갔다는 거예요. 이런 문제를 풀 때는 출제자가 어떤 개념을 접목시켜서 문제를 만들었는지 생각하면서 풀어보세요. 답이 중요한 것이 아니라 어떻게 다양한 단원이 엮였는지를 파악하는 것이 중요해요. (이소은 생글7기, 고려대 미디어학부 14학번)

A. 당연히 풀어야죠. 목표는 100점입니다. 오답률이 높은 문제를 공부하다 보면 그 속에서 많은 개념을 학습할 수 있어요. (오민지 생글6기, 고려대 경영학과 14학번)

A. 그러한 문제도 풀 수 있는 수준이 되어야 합니다. 또한 어려운 문제를 많이 풀고 그 문제를 맞힘으로써 자신감을 얻을 수 있습니다. 보통 수학은 양치기라고 말하는 것도 많은 문제를 풀어서 어떤 유형이 나와도 당황하지 않을 자신감을 얻는 것이 중요하기 때문입니다. (김도민 생글8기, 서울대 경영학과 14학번)

A. 그런 문제는 나머지 문제를 다 맞고 그것만 틀릴 정도로 실력을 올려놓고 나서 공부하면 될 거 같아요. (박성연 생글7기, 서울대 경영학과 13학번)

A. 오답률 80% 넘어가는 문제는 1등급이나 만점 노리는 사람이야 당연히 공부하면 좋겠지만 1등급이 아니라면 본인의 상황을 잘 고려해서 공부해야 할 것 같습니다. (원지호 생글8기, 서울대 경제학부 14학번)

A. 최상위권 대학 입학을 노리거나 100점을 원한다면 당연히 열심히 풀어야 합니다. 그렇지 않더라도 시간이 매우 촉박하지 않다면 이해하려고 노력하는 것을 권장합니다. (김현재 생글8기, 서울대 경영학과 14학번)

A. 간단합니다. 수학 성적 1등급 나오세요? 그럼 풀어보세요. 안 나오면 풀지 마세요. 자신의 수준에 맞는 공부를 하면 되는 겁니다. 이건 어느 과목이든 똑같아요. (임우미 생글6기, 서울교대 음악교육과 13학번)

A. 우선 오답률이 낮은 문제들을 다 풀 수 있는 실력을 갖추는 것이 중요해요. 특정 문제집에서는 오답률이 80% 정도 되는 문제들을 한 부분에 모아놓은 경우가 있는데 이 문제들은 사실 시험에서 몇 문제 나오지 않습니다. 기본 개념을 탄탄히 다져서 우선 기본적인 문제들을 다 맞출 수 있는 실력을 쌓고, 그 다음에 오답률 80% 넘는 응용력과 사고력이 필요한 문제를 연습하는 것이 좋을 것 같아요. (박성연 생글7기, 서울대 경영학과 13학번)

A. 문과 수학은 이변이 없는 한 크게 어렵지 않습니다. 수능 기출문제 난이도 이상으로 공부할 필요 없어요. 평가원 기출문제 5개년 치를 열심히, 외울 정도로 공부하면 수능에서 만점 맞을 수 있어요. 제가 그랬습니다. 경시대회 문제나 일부러 어렵게 꼬아낸 문제집에 매달리는 것은 시간 낭비입니다. (김민선 생글6기, 고려대 경영학과 13학번)

Q. 『수학의 정석』은 어떻게 공부하셨나요?

A. 『수학의 정석』은 사실 초심자가 공부하기에는 꽤나 난이도가 있는 책이에요. 저는 처음 공부 시작은 기본편으로 했는데 나중에 익숙해지고 나서 복습할 때는 실력편으로도 공부했어요. 연습문제만 풀어도 되고 예제만 풀어도 돼요. 『수학의 정석』의 문제는 되게 좋아요. 다만 처음 풀기 어려운 게 문제죠. 고3 때 복습용으로 쓰기 좋은 것 같아요. (김범진 생글 8기, 서강대 경영학과 14학번)

A. 저는 주로 개념 기초를 다시 다지고 문제 유형들을 파악하고 싶을 때 『수학의 정석』을 활용했어요. 『수학의 정석』 책을 보면 단원이 시작할 때 개념에 대한 설명이 예시와 함께 상세하게 나와 있는 편이기 때문에 개념을 다지는 데 좋았어요. 그리고 유형별로 문제들이 있어서 기초를 다지는 데 좋았어요. 저는 주로 예제들만 풀었고 연습문제는 풀지 않았어요. (김보미 생글7기, 이화여대 스크랜튼학부 13학번)

A. 앞에 개념 부분 확실히 이해하고, 예제와 연습문제 푸는 식으로 했어요. 크게 특별한 건 없었어요. 다만 여러 번 보는 게 중요하다고 생각합니다. 틀린 문제는 다음에 다시 풀어보고, 또 틀리면 그 날 당장 풀려고 끙끙대기보다는 해설을 읽어보고 이해한 후 그 다음날에 보든지 해서 시간 간격을 두고 다시 보는 거죠. 개념도 마찬가지로 그렇게 계속해서 봐주는 거고요. 한 가지 더 말씀드리자면, 전 포스트잇을 정말 많이 사용했어요. 다른 곳에서 배웠던 추가적인 개념이 있으면 포스트잇을 이용해 추가로 보강했어요. 문제 같은 경우도 문제 안에 들어 있는 중요하거나 잊어먹기 쉬운 풀이 과정이 있다면 문제 옆에 포스트잇을 붙여두고 풀 때마다 참고해가면서 공부했습니다. (김재운 생글6기, 인하대 신소재공학과 14학번)

Q. 저는 수학 시험을 보면 숫자를 빼먹는다든가, 단순한 계산을 틀린다든가 하는 실수를 너무 많이 해요.

A. 제가 그랬어요. 고등학교 1, 2학년 때는 그 이유를 몰랐어요. 고3 올라가면서 어떤 수학 선생님께서 평소에 문제를 풀 때 아무리 쉬운 문제여도 완전히 끝까지 계산해서 답을 내는 연습을 많이 하라고 하시더라고요. 예를 들어 『쎈 수학』을 유형A는 풀다가 대충 어떻게 푸는지 알겠으면 그냥 넘어가거나 답을 끝까지 안 구할 때가 있잖아요. 그럴 때 끝까지 답을 내는 연습을 많이 하는 게 도움이 됐던 것 같아요. 그리고 기본적으로 시험을 볼 때는 '내가 계산에 약하지.'라는 생각을 염두에 두면 훨씬 주의하게 돼요. (김재은 생글7기, 서울대 자유전공학부 13학번)

A. 저도 그런 실수를 종종 했어요. 간단한 문제인데 틀려서 다시 풀어보면 맞더라고요. 이를 고치기 위해 저는 제가 푼 문제의 풀이를 다시 볼 때 그 풀이를 알아볼 수 있도록 썼어요. 그 전에는 연습장에 풀어도 여기저기 휘갈겨 써서 다시 되짚어 보려고 해도 그럴 수가 없었어요. 또, 차례대로가 아니라 편한 대로만 여기저기 쓰다 보니 수식을 옮겨 쓰는 과정에서 숫자를 빼먹기도 하고 단순한 계산 오류가 많더라고요. 그래서 문제집 해설의 풀이처럼 누가 봐도 알아볼 수 있는 풀이를 연습하다 보니 저역시도 문제를 풀면서 보기가 수월해져 그런 실수가 줄어들었습니다. (신정련 생글6기, 부산대 영어교육과 12학번)

A. 그런 사례를 실수라고 생각하고 넘기지 말고 실수노트를 하나 만들어서 매번 기록하세요. 시험 보기 직전에 다시 보면 긴장이 되면서 계산 실수를 줄일 수 있습니다. (김현재 생글8기, 서울대 경영학과 14학번)

A. 어차피 수학은 다 풀고 시간이 남아도 모든 문제들을 다시 검산할 수는 없어요. 처음 풀 때부터 풀이에 오류가 없는지 확인해보는 게 좋습니다. 그러기 위해서는 문제를 풀 때 풀이를 가지런히 적는 습관을 가지

는 것이 중요하겠죠? (박영준 생글7기, 경찰대 행정학과 13학번)

A. 보통 실수는 시간 안에 문제를 다 풀기 위해서 빨리 문제를 풀다가 발생하잖아요? 그 점에 있어서는 평소에 많은 문제를 풀어보고 연습하는 게 답이라고 생각해요. 그 과정을 통해서 더 빠르면서 정확하게 풀 수 있는 능력을 기르는 게 좋을 것 같아요. 저는 뒤에 있는 어려운 문제를 푸는 데에 더 많은 시간을 확보하기 위해 앞에 있는 쉬운 문제(12번 정도까지는 고정된 유형이죠?)를 빠르고 정확하게 푸는 연습을 했어요. 쉬는 시간에는 『EBS 수능특강』에 있는 유형문제를 빠르게 푸는 연습을 했죠. (최승희 생글7기, 한국외대 아랍어과 14학번)

A. 저도 그랬습니다. 그래서 실수노트를 만들었습니다. 제가 자주하는 실수를 간단하게 적어두고 시험 직전에 한 번 쭉 훑고 시험을 쳤죠. 그러면 그 실수는 정말 줄어들더라고요. 실수노트 정말 추천합니다. (오민지 생글6기, 고려대 경영학과 14학번)

A. 실수는 아마 중상위권 학생들 대다수가 많이 고민하는 문제일 것입니다. 저 역시 이 '실수'라는 문제로 1년 내내 골머리를 앓았어요. 더하기를 곱하기로 계산하지를 않나, 답을 다 구해놓고 다른 선택지를 고르지를 않나, 참 별의별 희한한 실수를 많이 했어요. 어떻게 하면 실수를 줄일 수 있을까 정말 고민을 많이 했어요. 가장 먼저 해결해야 할 부분은 사고 과정을 탐구하는 겁니다. 풀이 과정을 적은 것을 보면서 보통 어떨 때 실수를 하는지, 이 때 어떤 생각을 했는지 기억을 되살려 보는 거예요. 저는 보통 풀이 과정을 적은 게 길어지다 보면 실수를 하게 되었는데, 이렇게 되면 머릿속에 딱 새겨두는 거예요. '아, 난 풀이 과정이 길어지면 실수를 하게 되니까 어느 정도 길어지면 풀이 과정을 중간에 검산해보자.' 아니면 어떤 특정한 실수를 반복한다면 그 실수를 아예 외워버리는 것도 좋습니다. 2 더하기 3을 6으로 쓰는 실수를 하면 실수노트를 만들어서 적어놓고 반복해서 보세요. 수학 시험 시작 전 쉬는 시간에 실수노트를

보고 있다가 시험지 받으면 맨 앞 페이지에 기억나는 실수 몇 개 정도를 적어두면 좋아요. 다시 검토하는 것도 매우 중요합니다. 보통 20~30분 정도 남으면 문제를 덜 풀었더라도 반드시 검토를 시작하세요. 전 보통 난이도가 어려우면 30번을 버리고 1~29번을 검토하는 식으로 했는데 그러다 보면 세 문제 정도 앞에서 건질 때가 있어요. 4점짜리 한 문제 버리고, 앞에서 세 문제 건지면 그 문제들이 전부 2점짜리라 하더라도 그게 훨씬 더 이득입니다. (보통 건지는 문제들은 3점이나 4점짜리가 많아요.) 풀이 과정을 꼼꼼하게까지는 아니더라도 눈으로 훑으면서 사칙연산 제대로 했는지, 개념이 제대로 적용되었는지 정도만 확인해도 충분합니다. 검토를 시작하는 부분은 사람마다 스타일이 다를 거예요. 전 첫 페이지는 맨 나중에 봤어요. 그러니까 검토를 5번부터 시작했습니다. 누구는 주관식부터 검토하기도 하겠죠. 그건 각자의 스타일이니 자신의 스타일에 맞게 하되, 검토는 꼭 하시는 게 좋습니다. 어떤 선생님께서는 검토로 실수를 건지는 것은 정말 운이니 검토에 의존하지 말라고 하셨어요. 맞습니다. 사실 검토로 실수를 잡는 것은 사실 운입니다. 왜냐면 '2 더하기 3은 6이다.'라는 게 틀리다는 걸 보통 시험장 안에서는 눈치 채지 못해요. 검토를 해도 또 '2 더하기 3은 6이다.'라고 생각하며 검토를 하게 됩니다. 그러니 검토로 실수를 잡겠다는 생각 이전에 근본적인 해결하는 것이 중요합니다. (김재운 생글6기, 인하대 신소재공학과 14학번)

A. 사실 실수도 실력이에요. 가장 좋은 방법은 머리로 풀지 말고 꼼꼼하게 식을 모두 쓰는 것입니다. 다만 이것이 숙달되지 않은 상태라면 시험에서 시간이 모자랄 수 있어요. 따라서 평소에 식을 모두 쓰는 습관을 키워 숙달을 시킨다면 시험 때도 실수하지 않을 것입니다. (이훈창 생글7기, 성균관대 경영학과 14학번)

A. 평소에 수학 문제를 풀 때 정신이 산만한 상황에서 문제 푸는 건 최대한 지양해야 한다고 생각해요. 음악을 듣거나, 졸린데 문제를 푼다거

나 하는 것도 안 돼요. 정신이 맑은 상태에서 최대한 집중을 해서 문제를 풀어야 실수가 습관이 되지 않는다고 생각해요. 그리고 실수를 실수라고 생각하고 그냥 넘어가지 말고, '실수도 내 실력이다.'라고 생각하며 자책하고 반성하며 실수한 원인을 고민해보곤 했습니다. (임우미 생글6기, 서울교대 음악교육과 13학번)

A. 계산 실수가 많은 학생은 연습이 부족해서 그렇습니다. 더 많이, 반복적으로 풀어보는 것이 실수를 줄이는 방법입니다. 많은 학생들이 처음엔 이 충고를 무시합니다. 저도 그랬습니다. 수학은 집중력입니다. 문제에 온전히 집중할 때 적용해야 할 공식이 보이고, 계산 실수도 적어집니다. (김민선 생글6기, 고려대 경영학과 13학번)

A. 저도 수학 문제를 풀 때 실수를 많이 하는 게 고민이었어요. 특히 내신 시험 때는 짧은 시간 안에 정확하게 계산을 다 해내고 응용문제를 풀려고 하니까 수학 시험 자체가 너무 두렵고 어렵더라고요. 그렇지만 쉬운 문제를 빨리 넘어가려고 하지 않고 시간이 옆 친구들보다 조금 더 걸려도 검토가 필요 없을 정도로 확실하게 풀고 그 다음에 응용문제를 풀려고 노력했더니 정확도도, 점수도 많이 올랐습니다. 조급함을 가지지 말고 문제를 처음 풀 때 한 번에 정확히 풀어내려고 노력해보세요. (서유진 생글7기, 서울대 불어교육과 13학번)

Q. 이번 중간고사에서 수학 시험 시간이 너무 모자라서 고생을 했어요.

A. 수학 문제를 빨리 풀 수 있느냐는 기본적으로 숙련도의 문제예요. 비슷한 문제를 풀어봤는지, 얼마나 풀어봤는지가 중요해요. (박영준 생글7

기, 경찰대 행정학과 13학번)

A. 시간 안배를 잘해야죠. 1번부터 30번까지 풀다 보면 잘 안 풀리는 문제가 반드시 나오게 되어 있어요. 그러면 무조건 넘기세요. '안 풀리면 넘긴다.' 수능에서의 대원칙입니다. 풀리지도 않는 문제 붙잡고 있어봐야 멘탈만 점점 붕괴될 뿐입니다. 그러다 보면 괜히 실수만 하게 됩니다. 저는 보통 문제 당 1분 40초 정도로 시간을 잡았는데, 그 정도 지나도 어떻게 손을 대야할지 감이 잡히지 않으면 그냥 바로 다음 문제로 넘어가세요. 그리고 30번까지 문제를 다 본 뒤에 다시 1번으로 돌아옵니다. 이건 사람마다 다르긴 한데, 전 보통 이렇게 풀리는 문제는 풀고, 안 풀리는 문제는 넘기고 하면 50분 정도 남아요. 그럼 그때부터 넘겼던 문제를 풀기 시작하는 겁니다. 한 번에 100분을 쓰려고 하는 것은 정말 최상위권이 아니고서야 힘듭니다. (김재운 생글6기, 인하대 신소재공학과 14학번)

A. 문제를 읽자마자 문제를 풀지 마시고 전략을 머릿속으로 구상을 해보세요. '이 문제는 이렇게 저렇게 하면 풀리겠구나.'라는 판단을 세우고 계산에 전투적으로 임하면 시간이 훨씬 단축된답니다. (이소은 생글7기, 고려대 미디어학부 14학번)

A. 자신이 너무 자잘한 부분에서 시간을 많이 쏟고 있지 않은지 한 번 되돌아보세요. 제가 그랬었어요. 단순한 계산문제를 풀 때도 이게 맞는지 서너 번 다시 풀어보곤 했거든요. 또 복잡한 문제의 풀이 과정에서 쓰이는 단순 계산에서도 맞게 풀었는지 검토를 엄청 많이 하곤 했어요. 그래서 시간이 부족했던 것 같아요. 만약 본인이 이런 문제 때문에 시간이 모자라는 거라면 단순 계산을 정확하고 빠르게 하는 연습이 필요해요. 초등학생 때 풀던 사칙연산 연습 교재들로 훈련하는 것도 좋은 방법이에요. (김보미 생글7기, 이화여대 스크랜튼학부 13학번)

Q. 수학 공부하는 선배님만의 노하우 알려주세요!

A. 저는 문제를 풀다 보면 답지의 풀이랑 다르게 풀었는데 정답은 맞을 때가 꽤 있었어요. 그 다른 풀이를 '별해'라고 해요. 그런 별해들을 답지 밑에 적어놓고 시험 전에 보면서 '이렇게도 풀었구나.'하고 복기했어요. 지금 생각해보면 그런 게 수학적 사고력을 키우는 데에 가장 많이 도움이 됐다고 생각해요. 별해를 생각한다는 것 자체가 자신이 수학 문제에 대해 스스로 문제 해결법을 고안할 수 있는 독창적인 풀이 능력을 갖고 있다는 거니까요. 그렇다고 모든 문제에 별해가 있는 건 아니니까 일부러 만들려고 하지는 마세요. (김호기 생글8기, 서울대 산업공학과 14학번)

A. 수학은 제가 가장 싫어하는 과목이었지만 감을 잡고 나서는 가장 기분 좋게 풀 수 있었던 과목이었어요. 저는 감을 놓치지 않기 위해서 기본 개념서로 이론을 탄탄히 다지고 기출문제집 한 권을 계속해서 반복해서 돌렸어요. 우선 『자이스토리』를 처음부터 끝까지 쭉 풀고 채점을 해요. 그럼 맞은 문제와 틀린 문제가 있겠죠? 틀린 문제를 다시 풀어 보면 ①풀이 과정 중에 실수가 있어서 틀린 문제, ②정말 몰라서 풀지 못한 문제로 나뉘게 돼요. ①문제 같은 경우는 다시 풀어서 맞았을 경우 △로 표시를 해놓고 제가 다시 풀었던 날짜를 문제 번호 위에 써놨어요. 제가 마지막으로 이 문제를 풀었던 게 언제인지 파악하기 위함이에요. 이 문제들은 문제집을 다시 반복하는 과정에서 3번 이상 틀리지 않게 된다면 ○ 표시를 합니다. (여기서 3번은 절대적인 숫자는 아닙니다. 자신이 이제 확실히 알겠다는 정도가 될 때까지입니다.) ○ 표시를 해놔도, 그 전에 틀려서 다시 풀었던 기록들이 있기 때문에 나중에 봐도 '아, 내가 잘 풀었었네.' 하고 그냥 넘어가지는 못할 겁니다. ②문제 같은 경우는 풀 수 있을 때까지 혼자 고민해보는 방법, 다른 사람한테 물어보는 방법, 답지를 참고하는 방법이 있어요. 우선 처음에는 혼자 고민을 충분히 해보고 그래도 모르겠다 싶으면 친구나 선생님께 물어봤어요. 저는 물어본 후에 곧바로 오답노트

를 작성했어요. 처음부터 끝까지 혼자서 풀이를 작성할 수 있어야 그 문제를 제대로 이해한 거니까요. 그 후에 문제집과 오답노트 모두에 푼 날짜를 쓰고 문제집에는 체크 표시를 했어요. 그 뒤의 공부 방법은 ①문제와 같아요. 계속 반복하면서 푼 날짜를 갱신하고, 정말 이해했다고 확신이 들 때는 ○ 표시로 마무리했습니다. 문제집을 처음부터 끝까지 다시 풀 때 10번을 반복한다고 하면 6번은 틀린 문제들만, 4번은 다 맞은 문제들까지 모두 푸는 방식으로 공부했어요. 초반에는 문제집 한 권을 반복하는데 많은 시간이 들겠지만 점점 시간이 줄어들기 때문에 말이 10번이지 그렇게 오래 걸리지 않아요. 이런 방법이 저한테는 수학 성적 향상에 많은 도움이 됐어요. 저처럼 수학에 취약한 학생들이 참고하면 좋을 것 같아요. (손지원 생글8기, 경희대 경제학과 14학번)

A. 저는 항상 말하지만 수능 수학은 양치기입니다. 거기에 하나 더 노하우를 드리면 쉬운 문제를 풀어도 공책에 풀면서 풀이를 깨끗하게 적는 것입니다. 문제를 풀다가 막히면 답지를 바로 보지 말고 계속 풀어도 안 풀릴 때 해답지를 봤습니다. 제가 적은 풀이와 해답지를 비교하면서 어떤 부분부터 제가 잘못했는지를 찾아보는 게 제 노하우였습니다. 깨끗하게 풀이하는 게 보기 좋은 이유도 있지만 나중에 자신이 틀린 부분 찾기 편한 이유가 큽니다. (김도민 생글8기, 서울대 경영학과 14학번)

A. 저는 단권화를 하는 방식을 썼습니다. 문제집에 문제를 풀 때 무조건 연습장이나 노트에 풉니다. 문제집에서 모르는 부분이나, 문제가 어떤 개념을 물어보는지 마치 사선을 찾는 것처럼 정리해두고 모르는 문제들은 따로 표시를 해서 반복적으로 한 권을 공부했습니다. 이런 식으로 하되 이 문제집을 기출문제집 위주로 고르면 좋아요. 오답노트를 만들지 말고, 대신에 기출문제집을 하나 잡고 노트에 풀면서 모르는 것을 표시해서 반복적으로 풀면 부족한 개념이나 유형이 정리가 됩니다. 그런 식으로 찾아낸 부족한 부분은 개념서를 찾아보는 것이 좋습니다. (홍성현 생글6기, 서

울대 경제학부 13학번)

A. 문과 수학에서 원하는 수학 실력이 100이라면 저는 150 정도의 학습을 했어요. 더 어려운 내용을 학습하고 더 심화된 수준으로 공부하다 보면 보다 쉽게 문제를 풀 수 있고, 어려운 문제도 쉽게 느껴질 때가 있어요. 그럴 때마다 참 많은 도움이 되었죠. (오민지 생글6기, 고려대 경영학과 14학번)

Q. 수학 문제 풀다가 막히면 계속 푸시나요? 아니면 답지를 보시나요?

A. 계속 풉니다. 계속 풀다가도 안 되면 답지를 보기보다는 친구들이나 선생님에게 문제를 보여주고 어떤 원리가 응용된 건지를 물어봐서 혼자 풀 수 있도록 노력했습니다. (박영준 생글7기, 경찰대 행정학과 13학번)

A. 그럴 때는 그냥 놔뒀다가 다음날 다시 보면 풀릴 때가 많아요. 물론 오랫동안 봤는데도 모르겠으면 답지를 봐야죠. (박준형 생글8기, 건국대 글로컬캠퍼스 경제학과 14학번)

A. 넘어가고 다른 문제를 풀다가 다시 돌아왔습니다. 답지는 거의 안 봤어요. (오민지 생글6기, 고려대 경영학과 14학번)

A. 전 답지 봐요. 가끔 오기가 생길 때는 하루 종일 붙잡고 풀 때도 있는데 그건 그냥 유희로 그러는 게 많았어요. 다만 막히면 바로 보는 건 아니고, 접근할 수 있는 또 다른 방향이 있는지 계속 보다가 정 안 되면 보는 편이었어요. (김재운 생글6기, 인하대 신소재공학과 14학번)

A. 저는 1초도 고민하지 않고 답지를 봅니다. 저는 가끔씩은 그냥 답지

를 펴놓고 쭉 보다가 제가 모르는 풀이가 있는 문제만 푸는 식으로 공부하기도 했어요. (원지호 생글8기, 서울대 경제학부 14학번)

A. 10분으로 시간을 정해두고 딱 그 시간 동안만 고민했어요. 그래도 안 풀리면 답지를 보긴 보되, 다 보진 않고 손으로 가려서 조금만 보고 힌트를 얻어 다시 풀려고 했어요. 제 사고과정을 촉진하는 용도로 답지를 활용한 거죠. (임우미 생글6기, 서울교대 음악교육과 13학번)

A. 일단은 계속 푸세요. 적어도 15분 이상 투자를 해보고 도저히 안 되겠으면 답지를 보는 것을 말리지는 않겠습니다. 그러나 문제는 그 이후입니다. 다음날 꼭 다시 문제를 풀어보는 것이 좋습니다. 답지에 적혀 있는 것을 한 번 보는 것으로는 절대로 그 풀이 방법이 자기 것이 될 수가 없습니다. 꼭 이후에 다시 확인해서 자기의 풀이가 되었는지 확인하세요. (최승희 생글7기, 한국외대 아랍어과 14학번)

A. 우선 가만히 놔두고 다른 문제를 풀어요. 그리고 다시 풀어보고 싶다는 마음이 들면 다시 풀어 봐요. 때로는 친구나 선생님을 찾아가 그 문제에 대한 힌트를 달라고도 했었죠. 답지 보기를 꺼려했던 것은 아니지만 수학 문제를 어떻게든 제 손으로 풀어내겠다는 집념이 강했어요. (이소은 생글7기, 고려대 미디어학부 14학번)

2-4 영어 및 일반영어

Q. 영어 공부 어떻게 해야 하나요?

A. 저는 EBS 교재를 갈아마셨습니다. 한 교재를 최소 3~4회 반복하여 보면서 '이 지문이 수능에 나온다면 어떻게 나올까?'를 생각해보았습니다. 예를 들어 주제를 묻는 문제로 나온 지문에 빈칸을 뚫어보고, 시간 순서가 드러난 지문은 사건을 순서대로 정리해 보는 등 저만의 방법으로 지문을 뜯어보았습니다. (배수민 생글6기, 성균관대 심리학과 12학번)

A. 저는 영어를 공부할 때 문법 책, 단어 책, 독해 책 이런 식으로 굳이 파트별로 책을 구입한 적은 없어요. 한 문제집으로도 충분히 모든 걸 공부할 수 있다고 생각했어요. 예를 들어 지문을 해석하고 풀이하면서 독해와 문법을 함께 익히고 모르는 단어를 표시하여 그때마다 외워뒀어요. 굳이 노트를 따로 만들지 않고, 주요 문법이나 단어는 형광펜으로 표시하여 다음에 볼 때는 형광펜으로 표시해둔 것만 보고, 외운 것을 다시 검사

하는 식으로 공부했어요. 문법이나 단어 자체를 따로 공부하다 보면 쓰임과 활용을 놓치기가 쉬워요. 분명 배웠던 건데 문장 속에 있으면 새로 보는 표현처럼 느껴지는 경우가 있을 거예요. 그러나 이미 문장 속에 있던 것을 공부했다면 쓰임새와 활용을 눈으로 보았기 때문에 다른 지문에서 활용된다 하더라도 알기 쉬울 거예요. (신정련 생글6기, 부산대 영어교육과 12학번)

A. 우선 단어와 문법이 기본이라고 생각해요. 그 두 가지를 잡고, 그 후에 구문 연습, 그 후에 문제 풀이를 하는 방식으로 하면 좋을 것 같습니다. 교재는 『천일문』 추천합니다. 『천일문』 같은 구문 독해 책을 수준 맞는 걸로 골라서 제대로 한 권 떼고 나면 웬만한 수능 지문은 해석할 수 있어요. (김병민 생글8기, 서울대 경영학과 14학번)

A. 영어가 크게 독해, 어휘, 어법으로 나뉘잖아요. 자신이 강한 파트와 약한 파트를 구분해서 공부하는 것도 필요한 것 같아요. 일단 제일 중요한 것은 어휘와 기본 문법이고, 단어집을 사서 매일 일정 수의 단어를 꾸준히 외우면서 아는 단어의 양을 늘려가는 것이 중요해요. 단어를 외우다 보면 확실히 아는 단어가 많아지고, 해석할 수 있는 문장이 늘어나고, 풀 수 있는 문제도 많아질 거예요. 문법도 마찬가지예요. 독해를 위해서 꼭 필요한 기본적인 문법들을 배워야 영어 문장을 해석할 수 있어요. 문법과 어휘의 기본을 공부했으면 이제 기출문제들을 꾸준히 풀어보면서 답을 찾는 능력을 기르는 게 중요해요. (조성준 생글7기, 고려대 경제학과 13학번)

A. 저는 문법은 개념부터 공부했고 독해는 문제를 많이 풀었습니다. 단어집을 사서 공부하기도 했지만 영어 독해 문제를 풀다가 모르는 단어가 있을 때마다 저만의 단어장에 하나씩 추가시켜서 시간 날 때마다 외웠습니다. (김도민 생글8기, 서울대 경영학과 14학번)

A. 저도 어렸을 때 영어를 별로 못하다가 (순전히 제 노력만으로는 아니지만) 성적을 올린 편이기 때문에 하위권부터 상위권까지를 모두 경험해 보았다고 할 수 있습니다. 영어는 하위권이라면 기본적인 수능 단어부터 외우고, 한 문장 한 문장을 직접 쓰며 해석해 보는 것이 좋습니다. 중위권 정도라면 전체적인 문맥을 파악하는 연습을 하고, 고급 단어를 외우며, 문제를 많이 풀어 보면 점수가 어느 정도는 오를 겁니다. 하지만 문제를 많이 풀기만 해서는 일정 수준 이상 점수를 올리기 힘듭니다. 진정한 상위권으로 도약하기 위해서는 어려운 문장을 정확하게 해석하는 것이 중요합니다. 문장을 뜯어보면 단어가 약해서, 구문 해석이 안 돼서와 같이 해석이 잘 되지 않는 이유가 분명히 존재합니다. 문장을 뜯어내는 공부를 하다 보면 자연스럽게 문법 문제까지 풀립니다. 자신이 상위권이라면 영어를 소홀히 생각하지 말고 EBS 교재를 반복해 풀며 외우는 것이 중요합니다. (서아정 생글8기, 한양대 컴퓨터전공 14학번)

A. 수능 영어는 문법 문제와 기출문제를 얼마나 많이 풀어봤는지가 관건인 거 같아요. 문법 문제는 딱 보고 바로 정답을 고를 수 있게 문법서나 문법 기출문제집을 사서 풀다 보면 감이 잡힐 거예요. 독해는 기출문제를 시간 꼭 재서, 본래 시험 시간보다 10분 정도 줄여서 푸는 걸 추천해요. 규칙적으로 많이, 꼼꼼히 푸는 게 중요하고요. (서유진 생글7기, 서울대 불어교육과 13학번)

A. 영어는 노력하는 만큼 나오는 과목입니다. 자주, 많이 공부하는 게 최고예요. 사실은 국영수 세 과목 모두가 그렇겠지만 영어만큼 직접적으로 '많은 단어를 외우고', '문법을 머릿속에 모두 집어넣는' 등의 노력을 요하는 과목은 없습니다. 하루도 빠짐없이 영어에 자신을 노출시킨다면 성적이 안 오를 수가 없어요. 수능 기출문제가 됐든 모의고사 문제가 됐든 일단은 한 회를 풀고, 틀린 문제를 왜 틀렸는지 분석합니다. 아마 '모르는 단어 때문에 문단의 핵심을 파악하지 못한 경우'와 '복잡한 어법 때

문에 해석을 못한 경우' 크게 이렇게 두 경우로 나뉠 겁니다. 이렇게 자신이 어느 부분에 약한지 알게 되면 그 부분을 보충하면 됩니다. 단어가 약하면 단어를 외우면 되고, 문법이 약하면 문법을 한 번 더 공부하면 됩니다. 자신이 무엇이 부족한지가 너무나 극명하게 드러나고, 무엇을 해야 하는지도 빤히 보이는 과목이기 때문에 방법론에 집착하기보다 그냥 눈에 보이는 자신의 단점을 보완하는 노력부터 시작할 것을 권합니다. (김민선 생글6기, 고려대 경영학과 13학번)

A. 영어는 구문 분석 제대로 할 줄 알고 단어 충분히 알면 문제 푸는 데에 큰 문제가 없다고 생각해요. 구문 분석을 제대로 할 줄 알려면 문법이 밑바탕이 되어 있어야겠죠. 단어는 절대 소홀히 하지 말고 계속 꾸준히 외워야 해요. 저는 쉬는 시간에 노래 들으면서, 식사 시간에 급식실 가면서 많이 외웠어요. 수능 영어에 어느 정도 안정감이 생기면 빈칸추론 문제가 최상위권 점수를 결정하는 중요한 변수가 돼요. 저는 이명학 선생님의 READ N LOGIC 강의를 고3 7월부터 하루에 한 강씩 듣고 수능 직전까지 빈칸추론 문제에 대한 자신감을 가질 수 있었어요. (손지원 생글 8기, 경희대 경제학과 14학번)

A. 가장 기본적이지만 언제나 소홀히 하는 그것. 그게 바로 영어 성적에 지대한 영향을 미치죠. 바로 단어 암기예요. 영단어집을 외우기로 하고 작심삼일 한 기억 많이 있을 거예요. 저도 자주 경험했는데, 단어를 꾸준히 암기하지 않고서는 영어에 쉽게 접근할 수 없어요. 따라서 일정한 양을 정해두고 항상 단어를 암기하는 습관을 들이는 것이 영어에서는 가장 중요한 공부라고 생각해요. 독해는 그 다음이에요. 하지만 단어를 안다고 바로 문제를 풀 수 있는 건 아니겠죠. 독해는 문장 구조에 익숙해지는 것부터 시작해야 합니다. 우리말이 아니기 때문에 문장이 복잡해질수록 우리는 해석에 더욱 어려움을 겪죠. 특히 접속사와 관계사로 연결된 복문을 읽을 때는 정말 생지옥이 따로 없습니다. 실전에서 이런 비극을 피하려면

평소에 복잡한 문장을 해석하는 연습을 해야 해요. 중학생 때부터 했던 지겨운 방법이지만 문장에 괄호나 동그라미로 구조 분석을 하고 해석하는 연습을 몸에 익히세요. 그리고 같은 지문을 시간을 두고 반복적으로 해석하면서, 점차 해석에 할애되는 인지적 노력과 시간을 줄여나가야 해요. 정말 어려운 문장은 스크랩해서 항상 본인의 의지를 불태우는 도구로 삼으세요. 지문 분석은 독해와 문법 두 가지를 한 번에 잡을 수 있는 고마운 공부법입니다. (이은석 생글4기, 서울대 국어교육과 11학번)

A. 자신의 약점을 잘 파악해야 돼요. 듣기가 문제인지, 독해가 안 되는 것이 어휘력이 부족해서인지 혹은 문법 때문인지 같은 것들이요. 우선 듣기는 고득점을 위해서는 다 맞고 넘어가야 하는 부분이에요. 듣기는 집중력이 관건인데, 저는 메모를 하면서 들었어요. 이렇게 하면 집중력도 높아지고 키워드도 바로 찾을 수 있어요. 독해는 어휘와 구문 독해를 꾸준히 연습해야 해요. 단어는 일주일 중에 5일은 외우고, 주말에는 잘 안 외워졌던 단어 위주로 복습했습니다. 구문 독해는 『천일문』으로 문법 내용과 함께 공부했어요. 특히 어려운 구문들은 반복해서 보았습니다. (심윤보 생글8기, 전주교대 초등사회교육과 14학번)

A. 영어를 포함한 언어는 정말 많이 해봐야 늡니다. 언어는 잘하는 사람도 안 보면 까먹습니다. 영어엔 왕도가 없습니다. 많이 접해보는 것 밖에요. 자주자주 보세요. 읽기든 듣기든 마찬가지입니다. 이제 문제 풀이에 대해 설명해 드릴게요. 저는 영어의 큰 틀을 봤어요. 평가원 지문들을 보면 영어영역 지문은 뒤의 장문독해를 제외하고는 모두 한 개의 단락으로 구성되어 있죠? 그리고 한 단락에서는 한 가지 핵심 내용 밖에 도출이 안되고요. 수능에서는 핵심 내용을 벗어나는 부분에서 문제 절대 안 낸다는 거 명심하세요. 핵심 내용에 해당하는 부분에 '빈칸'을 뚫습니다. 핵심 내용이 '요지'입니다. 핵심 내용에서 벗어나는 단어가 '문맥상 적절하지 않은 단어'입니다. 그렇다면 공부법은 자연스럽게 지문의 핵심 내용을 파악

하는 능력을 기르는 데 맞춰져야겠죠. 지문에서 글쓴이가 강조하는 부분이 분명이 있습니다. 그것만 빨리 캐치할 줄 알면 됩니다. 즉, 영어 공부는 '작가의 주장이 무엇인지 파악하시는 능력을 기르는 데' 초점을 맞추시길 바랍니다. (고원진 생글7기, 건국대 경영학과 14학번)

A. 영어에서도 역시 기초가 중요합니다. 영어는 다른 과목들에 비해 특히나 문제 풀이 편법이 많이 있는 편인데요, 기초도 안 되어 있는 상태에서 편법 풀이를 먼저 접할 생각이시면 고득점은 아예 꿈도 꾸지 않으시는 게 좋을 겁니다. 편법에 의존했다가는 출제자의 함정에 걸려들기도 쉽고, 진짜 실력을 가르는 변별력 있는 문제는 손도 못 대실 게 뻔합니다. 기본 문법 정도는 다 끝내놓으시고 직독직해 훈련이 어느 정도 된 상태여야 제대로 된 유형별 문제 풀이 훈련을 할 수 있습니다. 준비도 안 됐는데 성급하게 문제 풀이 단계로 넘어가지 마세요. 단어는 무조건 꾸준히 매일 외우셔야 합니다. 듣기도 마찬가지로 매일 들으세요. 등교 시간 또는 하교 시간을 이용하는 것을 추천합니다. 영어는 그냥 열심히 공부한다고만 되는 게 아니라 습관이 들어야 진정한 상위권이 될 수 있습니다. (임우미 생글6기, 서울교대 음악교육과 13학번)

A. 영어는 기본적으로 언어라는 점에서 국어와 마찬가지로 꾸준히 하면서 감을 잃지 않는 것이 중요합니다. 수능 영어는 기본적으로 단문을 독해하고 이를 요약하거나 빈칸에 들어갈 적합한 구문을 찾는 문제로 구성되어 있습니다. 수능 영어에서 요구하는 내용은 짧은 글을 정확하고 빠르게 녹해하는 능력입니다. 주어진 글이 짧기 때문에 한 문장이라도 독해가 제대로 되지 않는 경우 문제를 푸는 데 어려움을 겪을 가능성이 높습니다. 때문에 수능 영어에서도 가장 중요한 것은 독해 능력이라고 할 수 있습니다. 언어와 달리 영어에서의 독해 능력 중 가장 중요한 것은 바로 어휘입니다. 단어집을 따로 사서 외워도 좋지만 문제를 풀거나 지문을 읽을 때마다 모르는 단어를 정리해 틈틈이 보는 것 역시 충분히 효과적이므로

자신에게 맞는 방법을 선택해 공부하는 것을 추천해드립니다. 다만 몰아서 외우기보다는 꾸준히 보면서 익숙해지는 것이 영어 공부에는 더 효과적이라는 점을 강조하고 싶습니다. 고등학교 1~2학년 때에는 영어 독해 능력을 기르는 것이 중요합니다. 때문에 문제 풀이에 집중하기보다는 문제집의 지문을 꼼꼼히 분석하는 훈련이 더욱 중요합니다. 특히, 수능에서 문제의 난이도를 높이기 위해 어려운 어휘를 사용하기보다는 복잡한 구조의 구문을 사용한다는 점에 주목할 필요가 있습니다. 때문에 고등학교 1~2학년 때에는 지문에서 어려운 구문을 독해하는 훈련이 가장 중요합니다. 독해 자체에 걸리는 시간이 오래 걸리더라도 조급해하지 말고 어려운 구조의 구문을 꼼꼼히 해석하고 어떤 식으로 끊어서 볼 수 있는지 꾸준히 훈련한다면 영어 지문 독해에서 가장 중요한 정확성을 크게 높일 수 있게 됩니다. 이러한 과정을 반복하게 되면 수능 때 모르는 단어가 나오더라도 구문의 구조와 나머지 부분의 독해를 통해 이를 추론하는 것 역시 가능하게 됩니다. (홍성현 생글6기, 서울대 경제학부 13학번)

A. 영어는 EBS 교재 연계가 가장 확연히 드러나는 과목이므로 EBS 교재를 중심으로 공부하되, 지나치게 EBS 교재에 의존하기보다는 이를 중심으로 정확도와 구문 해석력을 기르는 것이 포인트입니다. 저는 EBS 교재와 최근 3개년 기출문제를 공부했습니다. EBS 연계 교재의 양이 많으므로 출간 즉시 밀리지 않고 바로바로 푸는 게 중요합니다. 어느 정도 시간을 정해놓고 문제를 푼 다음, 구문 끊기, 주제문 찾기 등의 지문 분석을 스스로 하면서 공부하시면 됩니다. 최근에는 시중에 EBS 분석 교재도 많이 나와 있고 인강 강사들이 주요 EBS 교재의 지문을 정리해주는 경우가 많으므로 이를 적극 활용하면 좋습니다. 개인적으로 김기훈 선생님께서 무료로 배포했던 E정표라는 자료집이 괜찮았습니다. 기출문제는 예전 문제와 최근 문제 간의 난이도 차이가 심하므로 최근 2~3개년 치만 풀면 충분합니다. (정금진 생글6기, 서울교대 영어교육과 15학번)

Q. 영어 단어는 어떻게 외우셨나요?

A. 영어 단어는 꾸준히 하루에 몇 십 개씩 외우세요. 매일 하루 3끼 밥 먹듯이 영어 단어도 그렇게 외워야 해요. 꾸준함이 영어 단어 실력을 올리는 길입니다. 저는 단어를 첫째 날에 50개 외우고, 둘째 날에는 전날 분량 50개에 당일 분량 50개를 더해서 외우고, 셋째 날에는 그 전 분량 100개에 50개를 더 추가해서 외우는 식으로 했어요. 이렇게 외우고 매주 일요일에 단어 시험을 자체적으로 보아서 제대로 외웠는지 평가했습니다. (김재원 생글8기, 한국외대 아프리카학부 14학번)

A. 전 영어 단어 리스트 중에서 아는 걸 차근차근 지워가는 방식으로 외웠어요. 그러다 보면 특히 안 외워지는 게 나오는데 그걸 중심으로 계속 틈틈이 외우다 보면 결국엔 외워지더라고요. (조성준 생글7기, 고려대 경제학과 13학번)

A. 영어 단어는 진짜 계속해서 자주 보는 수밖에 없다고 생각해요. 한 번에 완벽하게 암기하려고 하기 보다는 자투리 시간을 총동원해 자주 봐서 익숙해지려고 했어요. (임우미 생글6기, 서울교대 음악교육과 13학번)

A. 영어 단어는 정말 왕도가 없다고 생각해요. 영단어집 하나를 정하거나 모의고사를 풀면서 나온 모르는 단어를 정리했다가 여러 번 반복해서 외워야 진짜 자기 걸로 만들 수 있어요. 저는 모의고사나 여러 문제들을 풀면서 나온 모르는 단어들만 공책 한 권에 정리해서 외웠어요. 1학년부터 했는데 이렇게 하면 점점 모르는 단어가 섞어지는 게 눈에 보입니다. (박영준 생글7기, 경찰대 행정학과 13학번)

A. 저는 영단어를 일주일 단위로 외울 양을 정해두고, 평일에는 하루 분량씩 외우면서 잘 안 외워지는 거 체크하고, 주말에는 체크한 단어들을 복습하는 방식으로 공부했었어요. (심윤보 생글8기, 전주교대 초등사회교육과 14학번)

A. 저는 어릴 때부터 영어 단어 외우는 걸 정말 너무도 싫어했어요. 영단어집을 외우는 게 의미 없다고 생각했죠. 그런데 단어의 필요성을 시험을 볼 때마다, 영어 관련 활동을 할 때마다 많이 느꼈어요. 그래서 저는 그냥 차라리 문장을 많이 읽기로 했어요. 영어로 된 비교적 쉬운 원서(소설 등)를 읽으면서 모르는 단어를 형광펜으로 표시해놓고 그 부분을 읽고 또 읽고 하면 그 단어의 뜻도 자연스럽게 알게 될 뿐만 아니라 그 단어가 문장에서 어떻게 쓰이는 지도 알 수 있어서 많이 도움이 돼요. 원서 읽기가 싫다면 미드나 영어권 영화들을 영어 자막을 켜놓고 보세요. (김재은 생글7기, 서울대 자유전공학부 13학번)

A. 1학년 때는 단어집을 사서 외웠고, 2학년 때는 독해 문제집에 모르는 단어가 많아서 그 단어들을 정리해서 외웠어요. 단어집을 사서 외울 때는 날짜를 정해서 외웠고, 독해문제집에서 단어를 정리해서 외울 때는 그때그때 바로 외워버렸어요. (손소연 생글7기, 동국대 정치외교학과 14학번)

A. 단어는 반복입니다. 그 누구도 한 번 보고 완벽하게 외울 수는 없어요. 늘 반복해야죠. 연상법 등의 방법이 많이 알려져 있지만 그보다는 반복이 중요함을 깨닫는 것이 더 중요합니다. (오민지 생글6기, 고려대 경영학과 14학번)

A. 주제별로 단어를 외워보세요. 유사어나 반대어 같은 것들끼리 모아서 외우면 꽤 잘 외워지더라고요. 그리고 접두사나 접두어를 알면 단어를 외우는 데 도움이 돼요. 예를 들어 '-cide'라는 접두어는 '죽임, 살해'를 의미해요. 이 의미를 알고 'homicide', 'pesticide', 'genocide' 등을 보면 단어를 외우기가 훨씬 수월하죠. (김보미 생글7기, 이화여대 스크랜튼학부 13학번)

A. 반복이 중요해요. 저는 모르는 단어가 나오면 그 지문에 바로 뜻을

쓰지 않고 펜으로 표시해놓았다가 한꺼번에 단어 정리를 했어요. 그리고 휴대하기 간편한 수첩이나 종이에다 써서 자투리 시간에 봤어요. 그래도 정 외워지지 않을 때는 영어 공부 시간에 따로 외우기도 했어요. (이소영 생글7기, 경희대 경제학과 14학번)

A. 저는 영어 단어와 뜻을 하나하나 외우는 것은 외우기도 힘들뿐더러 지문에서 만났을 때 뜻이 바로 떠오르지도 않더라고요. 그래서 저는 무작정 단어를 무더기로 외우기보단 문제를 풀다가 모르는 단어가 있으면 그 단어가 포함된 문장을 반복해서 읽었습니다. 시간 여유가 있다면 그 단어가 포함된 지문 전체를 반복해서 읽었습니다. 처음엔 감이 잡히지 않더라도 3번 정도 읽다 보면 자연스레 암기가 됩니다. (배수민 생글6기, 성균관대 심리학과 12학번)

Q. 제가 지금 영어 단어집을 안 보고 수업 시간에 배우다가 모르는 거나 모의고사 풀 때 나오는 단어만 따로 정리해서 외우는데요, 단어집을 하나 사서 외우는 게 필요할까요? 어떤 단어집이 좋나요?

A. 고등학생이라면 그대로 하는 것을, 중학생이라면 단어집을 하나 사는 것을 추천해드립니다. 고등학생은 이미 어느 정도 단어의 수준이 쌓인 상태이기에 모르는 단어가 종종 나올 때마다 추가하면 되지만 중학생의 경우에는 아는 단어의 양을 늘려야 할 시기이기 때문입니다. 단어집은 『듀오백』을 추천해드려요. (김도민 생글8기, 서울대 경영학과 14학번)

A. 둘 다 좋은 방법이죠. 자신만의 단어장은 따로 만들어 짬나는 시간에 외우고, 자습 시간에는 시간을 내서 단어집을 공부하는 것이 좋을 것

같아요. (이소은 생글7기, 고려대 미디어학부 14학번)

A. 단어집을 하나 사서 공부하는 게 낫다고 생각해요. 수능 수준에 가장 적합하고 빈출되는 단어들이 다 정리되니까요. 자기 어휘 수준이 충분하면 수능 영어 단어집도 술술 넘어갈 거예요. 하루에 5일치씩 보면 금방한 권 뗄 수 있어요. 만일 그게 안 되면 자기 어휘 실력이 좀 부족하다고봐야겠죠. (김병민 생글8기, 서울대 경영학과 14학번)

A. 단어집으로 공부하는 게 더 도움이 되는 친구도 있고 아닌 친구도있어요. 저는 어휘를 그때그때 공부하는 편이어서 단어집으로 공부하지는않았어요. 대신 공부하면서 그때그때 나오는 어휘를 확실히 암기하고 넘어갔어요. (오민지 생글6기, 고려대 경영학과 14학번)

A. 영단어집으로 『어휘끝』 시리즈를 추천할게요. 3등급 이하라면 『어휘끝 start』부터 보세요. 중3~고1 대상인 책이에요. 3등급 이상이면 『어휘끝 5.0』을 보세요. 난이도가 아주 높지는 않아요. 수능보다 살짝 높은 수준이에요. 무작정 단어를 외우기보다 어근접사별, 의미별로 외우게 되어있고 구성이 알차서 어휘 공부하는 데 상당히 좋아요. 1학년이면 강의를듣는 것도 나쁘지 않을 거 같아요. 저자 김기훈 선생님 강의를 들으시면돼요. 영어 지문의 모든 단어를 알 필요는 없지만, 빠르고 정확한 독해를위해서 단어는 매일 공부해야 하죠. 특히 영어에서 5등급 이하의 성적을받는 학생들은 절대적인 어휘력이 부족한 경우가 많기 때문에 단어를 중심으로 공부하면서 점점 문장 단위로 올라가는 것을 추천합니다. (정금진생글6기, 서울교대 영어교육과 15학번)

A. 영어 단어를 외우는 데에 흥미를 못 붙이겠다면 능률교육에서 나온『능률Voca』 어원편을 추천할게요. 영어 단어는 prefix나 suffix를 알면외우기가 훨씬 쉬워져요. 단어를 그런 주제별로 정리해놓은 책이에요. 제가 예전에 과외를 했던 학생은 이 책으로 공부하고 성적이 훨씬 향상되었

어요. (오유진 생글5기, 성균관대 영어영문학과 13학번)

A. 전 영어 공부할 때 따로 단어집은 안 샀어요. 대신 매일매일 푸는 영어 지문에서 나오는 모르는 단어를 외웠어요. 지문 속에서 나오는 단어를 외우면 나중에 다시 볼 때 지문 속 내용이 기억나면서 단어가 잘 외워지더라고요. 그리고 단어를 잘 모르더라도 문맥 속에서 유추할 수 있는 능력도 필요한 것 같아요. 우리에게 영어 단어란 끝이 없으니까요. (신정련 생글6기, 부산대 영어교육과 12학번)

Q. 영문법이 어려워요. 공부법이랑 교재 추천해주세요.

A. 영어 문법의 경우 수능에 나오는 문법 규칙이 어느 정도 정해져 있습니다. 따라서 한 권의 책이나 인강을 통해서 수능 문법을 쭉 정리하고, 그 다음부터는 틀릴 때마다 찾아서 확인하고 오답노트를 작성한다면 좋을 것입니다. (김현재 생글8기, 서울대 경영학과 14학번)

A. 중학생이나 고1 때는 군이 수능만을 목표로 공부할 필요는 없다고 봐요. 제대로 영어 실력을 키우고 싶으면 『Grammer in Use』 같은 책이나 토익, 텝스용 책이 좋은 것 같아요. 그렇지만 시간이 충분하지 않다면 메가스터디에서 나온 어법 교재를 풀면서 수능 유형에 익숙해지는 게 좋아요. (김병민 생글8기, 서울대 경영학과 14학번)

A. 많은 사람들이 문법에서 애를 먹는데, 사실 수능에 출제되는 문법의 범위는 제한적이에요. 그 문법들을 모아서 공부해 보면 그 양이 생각보다 적다는 것을 알게 될 거예요. 평소에 조금씩 공부하는 것으로 충분해요. 무엇보다 바람직한 것은 수많은 반복을 통해 문법을 익숙하게 하는 거예요. 우리가 한국어 '승희(가/을) ~를 했다.'라는 문장을 읽고 '가'가 맞는

지 '을'이 맞는지 고민할 필요 없이 자연스럽게 답이 구해지는 것처럼 영어 문법도 이런 단계에 이르러야 합니다. 교재는 『숨마쿰라우데 어법 Manual』 추천할게요. 정리가 잘 되어 있고 연습문제도 괜찮아요. (최승희 생글7기, 한국외대 아랍어과 14학번)

A. 영문법은 문제가 적게 나와서 시간을 많이 투자하기도 어렵고, 그렇다고 버릴 수도 없는 계륵 같은 존재죠. 그래서 저는 방학 때 인강을 이용해 수능에 나오는 문법을 전부 정리하였어요. 시간도 많이 들지 않았고 한꺼번에 정리하니 좋았습니다. (이훈창 생글7기, 성균관대 경영학과 14학번)

A. 마더텅에서 나온 『고교내신·수능1등급 영문법연습 3300제』 좋아요. 쉬운 문법, 어려운 문법 모두 많이 수록되어 있어서 자기 실력 파악하면서 연습하기 좋아요. (심윤보 생글8기, 전주교대 초등사회교육과 14학번)

A. 수능에 나오는 문법은 어느 정도 정해져 있으니 문법에만 매달릴 필요는 없습니다. 하지만 문장 성분이 무엇이 있고, 구문을 어떻게 끊어 읽어야 할지 아는 정도의 수준은 되어야 합니다. 정말 문법 문제 자체만을 위한 문법은 고3 여름방학 정도에 싹 정리하시길 바랍니다. 교재는 『어법 끝 4.0』을 추천합니다. 문법이 너무 약해서 구문 해석이 안 된다는 친구들은 구문을 공부하면서 그 속에 있는 문법을 찾는 방식으로 공부하세요. (정금진 생글6기, 서울교대 영어교육과 15학번)

Q. 영어 듣기는 어떻게 준비하셨나요? 듣기 스킬도 궁금합니다.

A. 맨 처음 instruction이 나올 때 빛의 속도로 문제와 선택지를 모두 훑습니다. 어떤 문제가 나오는지 파악하면 자연스레 그 문제에 맞춰서 선택적으로 들으면 되니 문제에 필요한 부분을 놓칠 가능성이 줄어듭니다. (배수민 생글6기, 성균관대 심리학과 12학번)

A. 우선 듣기는 최근에 계속 쉬워지는 추세입니다. 수능에서의 듣기는 대부분의 정답률이 90% 내외라 영어에서 3등급 이상을 받으려면 반드시 다 맞아야 하는 파트이기도 합니다. 고3이라면 EBS 연계 교재인 『고교영어듣기』와 『수능완성 실전 듣기』를 중심으로 공부하면 되고, 1~2학년이나 듣기가 부족한 학생은 매일 꾸준히 아침이나 점심시간에 공부할 것을 권합니다. 듣기는 꾸준하게 하는 것만큼 좋은 방법이 없습니다. (정금진 생글6기, 서울교대 영어교육과 15학번)

A. 수능 영어 듣기는 별로 어렵지 않아요. 집중력만 흐트러지지 않으면 누구라도 12년의 교육 과정을 통해 얻은 듣기 실력으로 다 풀 수 있어요. 그러나 평소에 훈련이 되어 있지 않으면 매우 긴장되는 수능 때 흐트러질 우려가 있어요. 그리고 혹여나 어려운 단어가 나온다면 그게 적혀 있는 것이 아니기 때문에 단어를 추론하는 것도 어려워요. 따라서 평소에 어느 정도 들어 놓는 것이 좋죠. 수능에 연계가 되는 EBS 듣기 책을 사서 평소에 연습할 것을 권합니다. 학교에서 계속 공부를 한다면 이어폰을 사용해야겠지만 가능하면 실전 스피커 환경과 비슷하게 이어폰을 끼지 않고 듣는 것을 권합니다. (최승희 생글7기, 한국외대 아랍어과 14학번)

A. 저는 중요 단어나 포인트 같은 것들을 시험지에 적으면서 듣기를 풀었어요. 평소 모의고사에서는 이게 뭔 고생이야 이런 생각이 들 수 있지만 이게 헛되지 않은 일이라고 생각해요. 저는 9월 모의평가에서 이 방법

으로 빛을 봤거든요. 스크립트를 보기 보다는 많이 듣는 것이 중요하고, 많이 들으면서 중요 포인트를 찾아내는 연습을 하는 게 중요해요. 일주일에 두세 번 정도 연습하면 될 거 같고, 속도를 약간 빠르게 해서 연습하는 것도 나쁘지 않아요. (김재원 생글8기, 한국외대 아프리카학부 14학번)

A. 저는 학교에서 시켜주는 영어 듣기를 꼬박꼬박 했고, 그것 말고는 영어 듣기에 시간을 더 들이지는 않았어요. 저학년이라면 그냥 수능 영어 듣기만 하기 보다는 좀 더 어려운 거로 공부하는 것도 괜찮을 것 같아요. 사실 영어 듣기는 고3 때 EBS 교재만 잘 공부해도 충분히 만점 받을 수 있어요. (김재운 생글6기, 인하대 신소재공학과 14학번)

A. 영어 듣기는 무조건 다 받아 적지 않고 중요 단어와 숫자만을 받아 적어서 풀었습니다. 거의 80%는 그냥 듣고도 풀지만 20%는 받아 적어야 쉽게 풀 수 있는 문제들이 있기 때문에 모든 문제를 받아 적으면서 푸는 습관을 들이는 게 중요합니다. (김도민 생글8기, 서울대 경영학과 14학번)

A. 영어 듣기는 실수를 줄이는 것이 중요합니다. 고득점을 위해서는 듣기에서는 절대 틀려서는 안 되기 때문에, 긴장하지 않고 침착하게 풀 수 있도록 연습해야 합니다. 그리고 듣기 문제 사이사이에 잠깐 있는 시간 동안에 뒤의 독해 문제를 푸는 경우가 있는데, 이건 자기가 편한 대로 하면 됩니다. 하지만 분명히 명심해야 할 것은, 뒤의 문제에 신경 쓰다가 듣기 문제를 틀리는 일은 절대 없어야 하며, 불안하다면 그냥 듣기에 집중하는 것을 추천합니다. 옆의 친구들이 시험지를 넘겨가며 뒤의 문제를 푼다고 불안해 할 필요도 전혀 없으며, 모의고사 때 평온을 유지하도록 연습하는 것이 좋습니다. EBS 교재 연계는 상당히 많이 되는 편이기 때문에 듣기가 불안하다면 EBS 지문을 열심히 분석하고 기억하면 좋습니다. 하지만 듣기에서 거의 틀리지 않는다면 그 시간에 다른 공부를 하는 것이 더 효율적이라고 생각합니다. (김현재 생글8기, 서울대 경영학과 14학번)

A. 평소 모의고사를 볼 때는 듣기 환경이 매우 좋은 상태이죠. 그러나 수능 시험장은 굉장히 생소한 곳이에요. 그러므로 듣기는 다양한 환경에서 해보는 것이 중요해요. 저는 집에서 가족들이 모두 깨어있을 때 이어폰이 아닌 스피커로 듣기를 연습했어요. 그러면 평소에 이어폰으로 들을 때보다 훨씬 집중할 수 있고, 수능 날 혹시 모를 잡음을 비롯한 상황 속에서도 잘 풀 수 있을 거예요. 이 방법은 6월 평가원 모의고사 후에 방학이나 주말에 사용하면 좋습니다. (박준형 생글8기, 건국대 글로컬캠퍼스 경제학과 14학번)

Q. 영어 독해 실력은 어떻게 키우나요?

A. 저는 구별로 끊어 읽고 접속사에 동그라미를 표시하면서 문맥을 파악했어요. 우선 구별로 끊어 읽으면 긴 문장을 파악하는 데 도움이 돼요. 그리고 접속사에 동그라미를 치면서 읽으면 문맥을 파악하기 좋죠. 접속사가 지문에서 주는 의미는 상당해요. 접속사만 잘 파악해도 대충 지문의 흐름을 파악할 수 있어요. (김보미 생글7기, 이화여대 스크랜튼학부 13학번)

A. 첫째, 독해 실력이 부족한 건 어휘 실력과 문법 실력이 부족하기 때문입니다. 단어를 모르니 읽어도 모르고, 문법이 안 되니 문장을 자꾸 읽게 되는 거죠. 그러니 독해 책은 잠시 미뤄놓고 단어집과 영문법 책을 먼저 공부하세요. 특히 고1은요. 저는 고1 때 영단어장 2권을 각각 3번씩 외웠어요. 고2 때는 더 어려운 영단어집을 공부했고요. 문법은 학원 수업에서 사용한 교재와 프린트를 열심히 공부했습니다. 문법 겁내지 마세요. 문법 분량이 생각보다 적습니다. 둘째, 영어는 영어로 읽어야 합니다. 영

어를 한글로 해석하려고 하지 말고 영어 그대로 의미를 받아들이라는 겁니다. 예를 들어, 'I am a student.'라는 문장을 읽고 머릿속으로 '나는 학생입니다.'로 번역하지 말라는 거예요. 문장을 읽고 'I am a student.' 라고 영어 의미 그대로 받아들여야 해요. 그래야 영어 실력 자체가 좋아져요. 이런 이유로 저는 영어 선생님들께서 학생들에게 문장 읽고 한글로 해석해보라고 하는 거 정말 싫어했습니다. (이정훈 생글5기, 성균관대 경영학과 11학번)

A. 저는 우선 빨리 읽어내겠다는 욕심은 버리고 공부했고, 문법적으로 덩어리(chunk)별로 끊어서 읽는 연습을 했어요. 예를 들자면 문장 중간에 where이나 that절 같은 게 나오면 괄호를 쳐서 분리한 다음에 하나씩 해부하듯이 해석하는 거죠. 번거롭지만 해외파가 아닌 이상 영어 독해에 익숙해지기 위한 어쩔 수 없는 과정이라고 생각해요. 이렇게 해부하는 과정이 반복되다 보면 나중에는 본인도 모르게 눈으로도 문장을 끊어 읽을 수 있게 돼요. 손이 알아서 저절로 빗금 치고 괄호 치는 경지에 도달하게 되죠. 그리고 정훈 오빠의 '영어는 영어로 읽어야 한다. 한국어로 해석하지 말라.'는 의견에 저도 동의해요. 예를 들어 'There are many different kinds of minerals.'라는 문장을 읽었으면 그냥 땅 속에 여러 가지 광물들이 박혀 있는 장면만 머릿속으로 떠올리면 돼요. 굳이 '영어 → 이미지 → 한국어'로 변환하려는 생각은 오히려 독해를 방해할 수 있어요. (김예원 생글7기, 고려대 경제학과 14학번)

A. 독해는 단기간에 실력을 늘리기 쉽지 않으므로 꾸준한 연습을 필요로 합니다. 자기가 부족한 부분(단어, 구문, 논리 등)이 무엇인지 파악하고 공부하는 것이 필요합니다. 혼자 공부하기가 쉽지 않다면 학원이나 인강의 도움을 받는 것도 좋습니다. 단어 하나로 정답과 오답이 갈리는 경우가 많기 때문에 꼼꼼히 읽는 연습도 꼭 해야 합니다. 영어 독해 중 추론이 들어가는 문제들의 경우, '평가원의 논리'가 중요하게 작용합니다. 어

디까지는 정답으로 인정되고 어디부터는 오답으로 여기는지 기출문제를 풀면서 파악해야 합니다. 영어의 경우엔 EBS 교재에 나온 지문이 많이, 또 그대로 연계가 되므로 EBS 교재가 매우 중요합니다. EBS 교재를 정말 꼼꼼히 지문을 분석해가면서 공부한다면 수능에서 연계된 문제는 정말 몇 초 만에 풀어낼 수 있습니다. 하지만 지문의 양이 매우 방대하기 때문에 공부할 때 시간과 힘이 많이 듭니다. 그리고 연계된 문제는 정답률이 상대적으로 높고, 1등급과 2등급을 가르는 문제는 비연계 문제이므로 EBS 교재를 푸는 것에만 매진해서는 안 됩니다. EBS 교재를 열심히 분석하면서 시간을 단축하고, 기출문제 등을 통해 절대적인 실력을 키워야 1등급을 받을 수 있습니다. (김현재 생글8기, 서울대 경영학과 14학번)

A. 독해가 안 되는 건 단어가 약하거나 문장 구조를 파악하지 못해서라고 생각해요. 단어가 약하다면 시간을 좀 더 투자해서 단어를 외우시고, 영어 문장이 익숙하지 않다면 저는 영어 문장을 외우는 방법을 추천합니다. 문장을 외우는 과정에서 자연스럽게 영어 문장에 익숙해지고 그 뒤로는 비슷한 문장을 읽을 때마다 독해가 편해지는 것을 느낄 수 있어요. (박영준 생글7기, 경찰대 행정학과 13학번)

A. 독해는 많이 읽을수록 늘어요. 고등학생은 중학생처럼 재미 삼아 원서로 된 책을 따로 읽기에도 부담스러우니 저는 문제에 나오는 영어 지문이라도 많이 읽었어요. 예를 들어 문제를 풀 때는 위의 문장 몇 줄만 보고도 답이 나와서 그 이후로는 안 읽었다고 하더라도 답을 매긴 후에는 모든 문장을 읽고, 길고 어려운 한두 문장은 다시 한국말로 처음부터 해석해보는 식으로요. (신정련 생글6기, 부산대 영어교육과 12학번)

A. 지문을 보았을 때 그냥 읽는 것이 아니라 이 단락의 주제는 무엇인지 생각하는 훈련을 하는 것이 매우 중요합니다. 영어도 결국 언어예요. 쉬운 국어 문제를 영어로 옮겨놓았다고 생각하세요. 국어 비문학 지문을 분석하듯이 한 단락에서 주제문이 무엇이고 어떤 것이 예시, 부연 설명인

지 구분하는 연습을 하면 좋습니다. 상위권 학생 중에 빈칸추론 문제가 취약한 친구들이 많은데, 이명학 선생님의 인강을 활용하시면 좋을 것 같습니다. 3등급 이하는 빈칸추론이라는 유형 때문에 틀리기보다는 구문 해석력이 부족한 경우가 많으므로 기본기를 쌓는 데 더 주력하길 바랍니다. 읽기 속도가 느려서 끝까지 다 못 푸는 친구도 마찬가지입니다. 항상 정독 다음에 속독이라는 것을 잊지 마세요. 정확하게 지문을 읽는 연습을 지속적으로 하다 보면 속도는 저절로 따라 붙을 겁니다. (정금진 생글6기, 서울교대 영어교육과 15학번)

Q. 영어 점수가 안 나와요. 이제 3학년 되는데 아주 간신히 2등급 나오는 정도예요. 듣기는 괜찮은데 문제는 독해예요. 뭐가 문제인지는 모르겠는데 그냥 지문을 쭉 읽으면 독해가 안 돼요.

A. 제 생각에 지금 해결해야 할 문제는 '안 나오는 점수'가 아니라 '자신의 문제점을 모른다는 것'이에요. 똑같은 증상에도 원인은 여러 가지가 있을 수 있어요. 독해가 안 되는 이유가 단어가 부족해서일 수도 있고, 문법이 부족해서일 수도 있고, 문장을 보는 시야가 좁아서 그럴 수도 있고, 국어 능력이 부족해서 '해석'은 하지만 '이해'를 못해서일 수도 있어요. 어떤 과목이든지 공부를 시작하기 전에 그 과목에서 자신이 겪는 문제점을 파악하고, 그 문제점을 보완하기 위한 대책을 세우고, 그 대책을 실현하기 위한 계획을 세우는 과정을 밟아야 합니다. 누군가 "너 이 책 왜 공부하니?"라고 물어보면, "이 과목에서 제가 이러한 점이 부족한데, 그걸 보완하려면 이 책의 이러한 점이 도움이 될 거라고 생각해서요."라

고 대답할 수 있을 정도로 자신의 상황과 공부하는 책에 대해서 이해를 하고 있어야 제대로 된 공부가 이루어질 수 있어요. (임우미 생글6기, 서울교대 음악교육과 13학번)

A. 그냥 지문을 쭉 읽기 때문에 독해가 안 되는 거라고 생각해요. 기본적으로 처음과 끝에 중점을 두며 읽어서 지문의 핵심 내용이 무엇인지 파악해야 하고, 그에 관련한 디테일을 중간 부분에서 동사를 위주로 체크하며 읽어야 해요. 시간을 타이트하게 정해 놓고 문제 풀이 시간이 부족한 상황 아래서 연습을 많이 해야 해요. 저는 고3 때 일주일에 세 번씩 모의고사 반회 분을 모의고사 시간의 절반에서 5분 정도 뺀 시간 내에 풀었어요. 이렇게 자꾸 돌리다 보면 어느새 시간이 많이 줄어 있는 걸 발견할 수 있어요. 일종의 훈련이라고 생각해요. (김재은 생글7기, 서울대 자유전공학부 13학번)

A. 단어 문제일지도 몰라요. 독해의 시작은 단어인데, 생각보다 모호하게 단어를 알고 있는 친구들이 많거든요. 본인은 수능에 출제되는 95%의 단어를 안다고 확신하시면 문법 문제일 거예요. 관계대명사절은 어디서부터 어디까지인지, 문장에서 주어는 무엇이고 동사는 무엇인지, 숙어는 무엇인지 등을 파악하는 공부를 하세요. (이지현 생글7기, 연세대 언론홍보영상학부 14학번)

A. 저도 비슷한 고민이 있었는데 제 경우는 영어 문장에 익숙해지지 못해서 그런 거였어요. 영어 문장이 익숙하지 못하니까 한 단어씩밖에 해석이 안 된 경우였네요. 저는 유난히 힘들게 읽히는 지문을 통째로 외우는 방법을 써봤어요. 문장을 외우는 과정에서 자연스럽게 영어 문장에 익숙해지고 그 뒤로는 비슷한 문장을 읽을 때마다 저절로 그 문장이 연상되면서 수월하게 읽혔습니다. 이 방법은 제가 하면서도 정말 미련하고 힘들다고 생각했지만 그 방법이 제 영어 실력을 비약적으로 상승시켰다고 생각해요. (박영준 생글7기, 경찰대 행정학과 13학번)

Q. 저는 빈칸추론 문제에서 선택지 두 개를 남기고 답을 못 고를 때가 많아요. 선배님은 빈칸추론 문제 어떻게 하셨나요?

A. 빈칸추론 문제에서는 일단 뜬금없는 선택지를 제외하면 보통 두 개가 남는데, 빈칸의 앞뒤 문장을 잘 읽어보고 고민하면 풀리는 경우가 많아요. 빈칸추론 문제를 풀 때 앞에만 보는 경우가 있는데 반드시 앞과 뒤를 꼼꼼히 봐줘야 합니다. 빈칸추론 문제는 텝스에서도 항상 나오는 유형이니까 수준 높은 문제를 풀어보는 것도 좋아요. (김병민 생글8기, 서울대 경영학과 14학번)

A. 남는 선택지 두 개 중에 너무 콕 집는 거 있죠? 예를 들어서 선택지가 너무 구체적이라든가, 극단적으로 긍정적/부정적이든가 하는 것들은 오답일 확률이 높아요. 그리고 영어는 EBS 교재에서 많이 내잖아요. 선생님들께서 EBS 교재에서 골라주시는 지문들을 외우는 게 도움이 많이 돼요. 특히 빈칸추론 문제는 더 그렇겠죠. 저는 수능 볼 때 진짜로 골라주신 지문이 많이 나와서 시간적으로 도움이 많이 됐어요. (오유진 생글5기, 성균관대 영어영문학과 13학번)

A. 고난이도 빈칸추론 문제에서는 추상적인 내용의 문제가 나오면 해석은 되는 것 같은데 답을 찾지 못하는 경우가 많이 있을 거예요. 이런 경우에는 글쓴이의 입장에서 생각해보려고 노력을 많이 했어요. 결국에는 핵심 주제나 포인트가 빈칸으로 나오니까 그 부분을 생각하면서 연습을 했어요. (심윤보 생글8기, 전주교대 초등사회교육과 14학번)

Q. 영어 시험 시간이 모자라요.

A. 시간 아낀다고 지문 끝까지 안 읽는 친구들이 있는데, 제 생각에는 대충 몇 문장만 읽고는 잘 몰라서 처음부터 다시 읽는 것보다 제대로 1번 읽는 게 더 나아요. (서아진 생글7기, 연세대 정치외교학과 13학번)

A. 정확하게 독해를 하는 능력이 어느 정도 형성되었다면 꾸준히 연습해야 하는 것은 바로 속도입니다. 수능 영어는 짧은 시간에 많은 지문을 빠르고 정확하게 독해해야 하는 만큼 속도 역시 무시할 수 없습니다. 그러나 무턱대고 글을 빠르게 읽기보다는 주어진 문장에서 필요 없는 부분이나 복잡한 구문을 간단하게 머릿속에서 재정립하면서 독해 속도를 빠르게 하는 훈련이 중요합니다. 이를 위해서는 지문을 읽을 때마다 지문의 구조를 정리하는 방법을 사용할 수 있습니다. 지문의 구조와 흐름을 반복해서 정리하는 훈련을 통해 특정 지문을 접했을 때 빠르게 해당 지문의 논지 전개 방향을 파악할 수 있으며, 이를 통해 다음 문장의 내용을 유추하고 독해를 진행함으로써 독해 속도를 크게 향상시킬 수 있게 됩니다. (홍성현 생글6기, 서울대 경제학부 13학번)

A. 저도 영어는 항상 시간에 쫓기면서 풀었던 기억이 나네요. 그런데 영어 같은 과목은 시간이 부족하다는 사실 자체가 실력이 부족한 거라서 어쩔 수가 없어요. 원론적인 말밖에 하지 못해 죄송하지만 기본 실력을 길러야 해요. (박영준 생글7기, 경찰대 행정학과 13학번)

A. 영어는 풀 때 막힐 것 같으면 곧비로 넘기는 습관이 중요합니다. 뒤로 갈수록 지문이 길어지기 때문에 앞에서 막히면 뒤에 있는 문제는 읽다가 시간이 끝나는 경우가 많습니다. 그렇기 때문에 중간에 빈칸추론 문제와 같은 어려운 부분에서 막히면 시간을 끌지 말고 뒤로 넘겨서 지문은 길지만 풀기 쉬운 문제들을 먼저 푸는 노하우가 필요합니다. (김도민 생글8기, 서울대 경영학과 14학번)

Q. 수능 영어를 공부할 때 어느 정도의 난이도까지 공부하는 게 적당할까요? 텝스 많이들 하던데 어떤가요?

A. 대부분의 사람들이 텝스나 토익과 같은 공인영어점수가 높아야 수능을 잘 본다는 선입견을 가지고 있습니다. 물론 가능성은 높을 수 있으나 수능은 고등학생이 충분히 풀 수 있는 수준으로 낸다는 점에서 열심히만 한다면 충분히 1등급을 맞을 수 있습니다. 즉, 공인영어점수가 낮더라도 정확한 풀이 방법과 공부 방법만 알고 있다면 수능 영어는 충분히 정복할 수 있습니다. (홍성현 생글6기, 서울대 경제학부 13학번)

A. 제 경험상 영어 실력 자체를 키우려면 텝스나 토익을 공부하는 게 좋아요. 하지만 수능 성적이 급한 상황이라면 수능 유형에 익숙해지는 게 필요하다고 생각해요. (김병민 생글8기, 서울대 경영학과 14학번)

A. 저는 고2 때까지 텝스를 수능과 병행했습니다. 텝스 성적도 성적이었지만 텝스 수준까지 공부하면 어휘나 독해는 어느 정도 수능 영어를 커버할 수 있게 됩니다. (김도민 생글8기, 서울대 경영학과 14학번)

A. 난이도 제한을 두지 말고 공부하는 걸 추천합니다. 요즘 학생들의 영어 수준이 워낙 높다 보니 영어 문제가 참 어렵게 나와요. 어렵게 공부하면 할수록 좋겠죠? (오민지 생글6기, 고려대 경영학과 14학번)

A. 심화된 영어 공부를 위해, 특히 서울대를 준비하는 친구들이 텝스를 많이들 하죠. 저도 고3 때 834점의 점수를 가지고 있었습니다. 공부하면 좋다만, 텝스는 모의고사 성적이 안정적으로 95점 이상 나오지 않는다면 도전하지 않는 게 바람직하다고 봐요. 그 정도 성적이 안 되면 수능 공부에 더 집중하세요. 토익은 추천하지 않습니다. 수능이랑 스타일이 많이 달라요. 토익, 텝스, 토플 중에서 수능과 가장 비슷한 시험이 텝스입니다. (이정훈 생글5기, 성균관대 경영학과 11학번)

A. 저는 고3이 되어서야 뒤늦게 텝스 공부를 시작해서, 고3 4월에 시험을 친 지 3번 만에 828점을 획득했습니다. 텝스는 워낙 많은 양의 문제를 빠르게 풀어야 해서 집중력과 스피드가 관건입니다. 특히 듣기가 타영어 시험에 비해 매우 길고, 시험지에 아무 내용이 없기 때문에 듣기 집중력이 가장 중요하다고 볼 수 있습니다. 저는 월간 텝스와 텝스 모의고사 문제집을 풀고 오답을 정리하는 식으로 공부했습니다. 텝스는 상대평가이기 때문에 언제 시험을 치는지도 중요합니다. 방학 시즌(1~2월, 7~8월) 이외의 달이 더 성적이 잘 나온다고 들었습니다. 솔직히 여태 토익, 토플, 텝스, IELTS 등 많은 종류의 영어 시험을 공부해봤지만 그 중에서 텝스는 그다지 좋은 유형의 영어 시험은 아닌 것 같습니다. 진짜 전반적인 영어 능력을 향상시키고 싶다면 IELTS 시험을 추천합니다. 고등학교 1~2학년인데 영어가 매번 1등급이 나온다면 텝스에 도전해보는 것도 괜찮지만, 스펙을 쌓겠다고 텝스를 하는 것은 권하고 싶지 않네요. (정금진 생글6기, 서울교대 영어교육과 15학번)

Q. 미드나 팝송으로 영어 공부하는 거 좋나요?

A. 전 중3 학생을 과외 할 때 쉬운 팝송으로 듣기 연습을 시켜줘요. 단어도 쉽고 발음도 명확한 팝송으로요. 예를 들어 'Let it go'를 들으면서 들리는 단어는 써보기도 하고 해석도 해보면 지루하지 않으면서도 색다른 영어 놀이가 될 거예요. 쿵푸팬더나 겨울왕국 같은 애니메이션은 자막 없이 한 번 보세요. 내용은 이미 알고 있겠죠? 애니메이션 자체가 아이들을 위한 거라 단어도 쉽고, 발음도 빠르지 않으면서 명확해요. (신정련 생글6기, 부산대 영어교육과 12학번)

A. 저는 학업에 방해가 되지 않는 선에서 여가 시간에 영어 미드를 보는 것을 추천합니다. 대학에 진학해서 미드를 보다 보니 저도 모르게 그 대사를 따라하고 있더라고요. 미드나 보거나 팝송을 들으면서 거기에 나오는 영어를 따라하려는 노력을 병행한다면 부수적으로 영어를 공부하는 데 큰 도움이 될 것 같습니다. (김도민 생글8기, 서울대 경영학과 14학번)

A. 미드와 팝송은 아주 좋은 공부도구예요. 그렇지만 미드를 볼 때는 영어 자막을 봐야 하고, 팝송을 들을 때는 가사가 이해될 수 있는 노래를 들어야 해요. 그렇지 않으면 미드와 팝송은 그저 아주 좋은 일탈도구가 되죠. 저는 다양한 음악이랑 영상을 정말 좋아해서 미드, 다큐, 영화, 팝송 이런 거 진짜 잘 활용했던 것 같아요. 기분 전환도 되고 공부도 돼요. (김재은 생글7기, 서울대 자유전공학부 13학번)

A. 미드나 팝송이 영어 공부에 도움이 되는 것은 맞지만 수능 영어에 직접적으로 큰 도움이 될 것 같지는 않습니다. 팝송의 경우는 가사에서 회화적인 표현을 익히는 정도에 도움이 되는 것 같고 듣기 실력이나 영어 공부에는 큰 도움이 되지 않는다고 생각합니다. 영어를 더 친숙하게 해주는 수단에 그치는 것 같네요. 미드는 일상생활 회화, 구어적 표현 등을 익히고 영어 듣기에 익숙해지는 데에는 좋을 거예요. 하지만 고등학생으로서 입시를 위해, 특히 수능 영어를 위해 미드나 팝송으로 공부하는 것은 단기간에 큰 효과를 내지는 못할 것 같습니다. 미드나 팝송을 활용하여 영어 공부하는 것은 나중에 영어 회화나 실생활 표현을 익히는 데에 더 유용할 것 같습니다. (김보미 생글7기 이화여대 스크랜튼학부 13학번)

A. 영어에 워낙 흥미가 없다면 영어에 흥미를 붙일 때 미드나 팝송이 도움이 많이 되겠죠. 그런데 수능 공부를 할 때는 많이 도움이 되지 않을 거예요. 안 그래도 학생 때는 공부 빼고 모든 것이 즐거운데, 미드나 보

거나 팝송을 듣고 있으면 거기에 빠지게 될 가능성이 높은 것 같아요. 저희 고등학교에선 수요일 아침마다 미드 'Friends'를 틀어줬는데, 고3은 제외였어요. (오유진 생글5기, 성균관대 영어영문학과 13학번)

A. 수능을 준비하는 학생이 미드나 팝송으로 영어 공부를 하는 것은 공부법이 잘못되었습니다. 수능은 출제 방향과 시험 형태가 형식화되어 있습니다. 그것에 맞춰서 공부를 해야죠. 미드를 보면서 영어 공부를 한다는 것은 사실은 놀고 있는데 영어 공부를 한다고 자기 위안을 삼는 것 밖에 안 됩니다. 수험생활에서 가장 피해야 할 자세가 자기 합리화입니다. 쉬는 시간에 미드를 보거나 팝송을 듣는 것은 괜찮지만 그 시간에 영어 공부를 하고 있다는 생각은 버리시는 게 좋겠습니다. (이훈창 생글7기, 성균관대 경영학과 14학번)

A. 현재 읽고 계시는 이 파트의 제목이 '영어 (영어 일반 포함)'입니다. 여기서 말하는 '영어 일반'이란 말하기, 작문, 회화 등을 의미하며, 수능 영어와는 구별 지어 사용한 용어입니다. 고등학생은 수능 스타일의 영어 공부 즉, 읽기에 중점을 두기 바랍니다. 사실 수능 듣기가 쉽다는 점에서 수능 영어 공부의 초점은 듣기를 제외하고 읽기에 맞춰져야 하며, 말하기와 회화 등은 필요하지 않습니다. 이는 고등학생들이 스펙으로 준비하는 공인영어시험에서도 마찬가지입니다. 고등학생들이 흔히 치르는 텝스에서도 듣기와 읽기만을 다룹니다. 미드를 통한 공부는 읽기가 아닌 회화에 효과가 있는 공부이며, 이는 대학생이 되어서 해야 할 것입니다. 대학생이 되면 수능 스타일의 영어 공부에서 벗어나 회화, 작문 등의 능력을 추가적으로 겸비해야 합니다. 이를 위해 공인영어시험도 듣기와 읽기 중심인 토익과 더불어 말하기를 평가하는 토익스피킹 등의 시험을 준비하게 됩니다. 해외교환학생을 준비할 경우에는 말하기, 듣기, 읽기, 쓰기를 모두 평가하는 토플을 준비하고요. 이를 위해 미드를 통한 회화 공부도 많이 합니다. 학생이 영어에 특화된 학과를 준비하거나 영어 말하기 대회 등을

준비하지 않는 이상, 거기다 학생이 일반고를 다닌다면 대학 입시에서 일상생활 스타일의 회화를 할 일은 거의 없습니다. 미드를 보고 싶더라도 좀 더 참고 입시가 끝난 후에 실컷 보길 바랍니다. 지금 미드 보는 건 수능에 전혀 도움이 되지 않습니다. (이정훈 생글5기, 성균관대 경영학과 11학번)

Q. 영어 스피킹이 엄청 약해요. 그래서 혼자 있을 때나 학교 가는 길에 혼자 중얼중얼하는데 이거로는 정말 부족하잖아요. 어떻게 하면 스피킹 실력을 올릴 수 있을까요?

A. 스피킹은 토플스피킹을 준비하면서 자꾸 말하는 연습을 하면 좀 느는 거 같아요. 공인영어성적이 필요하면 그거 준비할 겸 토플스피킹 공부해보세요. (박성연 생글7기, 서울대 경영학과 13학번)

A. 말하기 대회에 자주 나가세요. 아니면 미드나 미국 영화 대사를 외워버리세요. 입에 영어 단어가 익숙할수록 자연스럽게 발음 좋은 스피킹이 가능하답니다. 전 영어 말하기 대회를 정말 자주 나갔는데, 덕분에 특정 동사 뒤에 오는 전치사나 특정 동사가 요구하는 문장 구조 등을 자연스럽게 익힐 수 있었습니다. (이소은 생글7기, 고려대 미디어학부 14학번)

A. 필리핀 강사들이랑 전화 영어를 하는 프로그램 있는데 좋더라고요. 가격도 저렴하고 연습이 많이 돼요. 검색해보면 여러 업체가 나올 거예요. 자기 취향에 맞게 하세요. 교재 커리큘럼을 타도 좋고 자유롭게 대화를 해도 좋고요. (김병민 생글8기, 서울대 경영학과 14학번)

A. 영어 스피킹이 약한 이유는 첫 번째로 input이 충분하지 않아서, 두 번째로 output이 충분하지 않아서, 이렇게 두 가지로 나눠져요. 여기서

input은 단어를 외우고, 원어민들이 어떻게 말하는지 많이 듣고 많이 읽어보는 작업을 의미하고, output은 실제로 말을 해보는 걸 의미해요. input을 하는 게 첫 번째 스텝이고 그 다음에 외국인이랑 이야기를 하든지 혼자 중얼거리든지 연습을 해야 해요. 많은 학생들이 외국인이랑 이야기할 기회가 없어서 또는 영어로 말을 많이 안 해서 스피킹을 못한다고 생각해요. 그런데 사실 직접 말을 많이 안 하고도 스스로 머릿속으로 문장을 생각해보는 것만으로도 output은 충분히 연습할 수 있어요. 그러니 스피킹 연습을 하고 싶으면 먼저 영어 회화에 쓰이는 문장들을 많이 듣고 많이 알고 난 다음에, 일상생활 속에서 '방금 내가 한 말을 영어로는 어떻게 말해야 하지?'하는 질문을 스스로에게 끊임없이 하세요. 그렇게 문장을 구성해보는 연습이 스피킹의 가장 중요한 핵심이에요. 물론 발음은 예외고요. 발음은 머릿속으로 안 되니까 나중에 연습해도 돼요. 발음 못해서 스피킹 못하는 사람보다 어떻게 말할 줄 몰라서 스피킹 못하는 사람이 훨씬 많으니까 먼저 연습을 하는 게 중요해요. 아주 똑똑하시고 유명하신 분들 중에서도 영어 발음이 완벽하지 않은 경우가 많으니까 발음에 관해서는 너무 스트레스 안 받아도 돼요. (김재은 생글7기, 서울대 자유전공학부 13학번)

Q. 영어 작문이 잘 안 되는데 어떻게 하면 실력이 늘까요?

A. 영어 작문은 무조건 많이 써보는 게 중요해요. 한국 학생들이 영어 작문을 어려워하는 이유는 열에 아홉이 충분한 연습을 안 해봤기 때문이에요. 제가 학원에서 영어를 가르치면서 느낀 건데 영어 작문을 시켜보면 많이 써본 사람과 몇 번 안 써본 사람 사이에 정말 많은 차이가 있어요.

아예 쓸 줄 모르던 사람도 에세이를 10개 정도만 써보면 실력이 늘더라고요. 그러니 영어 작문 연습을 하고 싶다면 많이 써보고, 쓰고 나서 적절한 선생님에게 첨삭과 피드백을 받는 게 좋아요. (김재은 생글7기, 서울대 자유전공학부 13학번)

2-5 사회탐구 및 한국사능력검정시험

Q. 수능 때 응시하는 사회탐구 과목은 어떻게 고르는 게 좋아요? 학교에서 안 배운 과목을 선택하면 많이 힘들까요?

A. 학교에서 안 배운 과목을 고르면 많이 힘드실 거예요. 학교에서 하는 탐구 과목으로 선택할 때보다 공부해야 하는 과목이 늘어나니까 당연히 힘들죠. 국영수에 아주 자신이 있으시다면 굳이 말리지는 않겠습니다. 그런데 국영수도 성적 안 나오는 상황에서 탐구영역에 시간을 쏟는 건 바보 같은 일이라고 생각해요. 저도 효율성을 생각해서 정말 좋아했던 탐구 과목들을 3학년에 올라오면서 버렸습니다. '정말 나는 학교에서 하는 과목이 죽어도 싫다!' 하시는 거 아니면 그냥 학교 과목을 따라가는 걸 추천할게요. (임우미 생글6기, 서울교대 음악교육과 13학번)

A. 사탐 과목을 선택할 때 첫 번째로 고려해야 할 것은 학교에서 배우는 과목인지입니다. 보통 학교에서 많이 가르치는 과목들은 수능에서 많은 학생들이 응시하여 등급이나 표준점수를 받기가 쉬운 과목들입니다. 큰 이유가 있지 않다면 학교에서 가르치는 과목을 선택하는 것이 편합니다. (김도민 생글8기, 서울대 경영학과 14학번)

A. 학교에서 하는 과목으로 고르는 게 시간 낭비가 안 되죠. 사탐 공부는 어느 과목이든 반복과 암기를 통한 공부라서 과목별로 크게 다를 게 없어요. 그런 점에서 학교에서 하는 과목을 추천합니다. 그리고 꾸준히 공부해야 한다는 점에서 보면 자신이 흥미 있는 과목으로 고르는 것도 좋아요. (황보미 생글8기, 건국대 경영학과 14학번)

A. 사탐 선택의 우선순위는 첫째로 본인이 좋아하는 과목, 둘째로 응시자 수가 많은 과목, 셋째로 학교에서 가르치는 과목이라고 봐요. 하지만 한국사는 아무리 역사를 좋아한다고 해도 서울대를 목표로 하지 않는다면 하지 말라고 말리고 싶어요. 응시자 수준이 높다 보니 문제가 어려워서 노력 대비 성적 산출량, 즉 효율성이 너무 떨어져요. 저도 진짜 한 역사 덕후(?!) 하는데 2012학년도 수능에서 국사(현재의 한국사) 1등급을 받기가 정말 어려웠어요. 지금은 과거의 국사, 한국근현대사 과목이 한국사라는 한 과목으로 합쳐지고 근현대사 비중이 70%로 늘었다고 하더라도 여전히 재수학원 종합반 선생님들께서는 서울대 지망자가 아니라면 과감히 한국사는 버리라고 하더라고요. 2017학년도 수능을 응시하는 1998년생부터는 한국사가 필수라 이런 고민은 안 해도 되겠네요. (정금진 생글6기, 서울교대 영어교육과 15학번)

A. 가장 우선적으로 고려해야 할 점은 자신의 흥미예요. 그 과목이 본인하고 맞는지가 제일 중요해요. 학교에서 안 배운 과목을 선택하면 따로 또 공부를 해야 하니까 힘들 수 있지만, 공부하고 싶고 재미있는 과목을

하는 게 훨씬 좋을 것 같다는 생각이 들어요. 응시자 수도 무시할 수 없는 것 중 하나예요. 응시 인원이 너무 적으면 등급을 따기 어려울 수도 있어요. 그래서 적당한 인원이 응시하는 과목을 선택하는 것도 하나의 팁이 될 수 있어요. (김보미 생글7기, 이화여대 스크랜튼학부 13학번)

A. 사탐 과목을 선택하는 기준은 크게 두 가지가 있습니다. 첫 번째는 학교에서 배우는 과목을 선택하는 것이에요. 장점은 당연히 내신 공부와 수능 공부를 동시에 할 수 있다는 것이죠. 만약 학교에서 배우지 않는 과목을 선택하면 공부를 하다가 궁금증이 생겼을 때 그것을 해소하기가 상대적으로 어렵고, 타 사탐 과목 수업 시간이나 다른 시간을 할애하여 공부해야 한다는 단점이 있죠. 두 번째 기준은 바로 응시 인원이 많은 과목을 선택하는 것입니다. 응시 인원이 상대적으로 적은 과목의 경우에는 소위 말하는 '덕후'가 많을 가능성이 있고, 때문에 성적이 노력에 비해 잘 나오지 않을 수 있어요. 응시 인원이 많은 과목은 다른 과목에 비해 공부한 만큼 성적이 잘 오르죠. (김예원 생글7기, 고려대 경제학과 13학번)

A. 학교에서 배우는 과목으로 고르는 것이 좋아요. 학교에서 선생님께서 수업을 해주시고 문제 풀이도 해주시는데 그 과목을 선택하지 않는다면 그 시간을 버리는 것과 마찬가지잖아요. 그리고 학교에서 안 배운 과목을 선택하면 개인적으로 학교 수업 시수만큼 또 추가로 시간을 들여야 하는데 장기적으로 봤을 때 학생이 지치기 쉽습니다. 이건 제 경험담입니다. (신정련 생글6기, 부산대 영어교육과 12학번)

A. 사탐을 선택하는 데에 있어서 한 가지 팁은, 공부하면서 느껴 보니 내신에서 다루는 걸 선택하라는 말이 무시할 게 아니었다는 거예요. 저는 우연히 두 과목 중 하나가 내신에서 다루는 과목이라 공부하기 비교적 수월했지만 학교에서 공부 안 한 과목들만 택한 친구들은 힘들어하는 게 눈에 보이더라고요. 저도 두 과목 다 내신 과목과 다른 걸 택했으면 힘들었을 수도 있겠다는 생각이 들었어요. 정 그래도 내신에 없는 과목을 고르

고 싶다면 하나만 고르는 정도로 하는 게 좋을 것 같아요. (최승희 생글7기, 한국외대 아랍어과 14학번)

A. 개인적으로는 학교에서 배운 과목들을 선택하는 걸 추천해요. 하지만 학교에서 배운 과목들이 취약하고 다른 과목을 잘할 자신이 있다면 스스로 다른 과목을 공부하는 것도 괜찮아요. 단, 이런 경우 사회탐구 과목을 보통 고3 때 시작하는 것에 반해 그러한 과목은 미리 공부를 해놓거나 최대한 일찍 끝내려고 해야 합니다. 고3 때는 사회탐구에 많은 시간을 쏟을 여유가 없어요. (박영준 생글7기, 경찰대 행정학과 13학번)

Q. 사탐 공부는 언제, 어떻게 해야 하나요?

A. 사탐 공부는 우선 학교에서 배우는 것이 기본 바탕이 됩니다. 학교에서 수업을 들을 때 선생님의 말씀, 교과서, 참고서를 통해 내용을 완벽히 숙지하고 내신을 준비한 후, 고등학교 3학년을 앞둔 겨울방학에 가장 관심이 있고 자신이 있는 과목들을 수능에서 볼 과목으로 선택하는 것이 좋아요. 그리고 1학년 때부터 꾸준히 치르는 모의고사에 나오는 사탐 문제들 중에도 좋은 문제들이 많기 때문에 이 문제들도 꼼꼼히 풀어보기를 권해요. 정리하자면 1~2학년 때는 따로 수능 사탐 준비를 할 필요 없이 학교 수업을 기반으로 한 내신 공부와 모의고사를 통해 공부하고, 고3을 앞둔 겨울방학에 사탐 과목을 선택하여 공부를 시작하면 됩니다. (박성연 생글7기, 서울대 경영학과 13학번)

A. 저는 고3 되기 이전 겨울방학 때 사탐 기본 개념을 다 끝냈습니다. 저 때는 사탐 세 과목이었어요. 그렇다고 언수외 공부를 소홀히 한 건 아니고요. 언수외 공부를 하면서 사탐까지 다 끝내느라 진짜 힘들었죠.

그래도 그렇게 사탐 기본 개념을 다 끝내고 나니 다른 학생들과 차이가 월등히 나서 내신 점수는 따 놓은 당상이었고, 더 좋았던 건 학기 중에 사탐에 할애하는 시간을 줄이게 되어 언수외에 더 집중할 수 있었다는 점입니다. 참고로 저는 2학년에서 3학년으로 올라가면서 내신 과목 따라가느라 사탐을 두 과목이나 바꿨음에도 불구하고 수능에서 모두 만점을 받았으니 고2 겨울방학 때 기초 개념을 잡아둔 게 얼마나 큰 도움이 되었는지 아시겠죠? (임우미 생글6기, 서울교대 음악교육과 13학번)

A. 사탐은 고3 겨울방학 이전까지는 수능 때 볼 과목을 정하고 기초 개념 공부를 끝내는 것이 좋을 것 같아요. 사탐 과목 선택은 자신이 잘할 수 있는 과목을 선택하는 것도 중요한데, 꾸준히 공부할 수 있는 환경도 고려할 요소예요. 학교에서 내신 과목으로 선택하고 있는지도 확인해보고 고르세요. 고3 때 중점적으로 공부해야 할 것은 등급을 가르는 변별력 있는 문제들이에요. 그런 문제가 약 3문제 정도 출제되는데, 과목별로 변별력 있는 문제 유형이 보통 정해져 있으니 실력이 쌓인 후에는 그런 문제들 위주로 공부하시면 될 것 같아요. 제가 수능에서 응시했던 한국지리에서는 기본개념을 바탕으로 지역을 추론하는 형식의 문제들이나 인문지리 파트에서의 자료해석 문제, 사회문화에서는 표나 자료를 분석하는 문제와 사회변동이론 문제 같은 것들이 변별력 있는 문제라고 할 수 있습니다. (심윤보 생글8기, 전주교대 초등사회교육과 14학번)

A. 고2 겨울방학 때까지 한 번 개념 정리를 해두면 좋지요. 하지만 고3 전에 꼭 안 끝낸다고 큰일 나는 건 아녜요. 특히 요즘은 탐구 과목 수도 줄어서요. 다만 자신이 확실히 좋은 성적을 거둘 수 있는 과목은 고3 전에 탐색해야 한다고 생각해요. 못하는 사탐 과목을 계속 끌고 가면 곤란해요. (이은석 생글4기, 서울대 국어교육과 11학번)

A. 탐구는 국영수에 비해서 중요도가 떨어지지만 나중에 많은 학생들의 발목을 잡는 과목이기도 합니다. 그러나 탐구는 국영수와 달리 배우는 부

분이 정해져 있기 때문에 해당 내용을 정확히 이해하고 유형을 완벽하게 파악하면 단시간에 성적을 올리기도 용이할 뿐만 아니라 시간을 덜 투자해도 효과를 쉽게 볼 수 있기도 합니다. 사회탐구의 경우 난이도가 있는 문제의 유형은 대부분 정해져 있습니다. 주로 표나 그래프를 분석하는 경우가 이에 해당됩니다. 실제로 사회문화 과목의 경우 표 분석 문제가 1등급을 가르는 문제일 정도입니다. 이 말은 이미 시험의 방향이나 난이도, 유형이 모두 공개되어 있다는 것이며, 동시에 이러한 유형만 완벽히 이해하면 1등급을 따내기가 수월하다는 것입니다. 때문에 탐구에서 가장 중요한 것은 기출문제입니다. 기출문제를 완벽하게 풀 수 있고, 그 문제에서 오답을 유도하는 출제자의 방식만 판단한다면 사회탐구는 쉽게 정복할 수 있기 때문입니다. 따라서 사회탐구에서 가장 좋은 효과를 낼 수 있는 공부법은 개념 공부와 문제 풀이를 병행하는 것입니다. 이는 다른 국영수 과목과는 다른 접근 방식으로, 문제 풀이 후 정리하는 과정에서 부족한 개념을 보충할 수 있는 사회탐구 과목의 특성에 기인한 것입니다. 즉, 사회탐구에서는 헷갈리는 개념을 문제로 만든 예시가 이미 기출문제에 사실상 모두 드러나 있는 상태이므로 기출문제를 풀면서 개념을 어떻게 헷갈리게 구성했는지를 익히고 이를 정리하여 틈 날 때마다 보는 것으로 충분히 공부를 할 수 있다는 이야기입니다. 실제로 경제 같은 과목에서 많이 사용하는 오답 유형은 상승률의 감소를 마치 상승 자체가 이뤄지지 않는 것처럼 표현하는 등 그래프 분석에서 쉽게 범하는 오류를 이용한 것들입니다. 때문에 모든 학생들이 기출문제만 완벽히 분석한다면 실제 수능에서도 어렵지 않게 좋은 성적을 낼 수 있습니다. 그러나 보통의 학생들은 단지 문제를 많이 풀 뿐, 오답이나 문제 자체에 대한 분석을 하지 않는 경우가 많으며, 이 때문에 사회탐구에서도 투자한 시간 대비 좋은 효율을 거두지 못하고 있습니다. 사회탐구를 공부하는 가장 좋은 방법은 기출문제에서 난이도가 높은 유형별로 10~20여 문제를 뽑아 모든 선지에서 오답을 어떻게 만들어내고 정답을 어떻게 구성했는지 유형을 정리하는 것입니다. 표 문제의 경우 어떻게 학생을 오답으로 유도하는지, 개념문제의 경우 어떤 개념의 혼동을 유도하는지 등 문제의 구조를 분석하는 훈련을 통해 학생들은 문제를 풀 뿐만 아니라 출제자의 의도를 명확히 파악하게 되고 자연스럽게 개념 상 헷갈리게 되는 부분을 집중해서 공부할 수 있는 기회를 가지게 되는 것입니다. 노트를 만들거나 기출문제집 하나를 사서 그 한 권에 유형을 분석하고 헷갈리는 개념이 있을 때마다 기록하여 이를 반복해서 공부해 숙달되도록 하는 것이 가장 좋은 공부법이라고 할 수 있을 것입니다. (홍성현 생글6기, 서울대 경제학부 13학번)

Q. 역사 과목 공부법 알려주세요.

A. 모든 사회탐구의 기본은 '개념의 단권화 + 기출문제 분석'이라는 말을 하고 싶습니다. 특히 역사 과목은 양이 많은 편이 속하므로 개념을 정확하고 탄탄하게 익히는 것이 정말 중요합니다. 저는 일단 내신을 공부할 때 꼼꼼히 공부해서 개념을 다졌습니다. 교재로는 『미래로 수능기출문제집』, 『EBS 수능특강』, 『EBS 수능완성』을 풀었습니다. 한국사는 양이 많아서 고2 여름방학이나 겨울방학부터 인강을 듣는 게 좋다고 생각합니다. 저는 고종훈 선생님 강의를 들었습니다. 정리가 깔끔하고 포인트를 정확하게 집어주는 강의입니다. 역사에서 중요한 것은 흐름입니다. 저는 연도 감각이 좋은 편이라서 근현대사 파트는 연도를 거의 외우고 다녔습니다. 전근대 파트와 달리 근현대 파트는 1년 단위, 심지어는 월 단위로 사건이 나뉘기도 하기 때문에 어느 정도 연도를 외우는 것이 중요합니다. 정 외우지 못하겠다고 한다면 사건의 전후 관계와 흐름이라도 반드시 정리해야 합니다. 보통 교과서는 정치, 경제, 사회, 문화 파트로 나뉘어 각각의 시

대별로 서술이 되어 있는데 이를 한데 묶어서 자신만의 연대표를 작성하면 좋습니다. 한국사는 기출문제 분석이 중요한 과목입니다. 최근 5개년 정도의 문제만 풀면 충분합니다. 그냥 문제만 풀고 넘어가지 말고, 평가원에서 나온 기출문제들은 정답이 아닌 선지들도 사실에 대한 서술이기 때문에 선지가 가리키는 것이 무엇에 관한 설명인지 분석하다 보면 실력 향상에 도움이 많이 됩니다. 예를 들어, 정답이 갑신정변인 문제에서 오답인 어떤 선택지가 임오군란에 관한 설명인지, 갑오개혁에 관한 설명인지 구분할 수 있어야 합니다. (정금진 생글6기, 서울교대 영어교육과 15학번)

A. 역사는 스스로 연표를 만들거나 사건이 일어난 순으로 직접 정리하여 공부를 하는 게 기본적인 방법인 것 같습니다. 팁을 하나 더 드리면 인과관계를 생각하면서 외우면 편합니다. 그렇게 외우면 어떤 사건 하나가 안 떠올라도 그 전후 관계를 통해 떠올릴 수 있습니다. (김도민 생글8기, 서울대 경영학과 14학번)

A. 한국사 응시자입니다. 어렸을 때부터 한국사를 매우 좋아했고 고1 때도 학교에서 배우는 한국사가 재미있어서 선택했어요. 고종훈 선생님의 인강을 들었습니다. 고종훈 선생님 수업은 정리가 되게 잘 돼요. 강민성 선생님도 인기가 많은데 강민성 선생님은 흐름 위주의 스토리텔링 느낌의 수업을 한다고 해요. 이에 반해 고종훈 선생님은 임팩트 있게 주요 내용을 강조해주시고 표로 정리도 딱딱 해주세요. 저는 고종훈 선생님의 수업 방법이 더 공부하기도 좋고 기억에 오래 남았어요. 그리고 제가 생각하는 고종훈 선생님의 가장 큰 장점은 수업 중간에 계속해서 이 정도면 누구든 할 수 있다는 인식을 심어주어 자신감을 키워주신다는 거예요. 한국사능력검정시험을 준비하는 제 친형도 고종훈 선생님 강의로 공부했는데 매우 좋아하더라고요. 한국사는 계속 감을 잃지 않고 외우는 게 중요해요. 한국사는 흐름이 뚜렷한 과목이에요. 흐름을 따라서 외워가야 합니다. 예컨대 어제 1984년 갑오개혁에 대해 공부했다면 오늘은 1895년 을미개혁을 공

부합과 동시에 갑오개혁도 같이 비교하는 식으로 흐름을 타는 공부를 해야 해요. 이런 식의 공부를 하루 이틀만 안 해도 흐름이 끊겨서 공부가 어려워져요. 그리고 사건이 하나 나올 때마다 그 사건과 연관된 사건 혹은 유사한 사건을 생각해보면 공부에 정말 도움이 됩니다. 노트를 하나 정리해보는 것도 나쁘지 않을 것 같아요. (최승희 생글7기, 한국외대 아랍어과 14학번)

A. 한국사는 일찍 시작해야 하고, 꾸준히 하는 게 좋아요. 워낙 양이 방대하다 보니 자주 접하는 것이 최선입니다. 교과서를 최대한 자주 읽고, 이야기 흘러가듯이 공부하세요. 저는 개인적으로 강민성 선생님 강의가 좋았어요. 역사를 이야기 흘러가듯이 정리해주셔서요. 강민성 선생님 인강 몇 번 듣고, 교과서 해당 부분 읽으면서 정리하고, EBS 교재랑 기출문제 풀면 될 것 같아요. 그리고 틀린 선택지도 꼭 정리하고요. (오유진 생글5기, 성균관대 영어영문학과 13학번)

A. 저는 국사가 어려웠어요. 어려서 외국에 살다 와서 어린 시절부터 국사를 접할 기회가 없었거든요. 저는 넓게 보는 시각을 기름으로써 국사 과목을 극복했어요. 지엽적인 세세한 내용들을 먼저 외우지 말고, 시대별로 크게 전체를 보고 나서 세세한 사항을 외우는 게 좋아요. 전체를 보는 눈을 기르기 위해 책의 목차를 자주 보는 걸 추천하고 싶어요. (서아진 생글7기, 연세대 정치외교학과 13학번)

A. 한국사는 빨리 준비하실수록 좋아요. 일단 내신 때 열심히 해두세요. 인강을 들으면서 잘 따라간다면 큰 무리 없이 좋은 결과를 얻을 수 있습니다. 인강 강사마다 스타일이 다르므로 자신의 조건(학습 가능 시간 등)에 맞는 강의를 잘 선택해서 들어야 합니다. 요즘은 강민성 선생님이 잘 나간다고 하네요. 한국사는 다른 사탐 과목에 비해 공부할 양이 방대하고, 응시자의 수준이 높기 때문에 스트레스를 받을 수 있습니다. 자신이 서울대를 지원할 것이라면 한국사를 해야 하지만 국영수가 불안한 경우에

는 한국사 선택을 진지하게 고민해봐야 합니다. 실제로 고3 여름방학이 되어서 한국사를 포기하는 학생들도 상당수 존재합니다. 그러한 시행착오를 겪지 않으려면 한국사를 고를 때 신중하게 판단을 내려야 합니다. (김현재 생글8기, 서울대 경영학과 14학번)

A. 저는 EBS 최태성 선생님의 인강을 들으면서 공부했어요. 역사는 하나의 이야기잖아요. 그래서 저는 그 이야기의 흐름을 이해하려고 노력했어요. 무작정 외우기보다는 인과관계에 초점을 맞추어 왜 그 사건들이 일어났는지 이해하면 더 잘 기억나더라고요. 공부할 때도 친구한테 설명하듯이 실제로 말을 하고 손짓도 써가면서 스토리를 제 머릿속으로 정리했어요. 아니면 빈 종이에 줄을 그어놓고 연대별로 일어난 사건을 차례대로 쓰면서 제가 아는 것을 모두 말해보는 식으로 제가 기억하고 있는 것을 확인했습니다. (신정련 생글6기, 부산대 영어교육과 12학번)

A. 저는 국사, 한국근현대사, 세계사, 이른바 과거 수능의 3사를 모두 응시했습니다. 다소 많은 암기를 요하는 과목인데, 저는 노트 정리로 이런 부담을 극복했습니다. 교과서와 필기, 문제집, 인터넷 강의 자료 등을 나열하고 이 모든 것을 아우를 수 있는 한 권의 노트를 만들기 위해 노력했어요. 이를 단권화라고 하죠. 처음에는 꽤 오랜 시간이 걸렸어요. 노트를 만든 다음에는 그걸 외우냐고요? 아니요. 노트 정리를 하는 그 자체가 바로 암기의 방식이에요. 노트 필기를 마친 이후에는 다시 문제 풀이에서 실수한 내용이나 새로 알게 된 점을 바탕으로 제2의 노트를 만드는 작업을 다시 시작하고는 했어요. 물론 엄청 완벽하고 예쁘게 적을 필요는 없어요. 어차피 보관할 것이 아니고 하나의 공부 수단이기 때문에 본인이 알아볼 정도로만 적으면 돼요. 반복적인 요약정리로 탄탄한 암기가 다져지면 두려울 것이 없습니다. (이은석 생글4기, 서울대 국어교육과 11학번)

Q. 한국사능력검정시험에 응시하신 선배님들은 어떻게 공부하셨나요?

A. 저는 독학으로 준비했었는데 적어도 시험에 있어서는 혼자 책으로만 공부하는 게 비효율적이라고 많이 느꼈어요. 인강 선생님 한 분을 선택해서 커리큘럼을 따라가는 게 좋은 방법이라고 봐요. 요즘은 한국사능력검정시험 난이도가 많이 내려갔다고 들었어요. 수능 때도 한국사를 볼 생각이 있으면 깊이 이해하면서 공부하면 좋습니다. (김병민 생글8기, 서울대 경영학과 14학번)

A. 저는 친구들이랑 스터디그룹을 결성해서 공부했어요. 학교 역사 선생님 한 분께 부탁드려서 매번 문제 풀고 선생님한테 설명 듣는 방식으로 했습니다. (김재원 생글8기, 한국외대 아프리카학부 14학번)

A. 한국사능력검정시험용 인강을 들으면서 시키는 대로만 따라갔습니다. 최근 기출문제를 풀면서 감을 익히는 것도 중요합니다. (김현재 생글8기, 서울대 경영학과 14학번)

A. 저는 기출문제를 뽑아서 공부했습니다. 수능 한국사와 한국사능력검정시험 기출문제를 뽑아 공부한다면 충분히 1급을 딸 수 있습니다. (김도민 생글8기, 서울대 경영학과 14학번)

A. 저는 수능 한국사를 공부해서 한국사능력검정시험에서 98점으로 1급을 땄습니다. 수능 한국사가 한국사능력검정시험보다 더 어려우니까 수능 한국사에 집중해서 공부하면 1급 쉽게 딸 수 있습니다. (오민지 생글6기, 고려대 경영학과 14학번)

A. 설민석 선생님의 한국사능력검정시험 인강을 들었어요. 3주 정도 들었는데, 인강에서 체크해주는 중요한 부분을 외우고 흐름을 알고 있으니 쉽게 1급을 딸 수 있었어요. 수능 한국사를 공부하시는 학생이라면 한국

사능력검정시험이 별로 어렵게 느껴지지는 않을 거예요. 그렇지만 시험 전에 기출문제 3회분 정도는 꼭 확인하시고 가세요. (이소은 생글7기, 고려대 미디어학부 14학번)

A. 저는 고3 여름에 한국사능력검정시험 1급을 취득했어요. 수능에서 국사 과목을 응시했는데, 고3 올라가는 겨울부터 인강을 들으면서 국사 공부를 시작했어요. 고2 12월부터 개념강의를 듣고, 5월 즈음부터 심화강의를 들으면서 한국사능력검정시험 공부를 동시에 병행했죠. 사실 한국사능력검정시험을 위해 따로 인강을 듣는다거나 하지는 않았어요. 오히려 수능 국사가 더 세심한 공부를 요구했기 때문에 수능 국사 심화 공부를 하면서 자연스럽게 대비했던 것 같아요. 물론 기출문제도 풀었고요. (김예원 생글7기, 고려대 경제학과 13학번)

Q. 지리 과목 어떻게 공부하셨나요?

A. 저는 지리를 좋아해서 한국지리, 세계지리를 응시했어요. 사탐은 교재 단권화를 하고 EBS 교재 푸는 게 진리예요. EBS 교재를 풀 때는 한 번 더 봐야할 것들을 형광펜으로 체크해뒀는데 되게 효율적이었던 거 같아요. 한국지리는 강봉균 선생님의 자료 분석 특강을 들었는데, 기출문제에 나왔던 자료들을 분석하는 방법을 배웠어요. 모의고사 볼 때마다 쉬는 시간에 그 교재를 봤어요. 세계지리는 저만의 노트를 만들었어요. 개념, 기출문제 오답, EBS나 기출문제에 나오는 선지 자료 같은 걸 적었어요. 한국지리와 세계지리 중 한 과목을 골라야 한다면 저는 세계지리를 고르겠어요. 세계지리가 범위는 넓지만 암기량은 한국지리보다 적고, 문제 유형도 거의 변형이 없어요. 한국지리는 문제를 자꾸 꼬아요. (손소연 생글7기, 동국대 정치외교학과 14학번)

A. 한국지리 응시자입니다. 3학년 때 지리가 좋아서 한국지리를 무턱대고 선택했어요. 6월 모의고사에서 한국지리 망했는데, 이기상 선생님 인강을 듣고 나서 9월 모의고사에서는 1등급을 찍었어요. 야자 시간에 인강 보면서 웃으니까 야자 감독 선생님께서 왜 웃냐고 하실 정도로 진짜 즐겁게 공부할 수 있었어요. (황보미 생글8기, 건국대 경영학과 14학번)

A. 한국지리는 이기상 선생님 인강과 『EBS 수능특강』으로 공부했어요. 이기상 선생님 강의는 진짜 시간 가는 줄 모른다고 표현할 정도로 재밌어요. 수능 기출문제는 단원별로도 풀고 연도별로도 풀었습니다. 한국지리는 양이 좀 많고 문제도 어려운 게 단점인데, 응시자 수도 많고 한 번 어느 정도 궤도에 오르면 그 뒤로는 공부가 정말 잘 되는 과목입니다. (김재원 생글8기, 한국외대 아프리카학부 14학번)

A. 개인적으로 지리는 원래 선호하는 과목이 아니었는데 이기상 선생님 덕분에 좋아하는 과목이 되었어요. 이기상 선생님 인강은 진짜 재밌어서 몇 번을 돌려보곤 했어요. 물론 선생님 개그만 기억에 남으면 안 되고, 수업 내용에 집중할 땐 집중해야겠죠. 선생님께서 자잘한 지리 지식들을 쉽게 외우는 방법을 가르쳐주세요.(도지철도배, 소시실신대중울쓰 등) 선생님께서 외우라는 거 그대로 외우면 한국지리는 무난히 잘 볼 수 있어요. 저는 친구들 모두가 이기상 선생님 강의 수강자라서 수업 내용 관련 개그를 서로 다시 말해주면서 웃으면서 외우고 그랬어요. 이기상 선생님이 아니더라도 자신에게 맞는 인강을 들으면서 EBS 교재에 나오는 신유형 정리하고 기출문제 돌리면 유형이 눈에 들어올 거예요. (오유진 생글5기, 성균관대 영어영문학과 13학번)

Q. 윤리 과목에 대해 알려주세요.

A. 윤리와 사상 응시자입니다. 윤리와 사상은 개인 성향을 은근히 타는 과목이에요. 재미를 느낀다면 정말 큰 재미를 붙이면서 공부할 수 있는 반면에 흥미를 느끼지 못한다면 지루할 수밖에 없는 과목이에요. 저는 아버지가 철학을 하셔서 그런지 뭔가 쏙쏙 들어오는 그런 게 있었어요. 게다가 윤사는 다행히 학교에서도 다뤄서 내신 공부 때도 필요한 과목이었고요. 김성묵 선생님 강의를 들었는데, 재미있으면서도 쉽게 가르쳐주시는 선생님이세요. 학교 선생님도 매우 좋은 분을 만났어요. 윤사는 3학년 1학기에 개념을 한 번 익혀두면 여름방학부터는 문제 풀이만으로 계속 공부를 해나갈 수 있어요. 5지선다형 문제 선택지 하나하나에 연관되는 개념을 생각하면서 공부하면 잘 외워져요. EBS 교재를 풀면서 정답이 아닌 선택지들도 꼼꼼히 살피다 보면 완벽히 공부가 됩니다. (최승희 생글7기, 한국외대 아랍어과 14학번)

A. 윤리 과목은 암기가 자신 있다면 진짜 만만한 과목이에요. 나중에 배경지식으로도 좋고요. 개인적으로 김성묵 선생님 강의를 굉장히 좋아했어요. 동양, 서양 쪽을 따로 가르치기 보다는 그 둘의 공통점, 차이점 등도 꼼꼼히 분석해주셨거든요. (오유진 생글5기, 성균관대 영어영문학과 13학번)

A. 생활과 윤리 과목은 기존의 윤리에서 나눠진 과목인데, 윤리와 사상보다 난이도가 쉽고, 모든 사회탐구영역 과목 통틀어서도 쉬운 편에 속해서 등급컷이 높아요. 그러다 보니 응시생 수도 많고요. 공부하기 쉬운 과목이기 때문에 대부분의 학생들이 가볍게 생각하는 경우가 있는데 공부하기 쉬울수록 실수를 유도하거나 함정을 파놓는 경우가 있어요. 생활과 윤리는 생긴 지 얼마 안 된 과목이기 때문에 기출문제도 별로 없다는 단점이 있네요. 하지만 개념 정리 확실히 하고, 그 후에 문제 풀이 충분히 하

면 쉽게 만점 받을 수 있는 과목입니다. 안상종 선생님 강의를 추천할게요. 저는 고3 겨울방학 때부터 안상종 선생님 커리큘럼 따라가서 만점 받았습니다. (박준형 생글8기, 건국대 글로컬캠퍼스 경제학과 14학번)

A. 윤리와 사상에 대해서 설명할게요. 공부법을 설명하기 이전에 우선 과목에 대한 이해가 필요하겠죠? 공부를 시작하기 이전에 자신이 택한 과목에 대한 전체적인 특성을 파악해놓으면 어떤 방식으로 공부해야 하는지에 대한 방향을 잡을 수 있어요. 윤리와 사상은 과목명에서 알 수 있듯이 철학자들의 사상을 배우는 것이랍니다. 그렇다면 각 사상가들의 주장이나 생각을 명확히 아는 것이 공부의 첫걸음이겠죠? 사상가들의 주장이나 생각을 명확히 이해하기 위해서는 그 주장이 나오게 된 배경에 대해 아는 것도 중요할 것이고요. 배경 지식 공부나 개념 정리는 인터넷 강의를 통해서 하는 것을 추천해요. 전 최진기 선생님 강의를 들었습니다. 배경 지식도 쌓이고 윤리와 사상을 편하게 공부할 수 있어서 좋더라고요. 그리고 배경과 개념에 대한 정리가 완벽하게 되었다면 시중 참고서든 기출문제든 꼭 문제를 풀어보세요. 이건 자신이 공부한 개념을 복습하기 위한 목적도 있지만 다른 개념을 정리하는 데에도 목적이 있어요. 문제를 풀면서 자신이 몰랐던 개념이 분명히 또 쏟아져 나올 거예요. 그러면 바로바로 자기 것으로 만들어야 합니다. 개념의 완성은 문제 풀이라는 걸 절대 잊지 마세요. (고원진 생글7기, 건국대 경영학과 14학번)

A. 윤리와 사상, 생활과 윤리 과목을 한꺼번에 설명할게요. 이 과목도 마찬가지로 개념과 문제 풀이가 중요합니다. 윤사와 생윤은 겹치는 부분이 상당히 많고, 생윤에서 언급된 사상가 관련 내용들이 윤사에서 심화되어 나오는 경우가 많기 때문에 같이 공부하면 정말 좋습니다. 윤리와 사상은 크게 서양사상과 동양사상으로 나뉘어져 있는데, 서양사상에서는 계보를 정리하는 것이 중요합니다. 저는 개념강의를 다 듣고 난 후에 스스로 마인드맵을 그리며 (목적론, 의무론, 반이성주의 등) 정리했고 그 뒤

모의고사 전에 꼭 복습을 했습니다. 그리고 동서양을 막론하고 사상가별로 핵심 키워드를 정리하는 것도 필수입니다. 특히 지문이 나왔을 때 이를 읽고 누군지 파악해야 문제를 잘 풀 수 있기 때문에, 모의고사나 기출문제를 풀 때마다 어떤 사람인지 알 수 있게 해주는 단어에 동그라미를 치고 따로 정리해서 외웠습니다. (예를 들면, 맹자는 의, 불인인지심, 무항산 무항심 등) 생활과 윤리는 비교적 신생 과목임에도 불구하고 공부량이 적고 쉽다고 알려져 선택자 수가 많은 과목에 속합니다. 하지만 2015년 6월 평가원 모의고사에서 가장 낮은 1등급 컷을 기록했고(43점) 문제도 상당히 까다로웠습니다. 생윤은 실생활과 관련된 응용주제가 나오긴 하지만 역시 핵심은 사상가입니다. 예를 들면, 사형제도에 관한 문제가 나올 때, 단순히 사형에 대해서 찬성인지 반대인지 묻는 것이 아니라 칸트는 어떤 관점에서 사형을 바라봤는지 물어보는 문제가 나온다는 것입니다. 이 주제에 관련해서 어떤 사상가가 무슨 말을 했는지 파악하는 것이 고득점으로 가는 지름길입니다. 생윤의 경우 기출문제가 매우 적기 때문에 일단 나온 문제는 전부 풀고, 그 해에 치른 모의고사 문제를 잘 모아서 공부하는 것이 좋을 것 같습니다. 인터넷 강의는 윤사, 생윤 둘 다 안상종 선생님 강의를 들었는데, 개념은 어느 선생님의 강의를 듣든 비슷하지만 안상종 선생님 강의는 문제 풀이가 상당히 좋았습니다. 교재 곳곳에 흩어져 있는 개념을 한 주제로 묶어서 정리하는 방식과 낯선 지문을 파악하는 훈련이 굉장히 도움이 되었습니다. (정금진 생글6기, 서울교대 영어교육과 15학번)

Q. 일반사회 과목은 어떻게 공부하셨나요?

A. 경제는 전국에 만 명 남짓한 학생만이 보기 때문에 1등급을 받기 어려운 과목이죠. 경제를 보는 학생들에게 희망을 준다면 1등급 컷의 점수가 타 과목에 비해 높지 않아요. 한 문제를 틀리더라도 1등급이 나온다는 건데, 그만큼 고난이도 문제가 많다는 뜻이기도 해요. 경제에서 고득점을 받기 위해서는 그래프와 표에 대한 분석을 잘해야 해요. 대부분 문제가 그래프와 표를 활용하거든요. 그러므로 기출문제 공부도 그래프와 표 분석 위주로 해야 합니다. 경제 공부를 할 때 경제 교과서와 EBS 교재만 보고 공부해도 되지만 『맨큐의 경제학』까지는 보는 걸 추천해주고 싶어요. 경제학과의 대표적 전공서적이죠. 고등학생이 보아도 무방할 만큼 쉽게 설명해놓은 책이에요. (박준형 생글8기, 건국대 글로컬캠퍼스 경제학과 14학번)

A. 사회문화 과목은 정말 많은 학생들이 쉽다고 생각하여 선택합니다. 하지만 1등급 컷은 그리 높지 않습니다. 다른 과목 못지않게 '1등급 가르는 문제'가 확실히 제 역할을 하기도 할뿐더러, 만만하게 생각하는 바람에 함정을 읽어내지 못하는 학생이 많기 때문입니다. 일단은 최소 5개년 치 수능 및 평가원 모의고사 기출문제를 풀고, '옳은 지문'과 '틀린 지문'을 모두 구별해내어 노트에 옮겨 적고 공부하는 것을 추천합니다. '틀린 지문'은 왜 틀렸는지도 공부해서 메모하고, 그 노트를 자주 읽으면 대부분의 문제는 다 맞출 수 있습니다. 그리고 대개 '1등급 가르는 문제'로 나오는 표 문제의 계산은 그냥 다른 방법 없이 많은 훈련을 하도록 합니다. 매번 다르게 나오는 계산 문제를 쉽게 풀 수 있는 마법의 솔루션 같은 것은 없습니다. 『EBS 수능완성』 같은 교재를 보며 매년 조금씩 수정되는 개념도 새로 공부해야 합니다. 사회탐구 과목 같은 경우는 가끔씩 특정한 단어의 정의가 바뀌는 식의 변화가 있기 때문에 탄탄하게 대비하려면 EBS 교재의 개념을 숙지해야 합니다. (김민선 생글6기, 고려대 경영학과 13학번)

A. 경제는 우선 자신이 경제 과목에 어느 정도 감각이 있다는 판단이 드는 학생에게 추천합니다. 수학적 계산을 빠르고 요령 있게 해낼 줄 알아야 1등급을 노릴 수 있기도 하고, 무엇보다 응시 인원이 적어 절대적인 1등급 학생 수가 적습니다. 인터넷 강의를 통해 개념을 숙지할 것을 추천합니다. 처음부터 혼자 공부하는 학생에겐 종이책의 설명이 조금 어려울 것입니다. 경제 역시 EBS 교재의 개념을 숙지하고, 평가원 기출문제의 지문(개념 문제의 '보기')도 분석해보도록 합니다. 많은 훈련이 필요한 과목이기 때문에 주기적으로 자신만의 모의고사를 치르며 경제라는 과목에 익숙해지는 것을 추천합니다. (김민선 생글6기, 고려대 경영학과 13학번)

Q. 선생님들께서 상경계열 진학을 희망한다면 경제 수업은 꼭 들으라고 하세요. 그런데 성적이 잘 안 나와서 고민입니다. 경제 과목 반드시 해야 할까요?

A. 사탐은 실리적으로 선택해야 합니다. 경제 과목은 응시자 수가 너무 적어서 1등급 인원이 적으니 조심하세요. 2014학년도 사탐에서 응시자가 가장 적었던 과목도 경제입니다. 2014학년도 수능에서 경제 선택한 고수 중에 물먹은 사람들 많아요. (김병민 생글8기, 서울대 경영학과 14학번)

A. 경제는 응시자 수가 많지 않다는 것이 단점입니다. 또 각종 경제 시험을 위해 이미 공부를 많이 해둔 학생들이 응시를 많이 하기 때문에 경제를 공부한 적이 없다면 추천하지 않습니다. 미리 공부를 많이 해두었다고 하더라도 수능 경제는 함정을 많이 파고 말장난이 많기 때문에 기출문제나 EBS 교재를 꼭 몇 번씩 풀어봐야 합니다. 그리고 '입학하는 것'만 놓고 봤을 때, 무슨 계열을 갈 것인지와 어떤 사탐 과목을 선택하는지는

전혀 상관이 없습니다. 따라서 진학이 최우선이라면 자신에게 맞는 과목을 고르는 것이 낫습니다. 하지만 경제 과목을 고른다면 자신이 대학에서 배울 내용을 미리 공부하면서 이게 자신의 적성에 맞는지를 판단할 수 있습니다. (김현재 생글8기, 서울대 경영학과 14학번)

A. 저도 수능 경제 과목은 추천하지 않습니다. 본인이 진짜 경제 천재고 누구라도 이길 자신 있으며 경제 문제를 틀릴 리가 없는 실력을 가지고 있지 않은 이상 하지 마세요. 요즘 상경계열이 인기가 많아지면서 자연스럽게 경제 과목을 고르려는 친구들이 많은데 다음과 같은 이유로 저는 추천하지 않습니다. 첫째는 시험을 치는 사람이 너무 적고, 둘째는 실력 좋은 최상위권 학생들이 많이 선택하기 때문에 좋은 백분위 점수가 나오기 힘들며, 셋째는 경제라는 과목 자체도 난이도가 꽤 있기 때문입니다. 경제학은 나중에 대학 와서도 충분히 배우실 수 있으니까 고등학교 때는 조금 더 실속 있고 사람들이 많이 응시하는 과목을 선택했으면 하네요. 제 주변에도 현역 때나 재수 때나 경제 잘하고 좋아해서 일부러 경제 시험 친 친구들 중에 피 본 친구들 여럿 있었어요. 저도 그 중에 한명이었죠. (이훈창 생글7기, 성균관대 경영학과 14학번)

A. 저도 경제학과 생각 많이 한 터라 그 마음 이해해요. 그런데 수능 성적은 누가 뭐래도 일단 성적이 잘 나오는 게 중요해요. 경제는 응시자도 적고 변수가 많은 과목이라서 점수가 잘 안 나올 가능성이 높아요. 그리고 사실 경제 과목이 개설된 학교도 많지 않고, 개설되었다고 하더라도 대다수 학생이 경제를 선택하지 않다 보니 학교에서 많은 신경을 써주기는 힘들 거예요. 학교에 경제 과목이 개설 안 되었다면 학교에서 하는 과목 중에서 지금까지 공부해왔던 과목을 선택해 수능 점수를 잘 받는 것이 좋을 것 같아요. 경제 공부는 나중에 대학에 진학해서라도 충분히 할 수 있어요. (심윤보 생글8기, 전주교대 초등사회교육과 14학번)

A. 상경계열 진학 자체를 위해서 경제 공부가 필수불가결한 것은 아니

라고 생각하지만 상경계열 친구들 말 들어보면 고등학교 때 경제에 대한 기본 지식이 있는 친구들이 대학에서 쉽게 적응한다고는 하더라고요. 입학사정관전형에서도 도움이 될 테고요. 하지만 본인에게 안 맞는데 억지로 고등학교 때부터 경제를 할 필요는 없다고 생각합니다. (서유진 생글7기, 서울대 불어교육과 13학번)

A. 저도 상경계열 진학을 생각해서 학교에서 경제 수업을 들었었습니다. 신청자 수가 적어서 내신 따기가 어려웠었어요. 본인이 수능 경제 수준의 공부를 따로 하고 있고 면접에서도 잘 대답할 자신이 있으면 꼭 학교 수업은 듣지 않아도 될 것 같습니다. 하지만 면접에서 상경계열은 경제 관련 지식을 반드시 물어본다고는 생각해두세요. (김도민 생글8기, 서울대 경영학과 14학번)

A. 경제 과목과 상경계열 진학은 별개의 문제예요. 성적이 안 나오는데도 불구하고 '반드시' 경제 과목을 들어야 할 이유는 없어요. 대학 입시에서는 성적이 최우선적으로 반영돼요. 자기한테 잘 맞는 과목을 선택해야 할 필요성도 있는 셈인 거죠. 그러나 경제 과목과 관련된 기본적인 개념에 대한 이해가 있다면 대학 진학 후 수업을 따라가는 데 많은 도움이 될 것이라고 생각해요. (최재영 생글6기, 중앙대 신문방송학과 13학번)

A. 상경계열에 진학을 희망한다면 경제 수업을 듣는 것이 여러모로 도움이 됩니다. 예를 들어 경제 내신 성적을 꾸준히 잘 받는다면 그것으로 수시 지원에서 자신의 전공적합성을 어필할 수 있죠. 하지만 성적이 잘 나오지 않는다면 굳이 선택할 필요가 없다고 생각해요. 제 경우에도 고등학교에서 배우는 경제가 도무지 와 닿지 않아 결국 다른 사탐 과목을 선택했거든요. 하지만 그 대신 경제신문을 꾸준히 읽고 감각을 잃지 않으려고 노력했죠. 부디, 전략적으로 선택하고 행동하시길 바라요! (김예원 생글7기, 고려대 경제학과 13학번)

A. 성적이 나오지 않는다면 좀 더 본인의 적성에 맞고 성적이 잘 나오는 과목을 선택해서 점수를 올리는 편이 좋습니다. 일단 대학에 가야지 그 다음에 상경계열 수업을 듣지 않겠어요? 그리고 수능 경제에서 배우는 내용의 대부분은 대학 1학년 1학기 수업 때 다 끝납니다. (배수민 생글6기, 성균관대 심리학과 12학번)

A. 도대체 경제 응시자가 얼마나 적기에 선배들이 이렇게 호들갑을 떠는지 궁금하실 테죠. 2015학년도 수능에서 경제는 9,089명이 응시했습니다. 10개 과목 중 유일하게 1만 명이 안 되는 과목입니다. 1등급을 받으려면 대략 360등 안에 들어야 한다는 거죠. 가장 응시자 수가 많았던 과목은 생활과 윤리로 167,524명, 그 다음으로는 사회문화가 160,233명을 기록했네요. 경제보다 17배가량 많습니다. 경제 다음으로 적은 응시자 수를 기록한 세계사도 26,932명이 응시했으며, 이는 경제보다 3배가량 많은 수입니다. 2014학년도를 볼까요. 마찬가지로 경제가 응시자 수가 가장 적습니다. 13,420명이네요. 1등급을 받을 수 있는 인원은 대략 상위 537명입니다. 가장 많은 응시자를 기록한 과목은 사회문화입니다. 155,249명으로, 경제의 11.6배입니다. 경제 다음으로 적은 응시자 수를 기록한 과목은 마찬가지로 세계사였으며 28,772명이 응시했습니다. 경제보다 2.1배 많네요. 경제를 응시하면 왜 실패하기 쉬운지 아셨을 겁니다. 이 데이터는 한국교육과정평가원 대학수학능력시험 홈페이지의 보도 자료 코너에서 확인할 수 있습니다. 추가적으로, 대학 진학 후 수월한 경제 공부를 위해 경제를 공부한다고 하는 것은 뭘 몰라서 하는 이야기입니다. 저도 수능에서 응시하지는 않았지만 수능 경제를 공부해봐서 아는데, 수능 경제는 대학에서 상경계열 학생들이 제일 먼저 배우는(보통 1학년 1학기에 배우는) 경제 과목인 '경제학원론'보다 쉽습니다. 고교 때 경제 공부 안 해도 충분히 따라갑니다. 정 걱정이 된다면 수능 끝나고 2~3개월간 놀 때 공부하고 가면 됩니다. (이정훈 생글5기, 성균관대 경영학과 11학번)

2-6 제2외국어 / 한문

Q. 제2외국어는 어떻게 골라야 하나요? 아랍어나 베트남어가 좋다던데 맞나요?

A. 학교 수업에서 배운 제2외국어 과목에 자신이 있으면 그걸 선택해도 되지만 이에 해당사항이 없다면 아랍어나 베트남어를 하세요. 아랍어, 베트남어가 시험 보는 인원도 많고, 한국어로 치면 기본 동사와 문장 구조, 개수 세기 같은 간단한 것들에 대해 물어보기 때문에 시간 투자 대비 효율이 가장 좋습니다. (김범진 생글8기, 서강대 경영학과 14학번)

A. 제2외국어 선택은 무조건 실리로 가야 합니다. 서울대 수능 등급 맞추기가 목표라면 베트남어나 아랍어를 고르세요. 다른 과목은 실력이 진짜 뛰어나서 확실히 1등급 받을 정도가 아니라면 고르지 마세요. (김병민 생글8기, 서울대 경영학과 14학번)

A. 저도 솔직히 외고생이거나 진짜 실력 좋지 않은 이상 베트남어, 아랍어 이외의 제2외국어 과목 선택은 추천하고 싶지 않아요. 아랍어는 1등급 컷은 원점수로 40점대 후반인데, 2등급 컷은 보통 20점대예요. 그래서 잘만 찍으면 백분위 90점대도 가능해요. (정금진 생글6기, 서울교대 영어교육과 15학번)

A. 제2외국어는 수능과 내신을 둘 다 고려해야 합니다. 제가 졸업한 학교는 아랍어와 스페인어 수업을 만들어주는 대신 인원을 12명으로 제한을 둬서 내신도 등급 없이 이수로만 뜨게끔 해줬었는데, 이러한 상황은 특이한 상황이고 보통은 많은 학생들이 중국어와 일본어를 선택합니다. 내신으로는 중국어나 일본어를 선택하고, 자신이 외고생이 아니라면 수능에서는 베트남어, 아랍어, 스페인어를 선택하세요. 최근 들어 아랍어도 어려워지고 있으므로 수능에 새로 생긴 과목을 고르는 것도 팁이라면 팁입니다. 그리고 아무리 쉽다고 하더라도 기본적인 공부는 하고 시험을 봐야 1등급을 맞을 수 있습니다. (김도민 생글8기, 서울대 경영학과 14학번)

A. 저는 제2외국어 공부 안 했더라도 아랍어, 베트남어 꼭 응시하라고 말하고 싶어요. 시험장 가서 찍으면 돼요. 잘 찍으면 백분위 잘 나와요. 원점수로 15점 정도만 맞아도 백분위가 80이 넘는 경우도 있어요. 저는 아랍어 공부 하나도 안 하고 다 찍었는데 백분위 86 나왔어요. (최승희 생글7기, 한국외대 아랍어과 14학번)

A. 저는 외고에서 중국어 수업을 3년 동안 들었지만 수능은 결국 아랍어로 봤어요. 문제가 점점 어려워지고 있다고는 하지만 아랍어는 다른 시험들보다는 쉽고, 한 번 외우기만 하면 생각보다 재미있고 할 만한 것 같아요. 다른 과목에서 조금 여유가 있다면 아랍어를 추천할게요. 수능에서 아랍어 만점을 받았는데 다른 제2외국어 과목보다 표준점수가 월등히 높은 71점이 나왔어요. (오유진 생글5기, 성균관대 영어영문학과 13학번)

A. 만약 일본어나 중국어 같은 제2외국어를 한 적이 전혀 없다면 아랍어나 베트남어를 선택하는 게 좋을 것 같아요. 다른 외국어들은 이미 공부하고 있는 학생들도 많고, 특히 외고 학생들은 절대적으로 그 외국어를 공부하는 시간이 많기 때문에 좋은 등급을 받기 어려울 수 있어요. 아랍어나 베트남어 같은 경우는 전공어로 가르치고 있는 학교도 적고 수능 때문에 처음 시작하는 학생들이 대부분이기 때문에 등급을 받는 데 있어서 훨씬 수월할 것이라고 생각해요. (김보미 생글7기, 이화여대 스크랜튼학부 13학번)

A. 저 수능에서 아랍어 다 찍었는데 3등급 나왔어요. 백분위가 80점 중반이었던 거로 기억해요. 팁을 하나 주자면 제2외국어는 한 번호로 찍지 말고 두 번호로 찍으세요. 수능 제2외국어는 1~5번 정답 선택지 개수를 비슷하게 맞춰요. 1번으로 다 찍든 2번으로 다 찍든 비슷한 점수가 나오도록 만들기 위해서요. 그럼 한 번호로 찍으면 원점수가 10점 정도밖에 안 나오겠죠? 어차피 제2외국어 공부 안 하고 전부 다 찍는 친구들은 그냥 운에 맡기는 거잖아요. 그러니 두 번호로 나눠 찍어서 15점 이상 득점을 노려보세요. 만약 그랬다가 10점보다 안 나오면 그건 뭐 그냥 실력대로 점수 받은 거죠. (배수민 생글6기, 성균관대 심리학과 12학번)

A. 자신 있는 과목 없으면 무조건 베트남어 하세요. 저도 아랍어 했지만, 아랍어는 꿀 많이 빠졌다고 보시면 돼요. 아랍어가 2013년부터 양이 많아지고 난이도도 올라갔어요. 대세는 새로 생긴 과목인 베트남어로 넘어갔습니다. 공부 하나도 안 하고 수능 당일에 다 찍는 사람들이 전부 베트남어로 넘어갔어요. 응시생 대다수가 같은 출발선 상에 있기 때문에 문제도 쉽고 등급컷도 매우 낮습니다. 베트남어는 잘 찍으면 2~3등급도 나와요. 6평과 9평에서는 생각보다 베트남어의 등급컷이 높은데, 이는 아직 공부가 안 된 사람은 응시를 안 하고 공부한 사람만 응시했기 때문입니다. 수능 때는 재미로, 또는 좋은 고사장을 배정받기 위해서 편한 마음으

로 응시하는 사람들이 많기 때문에 등급컷이 훨씬 내려갑니다. 따라서 베트남어를 응시한다면 다른 과목에 비해 부담 없이 공부해도 될 것입니다. 예전에는 서울대에서 제2외국어도 제대로 봤는데, 이제는 2등급만 나오면 만점으로 처리해줘서 가볍게 하시면 돼요. (김현재 생글8기, 서울대 경영학과 14학번)

Q. 제2외국어 공부는 언제, 어떻게 해야 할까요?

A. 저는 6월 평가원 모의고사 이후부터 공부를 시작해서 일주일에 2시간 정도 투자하다가 9월 평가원 모의고사 이후에는 주말에 2시간씩 투자했습니다. 베트남어나 아랍어를 할 경우 시간을 조금만 투자하셔도 됩니다. (김범진 생글8기, 서강대 경영학과 14학번)

A. 저는 독일어를 했었어요. 아랍어의 경우 제 친구들은 3학년 여름방학 때 공부를 시작했었어요. 언수외 공부하다가 지칠 때 아랍어 공부하면 재미있대요. 글자 외우는 게 좀 어렵다고는 하더라고요. 제2외국어 공부는 서두를 필요 없어요. 3학년 여름방학 때 하는 게 적절해요. 수능 문제 난이도가 낮은 편이라 공부 조금만 하면 금방 풀 수 있어요. 대신 일본어나 중국어 같이 외고생이 많이 응시하는 과목이나 한문처럼 어려서부터 배운 학생이 많은 과목은 3학년 여름방학에 시작하면 너무 늦어요. (김보미 생글7기, 이화여대 스크랜튼학부 13학번)

A. 수능 제2외국어 공부는 EBS 연계 교재와 평가원 기출문제를 중심으로 하면 가장 좋다고 생각해요. 저는 한문을 선택했었는데, 사실 내신에서 공부했던 것 외에는 한문 지식이 거의 없었어요. 그런데 고등학교 3학년 여름방학에 집중적으로 EBS 연계 교재와 평가원 기출문제를 중심으로 열

심히 공부했더니 수능에서 좋은 성적을 얻을 수 있었습니다. (박성연 생글 7기, 서울대 경영학과 13학번)

A. 외고생이거나 원래 그 언어에 능통한 사람이 아니라면 일찍부터 준비하는 건 추천하지 않을게요. 특히 일본어, 중국어, 스페인어 등은 원래 능통한 사람이 아니라면 응시하지 않는 게 좋습니다. 제2외국어는 국영수 성적이 안정적으로 나오는 시기부터 공부하면 돼요. 너무 많은 시간을 투자하면 안 됩니다. 제2외국어를 공부하느라 다른 과목 공부 비중이 줄어든다는 느낌이 들면 즉시 제2외국어 공부를 중단하고 국영수탐 공부를 열심히 하세요. (최승희 생글7기, 한국외대 아랍어과 14학번)

A. 제2외국어는 문제가 아무리 어려워도 정형화될 수밖에 없습니다. 기출문제와 EBS 교재 문제를 풀어보는 것 말고는 딱히 공부법이라고 할 만한 게 없는 것 같습니다. 제2외국어 공부는 무난하게 2등급을 노리고 수능 한 달 전부터 다른 과목들과 병행하여 공부하는 방법도 있지만, 기본적으로는 고등학교 2학년 때부터 시작하는 게 좋은 것 같습니다. (김도민 생글8기, 서울대 경영학과 14학번)

A. 저는 일본어 응시자인데, 일본어를 중학생 때부터 공부했었어요. 『EBS 수능특강』 다 풀었고, 맨날 틀리는 문법이나 단어 등을 종이 한 장에 정리했어요. 수능 시험 날 시험장에서 그 종이를 열심히 봤는데 거기서 시험 문제가 진짜 다 나왔어요. 덕분에 수능에서 처음으로 일본어 1등급이 나왔네요. 제2외국어는 진지하게 응시하는 학생들이 많지 않아서 3학년 여름방학 후에 조금만 투자하면 어느 정도 잘 될 거예요. (정금진 생글6기, 서울교대 영어교육과 15학번)

A. 학교에서 제2외국어를 지도해주시는 선생님이 계시다면 선생님들께서 가르쳐주시는 내용을 숙지하고 EBS 교재 내용을 열심히 공부하면 충분하겠지만, 혹시 아니라면 인강을 선택해 듣고, 작년도 『EBS 수능특강』,

『EBS 수능완성』을 구해서 풀어보는 것도 도움이 될 거라고 생각합니다. 또, 그동안의 제2외국어 기출문제를 평가원 홈페이지에서 다운받아서 풀어보세요. 외국어는 많이 봐서 익숙해지고 자연스러워질수록 잘할 수 있게 된다고 생각합니다. 제2외국어 공부의 시작은 사실 빠를수록 좋겠지만, 학교 스케줄상 그게 어렵다면 고등학교 2학년 중후반부터 공부해도 괜찮을 것 같습니다. 너무 부담을 갖지는 말되 적은 양은 아니니까 고3 때도 틈틈이 자주 보면 도움이 될 것입니다. (서유진 생글7기, 서울대 불어교육과 13학번)

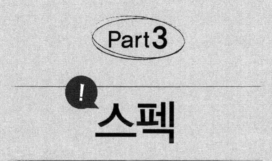

Part **3**

! 스펙

3-1 스펙 일반론

Q. 고1 때는 어떤 걸 하는 게 도움이 되나요?

A. 고등학교 생활에 적응하는 게 제일 중요하고 내신 공부를 하면서 남는 시간에 스펙을 준비하는 것도 나쁘지 않아요. 동아리 활동을 추천합니다. (김범진 생글8기, 서강대 경영학과 14학번)

A. 자기가 어떤 전형으로 대학에 갈 건지 빨리 선택을 했으면 좋겠어요. 자기가 내신 중심 전형으로 가야겠다고 생각하는 친구들은 1학년 내신 관리 잘하세요. 내신만으로 대학 가려면 내신이 어마어마해야 될 거예요. 고1 때는 너무 조급하게 생각하지 마시고 천천히 페이스를 끌어올린다는 느낌으로 공부하세요. 만약 여러분이 중위권 이하라면 고등학교 1학년 때부터 독한 마음을 먹고 열심히 해야 여러분이 만족하는 결과를 얻을 수 있겠고, 그 이상이라면 기초를 다지는 마음으로 공부하세요. (이훈창 생글7기, 성균관대 경영학과 14학번)

A. 먼저 교내활동을 시작하세요. 그리고 차차 자신의 관심 분야가 무엇인지, 그리고 하고 싶은 것이 무엇인지 고민해보고 그것에 맞게 다른 활동들을 하는 것이 좋아요. (서아진 생글7기, 연세대 정치외교학과 13학번)

A. 저는 1학년 때 제가 관심 있는 분야와 적성을 찾고, 학교에서 관련 행사 하는 것을 찾아서 해보았어요. 너무 구체적으로 안 하셔도 돼요. 그리고 저는 추가적으로 스터디그룹이나 멘토링 같은 것을 했습니다. (김재원 생글8기, 한국외대 아프리카학부 14학번)

A. 고1 때는 자신이 희망하는 진로와 관련된 책을 많이 읽어 두세요. 그리고 관련 포럼이나 대회에 참가하는 것에 큰 의의를 두고 많이 나가보세요. 교육 봉사를 해보는 것도 좋고요. 자신이 2학년 때 열정적으로 참여할 동아리를 일찌감치 정해두고 그 동아리에서 열심히 활동하세요. (이소은 생글7기, 고려대 미디어학부 14학번)

A. 입학사정관전형에서는 내신이 굉장히 중요한 요소로 작용하기 있기 때문에 내신 관리를 최우선 과제로 놓아야 하고, 희망하는 진로나 학과에 맞게 교내활동 위주로 준비하는 게 좋을 거 같아요. 최근 입시에서는 교내활동을 중시하기에 교외활동에만 치중하다 보면 정작 입시에서 활용하지 못하는 경우도 있기 때문이에요. 그리고 자기 자신만이 할 수 있는 스펙들을 찾아서 실행에 옮겨야 해요. 저는 신문 사설을 스크랩해서 중요한 부분에 밑줄을 긋고 제 견해를 적고, 사설이 갖는 부족한 점이나 문제점을 정리했어요. 이런 모든 것들 중에 가장 중요한 것은 다시 한 번 말하지만 내신 관리입니다. (최재영 생글6기, 중앙대 신문방송학과 13학번)

A. 입학사정관전형을 노리면 내신은 기본이라고 생각하고요. 1학년 때는 자기 진로, 목표하는 대학교와 학과를 명확히 세우는 게 중요할 것 같아요. 스펙을 쌓는 시기는 보통 2학년이에요. 3학년 때는 수능으로 바쁘고요. (김병민 생글8기, 서울대 경영학과 14학번)

A. 고1 때는 고등학교 수업과 생활에 적응하는 것이 필요합니다. 교외 활동도 좋지만 동아리를 비롯한 다양한 교내활동에 참여하면서 임원도 해 보고, 앞으로 자신이 어떤 진로로 갈지 찾아보는 것도 중요합니다. 이미 진로를 정했다면 어떤 활동을 해볼지 탐색하는 것이 중요합니다. (김도민 생글8기, 서울대 경영학과 14학번)

A. 고1 때부터 스펙에 신경을 너무 쓰지는 않았으면 좋겠어요. 저는 지금 프랑스어문화학과에 다니고 있지만 고등학교 1학년 때는 지금 전공이랑 전혀 연관 없는 댄스동아리 소속이었어요. 저는 친구들과 함께 장기자랑을 준비하는 것이 좋았고 동아리에서 협력, 배려 등 충분히 배울 것들이 많았습니다. 대학교에 와서도 그런 즐거움을 느끼고 싶어서 댄스동아리에 들어갔어요. 본인이 좋아하면서도 성장하고 배울 수 있는 그런 활동을 하면 충분하다고 생각해요. (진현지 생글8기, 가톨릭대 프랑스어문화학과 14학번)

A. 진로 탐색이 가장 중요해요. 진로를 빨리 정하라고 재촉하는 게 아니라, 진로 탐색의 노력을 절대 멈춰선 안 되는 시기라는 뜻이에요. 저는 고1 올라가면서 경영컨설팅 쪽으로 관심이 있어서 그 쪽 관련 다큐멘터리나 책들을 봤었어요. 현직에서 활동하시는 분들의 후기를 읽어보기도 하고요. 그러다 보니 자연스럽게 그 쪽 관련된 활동에 관심을 가졌고, 고등학교 때 무엇을 준비해야 할지에 대한 고민도 많이 하게 되어서 입학사정관전형을 준비하게 되었어요. 사실 제가 고1 때는 입학사정관전형이 잘 알려지지 않았고 실험 단계에 있을 때라서 저는 입학사정관전형을 고3 때 준비했어요. 그런데 돌아보니 진로 탐색과 그에 대한 노력을 했던 게 다 경험이 되고 경력이 되더라고요. 그리고 저는 외부활동들을 찾아보다가 그냥 하고 싶은 게 있으면 했어요. 예를 들어, 고1 때니까 할 수 있는 거라고 생각하고 창의력올림피아드를 나갔죠. 선생님들과 부모님께서는 완전 반대하셨어요. 왜냐면 예선이 고1 2학기 기말고사 이틀 전이었고, 예

선 붙으면 겨울방학 때 적어도 한 달 동안은 공부를 아예 하지 못할 정도로 대회 준비로 바쁠 테니까 공부를 놓는 게 걱정이 되셨던 거죠. 그래도 저는 너무 하고 싶어서 친구들이랑 몰래 예선을 준비했고, (물론 그래서 1학년 2학기 기말고사는 망했어요.) 예선에 붙고 나서 한 달 동안은 정말 부모님 지원 하나도 없이 서럽게 준비했어요. 그런데 지금 생각해보면 그게 정말 좋은 추억이었어요. 다들 반대하는 상황 속에서 했던 만큼 책임감과 부담감도 있었기 때문에 더 열심히 했고, 그렇게 해서 좋은 결과가 나오니까 정말 뿌듯하고 눈물이 나더라고요. 이런 경험을 했던 게 저는 자기소개서를 쓸 때도, 면접을 볼 때도 참 도움이 많이 되었어요. 고1이었기 때문에 이런 걸 할 수 있었다 싶어서 저는 고1 친구들에게 항상 새로운 걸 찾고 도전해보라는 말을 해주고 싶어요. (김재은 생글7기, 서울대 자유전공학부 13학번)

Q. 고2 때는 어떤 준비를 해야 할까요?

A. 고2부터는 통일성과 일관성을 지키는 것이 중요해요. 자신이 했던 활동이 있다면 그것에 관련된 활동들을 폭넓게 꾸준히 하는 것이 중요하고, 만약 안 했다면 그대로 내신 준비나 수능 준비에 더 힘을 쓰는 것이 좋아요. (서아진 생글7기, 연세대 정치외교학과 13학번)

A. 고등학교 2학년이면 입시를 1년 앞둔 상황이고, 고등학교 생활에 완벽히 적응한 상태예요. 자기가 해오던 스펙을 구체화하고 집중화하는 시간이 필요해요. 또한 스펙에 있어서 일정 부분에서 성과가 나타나야 하는 시기이기도 하고요. 결과보다 과정이 중요하다고 하지만, 과정만 아름답고 딱히 내놓을 수 있는 결과가 없는 것도 문제가 된다고 생각해요. (최재영 생글6기, 중앙대 신문방송학과 13학번)

A. 고2 때부터는 방향성을 잡는 것이 중요하다고 생각합니다. 저는 고2 때 학교 활동들로 제가 좋아하고 잘하는 분야를 찾았습니다. 내신 공부를 꾸준히 겸하면서 현재 하고 있거나 과거에 했던 활동들을 정리해보면서 앞으로 본인이 어떻게 고등학교 생활을 만들어갈지를 생각해보면 좋을 것 같습니다. (진현지 생글8기, 가톨릭대 프랑스어문화학과 14학번)

A. 모의고사 점수가 어느 정도 나온다면 테샛이나 다른 자격증 공부해도 되지만 그렇지 않다면 수능 전 영역에 걸쳐 기초 다지기에 주력하길 바랍니다. 유형별 문제 풀이, 실전 문제 풀이 그런 것도 일러요. 자만하지 말고 기초에서 구멍 난 부분을 메우세요. 저는 진짜 고2 여름방학 때 기초만 죽어라 팠고 그게 튼튼한 기반이 돼서 3학년 때 점수가 엄청 올랐어요. 문제 풀이 연습은 3학년 돼서 실컷 할 거니까 지금은 모의고사 점수 신경 쓰지 말고 개념, 기초에 집중하길 바라요. 그리고 2학년을 어떻게 보내느냐가 정말 중요해요. 지금 공부 안 해도 3학년 때 열심히 하면 오를 거 같죠? 그때는 너도 나도 다 열심히 합니다. 그리고 기초가 안 다져져 있는데 그 위에 뭘 더 어떻게 쌓을 수 있나요. 남들은 문제 풀이 연습하는데 그때 돼서야 기초 다지고 있을 건가요? 아마 주위에서 책 많이 읽어라, 논술 준비해라, 시간 많으니까 대외활동 해라, 자격증 따라 이런 이야기를 많이 하겠죠. 그래도 입시에서 가장 중요하고 영향력 있는 건 수능 아닐까요? (임우미 생글6기, 서울교대 음악교육과 13학번)

A. 저는 고2 1학기 때 공부를 제 인생에서 가장 열심히 했다고 말할 수 있을 만큼 열심히 했어요. 그렇게 공부해본 게 가장 큰 경험이었던 것 같아요. 그리고 고2 때는 고1 때와 마찬가지로 캠프나 대회 같은 외부활동들을 많이 찾아서 했어요. 전교학생회장으로서 축제와 체육대회 기획, 경제동아리 회장으로서 프로그램 기획 등을 하느라 바쁘게 살았던 것 같아요. 마치 그런 느낌이에요. 고1 때 진로를 찾아서 고2 때는 정말 여러모로 제대로 준비하는 느낌? 그래서 2학년은 정말 열심히 살아야 할 학년

이에요. 만약에 진로를 아직 찾지 못했다면 저는 열심히 진로를 찾기를 바라요. 진로가 바뀐다고 고민할 필요도 없어요. 진로는 원래 바뀔 수 있는 거고, 왜 바뀌었는지, 어떤 고민의 과정을 했는지가 명확하면 돼요. 그 과정이 명확해야 하는 이유는 그만큼 진로를 신중하게 골랐다는 걸 보여주는 것이기 때문이에요. (김재은 생글7기, 서울대 자유전공학부 13학번)

Q. 3학년 때 스펙을 쌓아도 될까요? 지금 2학년인데 스펙이 너무 모자라는 거 같아서요.

A. 3학년 때에는 스펙보다는 1학기 내신과 수능에 집중하는 게 좋습니다. 입시의 추세가 여러 활동을 통한 스펙보다는 내신을 기반으로 한 스펙을 바라는 쪽으로 바뀌고 있기 때문에 학업 능력을 키우는 게 좋을 것 같습니다. (황보미 생글8기, 건국대 경영학과 14학번)

A. 자신이 내신이 좋아서 입학사정관전형을 쓴다면 3학년 1학기 때 간단한 것을 준비해도 될 것 같지만 내신이 좋지 않다면 그냥 수능 공부하세요. (김범진 생글8기, 서강대 경영학과 14학번)

A. 3학년 때 스펙 준비를 많이 하는 것은 옳지 않다고 봅니다. 간단하게 독서 기록을 늘리거나 전공 관련 활동 한 개까지는 적당하다고 봅니다. (김재원 생글8기, 한국외대 아프리카학부 14학번)

A. 고3 때까지 스펙 준비해도 상관없긴 하지만 수능과 내신이 어느 정도 궤도에 올라가 있기는 해야 합니다. 저는 고3 7월까지 스펙을 준비했지만 웬만하면 2학년 때 마무리하시는 걸 추천해요. 고3 때 하는 건 위험이 너무 커요. (홍성현 생글6기, 서울대 경제학부 13학번)

A. 스펙은 무조건 2학년 겨울방학까지 마무리하시고 그 다음부터는 미련 갖지 말고 본인이 가진 자원으로 자기소개서를 쓰는 게 좋을 거예요. (김예원 생글7기, 고려대 경제학과 13학번)

A. 3학년 때 스펙을 쌓는 것은 너무 늦습니다. 하지만 교외활동 말고 동아리나 독서 활동은 부족하다고 생각하면 충분히 고3 때도 쌓을 수 있는 분야의 활동들입니다. 자신의 스펙이 부족하다고 생각하면 고3 때는 교외보다는 교내에서 할 수 있는 활동들을 최대한 찾아보세요. (김도민 생글8기, 서울대 경영학과 14학번)

A. 저는 스펙을 준비했다고 하기 보다는 그냥 좋아하는 활동들을 하다 보니 그게 쌓여서 수시에 지원한 케이스예요. 고3 때는 추가적인 활동은 안 하고 지금까지 했던 활동들의 연결고리를 찾고 정리하는 정도만 했었어요. (류수현 생글5기, 경희대 연극영화학과 12학번)

A. 저는 3학년 때 동아리를 개설했어요. 열정만 있다면 못 할 것이 뭐가 있겠어요. 하지만 '스펙이 모자라서' 하는 것이 아닌 '자신이 하고 싶어서' 하는 활동을 하세요. 스펙을 쌓기 위한 목적으로 하는 것이라면 분명 학업과 병행하는 과정에서 스트레스를 많이 받을 거예요. (진현지 생글8기, 가톨릭대 프랑스어문화학과 14학번)

A. 할 수 있으면 좋죠. 스펙에 대한 지속성이 있다는 건 긍정적으로 평가받을 수 있는 점이니까요. 저도 3학년 때 스펙을 쌓았어요. 그러나 명심해야 할 점은 스펙을 쌓는 것이 입시(수능과 수시)에 어떠한 영향도 미쳐서는 안 돼요. 수험생활을 하면서 쉬는 시간을 활용한 스펙, 즉 시간과 비용이 절대적으로 들지 않는 스펙을 찾아서 쌓는다면 추천하고 싶어요. 저는 시교육청 홍보기자로 활동하면서 기사 쓰는 데 한 달에 1~2시간만을 투자했어요. 그 정도면 부담되는 시간은 아니니까요. (최재영 생글6기, 중앙대 신문방송학과 13학번)

A. 스펙 쌓아도 돼요. 다만 자기소개서에 쓸 수 있을 정도의 기간은 남겨두고 (적어도 7~8월 전까지) 쌓아야 해요. 저는 고3 올라가는 겨울방학 때 한국은행 청소년 경제캠프를 다녀왔고, 3~4월에는 경제 소논문을 준비했고, 4~5월에는 토플을 보러 다녔어요. 시간 관리를 진짜 열심히 하시면 공부에 그렇게 큰 지장을 주지 않고도 할 수 있어요. 사실 매일 앉아서 공부만 한다고 해서 그 시간 다 집중하는 거 아니잖아요. 공부하려고 앉았으면 집중하고, 공부 안 할 때는 다른 일에 집중하는 식으로 시간을 효율적으로 쓰면 돼요. (김재은 생글7기, 서울대 자유전공학부 13학번)

A. 학업에 부담이 가지 않을 정도로만 하세요. 고3 때는 다른 학년 때보다 입시에 반영되는 내신의 비중이 훨씬 크고, 또 수능이라는 큰 시험을 준비해야 하기에 공부량이 많아져요. 자신의 공부에 방해가 되지 않는다면 3학년 1학기 초까지는 대외활동을 해도 괜찮을 것 같아요. (서아진 생글7기, 연세대 정치외교학과 13학번)

A. 충분히 가능합니다. 단, 인위적이라는 느낌이 들지 않도록 조심하는 것이 아무래도 좋겠습니다. 고2인데 본인의 스펙이 모자라다는 것을 모르는 학생들도 많으니까 지금 학생은 남들보다 앞서간다고 저는 평가를 드리고도 싶습니다. 2학년 겨울방학 때부터 본인에게 부족한 부분을 어떻게 채워나갈 것인지 철저히 준비한다면 충분히 좋은 스펙이 될 것입니다. (김영주 생글6기, 경희대 전자·전파공학과 13학번)

A. 본인이 진학하려는 학과에 꼭 필요한 스펙이라면 쌓는 것도 나쁘지 않다고 생각해요. 저도 고3 5월까지 그랬어요. 하지만 그냥 막연하게 필요할 거라고 생각하고 무작정 하는 건 별로라고 생각해요. 시간 관리가 필수적인 고3 시기에는 시간 낭비를 하지 않는 것이 중요하니까요. 다시 말해 자신이 입학사정관전형을 생각하고 있고 꼭 필요하다고 생각되는 활동이라면 하세요. (김보미 생글7기, 이화여대 스크랜튼학부 13학번)

Q. 스펙 준비에 어느 정도 시간과 노력을 할애해야 할까요?

A. 스펙에 대한 걱정이 많던데 사실 스펙이 그리 중요한 건 아니에요. 그저 그런 스펙이라면 안 한 거랑 별반 차이 없어요. 기본적인 스펙은 거의 차별성 없다고 보면 돼요. 합격하는 친구들은 아주 빼어난 친구들이거나 한 분야를 꾸준히 파고든 친구들입니다. 우리나라 입시는 아직까지 수능이 절대적인 영향을 미칩니다. 스펙보다는 수능과 내신을 더 철저히 준비하길 바랍니다. 후배들 중에서 가끔 스펙에 목숨 걸다가 망하는 사람들을 보곤 하는데, 스펙을 열심히 준비하는 것이 좋은 선택일 수도 있지만 입시 전체적으로 봐서는 실패 사례가 더 많습니다. (이은석 생글4기, 서울대 국어교육과 11학번)

A. 배보다 배꼽이 커서는 안 됩니다. 스펙만을 가지고 뽑는 전형은 매우 극소수입니다. 스펙 준비 때문에 공부를 소홀히 해서는 절대 안 된다는 이야기입니다. 어느 정도 할애를 하는 것이 좋다고 정할 수는 없지만 스펙 준비가 자신의 공부에 방해가 되어서는 절대 안 됩니다. (김도민 생글8기, 서울대 경영학과 14학번)

A. 제가 수시 로또 당첨자라 이런 말하는 게 조금 어색할지 몰라도, 내신이랑 수능 진짜 철저하게 준비하셔야 해요. 제가 생각해도 저 같은 케이스는 보기 드물어요. 입시를 준비하는 고등학생으로서 해야 할 가장 기초적인 부분들은 확실히 해놔야 합니다. 시간과 노력을 수치화를 할 수는 없어요. 다만 스펙은 입시에 영향을 주는 부수적인 요소라는 사실을 명심해야 해요. 주된 평가 잣대가 아니라는 뜻이죠. 내신과 모의고사 성적에 영향을 미치지 않는 범위 내에서 스펙에 투자하시면 돼요. 스펙이 우선시되면 결국 입시에서는 좋은 결과를 얻지 못할 수도 있어요. (최재영 생글6기, 중앙대 신문방송학과 13학번)

A. 학생의 기본에 피해가 가지 않을 정도로만 하세요. 그 학생의 기본이라는 것은 학교생활입니다. 즉 학교 수업과 내신에 피해가 가지 않을 정도로만 하세요. 그래서 저는 방학 때 스펙 활동을 많이 하려고 했어요. (서아진 생글7기, 연세대 정치외교학과 13학번)

A. 학생부종합전형을 염두에 두고 있는 학생이라면 공부하는 시간, 자는 시간 이외의 모든 시간을 할애해야 해요. 어떤 활동들이 있는지 검색도 자주 하고, 신청 기간을 놓치지 않게 꼼꼼히 체크도 해야 되고, 활동 기간들이 겹치지 않게 스케줄 안배도 해야 하는 등 많이 바쁠 거예요. 교과를 중심으로 하는 학생부종합전형 쓰려고 한다면 공부하는 시간을 절대 소홀히 해서는 안 되므로 이런 작업들을 정말 짬짬이 해야 해요. 시간은 많이 안 들여도 노력을 많이 들여야 해요. (김재은 생글7기, 서울대 자유전공학부 13학번)

A. 내신이 스펙이라는 말이 있듯이 기본적인 내신을 밑바탕으로 두고, 가고 싶은 학과에 대해서 고등학생 신분으로서 할 수 있는 경험을 쌓는 게 중요합니다. 시험 기간을 제외한 시간에 대회를 준비하면 좋을 것 같습니다. (황보미 생글8기, 건국대 경영학과 14학번)

Q. 교외활동 기록이 안 된다는데 그래도 하셨나요? 한다면 어느 정도로 해야 하나요?

A. 요즘 교외에서 한 대외활동을 생활기록부에 기록하지 말라고 하는 추세라서 최대한 교내에서 여러 가지 활동을 하는 게 좋을 거예요. 어떤 대학은 외부수상실적을 기록하면 서류 점수를 0점을 준다고 하더라고요. 그러니 웬만하면 학교에서 하는 활동을 활용하세요. 저는 학교에서 하는

행사는 모두 참여하려고 노력했고, 추가적으로 지역봉사활동을 했습니다. 생글생글 학생기자 활동 외에는 딱히 외부활동이 없었습니다. (정금진 생글6기, 서울교대 영어교육과 15학번)

A. 저는 기록에 상관없이 제가 하고 싶은 활동들을 했어요. 물론 생활기록부에 기록이 되지 않지만 자신이 한 활동들에 대해서는 어떠한 방법이로든 활용할 수 있어요. 예를 들면 면접에서 언급을 할 수도 있겠죠. 모든 활동은 다 경험이고 배움이에요. 기록이 되지 않는다고 안 하는 것보다는 하고 싶다면 하고, 거기서 많은 것을 얻어오는 것이 중요해요. (서아진 생글7기, 연세대 정치외교학과 13학번)

A. 교외활동이 기록이 안 된다고 해서 무조건 하지 않는 것도 좋지 않습니다. 단순히 자기가 기록하기 위해 하려 했던 활동들을 줄이는 게 정답입니다. 진로와 관련해서 진짜 하고 싶었던 활동들은 해도 된다고 생각합니다. 나중에 면접에서도 충분히 활용이 가능하기 때문입니다. (김도민 생글8기, 서울대 경영학과 14학번)

A. 지금까지 제가 한 답변에 전부 '스펙'이라는 용어를 사용했는데, 사실 제 입장에서는 스펙이라는 어감이 긍정적으로 다가오는 건 아니에요. 제가 했던 활동은 대학 입시에 활용되기는 했지만 입시가 목적은 아니었어요. 언론인이라는 꿈에 한 발짝 다가갈 수 있는 기회이자 다양한 사람들을 만날 수 있는 기회였기 때문이에요. 고1 때 시작한 생글생글 학생기자 활동은 가장 애착이 가는 활동이에요. 덕분에 좋은 사람들을 만날 수 있었고, 다양한 시각에서 사회 문제를 바라볼 수 있는 힘을 얻었기 때문이에요. 스펙을 오로지 대학 진학을 목적으로만 쌓는다면 스펙의 질도 떨어질뿐더러 입시에서도 좋은 결과를 불러오지 못할 거예요. 누누이 말씀드리지만 내신과 모의고사 성적에 방해가 되지 않는 선에서 준비하세요. (최재영 생글6기, 중앙대 신문방송학과 13학번)

A. 학교로 공문이 오는 교외활동이 있어요. 이런 활동들은 제가 학교 다닐 당시엔 생활기록부에 기재가 가능했기 때문에 항상 공문 게시판을 열심히 살펴봤었죠. 정보를 전달하는 설명회 느낌의 활동은 가볍게 참가 했어요. 그러나 팀을 꾸려 전국 대항전을 치러야 하는 경우에는 깊이 고 민해본 후 참가했어요. (이소은 생글7기, 고려대 미디어학부 14학번)

A. 저는 교외활동을 교내활동에 기록할 수 있도록 활동하였습니다. 예 를 들면, 생글생글 학생기자 활동은 이과인 저에게는 크게 영향력 있는 스펙이 되지 못할 수 있습니다. 또한 기록도 되지 않습니다. 하지만 기자 로서 인터뷰를 하기 위해 이공계열 분들을 많이 만나는 등의 활동을 하면 서 얻은 경험들을 교내 발표대회 때 사용했고, 생활기록부 작성 시에 교 내 발표대회를 적어 넣으면서 기자 활동 내용도 첨가하였더니 담임선생님 께서도 인정해주셨습니다. 이렇게 교내활동과 교외활동을 잘 섞을 수 있 다면 교외활동도 충분히 좋은 스펙이 될 수 있습니다. (김영주 생글6기, 경희대 전자·전파공학과 13학번)

Q. 교대/사범대 관련된 괜찮은 스펙 있을까요?

A. 교육봉사활동을 꾸준히 하는 게 교대나 사범대 지원할 때 큰 스펙이 될 거 같아요. 주말에 몇 시간이라도 짬 내서 가까운 곳에서 할 수 있다 면 저라면 할 것 같아요. 시간을 많이 잡아먹을 수 있으니 교대, 사범대 로 진학하고 싶은 마음이 뚜렷한 친구만 하세요. 교육봉사활동은 인터넷 에 간단히 검색만 해봐도 서울특별시교육청 학생 봉사활동이나 지역아동 센터 봉사활동 같은 것들이 많이 검색될 거예요. (임우미 생글6기, 서울교 대 음악교육과 13학번)

A. 저는 생각이 많이 다릅니다. 교육봉사 이런 거 절대 신경 쓰지 말고 수능 공부 열심히 하세요. 실제로 대학에서는 교육봉사 같은 스펙 별로 쳐주지 않아요. 사범대학은 성격상 스펙으로 뽑는 전형 자체가 다른 학과에 비해 적은 편입니다. (이은석 생글4기, 서울대 국어교육과 11학번)

A. 제가 봤을 때, 사범대에 합격하려면 성적이 가장 중요한 것 같아요. 스펙이 필요 없는 것은 아니지만 가장 기본이 되는 것은 성적이에요. 교내에서 활동한 것으로도 자기소개서에서 충분히 스토리를 만들 수 있지만 스펙을 좀 더 쌓고 싶다면 멘토링 정도가 있을 것 같아요. (신정련 생글6기, 부산대 영어교육과 12학번)

Q. 경영학과 관련된 괜찮은 스펙 있을까요?

A. 창업이 가장 강력한 거 같습니다. 실제로 창업 대회에 참여해보거나 창업 계획서를 만들어보는 친구들을 많이 봤어요. 저도 페텍스에서 하는 국제 청소년 우수사업체 선발대회(JA Company of the Year)의 국내 예선에 나가본 적이 있습니다. (원지호 생글8기, 서울대 경제학부 14학번)

A. 제 친구들 중에는 고등학생 때 기업에서 인턴을 해본 친구도 있더라고요. 하지만 실제로 고등학생을 인턴으로 선발하는 기업은 극소수이고, 거의 없다고 보시는 게 맞을 겁니다. (김예원 생글7기, 고려대 경제학과 13학번)

A. 사실 경영학과만큼 여러 활동들을 가져다 붙이기 쉬운 학과가 없습니다. 어떤 단체의 장을 해도 리더십이라는 명목으로 경영학과에 연결 지을 수 있고, 경제동아리를 해서 연결 지을 수도 있습니다. 구체적으로 스펙을 추천해드리면 한국은행 청소년 경제캠프, 생글생글 학생기자 활동,

다양한 임원 활동이 경영학과에 좋은 스펙일 것 같습니다. (김도민 생글8기, 서울대 경영학과 14학번)

Q. 생글생글 신문 많이 활용하셨나요?

A. 생글생글은 정기적으로 챙겨봤었어요. 일반 경제신문은 고등학생들이 읽기에는 용어가 어려운데, 이에 반해 생글생글은 주요 이슈를 쉽게 핵심 위주로 보여줘서 좋았어요. 중고등학생한테 꼭 필요한 입시 정보나 시사 정보도 들어있고 생글기자 코너를 통해 또래들이 생각도 볼 수 있어요. (서유진 생글7기, 서울대 불어교육과 13학번)

A. 고2 때 경제동아리를 운영할 때 경제신문을 많이 활용했어요. 생글생글과 아하경제, 매일경제 등 여러 가지 경제신문을 구해 한 주의 가장 뜨거웠던 기사는 무엇인지 찾아 비교하고 더불어 자신만의 기사를 써보는 등 동아리 활동에 적극적으로 활용했어요. 생글생글은 고등학생에게는 살짝 어려울 수도 있지만 짜임새가 탄탄해서 시사 상식을 얻는 데 가장 좋은 경제신문인 것 같아요. (이소영 생글7기, 경희대 경제학과 14학번)

A. 제가 생글생글 학생기자임을 떠나서 정말 많이 활용했습니다. 그만큼 유익한 신문이에요. 사회 이슈를 고등학생들이 알기 쉽게 제시해놓았다는 점이 가장 큰 장점이에요. 이건 논술고사와 면접에 큰 도움이 돼요. 공부하나가 머리 식힐 겸 생글생글 신문을 읽으세요. 일간지를 추천하고 싶지만 공부하는 학생 입장에서 일간지를 챙겨 읽기는 어렵죠. 그러니 주 1회 발행되는 생글생글을 읽으세요. 사회 이슈에도 뒤처지지 않고 문장력과 논리력을 향상하는 데에도 도움이 돼요. (최재영 생글6기, 중앙대 신문방송학과 13학번)

A. 저는 면접을 준비하면서 생글생글 신문을 많이 활용했습니다. 고등학생 기간 동안의 경제 관련 시사를 생글생글 신문을 통해 정리했어요. 생글생글은 경제 외에도 다양한 분야를 다루고 있어서 면접에 많은 도움이 됐습니다. 또한 제가 경제수학동아리에서 했던 신문스크랩 활동에서 생글생글 신문을 많이 이용했습니다. (김도민 생글8기, 서울대 경영학과 14학번)

3-2 내신

Q. 고1인데 고등학교 내신 공부는 어떻게 해야 하는 건지 모르겠어요.

A. 1학년 때의 내신 관리는 2~3학년 때보다 훨씬 쉽습니다. 아직 내신의 중요성을 모르는 신입생들 사이에서 조금만 공부하면 좋은 성적을 받을 수 있기 때문입니다. 입학해서 해야 할 게 중학교 때와 다른 건 없습니다. 선생님께서 중요하다고 하시는 거 필기하고 수행평가 잘하는 게 시작입니다. (김두민 생글8기, 서울대 경영학과 14학번)

A. 고등학교 공부가 처음이라 그런 거예요. 모든 학년의 첫 시험은 어떻게 출제되는지 모르니까요. 저도 엄청 막막했어요. 최대한 꼼꼼히 공부한다고 생각하고 할 수 있는 건 최대한 다 해보세요. 그리고 선생님들의 출제 스타일을 알게 되면 요령이 생겨서 집중해서 공부해야 하는 부분과 그렇지 않은 부분을 알게 될 거예요. 내신 준비는 시험 2주 전부터 했어

요. 저는 외고를 다녔는데 친구들끼리 각자 공부를 끝낸 과목이 있으면 서로 질문하면서 공부하기도 했어요. 잠은 많이 줄이지는 않았고 시험이 치러지는 기간에는 늦게 잤었어요. 그리고 수학은 내신 기간에 바짝 할 수가 없으니까 공부를 꾸준히 쭉 해야 해요. (김보미 생글7기, 이화여대 스크랜튼학부 13학번)

A. 수학, 영어는 내신도 기본 실력에 의해 많이 좌우되는 편이기 때문에 수업만 잘 듣는다고 해서 성적이 잘 나온다는 보장이 없지만, 다른 과목들은 수업 잘 듣고 예습 복습 잘 하면 웬만해선 성적 나옵니다. 수업 내용을 그 시간 내에 최대한 이해하려고 노력하고, 이해가 안 되었던 것은 질문과 복습을 통해서 보완하세요. 내신은 몇 주 간의 벼락치기로 결정되는 게 아니라 평소의 공부 습관으로 결정된다고 생각합니다. 그리고 지난 시험지는 버리지 말고 꼭 분석하세요. 선생님들의 문제 출제 패턴을 예상하여 더 효율적으로 내신 대비를 할 수 있거든요. (임우미 생글6기, 서울교대 음악교육과 13학번)

A. 내신 관리의 기본은 우선 평소에 학교 공부를 성실히 하는 것에서 시작합니다. 반드시 '수업 시간'에 열심히 들어서 수업 내용을 자기 것으로 만들어야 합니다. 내신 시험의 출제자는 수업을 하는 선생님임을 기억하세요. 선생님이 수업 시간에 무엇을 강조하는지 포인트를 놓치지 말고 적극적으로 수업에 참여하시길 바랍니다. 수능에 도움이 안 된다, 쓸데없다고 생각해서 수업을 안 듣는 친구들도 꽤 있는데 그런 자세는 좋지 않습니다. 자만심이 묻어있는 태도가 은연중에 면접에서 드러나기도 하고요. 아직 배우는 학생이기 때문에 어떤 것이 좋다 나쁘다 평가하기 보다는 겸손한 자세로 공부를 하는 것이 중요합니다. 내신 시험 대비 계획은 2주 정도로 넉넉하게 잡는 것이 좋습니다. 한 과목을 하루에 끝내기 보다는 여러 번 반복해서 보는 것이 효율이 더 높습니다. 저는 처음 1회독 할 때는 하루에 1~2과목, 모든 과목을 한 번씩 다 보고 나서는 다시 반복해서

하루에 3과목씩 봤어요. 각 과목마다 최소 3번에서 최대 5번까지 공부하고 시험을 쳤습니다. 외울 때는 입으로 외우는 것이 시간도 적게 걸리고 효과가 좋습니다. 저는 글씨가 예쁜 편도 아니고 손으로 쓰면 시간이 오래 걸려서 누군가에게 설명하듯 중얼거리며 공부하는 편이었습니다. 교과서의 소단원 제목이나 외워야 할 주요 개념들을 빈 종이에 쓰고 그걸 보면서 머릿속에서 교과서를 재구성 하듯이 외웠습니다. 공부는 항상 90점, 100점이 목표가 아니라 120점을 받겠다는 생각으로 완벽하게 해야 본인이 원하는 점수를 얻을 수 있습니다. 벼락치기는 그렇게 추천하고 싶지 않습니다. 특히 시험이 다가올수록 잠을 충분히 자야 시험 때 제 실력을 발휘할 수 있습니다. 저는 밤에 공부가 잘 안 된다 싶으면 바로 자고 일찍 일어나서 조용한 새벽에 공부하기도 했습니다. (정금진 생글6기, 서울교대 영어교육과 15학번)

A. 저는 수능보다 내신 시험에 더 강점이 있었던 학생이었어요. 수능과 달리 내신 시험은 출제자가 선생님이기 때문에 출제자의 강의를 직접 들을 수 있다는 점이 가장 좋은 점이죠. 수업을 잘 듣는 것은 기본입니다. 그리고 학교에서 배운 내용은 꼭 그 날 자습 시간에 복습했어요. 선생님께서 강조해주신 포인트를 보면서 다시 한 번 기억하려고 노력했죠. 공부 계획은 더 치밀하게 세웠어요. 선생님 특징 파악부터, 이번 시험에 몇 점 정도 맞고, 수행평가를 얼마나 맞아야 1등급이 나오는지, 난이도는 어떻게 나와야 유리한지 다 어느 정도 계산했죠. 그리고 무엇보다 중요한 것은 변별력 있는 문제가 어디서 나올지 예측하는 것이에요. 보통은 서술형에서 변별력 있는 문제가 나오고, 고난도 문제가 출제되는 경우에는 선생님들께서 평소 수업을 하시면서 강조하시는 내용일 가능성이 크겠죠. 이런 부분은 시험 직전에 힌트도 많이 안 주시는 편이니까 평소에 틈틈이 정리하는 학생이 유리해요. 물론 시험 기간에는 철저하게 계획을 세워서 공부해야겠죠? 공부의 양과 노력도 중요합니다. 100점을 맞고 싶다면

130점을 맞도록 공부해야 해요. 그래야 100점이 나와요. (심윤보 생글8기, 전주교대 초등사회교육과 14학번)

A. 내신, 수능 모두 근본적으로는 출제자의 의도를 파악하는 것이 중요합니다. 때문에 내신을 준비하는 경우에도 해당 수업을 하시는 선생님의 의도를 파악하는 것이 중요합니다. 이는 결국 수업을 열심히 들어야 한다는 말입니다. 일단 학교 수업은 모두 들어야 합니다. 이미 아는 내용을 수업하거나 선생님의 강의력이 좋지 않다고 해서 수업을 무시하는 경우가 많은데, 이런 방식의 접근은 결국 내신을 준비하는 데에는 독이 되는 경우가 많습니다. 최근 내신의 중요도가 높아지고 있는 만큼 가장 먼저 학교 수업에 충실하셔야 합니다. 두 번째는 선생님과 친해지는 것입니다. 선생님과 질문 등 많은 교류를 하라는 것입니다. 내신 공부를 하다가 헷갈리는 경우 대부분의 학생들은 학교 선생님 대신 학원 선생님이나 참고서를 보는 선에 그칩니다. 그러나 앞에서 언급했듯이 내신 문제는 결국 학교 선생님께서 내시는 것이므로 학원 선생님에게 질문하는 것은 실질적으로 도움이 되지 못합니다. 적어도 내신의 경우에는 내신을 출제하시는 선생님에게 적극적으로 질문을 함으로써 출제자의 의도를 파악하는 것이 더 효율적인 공부 방법이라고 볼 수 있습니다. 또한 선생님과 친해지는 경우 단순히 내신에만 좋은 것이 아니라 학교생활 전반에 대해 선생님께 큰 도움을 받을 수 있게 됩니다. 선생님께 참고서나 교재 추천을 받을 수도 있으며, 선생님이 주로 참고하시는 참고서나 교재에 대한 추가적인 정보 역시 얻을 수 있습니다. 이는 내신 공부에 도움이 될 뿐만 아니라 그 이후의 수능에도 큰 도움이 될 수 있습니다. 특히 최근에 입학사정관전형이 부각이 되면서 학교 선생님께 추천서를 부탁하는 경우가 많이 있습니다. 선생님과 친해지면 선생님께서 학생을 더 잘 이해할 수 있고, 이는 나중에 추천서 등에서도 좋은 영향을 줄 수 있을 것입니다. (홍성현 생글6기, 서울대 경제학부 13학번)

Q. 수능이랑 내신을 병행하는 게 힘들어요. 내신 시험 기간에 수능을 놓으려니 마음이 안 놓이고, 그렇다고 내신을 포기하기도 그래요.

A. 내신 시험 기간에는 수능 공부는 잠깐 내려놓고 내신에만 집중하세요. 수능 잠깐 놓는다고 감이 엄청나게 떨어지지는 않으니 걱정 마세요. (변혜준 생글7기, 경희대 국어국문학과 13학번)

A. 1학년이라면 과감히 시험 기간에는 내신만 준비하시고, 2학년이실 경우에도 자신의 본디 내신 성적에 따라 내신 위주의 공부를 하시는 것을 추천해드려요. (이지현 생글7기, 연세대 언론홍보영상학부 14학번)

A. 수시 원서를 넣을 때쯤에 수많은 학생들이 내신에 대해서 후회를 하죠. 일단 내신이 좋으면 수시는 물론이고 정시에서도 부담이 줄어요. 수능 공부는 내신 기간이 아니라도 할 수 있지만 내신 성적은 그 순간이 아니면 복구할 수 있는 방법이 없어요. 수능이 불안하시면 내신 시험이 끝나고 놀지 말고 바로 수능 공부에 집중하세요. (박영준 생글7기, 경찰대 행정학과 13학번)

A. 그래서 평소에 내신을 위한 복습을 해주는 것이 좋습니다. 그리고 보통 많은 선생님들께서 내신 시험을 수능과 연계된 EBS 교재에서 내거나 수능 유형으로 출제하십니다. 수능과 내신이 완전히 같은 것은 아니지만 별개라고 볼 수도 없는 이유입니다. 따라서 완전히 별개로 공부하지 마시고 내신 공부도 수능 공부의 하나라고 생각하고 공부하시면 편하실 것 같습니다. (김도민 생글8기, 서울대 경영학과 14학번)

A. 저는 고1 겨울방학부터 수능을 위한 기초 개념과 실력을 다지기 시작했습니다. 물론 중간, 기말고사가 다가오면 3주의 시간을 잡고 계획을 세운 다음 내신 관리에 몰두했지만요. 그래도 공부하는 틀은 크게 달라지

지 않았습니다. 수능 공부법과 내신 공부법이 다른 게 아니기 때문입니다. 수능을 잘 치를 실력이 되면 학교 시험도 잘 치릅니다. 왜냐면 올바로 된 수능 공부는 기본기를 잘 닦는 것이기 때문이죠. 기본이 탄탄한데 시험이 달라졌다고 해서 성적에 변동이 있을까요? 하지만 반대로 교과서 내용을 달달 외워서 학교 시험을 잘 보는 학생들은 수능 성적이 절대 잘 나올 수가 없습니다. 그러니까 결론은 '기본기에 충실한 수능 공부'가 답인 겁니다. 이해 위주로 공부해서 개념 탄탄히 다지고, 영어 단어 꾸준히 외우고, 독해 훈련 계속 하고, 언어 지문 분석 계속 연습해보세요. 수능은 물론이고 내신까지 잡을 수 있습니다. 과목에 대한 올바른 공부법을 이해하고 있고, 기초까지 잡혀 있는데 내신 성적이 뒤따라오지 않을 리가 없습니다. 제가 그 증인입니다. 이렇게 '기본기에 충실한 수능 공부'를 위주로 한 결과, 갈수록 내신 공부가 쉬워졌고 내신 성적도 지속적으로 상승했습니다. 결국 3학년 2학기 마지막 내신은 수능 공부가 급해서 크게 신경 쓰지 않았는데도 최고의 성적이 나오더군요. (임우미 생글6기, 서울교대 음악교육과 13학번)

Q. 문과는 내신에서 과학 버려도 되나요?

A. 문과의 경우 교대와 서울대는 내신 과학 과목이 반영됩니다. 교대나 서울대 안 갈 거면 어느 정도만 하고 버려도 된다고 생각합니다. 자기가 생각하는 대학에서 내신이랑 생활기록부를 어떻게 보는지 확인해 보는 게 제일 좋습니다. 교대랑 서울대는 과학이 반영된다는 것도 바뀔 수 있으니 반드시 확인해보세요. (원지호 생글8기, 서울대 경제학부 14학번)

A. 결론적으로 말하면 서울대나 교대를 목표로 하지 않는다면 버려도 됩니다. 하지만 공부라는 것은 관성이 있기 때문에 과학도 어느 정도의

공부를 하는 것이 다른 과목과의 시너지 효과를 낼 수 있을 겁니다. 여러분이 버린다고 수업 시간에 안 들어가는 것은 아니잖아요. 수업 시간에라도 열심히 하시면 평균을 나올 겁니다. (이훈창 생글7기, 성균관대 경영학과 14학번)

A. 아뇨, 일단 서울대를 쓰려면 전 과목 성적이 다 좋아야 해요. 과학 성적도 빠지지 않고 들어가기 때문에 버리면 안 돼요. 본인이 희망하는 대학에서 과학 성적을 반영 안 한다고 하면 버려도 되긴 한데, 사람 일은 모르는 거니까 힘닿는 데까지 챙겨놔야 한다고 생각해요. 항상 저는 후배들에게 내신은 보험이라고 말해요. 보험을 차곡차곡 열심히 쌓아놓은 사람은 입시를 치를 때 더 안전하고, 보험이 없는 사람은 리스크를 그만큼 많이 져야 해요. 보험을 쌓을 건지 안 쌓을 건지는 본인이 선택하는 거예요. 앞으로 어떻게 될지 모르니까 이왕이면 열심히 해놔야겠죠? 파이팅입니다. (김재은 생글7기, 서울대 자유전공학부 13학번)

A. 버리지 마세요. 제가 바로 과학을 무시했다가 큰 코 다친 사람입니다. 내신에서 과학 하는 게 짜증나고 이걸 내가 왜 하고 있지 싶어도 내신 기간에만 조금만 고생하세요. 안 그러면 나중에 후회해요. (김보미 생글7기, 이화여대 스크랜튼학부 13학번)

A. 문과도 1~2학년 때의 과학 내신이 들어가는 경우가 있습니다. 또한 서울대는 전 과목 내신을 보기 때문에 서울대를 생각한다면 과학을 버리면 안 됩니다. 그리고 보통 문과에서의 과학 시험은 대부분의 선생님들께서 문제를 쉽게 내시거나 시험 범위를 거의 가르쳐 주시고 보는 경우가 많습니다. 따라서 버리지 마시고 조금만 신경써주시면 내신 관리하기 편합니다. (김도민 생글8기, 서울대 경영학과 14학번)

A. 버린다는 생각 자체는 위험해요. 물론 문과는 국어, 수학, 영어, 사회 정도의 교과가 내신으로 산출되어 반영되는 경우가 많지만, 아시다시

피 우리나라 교육정책도 매년 바뀌고, 대학에서도 매년 달라진 입시요강을 발표하잖아요. 서울대나 교대 같은 경우도 모든 교과목을 내신 점수로 반영하고 있고, 또 집중이수제를 실시하는 학교는 과학 수업시수도 무시할 정도가 아니니, 버린다고 생각하시지 말고 수업 시간에 집중하거나 틈틈이 복습하는 등 효율적으로 공부하는 법을 찾는 것이 좋을 것 같아요. (심윤보 생글8기, 전주교대 초등사회교육과 14학번)

Q. 내신 영어 시험 범위의 지문이 많을 때 중학교 때처럼 전부 다 외울 수 없잖아요. 그러면 외울 만큼 많이 보는 방법이 최선인가요?

A. 많이 보긴 보되 그냥 목적도 없이 무작정 많이 보면 안 되겠죠. 지문을 전부 다 외울 수는 없기 때문에 저는 모르는 단어, 숙어, 구문, 문법 등 잘 이해가 안 되는 것들을 따로 정리하거나 교과서에 표시해두고 많이 보았습니다. (임우미 생글6기, 서울교대 음악교육과 13학번)

A. 내신 영어도 서술형을 제외하고는 수능과 유형이 비슷하기 때문에 무조건 외우는 것은 좋지 않습니다. 하지만 서술형 문제가 있기 때문에 수업 시간에 선생님들의 힌트를 잘 듣고, 시험 범위 지문의 맥락을 잘 파악해두는 것이 중요합니다. (김도민 생글8기, 서울대 경영학과 14학번)

A. 저는 외울 만큼 많이 보는 방법을 썼어요. 영어 시험 범위에서 지문이 400개쯤 될 때도 있었는데, 지문을 시험 기간 내내 틈틈이 자주 보면서 눈에 익게 하는 방법을 썼어요. 물론 중요한 부분(문법적인 부분 등)은 형광펜으로 표시해 놓는다면 시간 절약이 되겠죠. (이지현 생글7기, 연세대 언론홍보영상학부 14학번)

Q. 내신 시험 범위에 모의고사가 포함되는데 이건 어떻게 공부해야 할까요?

A. 그런 경우 모의고사 문제 형식을 차용하여 유사한 문제를 시험에 낼 확률이 높다고 봐요. 우선 모의고사 문제를 한 번 풀어본 후 오답 체크를 하고, 자신이 헷갈리거나 틀렸던 문제들의 풀이에 핵심이 되는 개념을 교과서나 참고서를 통해 다시 한 번 정리하여 공부하세요. 또한 '정답'을 고르는 것뿐만 아니라 오답이었던 선택지들까지도 모두 분석하여 왜 틀렸는지, 어떻게 바뀌면 답이 될 수 있는지를 공부한다면 보다 완벽한 준비가 가능할 것입니다. (박성연 생글7기, 서울대 경영학과 13학번)

A. 저희 학교는 선생님들께서 가끔씩 모의고사 범위를 평소 EBS 교재 풀듯이 수업해주시기도 했어요. 안 해주실 때에는 혼자서 지문을 계속 읽고서 문법적으로 어려운 부분 혹은 헷갈릴 수 있는 부분을 찾아보고, 어휘의 경우 유사어를 찾아보고 생소한 어휘는 외웠어요. 그리고 부족한 부분은 사설 인터넷 강의 사이트의 해설 강의를 참고하기도 했고요. (최승희 생글7기, 한국외대 아랍어과 14학번)

A. 모의고사가 내신에 반영된다고 해서 이미 지나간 모의고사를 너무 파고들 필요는 없는 거 같아요. 본인이 잘 이해하고 잘 풀어서 맞은 문제는 그 문제가 다른 식으로 변형이 돼도 잘 풀 수 있을 거예요. 잘 이해가 안 됐던 문제, 모르는 용어가 있는 문제들만 선택적으로 공부해도 충분하다고 봐요. 문제가 변형되는 것에 너무 두려움 갖지 말고 자신의 실력을 믿으셨으면 좋겠어요. (임우미 생글6기, 서울교대 음악교육과 13학번)

A. 내신 시험 범위에 모의고사가 포함되는 경우 그냥 똑같이 그 지문을 내신 공부하듯이 공부하시면 됩니다. 선생님들께서 문제를 대개 그대로 또는 조금만 바꾸어 출제하시는 경우가 많기 때문에 모의고사 푼다고 생각하시고 공부하세요. (김도민 생글8기, 서울대 경영학과 14학번)

Q. 저는 내신과 잘 안 맞는 사람인 거 같아요. 암기도 자신 없고 게으르기도 한 거 같고요. 대외활동은 많이 하고, 모의고사도 평균 2등급 정도는 나오는데 내신은 3~4등급이네요.

A. 솔직히 말해서 자신이 게을러 내신과 맞지 않다고 말하는 것이 이상하네요. 암기력이 좋지 않은 것은 둘째 치고 노력과 암기가 전부인 내신 시험에서 게을러 등급이 안 나옴을 불평하는 것은 뭔가 잘못되었습니다. 노력하세요. (이훈창 생글7기, 성균관대 경영학과 14학번)

A. 모의고사 평균 2등급이 나온다고 해서 수능에서도 2등급이 나올 거라는 보장은 없습니다. 내신과 잘 맞는 사람이 아니라 본인이 내신을 무시하고 성실하게 노력하지 않는 것입니다. 대외활동보다 기본적인 내신에 집중하세요. 내신을 무시한다면 대외활동들은 모두 휴지 조각이 되어버릴 수 있어요. (변혜준 생글7기, 경희대 국어국문학과 13학번)

A. 모의고사 성적보다 내신 성적이 안 나오는 건 내신 책에 소홀해서 그래요. 저는 내신 수학 시험 보기 전에 문제집을 3번은 풀어봤어요. 저도 1학년 때는 내신에 소홀해서 그냥 대충 공부했는데 2학년 2학기 이후부터는 3번씩 봐서 수학 내신은 항상 1등급이었어요. 그리고 내신 공부하다 보면 모의고사도 저절로 됩니다. 내신이랑 모의고사랑 다르게 생각하지 마세요. (서아정 생글8기, 한양대 컴퓨터전공 14학번)

A. 따끔하게 말해줄 필요가 있는 거 같네요. 모의고사 평균 2등급 별로 높은 성적 아니에요. 문과 기준으로 수능 평균 2등급이면 인서울 마지노선 대학 간당간당해요. 암기가 약해서 내신이 안 나온다는 변명을 할 자격이 있으려면 최소한 모의고사가 1등급이 나와야 한다고 봐요. 그리고 암기가 약하다고 말하는 자세도 좋지 않다고 생각해요. 모든 이해의 기본

은 암기입니다. 암기는 피할 수 없는 겁니다. 극복하려고 노력하세요. (정금진 생글6기, 서울교대 영어교육과 15학번)

A. 본인이 게으른 걸 고쳐야 합니다. 게으른 사람은 어느 곳에서도 선호하지 않아요. 대학도 마찬가지입니다. 어떤 학생이 내신이 잘 안 맞는 스타일인 걸 감안해서 내신은 눈감아주고 그 학생을 뽑을 대학은 없어요. 지금 친구는 가장 기본적으로, 우선적으로 해야 하는 내신을 뒤로 미룬채 우선순위가 내신보다 떨어지는 대외활동에 집중하고 있다는 점도 문제입니다. 수시 어느 전형에 지원하더라도 결국 가장 중요한 건 내신이라는 걸 잊지 말길 바랍니다. 그리고 머리가 좋든 나쁘든 결국 누구나 해낼 수 있는 게 암기입니다. 핑계 대지 마세요. 본인이 열심히 하지 않아서 외우지 못한다는 것을 직시하고 그것을 인정해야 합니다. (이 질문을 한 학생은 제게 크게 혼났음을 덧붙입니다.) (이정훈 생글5기, 성균관대 경영학과 11학번)

3-3 동아리

Q. 동아리는 꼭 전공이랑 맞는 거로 해야 하나요?

A. 그렇지만은 않습니다. 전공이랑 안 맞더라도 인성, 동기부여와 같은 부분에 말할 거리가 있고 경험할 것들이 있는 동아리라면 도움이 될 수 있다고 생각합니다. 예를 들면 여행 동아리가 있습니다. 여행을 통해서 견문을 넓혔고 많은 경험을 해봤다 등 말할 수 있는 것들이 많습니다. (김영주 생글6기, 경희대 전자·전파공학과 13학번)

A. 성인이 돼서도 하고 싶은 일이 바뀝니다. 고등학생이 너무 틀에 맞춰 자신의 전공이랑 관련성 있는 활동만 해도 나이답지 못한 것입니다. 다만 진로의 변화가 생겼을 경우 자기소개서를 쓸 때 자신의 이런 변화를 잘 풀어쓰는 것이 중요합니다. 동아리 활동이 전공이랑 관련이 없어도 왜 그 동아리를 했었고, 본인에게 어떤 의미가 있었는지 풀어 쓰는 것이 중요하다고 생각합니다. (변혜준 생글7기, 경희대 국어국문학과 13학번)

A. 꼭 그럴 필요는 없습니다. 면접에서 전공과 관련된 질문만을 하는 것도 아니기 때문입니다. 물론 전공과 관련된 동아리 하나를 주요한 것으로 놔두고 그 외로는 다양한 분야의 활동을 하는 게 도움이 됩니다. (김도민 생글8기, 서울대 경영학과 14학번)

A. 희망하는 전공에 관련된 동아리 활동을 하는 것은 대입 준비 과정에서 매우 효과적인 방법이에요. 하지만 꼭 그럴 필요는 없어요. 학업으로 인한 스트레스를 풀 수 있는 분야의 동아리 활동을 해도 좋고, 또 평소에 관심이 많았던 분야에 대한 도전으로써 동아리 활동을 해보는 것도 의미 있을 거라 생각해요. 그러나 최근 생활기록부에 기재할 수 없는 교외활동이 늘어나면서 교내활동 중 가장 접하기 쉬운 동아리 활동을 자신의 진로에 맞게 설계하는 추세가 늘어나고 있다고 하네요. (김예원 생글7기, 고려대 경제학과 13학번)

A. 동아리를 꼭 전공에 맞출 필요가 있을까요? 동아리 활동을 하면서 진로 혹은 전공과 관련된 활동을 하면 된다고 생각해요. 본인이 원하는 전공에서 요구하는 인재상에 맞는 활동을 해서 입증하면 되죠. 예컨대 상경계열이라고 해서 경제동아리를 반드시 해야 할 필요는 없어요. (최재영 생글6기, 중앙대 신문방송학과 13학번)

A. 맞으면 좋겠지만 안 맞아도 무방한 거 같아요. 저는 하고 싶은 것이 많고 욕심이 많았던 학생이라서 1학년 때는 댄스동아리, 2학년 때는 경영·경제동아리를 했습니다. 현재 전공은 프랑스어문화학과이고요. 입학사정관전형으로 지원했던 4개 대학의 프랑스 관련 학과 모두에서 1차 서류전형을 합격했습니다. 하지만 아무래도 일관되게 활동을 하는 것이 전공적합성인재라는 것을 어필하기에 좋기 때문에 저는 동아리 이외의 활동들은 전공과 관련 있는 것들로 했습니다. (진현지 생글8기, 가톨릭대 프랑스어문화학과 14학번)

A. 동아리를 하는 이유는 분명 그 분야에 관심이 있기 때문이죠? 꿈이 있으면 꿈과 관련된 분야에 관심이 있겠죠? 그리고 꿈이 있으면 그 꿈과 관련된 학과를 선택하겠죠? 그럼 자연스레 동아리가 전공이랑 맞을 거라고 생각해요. 이건 아주 이상적인 케이스이고, 일단 진로든 뭐든 아무것도 모르겠다 싶으면 동아리는 그냥 자기가 관심 있는 분야로 하세요. 친구 따라가지도 말고, 그냥 딱 관심 분야로 해놓으면 나중에 전공이랑 안 맞아도 취미 활동으로 분류해서 쓸 수 있으니까 너무 걱정하지 말고요. (김재은 생글7기, 서울대 자유전공학부 13학번)

Q. 어떤 동아리에서 어떤 활동을 하셨는지 궁금합니다.

A. 저는 학생회 홍보부 활동과 시사이슈토론동아리를 했어요. 학생회 홍보부에서는 학교에서 설명회를 할 때 활동했고, 이거로 봉사활동 시간을 받았어요. 시사이슈토론동아리는 3학년 겨울방학 때 엄청 소규모로 급히 만든 동아리예요. 정치, 국제, 경제 관련 이슈에 대해서 모르는 게 많아서 마음 맞는 친구들과 면접 대비를 위해 공부하려고 만들었어요. 겨울방학 때 반짝 활동했지만 나름 동아리 등록도 했고, 매일 신문도 읽었고, 문집도 만들어서 포트폴리오에도 활용했어요. (김보미 생글7기, 이화여대 스크랜튼학부 13학번)

A. 저는 1학년 때부터 방송부의 PD로 활동하며 영상 제작 및 편집에 대한 기술들을 배웠고, 봉사동아리를 창설하여 인근 지역 초중학교 학생들에게 '영재와 함께하는 과학 실험'이라는 제목으로 과학 실험 나눔 봉사를 했어요. 교내 영자신문동아리에도 가입하여 영자신문을 싣거나 편집을 하였으며, 양궁동아리에서 동아리장을 맡는 등 골고루 발전된 인재가 되

기 위해 여러 방면으로 활동했어요. 다양한 활동을 했지만, 실제 수시 면접에서는 아쉽게도 동아리에 관련된 질문은 나오지 않았네요. (김호기 생글8기, 서울대 산업공학과 14학번)

A. 저는 독서토론동아리를 했는데, 고1부터 고3 초반까지 한 달에 한 번씩 모임을 가졌습니다. 매달 다양한 분야의 책을 한 권 선정하여 골라 읽고 담당 선생님과 동아리원들과 토론하는 시간을 가졌습니다. 저는 토론일지 및 독후감을 매번 작성해서 정리하여 후에 포토폴리오에 활용했습니다. 고등학생이 되면서 시간이 없다는 핑계로 독서를 소홀히 하는 경우가 많은데 꾸준히 책을 읽으며 사고력을 키우는 좋은 경험이었다고 생각합니다. (정금진 생글6기, 서울교대 영어교육과 15학번)

A. 저는 논술동아리를 했어요. 친구들이랑 같이 신문 스크랩, 토론, 논술을 쓰고 첨삭을 받는 활동들을 했어요. 이 동아리 활동은 제가 학원을 다니지 않고 논술을 준비하는 데에 많은 도움이 되었어요. (서아진 생글7기, 연세대 정치외교학과 13학번)

A. 저는 고등학교 3년간 교내 밴드부에서 활동했어요. 1학년 때는 경제동아리에서도 활동하긴 했지만 밴드부의 부장을 맡으면서 과감히 그만두었죠. 경제도 흥미가 있었지만, 음악이 더 좋았거든요. 개인적으로는 3년 동안의 고등학교 생활 중 가장 추억이 많은 공간이 동아리이기도 해요. 매년 세 번의 정기공연과 약 다섯 번 정도의 비정기공연이 있었기에 다른 동아리들보다 시간을 많이 할애하며 활동했죠. 학교 선생님들은 동아리 활동으로 인해 학업에 지장을 받을까봐 염려하셨지만 그만큼 다른 친구들보다 지혜롭게 시간 관리를 할 수 있게 되었던 거 같아요. 또 부장의 역할을 수행하면서 리더십에 관한 많은 교훈도 얻을 수 있었고요. 스펙 한 줄 더 쓰기 위해 일주일에 한두 시간 정도밖에 차지하지 않는 동아리 활동까지 포기할 이유는 없다고 생각해요. 좋아하는 걸 하세요. (김예원 생글7기, 고려대 경제학과 13학번)

A. 저는 인권동아리, 경제수학동아리, 경제토론동아리, 영어방송동아리를 했습니다. 인권동아리는 교육청의 지원을 받아 한 동아리로 인권 골든벨, 인권 UCC 만들기, 인권 영화제 등의 활동을 하였고, 경제수학동아리에서는 주로 경제신문을 읽고 스크랩을 하는 활동을 했습니다. 경제토론동아리에서는 말 그대로 경제시사와 관련한 토론을 했습니다. 영어방송동아리에서는 점심시간을 이용해 직접 요일마다 다른 프로그램을 기획하여영어로 방송을 했습니다. (김도민 생글8기, 서울대 경영학과 14학번)

A. 저는 조금은 특별한 학술동아리를 하였습니다. '학술'이라고 하면 그저 문제 풀이만 하는 동아리들이 많죠. 제가 운영한 동아리에서는 한 가지 과목에 특출한 사람들을 모아 그 사람들에게 자신이 강한 과목에 대하여 강의를 준비해오도록 하여 강연을 할 수 있는 기회를 주었습니다. 월1회 각자 맡은 과목에 대해 실험을 준비해와 실험을 하는 시간도 가지는등 포괄적인 의미로는 학술동아리이지만, 실험동아리 혹은 강연동아리 그리고 멘토링동아리의 역할도 다 하는 동아리였습니다. (김영주 생글6기, 경희대 전자·전파공학과 13학번)

A. 저는 '인터랙트'라고 하는 국제교류동아리 활동을 했어요. 이 동아리는 저희 학교에만 있는 것이 아니라 여러 학교에 있어요. 다른 학교 인터랙트와 연합해서 국제교류활동과 봉사활동을 했어요. 이 동아리를 통해서일본 해외봉사활동도 다녀왔고 국제 사회 문제에 관한 여러 특강들도 들을 수 있었어요. (류수현 생글5기, 경희대 연극영화학과 12학번)

A. 저는 동아리를 직접 개설하고 싶어서 친구들을 모아 '유럽문화탐구반'을 만들었어요. 주한프랑스학교(Ecole francaise de seoul)가 위치한서래마을을 탐방해보면서 프랑스인들과 직접 이야기도 나눠보고, 동아리원들이 관심 있는 분야를 조사하여 프랑스의 요리, 정치, 패션, 책 등을주제로 월/주간지를 만들었습니다. 프랑스의 소식 및 유럽의 이슈, 문화들

을 배울 수 있었던 뜻 깊은 시간이었죠. 또한 동아리에 멘토링 프로그램을 도입해서 1:1로 선배들이 후배들의 학교생활, 학업 관련 고민을 들어주고 조언해주면서 더욱 원활한 학교생활을 할 수 있도록 도왔습니다. (진현지 생글8기, 가톨릭대 프랑스어문화학과 14학번)

A. 학교에서 토론동아리를 만들었어요. 교내 토론대회에 참여를 해서 결선까지 올라갔었는데, 평소에 신문이나 뉴스에 나왔던 주제들 위주로 토론했어요. NIE 북도 만들었고요. 왕따에 대해서 인터뷰를 하는 등의 활동도 했고, 시리아 내전에 대해 조사해보는 시간도 가졌어요. 북한 기아 실태에 대해 조사도 했고, 잊혀질 권리가 무엇이며 그것이 어떻게 존재해야 하는가에 대해서도 의견을 나누었습니다. (이지현 생글7기, 연세대 언론홍보영상학부 14학번)

A. 방송부와 학생회를 했어요. 사실 동아리라고 말하기는 어렵지만 이게 유일한 교내활동이네요. 동아리 활동과 방송부, 학생회 활동을 병행하는 게 현실적으로 힘들기도 했고요. 방송부에서는 축제를 비롯한 각종 교내 행사를 준비하고 진행했어요. 매일 아침 방송을 진행하기도 했고요. 방송부원들과 영상을 만들어 영상제에 출품하기도 했어요. 학생회로 활동하면서는 교내 행사를 기획하고 진행했어요. 학생 자치가 잘 이루어지고 있었기 때문에 학생회의 역할이 중요했거든요. 행사와 캠페인을 기획하고 학생들 의견을 수렴해 진행했어요. 개인적으로는 방송부와 학생회를 겸하면서 각 조직의 연결다리 역할을 했고요. (최재영 생글6기, 중앙대 신문방송학과 13학번)

Q. 동아리를 운영하시면서 어려운 점은 없으셨나요?

A. 많았죠. 무언가를 만들고 운영한다는 건 정말 어려운 일인 것 같아요. 저는 경제동아리를 했는데, 제가 다닌 고등학교에는 경제 수업이 없어서 지도 선생님을 모시기가 힘들었어요. 경제 수업이 없다 보니 처음에 저를 포함해 동아리를 하겠다고 모인 사람들이 경제에 대한 지식이 너무 없어서 어떤 활동을 해야 할지에 대한 고민도 많았고요. 자칫하면 이름만 경제동아리가 되어버릴 것 같아서 동아리장으로서 부담이 컸죠. 하지만 여러 사람이 머리를 맞대면서 하나씩 문제를 해결하다 보니 결국 되더라고요. 협동하는 과정이 참 중요한 거 같아요. (김재은 생글7기, 서울대 자유전공학부 13학번)

A. 동아리를 운영하다 보면 운영비가 예산을 초과하는 경우가 많아요. 결국엔 동아리 간부들이 손실을 입은 금액을 메웠죠. 계획을 체계적으로 짜세요. 머릿속으로 가상 시뮬레이션도 해보고요. 일부 말 안 듣는 후배들은 따끔하게 혼내는 것도 중요해요. (이소은 생글7기, 고려대 미디어학부 14학번)

A. 동아리를 하면서 부회장을 했을 때나 부장을 했을 때나 공통적으로 느꼈던 것은 동아리원들과의 시간이 부족했다는 거예요. 아무래도 고등학생 때의 동아리는 재정도 부족하고 장소도 제한적이라 제대로 된 활동을 하지 못하기 때문에 그게 가장 아쉬웠고, 동아리원들과의 소통 문제도 어려웠던 거 같아요. (박준형 생글8기, 건국대 글로컬캠퍼스 경제학과 14학번)

Q. 동아리원은 어떻게 뽑으셨어요?

A. 저희는 가입을 희망하는 사람에게서 지원서를 받고 면접까지 시행했어요. 면접은 예를 들어 지원서에서 그리스 금융 위기에 대한 신문 기사를 스크랩했다고 하면 그리스 금융 위기의 원인에 대해서 질문하는 방식으로 했어요. 사실 고등학교 풋내기가 경제에 대해 해박한 경우는 드물어서 경제 분야에 관심 있다는 것을 어필만 잘해줘도 붙을 수 있을 정도로 했어요. (이소은 생글7기, 고려대 미디어학부 14학번)

A. 경제동아리의 동아리원은 면접과 글쓰기를 통해서 뽑았어요. 경제와 관련된 주제로 글쓰기를 하게 했고 면접도 보아서 합산 점수로 동아리원을 뽑았어요. (최승희 생글7기, 한국외대 아랍어과 14학번)

A. 학교로부터 승인을 받아 반마다 복도마다 공지문을 붙인 후 일주일 후에 면접을 봤어요. 저는 경제동아리와 방송부를 했는데, 경제동아리에서는 면접 때 시사경제 키워드를 주고 어떻게 생각하는지 물어본다거나 경제에 관해 얼마나 관심 있는지를 물어보았고, 방송부에서는 경력직을 우대하다 보니 경력과 인성을 보았어요. 제가 생각하기에 동아리원을 뽑는 데 가장 중요한 것은 인성이라고 생각해요. 동아리에 소속되었을 때 소속감을 가지고 동아리원들과 얼마나 잘 지낼 수 있는지가 가장 중요한 것 같아요. (박준형 생글8기, 건국대 글로컬캠퍼스 경제학과 14학번)

A. 지금 생각하면 뭐하려고 그렇게 어렵게 뽑았나 싶을 정도로 경제동아리의 동아리원 선발 과정이 까다로웠어요. 단답형, 논술, 구술 이런 식으로 3단계로 테스트를 봐서 후배들을 뽑았어요. 아무래도 가장 중요했던 건 구술이었던 것 같아요. 후배들 뽑는 면접을 보면 이 사람이 어떤 사람인지, 문제없이 동아리 활동을 할 수 있을지, 경제에 정말 관심이 있는지 등을 알 수 있으니까 참 재밌고 신기했어요. (김재은 생글7기, 서울대 자유전공학부 13학번)

Q. 저는 동아리장인데 요즘 들어 제가 동아리장으로서 자격이 있는지, 잘하고 있는지 회의감이 들 때가 많아요. 이런 스트레스와 부담감을 어떻게 이겨내셨나요?

A. 저는 제가 그런 상황을 겪지는 않았지만 비슷한 고민을 가진 동아리장 친구가 있었어요. 동아리장의 능력은 동아리원들이 제일 잘 알고 있다고 생각해요. 열심히 활동하는 부원들한테 뭐가 부족한지 물어보는 게 좋을 거 같아요. (박영준 생글7기, 경찰대 행정학과 13학번)

A. 저도 두 개의 동아리에서 장을 맡았었는데, 그에 따른 스트레스와 부담감도 심했습니다. 하지만 저는 누가 동아리장을 하든 이런 고민과 걱정은 했을 것이라고 생각했고, 제가 남들보다 못하고 있다는 생각을 하지 않고 자신감을 가지려고 노력했습니다. (김도민 생글8기, 서울대 경영학과 14학번)

A. 저도 동아리장을 하면서 힘든 일이 많았어요. 특히 동아리장이 되고 싶었으나 저에게 밀려 장이 되지 못한 멤버가 자꾸 타당하고 합당한 제 의견에 태클을 걸어서 스트레스를 많이 받았어요. 원래 리더는 힘들고 고달픈 자리입니다. 더군다나 조직을 이끌어본 경험이 거의 없는 고교생이지 않습니까. 10대 후반의 나이에 뛰어난 리더십을 발휘할 수는 없어요. 지금의 힘든 과정이 훗날 좋은 리더가 되는 수업이라고 생각합시다. (이정훈 생글5기, 성균관대 경영학과 11학번)

A. 저도 동아리장으로서 동아리를 이끌어가면서 동아리원들과 불화가 생기거나 계획이 엇나가게 되는 것에 있어서 스트레스를 많이 받았어요. 그때마다 담당 선생님과 얘기하면서 격려도 받고, 동아리원들과의 대화를 통해 서로 풀어나가고, 활동할 때마다 기록해뒀던 것들을 보면서 마음을 다잡았어요. 쌓아놓은 결과물을 보면서 뿌듯하기도 했고요. (이소영 생글7기, 경희대 경제학과 14학번)

Q. 경제동아리에서는 어떤 활동을 하셨나요?

A. 경제동아리에서 경제신문과 책 제작, 논문 쓰기를 했어요. 신문은 학생들이 월별 경제 이슈에 대해 조사하고 그에 대한 자신의 생각을 저술하는 방식으로 만들었어요. 책은 부산 지하철을 중심으로 그 주변의 경제적으로 관광지가 될 만한 장소를 소개하는 책이었어요. 논문은 학교에서 특강을 통해 3~4달에 걸쳐서 체계적으로 논문 작성법을 배우고, 그에 맞게 인터뷰, 설문조사 등을 거쳐서 썼어요. 애정이 많이 필요한 활동이었죠. (오민지 생글6기, 고려대 경영학과 14학번)

A. 2학년 때는 경제신문동아리를 운영했고, 3학년 때는 금융동아리를 했어요. 둘 다 동아리장을 맡았어요. 경제신문동아리에선 신문을 읽고, 토론하고, 기사를 쓰며 경제 현상을 간접적으로 이해하는 데 도움을 받았습니다. 학교에서 열리는 경제 관련 대회에 참가해서 수상도 했고요. 금융동아리에선 모의투자를 하거나 재무 설계를 조사하고 발표하면서 보고서도 작성했고, 외부에서 개최한 페어나 세미나에도 자주 참석했어요. 매번 활동에 대한 기록을 빼먹지 않았고요. (이소영 생글7기, 경희대 경제학과 14학번)

A. 제가 나온 학교는 신설된 학교라서 전체적으로 교내활동이나 동아리 기반이 많이 부족한 편이었습니다. 그래서 고1 말부터 고2 초반에 친구들과 경제동아리를 만들었습니다. 생글생글을 읽고 토론하고, 경제 서적 읽기, 『맨큐의 경제학』 공부 등의 활동을 했습니다. 하지만 결국 1학년 신입회원들이 대부분 탈퇴하고 학교에서 사회 과목으로 경제를 배우지 않았기 때문에 전반적으로 많은 어려움에 부딪혀 결국 와해되고 말았습니다. 자기소개서에 이것을 실패 사례로 작성했었는데, 오히려 실패를 받아들이는 겸손한 자세가 보여 학생답고 참신하다는 평을 받았습니다. (정금진 생글6기, 서울교대 영어교육과 15학번)

A. 저는 경제동아리에서 경제골든벨대회와 모의주식투자대회를 했었어요. 경제골든벨대회는 TV프로그램처럼 진행했어요. 50명이 참가했고, 1등한테 상금을 수여했어요. 모의주식투자대회도 지원자 50명을 받았고, 인강실에서 진행했어요. 참가자들에게 가상의 5천만 원을 주고, 대회 당일의 주가를 기준으로 주식 투자 계획을 세우게 해요. 그리고 3달 뒤에 변동된 주가를 기준으로 투자가 이윤을 냈는지 손실을 입었는지 확인하는 거죠. 대회 시작 전에 참가자들한테 주식과 유가증권시장, 코스닥시장의 개념을 설명해주었어요. 이것 외에도 사업을 하시는 동아리원 아버지를 학교로 초청해서 강연을 들은 적도 있었어요. 하나 더 알려드리자면 요즘은 한국은행에 강의를 신청하면 강사님이 오셔서 강의를 해주기도 해요. (이소은 생글7기, 고려대 미디어학부 14학번)

A. 저는 경제동아리 리더십 포럼에 참가했었어요. 이 포럼에 참가해서 경제동아리의 효율적인 운영과 다양한 활동, 그리고 동아리를 이끄는 리더로서 갖춰야 할 자세들에 대한 강의를 들었어요. 제가 2년간 팀장을 맡아 진행한 프로젝트 활동을 다시 생각해보면서 제 리더십 능력에 대해 되돌아보고 재평가하는 기회가 됐어요. 포트폴리오에는 프로젝트를 진행하면서 제가 그동안 놓치고 있었던 부분이 무엇인지, 진정한 리더의 역할이 무엇인지 제 나름대로 느끼고 반성한 바를 작성했어요. (손지원 생글8기, 경희대 경제학과 14학번)

A. 저는 교내 경제동아리 활동을 하면서 2학년 때는 동아리장을 맡았어요. 원래부터 경제 이슈에 대한 토론, 경제 기사 스크랩, 대전시에 있는 경제 관련 기관 탐방 등의 활동을 했는데, 제가 동아리장을 맡고 나서 교내 경제논술대회를 개최하는 걸 추가적으로 했습니다. 학교장 승인을 거쳐서 학교장상까지 수상할 수 있게 해서 참여율을 높였고, 현재까지 매년 가을에 개최되고 있어요. (최승희 생글7기, 한국외대 아랍어과 14학번)

A. 저는 진로를 경제학과, 경영학과로 잡고 이와 관련된 동아리 활동을 했어요. 기업 탐방을 가서 직접 임직원들을 뵙고 설명을 듣기도 했고, 모의투자도 해봤어요. 주제를 정해서 격주로 찬반 토론이나 세다 토론 형식으로 세션 발표를 하기도 했고요. 마음이 맞는 동아리원과 팀을 꾸려서 대회 준비를 한 적도 있어요. (김범진 생글8기, 서강대 경영학과 14학번)

A. 고등학교 때 여러 개의 동아리 활동을 했는데 가장 대표적으로 했던 게 경제동아리였어요. 당시 학교에 경제동아리가 없어서 동아리를 창설해 회장으로서 활동을 하게 됐죠. 처음에는 기사 스크랩을 하고, 경제 용어를 공부하고 토론하는 활동을 했어요. 한국경제 경제체험대회, KDI 경제한마당과 같은 대외활동도 물론 했습니다. 교내활동으로 학생들의 용돈 사용 실태와 현황을 알아보는 활동도 기획했었어요. 아무래도 지방에 있는 작은 학교라서 큰 대회에서 입상하거나 다양한 대외활동을 하지 못한 점이 아쉬워요. 그래도 고장의 특색 사업을 조사했었던 활동 내용을 자기소개서와 생활기록부에서 많이 활용했습니다. (심윤보 생글8기, 전주교대 초등사회교육과 14학번)

A. 경제, 경영에 관심이 있었기 때문에 교내 경제경영동아리에 들어가 활동을 하게 되었습니다. 이후 동아리장을 하면서 동아리 내에서 봉사 프로그램을 준비하거나 경제대회 등을 준비하고 동아리신문 등을 내는 등 다양한 분야의 활동을 했습니다. 이후 전국고등학교경제연합이라는 경제, 경영 연합동아리에 들어가 회장을 하게 되면서 보다 다양한 활동을 준비할 수 있었습니다. 전국 단위 동아리인 만큼 다양한 활동을 할 수 있었고, 기업이나 전국경제인연합회로부터 지원금을 받아 250명 규모의 캠프를 고등학생들끼리 독자적으로 준비하여 진행한 적도 있었습니다. 기업으로부터 지원을 받기 위해 PPT를 들고 발표를 하고 미팅을 가져보거나 행사를 준비해본 경험을 기록하면서 많은 점을 배웠을 뿐만 아니라 스펙도 많이 쌓을 수 있었습니다. (홍성현 생글6기, 서울대 경제학부 13학번)

A. 2학년 때 경제동아리를 만들어 부회장을 맡아 3학년 때까지 활동했습니다. 우선 테샛 공부를 했습니다. 학교에서 매주 1번씩 주말마다 강사 선생님을 초빙해서 테샛 수업을 들었는데, 수업 수강 후에는 서로 모르는 것을 질문하고 답해주면서 복습하는 시간을 가졌습니다. 그리고 매주 그날의 경제뉴스를 발표했고, 주제를 정해서 돌아가면서 PPT를 만들어 발표하는 수업도 했어요. 주제로는 주로 최근의 경제 이슈를 다뤘습니다. 경제 관련 도서를 읽고 조별로 발표하는 것도 했고요. 그리고 중장기적인 활동으로 키움증권과 한국투자증권에서 주최하는 모의주식을 했습니다. 모의주식은 스마트폰으로 쉽게 할 수 있는데, 1인 또는 3인이 1팀이 되어 일정 기간 후에 가장 수익을 많이 낸 팀에게 상금을 주었어요. 금융감독원과 신한투자증권, 국민은행을 탐방하기도 했습니다. 금융업에 대해 공부할 수 있는 좋은 기회였고 실제 업무를 보면서 느끼는 바를 발표하기도 했어요. (박준형 생글8기, 건국대 글로컬캠퍼스 경제학과 14학번)

A. 저는 1학년 때 친구들과 함께 교내 경제동아리를 만들었어요. 경제학에 흥미는 있지만 혼자 공부하는 것이 벅차기 때문에 여러 명이 모여서 함께 공부하자는 취지였죠. 매주 『맨큐의 경제학』을 읽고 내용을 정리한 뒤, 그 장과 관련된 모의고사 기출문제나 퀴즈를 풀어보곤 했어요. 한 달에 한 번씩 경제 이슈에 대한 토론도 어설프게나마 진행했고요. 그러다가 관심이 있는 친구들끼리 틈틈이 모의투자도 해보고, 방학 때마다 열리는 KDI 경제캠프, 한국은행 청소년 경제캠프에도 참가했었어요. 2학년 겨울에는 KDI 경제한마당에 참가하기도 했고요. (김예원 생글7기, 고려대 경제학과 13학번)

A. 저도 경제경영동아리를 만들어서 했는데, 했던 가장 특이한 활동은 교내에서 장미꽃을 파는 행사였습니다. 동아리원들을 몇몇 조에 배정해서, 장미꽃을 조별로 판매해 가장 많은 수익을 남기는 조가 이기는 방식이었습니다. 조원들이 각자 어떤 판매 전략을 취하면 수익을 올릴 수 있을지,

어떻게 비용을 절감할지 회의하면서 자연스레 경제관념을 익히는 것이 목적이었습니다. 수익금은 총 70만원 정도였고, 또래 청소년을 돕는 곳에 기부했습니다. (배수민 생글6기, 성균관대 심리학과 12학번)

A. 저는 청소년 경제동아리 'Economic Teens'를 만들어서 활동했습니다. 처음에는 교내동아리로 시작했다가 경제에 관심 있는 더 많은 친구들과 교류하고 싶어서 온라인 카페를 개설해 온오프라인에서 활동했어요. 생각보다 많은 사람들이 가입해서 깜짝 놀랐어요. 유학생도 가입하고 일반고 특목고 가릴 것 없이 교류하는 장이 되어서 뿌듯했던 활동이었습니다. 교내활동으로 구체적으로 동아리원들과 했던 활동은 『맨큐의 경제학』공부, 경제 관련 서적 한 달에 한 권 읽고 토론하기, 경제 관련 기사 스크랩, 방학을 이용하여 여성 CEO와 면담, 경제신문 학생기자 지원 등이 있었어요. (김재은 생글7기, 서울대 자유전공학부 13학번)

Q. 경제동아리 운영 아이디어 좀 주세요!

A. 경제연합동아리라면 다른 학교의 동아리 부장이랑 아이디어를 교류하고, 경제교육봉사도 같이 하러 가면 좋아요. 경제신문 기사를 국가별로 스크랩하는 것도 좋고요. 부원을 다섯 그룹으로 나눠서 각 그룹마다 미국, 중국, 일본 등 주요국 하나씩을 맡아 해당 국가의 기사를 모으도록 하는 거죠. 그렇게 기사를 모은 뒤 공유하면 특정 국가의 경제 상황을 적은 노력을 들이고도 매우 빠르게 섭렵할 수 있어요. (이소은 생글7기, 고려대 미디어학부 14학번)

A. 큰 대외활동을 하나 하는 것보다는 자잘한 활동을 꾸준히 했다는 것이 자기소개서에서 더 설득력이 있을 거예요. 틈틈이 동아리 학생들과 경

제 기사를 읽고 이에 대해 토론해보거나, 특강을 듣거나, 교내에서 경제 프로그램을 주선해본다든지 하는 활동들이 도움이 될 거예요. 물론 큰 대외활동도 계획을 잘 해서 하면 좋습니다. (심윤보 생글8기, 전주교대 초등사회교육과 14학번)

A. 경제동아리의 운영은 동아리의 특색을 위해 동아리원들끼리 고민해보는 게 제일 좋긴 하지만, 도움이 필요하다면 경제동아리 온라인 카페에 들어가서 다른 동아리들은 어떤 활동을 하는지 살펴보는 게 좋을 것 같아요. 저는 처음에 동아리 운영계획서를 쓸 때 다른 동아리들이 어떻게 하는지 보면서 생각을 많이 했어요. (김재은 생글7기, 서울대 자유전공학부 13학번)

3-4 경제

Q. 고등학생이 쌓을 수 있는 경제 관련 스펙이 어떤 게 있나요?

A. 한국경제신문 생글생글 학생기자, 아하경제 학생기자, 한국은행 청소년 경제캠프, 테샛, 각종 경제 소논문 대회, 경제동아리, KDI 경제교실, 이 정도가 생각나네요. 저는 이 중에서 두 개 빼고 다 했어요. (김재은 생글7기, 서울대 자유전공학부 13학번)

A. 우선 한국경제신문 생글생글 학생기자로 활동해보는 것을 추천해요. 기자로서 취재하고 기사를 쓰면서 경제 관련 이슈에 대해 더 관심을 가지고 찾아보게 되었고, 사고력도 기를 수 있었어요. 그리고 테샛, KDI 경제한마당과 같은 시험도 고등학교 경제 교과를 바탕으로 하고, 기출문제와 수험서를 통해 공부하여 응시해본다면 좋습니다. 경제 관련 기사나 도서를 읽고 토론해볼 수 있는 교내외 경제동아리 활동도 좋은 스펙이 될 수

있어요. (박성연 생글7기, 서울대 경영학과 13학번)

A. 경제 관련 스펙은 경제 멘토링 등의 교육봉사나 테샛, KDI 경제한마당과 같은 시험 응시, 경제신문 학생기자 활동 등이 있어요. 그 중에서도 저는 경제신문 학생기자 활동을 가장 추천해요. 제가 2년간 활동했고 지금 같이 이 책을 만들고 있는 한국경제신문 생글생글 학생기자단의 경우, 기사를 작성하면 선배 기자들에게 첨삭을 받을 수 있어서 건설적인 글쓰기 실력을 향상시킬 수 있었어요. 게다가 실제로 자기가 쓴 기사가 신문에 실리는 값진 경험도 할 수 있죠. (김예원 생글7기, 고려대 경제학과 13학번)

A. 고등학생이 접할 수 있는 경제학 시험은 수능 경제, 테샛, KDI 경제한마당, AP 미시·거시 경제 등이 있어요. 저는 이 시험들을 모두 공부했었는데, 테샛은 동아리에서 스터디그룹 형식으로 공부를 했고 한국경제신문사에서 출판한 문제집을 풀었어요. KDI 경제한마당은 경제 관련 시험 중 가장 규모가 크고 어려운 시험이에요. 저는 이 시험 자체를 준비하지는 않았는데, 이 시험은 혼자 준비하기는 아무래도 힘들고 학원을 다니는 게 좋은 거 같아요. 제 주변 친구들도 다 학원에서 준비를 했어요. AP 미시·거시 경제는 학교에 개설된 수업을 들었고, 학교 선생님께서 문제은행에서 구해주신 문제를 많이 봤어요. AP를 준비하는 학생들은 보통 Barrons 출판사에서 나온 책을 많이 보는데 이 책 한 권만 공부하면 좀 부족해요. 진짜 깊게 공부하려는 학생들은 보통 대학 전공 서적인 이준구 교수님의 『경제학원론』이나 『맨큐의 경제학』을 봐요. 처음 공부를 시작하는 친구라면 이 책들을 공부하지 말고 초보자를 위한 쉬운 난이도의 문제집이나 입문서, 인강이 많이 있으니 그걸 먼저 공부하세요. 저도 1학년 겨울방학 때 정말 아무것도 모를 때 인강을 들었어요. (김범진 생글8기, 서강대 경영학과 14학번)

Q. 교내에서 경제 과목을 배우지 않는 경우 경제에 대한 실력을 어떻게 확인하죠?

A. 교내에서 배우지 않는 경우에는 스터디를 만들거나 홀로 경제 공부를 해서 경제 시험에 응시해보세요. 아니면 경제 모의고사나 수능을 직접 풀어보고 자신의 등급을 확인해보는 것도 자신의 실력을 확인해 보는 좋은 방법입니다. (김도민 생글8기, 서울대 경영학과 14학번)

A. 일단 객관적으로 경제 실력을 보여줄 수 있는 것으로 테샛 같은 국가공인시험이 있어요. 저도 학교에서는 경제를 거의 안 가르쳤지만 독학으로 준비해서 테샛 1급까지 받았어요. 또는 경제동아리를 만들고 기사를 스크랩하는 활동을 할 수도 있고 심층적으로 논문이나 레포트를 써서 제출할 수도 있겠죠. (김병민 생글8기, 서울대 경영학과 14학번)

A. 저도 경제 과목을 안 배웠는데, 동아리에서 스터디를 따로 하고 각종 경제 교실 같은 걸 찾아서 다니다 보니까 공부가 조금씩 되더라고요. 실력을 확인하는 제일 좋은 방법은 역시 시험이죠. 한국은행 청소년 경제 캠프를 가려면 인터넷으로 테스트를 봐야 되는데 그거로도 실력을 확인할 수 있고, 가장 좋은 방법은 테샛을 보는 거예요. 테샛은 국가공인된 시험이니 테샛이 실력을 확인하기에는 가장 좋은 것 같아요. (김재은 생글7기, 서울대 자유전공학부 13학번)

Q. 교내에서 할 만한 경제 관련 스펙 없을까요?

A. 용돈을 모아서 자신의 명의로 주식을 해보세요. 직접 주식거래소에 가서 자신의 주식 카드를 만들고 주식을 사고 판 과정을 보고서로 정리해 둔다면 좋은 스펙이 될 거예요. (이소은 생글7기, 고려대 미디어학부 14학번)

A. 저는 3년간 교내 경제 관련 프로젝트를 진행했어요. 팀을 만들어서 프로젝트를 진행하는 게 학교에 활성화가 잘 되어 있었거든요. 1학년 때 는 SSM, 2학년 때는 G20 회의의 경제적 효과 분석, 3학년 때는 독일 히 든챔피언에 대한 문화적 이해가 프로젝트 주제였어요. 1~2학년 때는 제 가 팀장을 맡아서 진행했고, 3학년 때는 1학기 동안만 진행했어요. 학교 안에서는 일주일에 1번, 학교 밖에서는 한 달에 1번씩 회의를 꾸준히 하 면서 활동했어요. 프로젝트 활동을 하면서 중간보고서, 최종보고서를 제출 하게 되는데, 활동우수 팀으로 뽑혀 강당에서 학생들에게 보고서를 발표 하게 되는 흔치 않은 기회를 갖기도 했어요. 학교에 정규과목으로 경제가 없었기 때문에 이런 프로젝트를 심층적으로 진행하는 데 어려움이 있었지 만 인터넷이나 서적을 통해 조사함으로써 보완했어요. 오히려 이런 환경 이 제가 경제에 꾸준히 관심을 가지고 있고, 관심으로만 끝내는 게 아니 라 최대한 행동으로 실천하고 있다는 걸 돋보이게 해준 것 같아요. 나아 가 팀장을 맡아 진행했던 장기 프로젝트들이었기 때문에 리더십에 대한 점도 어필할 수 있었어요. 또 발표 기회를 가지게 되면서 프레젠테이션 구성 능력, 발표 능력까지 키울 수 있는 유익한 경험이었어요. 3년간 3장 의 보고서(논문 형식)를 직접 작성해보면서 논문 작성 방법도 익히고, 실 제로 학교에 교수님을 초청해 논문 작성 방법 강의를 듣기도 했어요. (손 지원 생글8기, 경희대 경제학과 14학번)

Q. 테샛은 어떻게 준비하셨나요?

A. 가장 무난한 건 인강으로 공부하는 방법입니다. 학원은 비용이 크고, 독학은 리스크가 커요. (원지호 생글8기, 서울대 경제학부 14학번)

A. 이제 테샛은 마치 토익처럼 명문대를 준비하는 고교생의 공식 시험이 된 것 같네요. 제 방법이 표준이라고 할 수는 없겠지만, 저는 경제 관련 책, 그러니까 수험서가 아닌 교양서들부터 읽으면서 공부를 시작했어요. 『유시민의 경제학 카페』, 『죽은 경제학자의 살아있는 아이디어』 같은 유명한 책들이요. 미리 배경지식을 쌓고 나니까 테샛 공부도 수월하더라고요. 기본서 공부는 당연히 철저히 했고, 생글생글도 읽었어요. 경제 내공을 키운다는 생각으로 준비하면 시험 성적도 잘 나올 거예요. (김병민 생글8기, 서울대 경영학과 14학번)

A. 테샛 준비를 비롯한 저의 경제 공부 전반에 대해 설명해드릴게요. 저는 고등학교 1학년 시절에 처음 경제신문을 읽었는데, 단 한 문단도 읽지 못하고 덮고 말았어요. 경제 용어를 모르겠고, 변화의 인과관계가 이해가 안 되더라고요. 그때부터 경제 공부를 시작했어요. 『맨큐의 경제학』, 『새뮤얼슨의 경제학』을 읽으며 모르는 용어를 적어 외웠고, 세계 경제 흐름을 이해하기 위해서 각 국가별로 기사를 구분해서 스크랩하기 시작했어요. 2011년도에는 경제신문에 유럽 경제 위기 기사가 매일 나왔었죠. 매일 유럽의 변화를 확인하며 이해하는 것이 뿌듯해서 열심히 했던 기억이 나요. 테샛을 위해서 테샛 기출문제도 열심히 분석했고요. 모르는 점은 학교 선생님이나 테샛을 공부하던 선배들에게 물어봤었어요. 경제를 이해해보겠다고 책도 찾아 읽고, EBS 인강을 듣기도 하는 등 정말 다양한 방법으로 공부했었는데, 좌절할 때가 많았어요. 그렇지만 다양한 방법으로 고등학교 내내 꾸준히 경제 공부를 했던 것이 뿌듯하고 기억에 많이 남아요. (이소은 생글7기, 고려대 미디어학부 14학번)

Q. 경제신문 읽으셨나요?

A. 저는 생글생글을 읽었습니다. 경제수학동아리에서 신문 스크랩을 했었기 때문에 읽었고, 나중에 면접 준비할 때는 시사면접 준비를 위해서 이전 것들을 한꺼번에 모아서 읽었습니다. (김도민 생글8기, 서울대 경영학과 14학번)

A. 저는 1학년 때부터 경제학부에 진학할 생각이었기에 한국경제신문과 매일경제신문을 종이 신문으로 3년 동안 읽었어요. (원지호 생글8기, 서울대 경제학부 14학번)

A. 저는 경제동아리 활동을 했는데, 경제 기사와 사설을 스크랩해서 요약하고 동아리원들과 토론, 토의하는 데 활용했어요. (박준형 생글8기, 건국대 글로컬캠퍼스 경제학과 14학번)

A. 경제학과 진학을 목표로 한다면 경제신문 구독은 거의 필수적인 것이라고 생각해요. 제 경우 고등학교 3년 내내 한국경제신문을 구독했는데, 매일 아침 자습 시간 30분 정도를 할애해서 신문을 읽었던 기억이 나네요. 경제신문을 읽으면 경제의 흐름이나 최근 경제 이슈를 자연스럽게 파악할 수 있고, 이후에 수시 준비에도 간접적으로나마 도움이 될 것이라고 생각해요. 테샛을 준비하는 데에도 한국경제신문은 필수적이고요. (김예원 생글7기, 고려대 경제학과 13학번)

Q. 경제체험대회 나가보신 선배님 있으신가요?

A. 경제체험대회에 나가서 예선 100팀 안에 들었었는데 아쉽게도 입상은 하지 못했습니다. 제가 했었을 때는 경제체험활동, 창업계획서 작성, 기업가정신 원정대 감상문 이렇게 3가지를 심사받았어요. 입상 여부를 떠나 경제 관련 활동을 스스로 기획하고 토의하며 활동해보았던 점이 굉장히 의미 있었던 것 같아요. 꼭 한 번 해보세요. (심윤보 생글8기, 전주교대 초등사회교육과 14학번)

A. 한경 청소년 경제체험대회에 참가했었습니다. 함께 프로젝트를 진행하던 친구 3명과 함께 4명이서 팀을 이루어 송도신도시 활성화 방안을 주제로 약 1달간 대회를 진행했습니다. 국내 기업과 박물관을 견학하면서 아이디어를 구하기도 했고, 송도컨벤시아와 인천경제자유구역청 직원 분들을 찾아가 인터뷰를 하기도 했습니다. 인터뷰 섭외를 할 때는 기업탐방계획서를 작성하고 직접 연락을 드려서, 100% 저희 팀원들의 힘으로 했고요. 인터뷰가 끝난 후에는 항상 4~5시간 회의를 하면서 인터뷰 내용을 정리하고 그 안에서 연계할 점과 느낀 점을 문서로 작성하고 정리하는 과정을 반복했어요. 이렇게 해서 총 52장의 결과물을 만들었네요. 도시계획 컨설팅회사 창업계획서도 포함되어 있는데, 회사의 로고와 이념도 나름대로 만들어보고, 시장 분석 및 진입 전략을 주제에 맞게 구체적으로 기술했습니다. 이 대회 때문에 밤을 샌 적이 한두 번이 아니었지만 '이렇게 내가 열심히 살 수 있구나.'를 느낄 수 있었던 대회였어요. 무엇보다 방학동안 정말 제가 관심 있고 하고 싶었던 경제 분야에 대해서 진문적으로 탐구할 수 있었기에 의미가 깊었습니다. 이 대회가 경제학과에 진학하고자 하는 의지를 더 다지게 해준 것 같아요. 나아가서 나중에 하고 싶은 걸 하려면 지금 눈앞에 닥친 공부를 더 열심히 해야겠다는 동기부여도 되었습니다. 그래야 선택의 폭이 넓어지니까요. (손지원 생글8기, 경희대 경제학과 14학번)

3-5 독서

Q. 생활기록부에 올라간 독서 활동은 몇 권 쯤 되세요?

A. 저는 책 진짜 많이 읽었어요. 생활기록부에는 1년에 40권 가량 올렸어요. 생활기록부에 최대한 많이 올리는 게 좋다고 생각해요. 읽은 책이 많다 보니 생활기록부에 기록할 때 서너 권 씩 비슷한 주제로 묶어서 정리했어요. 책 읽으면 똑똑해진다는 게 빈말이 아니에요. 저절로 수능 국어랑 논술도 대비가 되고 자기소개서 쓸 때 필력도 좋아집니다. 전공, 교양 가리지 않고 많이 읽으면 분명 도움될 거라고 생각해요. 제가 자기소개서와 면접에서 첫 번째로 강조했던 게 독서였어요. 하지만 사실 독서는 제가 딱 뭐라 할 수 있는 문제가 아닌 게, 책 안 읽고도 대학 잘 가는 아이들도 많아요. 그렇지만 최소한 저는 책 아주 많이 읽었고 그 덕에 대학에 합격했다고 생각하는 사람이에요. (김병민 생글8기, 서울대 경영학과 14학번)

A. 저는 1년에 5~10권 가량 생활기록부에 기록했는데, 생활기록부에 기록한 모든 책들에 대해 서평이나 A4 3~4장 정도의 보고서 같은 것을 모두 따로 써놨어요. 개인적으로는 이렇게 해두는 게 생활기록부에 책을 많이 올리는 것보다 도움이 될 거 같네요. (홍성현 생글6기, 서울대 경제학부 13학번)

A. 저는 생활기록부에 올라간 독서 활동이 많지는 않지만 (솔직히 정확히 몇 권이었는지 기억이 나지 않아요.) 영어 원서 책을 읽고 영어로 감상문을 써서 입학사정관전형에서 좋은 평가를 받았던 것 같아요. 면접에서도 그 부분을 관심 있게 보시고 면접관께서 질문을 하시더라고요. (류수현 생글5기, 경희대 연극영화학과 12학번)

A. 정확히 기억은 안 나지만 대략 60~80권 정도였던 것 같아요. 그 중에는 학교 독서기록대회, 독후감대회, 동아리 활동 등에 참가하느라 읽은 책들도 많아서 부담 없이 읽었던 것 같아요. (김재은 생글7기, 서울대 자유전공학부 13학번)

A. 저는 40권 가량 됩니다. 진로, 학과 관련 책을 읽기 위해서 많이 노력했고, 독서 활동의 신빙성을 얻기 위해 독후감대회, 독서토론대회에 참여하여 수상하기도 했습니다. 딱히 진로에 연관되지 않은 인문, 철학 등의 책도 많이 읽었습니다. 다양한 분야의 책들을 읽으면 다방면에 관심이 있음을 어필할 수 있다고 생각합니다. (진현지 생글8기, 가톨릭대 프랑스어문화학과 14학번)

Q. 평소 독서는 어느 정도 하셨나요?

A. 저는 2주에 한 권 정도 읽었어요. 시험 끝나거나 공부하기 싫을 때 그냥 읽었어요. 심심할 때는 세계 명작이나 디자인, IT 관련 책을 읽었어요. 경제, 경영 관련 도서는 공부하듯이 읽어야 했죠. 『죽은 경제학자들의 살아있는 아이디어』 같은 책을 읽을 때는 정말 집중해야 해요. 책 고르는 건 그 날 기분에 따라 달라져요. 공부가 안 된다 싶으면 자서전 찾아 읽고, 슬프거나 잡생각이 많아질 때는 소설을 읽고 그랬죠. (이소은 생글7기, 고려대 미디어학부 14학번)

A. 독서를 많이 하지는 않았지만, 기분전환용으로 했던 것 같아요. 일주일에 평균 1~2시간 정도 했어요. 하루에 10~20분 했다는 말이죠. 저는 플래너에 들어갈 의미 있는 말들을 찾는 것도 좋아해서 책을 아침에 조금씩 읽었어요. 특히 고3 때 마인드컨트롤 하는 데 도움이 많이 됐어요. (김재은 생글7기, 서울대 자유전공학부 13학번)

A. 어느 정도라고 구체적으로 털어놓을 수는 없지만 자습 시간에 공부하기 싫을 때 책을 읽었어요. 하기 싫은 공부는 안 하면서 시간을 허비하지 않을 수 있는 좋은 방법이라고 생각해요. 보통 2달에 한 권 정도 읽은 것 같아요. 진학하고자 하는 전공과 관련된 서적이나 소설 등 제가 좋아하는 책을 읽었어요. 양적인 독서보다는 질적인 독서 습관을 추천해요. (최재영 생글6기, 중앙대 신문방송학과 13학번)

A. 고3이 되어서는 많이 못했는데 고1~2 때는 기숙사에서 공부하기 싫거나 조금 쉬고 싶을 때는 항상 책을 읽었습니다. 그래서 시험 기간을 제외하고는 1주일에 1~2권은 읽었던 것 같아요. (김도민 생글8기, 서울대 경영학과 14학번)

Q. 공부하느라 책 읽을 시간이 없어요.

A. 이 말은 진짜 핑계에요. 매일 공부만 어떻게 해요. 저는 공부하기 싫을 때 책을 읽었어요. 제가 읽고 싶은 책 위주로 읽긴 했지만요. 시간은 쪼개면 다 생기는 법입니다. (변혜준 생글7기, 경희대 국어국문학과 13학번)

A. 핑계인 거 본인이 잘 알 거라고 생각해요. 365일 24시간 내내 공부만 하는 건 아니잖아요. 자투리 시간을 활용해서 책을 읽으면 되죠. 자습 시간에 공부 안 된다고 무의미한 시간을 보내는 것보다 그 시간을 활용해서 본인이 관심 있어 하는 분야의 책을 읽으면 도움이 될 것이라고 생각해요. (최재영 생글6기, 중앙대 신문방송학과 13학번)

A. 위에서도 말했지만 공부하다가 쉴 때 책을 읽어보세요. 그게 어렵다면 모의고사가 끝난 날이나 내신 시험이 끝난 날 하루 정도는 공부는 제쳐 두고 책을 읽는 것도 추천해드립니다. (김도민 생글8기, 서울대 경영학과 14학번)

A. 책 읽을 시간은 없고, 책 읽으면 공부 시간을 빼앗겨서 불안하다는 사람들은 모의고사에 나왔던 작품 중에서 재밌었던 것들을 찾아서 읽어보세요. 독서도 할 뿐만 아니라 작가 파악이나 글 읽는 경험 측면에서 도움이 많이 됩니다. (홍성현 생글6기, 서울대 경제학부 13학번)

A. 책은 시간이 남으면 읽겠다는 마음가짐으로는 읽기가 힘들어요. 쉴 때는 다른 재밌는 것들이 많으니까요. 따로 15~30분 정도 책 읽는 시간을 빼놓는 것이 좋은 것 같습니다. (원지호 생글8기, 서울대 경제학부 14학번)

A. 저도 그랬고 모든 수험생들이 그러니까 조급해할 필요 없어요. 하지만 책 읽을 시간은 없는데 TV를 보거나 멍 때리면서 보내는 시간이 많으

면 책 읽을 시간 없다는 건 핑계겠죠? 시간 관리는 상대적인 거니까 그때그때 본인의 상황에 맞추어 가장 효율적인 방법으로 시간 관리를 하면서 책 읽는 시간을 확보하는 게 중요해요. (김재은 생글7기, 서울대 자유전공학부 13학번)

Q. 어떤 책을 읽어야 하나요?

A. 전 공부도 중요하지만 중고등학교 때 책을 읽는 게 정말 중요하다고 생각해요. 물론 독서가 수능 국어 공부에 도움이 되는 것도 사실이고요. 베스트셀러나 친구들이 많이 읽는 책도 좋고 고전도 좋지만 자신에게 의미 있고 맞는 책을 읽는 것이 좋다고 생각해요. 너무 어려운 책을 골라서 억지로 이해하면서 읽는 것보다 읽고 싶은 책을 자유롭게 생각하면서 읽으세요. (류수현 생글5기, 경희대 연극영화학과 12학번)

A. 자기가 좋아하는 책을 읽으세요. 자기가 관심 있는 학과에 관련된 책, 전혀 관련 없는 책을 나눠서 읽어도 좋아요. 그리고 한국 현대문학 열심히 읽으시라고 추천하고 싶네요. 박완서, 염상섭, 김동리 작품 등 시험에 자주 등장하는 작품이요. (이지현 생글7기, 연세대 언론홍보영상학부 14학번)

A. 책은 자기가 관심 가는 것만 편식해 읽어도 상관없어요. 솔직히 국어 지문, 영어 지문에서 잡다한 지식을 많이 얻기 때문에 배경지식을 얻으려고 독서를 하는 건 효율적이지 못하다고 생각해요. 독서가 중요하다고 하지만 사실 고3이 되어버린 시점에 그걸로 대입 승부를 볼 수는 없겠죠. 책은 좋은 걸 골라 읽되 거기에 너무 매달리진 마세요. (김민선 생글6기, 고려대 경영학과 13학번)

A. 첫 번째 원칙은 정말 인상 깊게 읽은 책을 독서기록부에 써야 한다는 거예요. 그런 책 중에서도 어떤 책을 전략적으로 고르는 지가 중요하겠죠. 딱히 정해진 답은 없는데 1~2권은 전공 관련으로, 나머지는 교양으로 고르면 좋겠네요. (김병민 생글8기, 서울대 경영학과 14학번)

A. 책은 목표하는 대학에서 발표하는 추천도서 목록 중에서 고르는 것도 좋아요. (서유진 생글7기, 서울대 불어교육과 13학번)

A. 관심 있는 분야의 책을 읽어도 되고, 그냥 재미로 읽고 싶은 걸 읽어도 되고, 공부를 위해 읽어도 돼요. 책은 그냥 본인이 끌리는 걸 결국 읽게 되는 것 같아요. 책을 읽는 것도 교양을 위해서는 중요하지만 본인이 어떤 책을 읽을지 고를 때에는 완독할 수 있는 책으로 고르세요. 너무 부담스럽거나 딱딱한 책만 읽지 마시고요. 그리고 웬만하면 가치중립적인 책을 읽으면서 사고를 키워나가는 게 좋아요. 면접 때도 도움이 되고요. 자기소개서에 책을 쓰고 싶다면 본인의 진로와 관련된 책도 한두 권쯤 읽는 게 좋아요. 저는 고2 때 마케팅 책을 읽었고, 고3 때는 기업문화와 관련된 책을 읽었어요. (김재은 생글7기, 서울대 자유전공학부 13학번)

A. 자신이 흥미 있는 분야의 책을 읽는 것을 가장 추천해요. 교과와 관련된 책을 읽는 것도 좋은 선택이에요. 전 도서관을 둘러보다가 관심이 가는 책을 찾아 읽었어요. 억지로 책을 읽고 느낌을 생활기록부에 기술하기 보다는 진정한 제 감성과 생각을 쓰는 것이 더 중요하다고 판단했어요. (이소은 생글7기, 고려대 미디어학부 14학번)

A. 저는 경제학, 경영학이 관심 있는 분야였어요. 그래서 경제학 관련 도서를 많이 읽었어요. 청소년들이 읽을 만한 추천받은 책들로요. 하지만 견문을 넓히기 위해서 상경계열 관련 도서뿐만 아니라 다양한 분야의 책들을 접했어요. 학교 도서관 추천도서 목록에 있는 책들이랑 선생님께 추천받은 책 위주로 읽었습니다. (이소영 생글7기, 경희대 경제학과 14학번)

A. 자기가 하고 싶은 전공 관련된 책을 읽으면 도움은 되겠지만 고등학생 때는 여러 분야의 책을 읽어보는 것이 중요하다고 생각합니다. 공부하느라 직접적으로 경험할 시간이 없잖아요. 우리나라 학생들은 특히나요. 그래서 저는 책으로라도 간접적인 경험을 많이 하고 견문을 넓혀야 한다고 생각해요. 책 읽는 것을 싫어한다면 그냥 재밌어 보이는 책부터 읽고 자신에게 도움이 될 만한 책들을 읽어 나가세요. 남들이 보기엔 '왜 저런 책을 읽지?'라고 해도 자신에게 의미가 있고 유익하다면 그 책은 좋은 책이에요. (변혜준 생글7기, 경희대 국어국문학과 13학번)

Q. 생활기록부에 책을 올릴 때 원하는 학과와 관련이 없는 책을 많이 올렸습니다. 저는 나름대로 지식의 폭을 넓히고자 노력했다는 것을 보여주려고 이렇게 했는데, 이게 입시에 나쁜 영향을 끼칠까요?

A. 대학 입장에서 희망전공도 잘하고 다른 것도 잘하면 더 좋아할 거예요. 하지만 희망전공에 자신이 없기 때문에 다른 거로 때운다는 느낌이 들어서는 절대 안 되겠죠. 저는 경영학과 자기소개서랑 생활기록부에 역사, 철학 관련 책을 많이 썼어요. 다만 앞서 말했듯 어느 정도 경제와 경영 실력이 뒷받침돼야 좋은 평가를 받을 수 있을 것 같아요. (김병민 생글8기, 서울대 경영학과 14학번)

A. 학과와 관련 없는 책 적어도 돼요. 저는 자기소개서에 총 4권의 도서를 언급했는데, 2권은 학과와 관련 없는 책이에요. 제가 자기소개서에 기록한 책 중에 케인즈의 『고용, 이자 및 화폐의 일반이론』이 있어요. 이건 제가 완벽하게 이해한 책이 아니에요. 저는 자기소개서에 자신이 완독

한 책만 쓰는 게 아니라고 생각했어요. 경제학에 대한 흥미를 더욱 북돋아주었고, 경제학을 전공하고자 하는 제 인생에 큰 영향을 끼친 책이라서 적었습니다. 그리고 이 책은 제가 첫 번째로 읽어본 고전이에요. 이 책을 읽고 고전 읽기가 중요하다는 걸 알았다는 것도 설명했습니다. 중요한 건 자신이 진짜 읽은 책을 적어야 한다는 겁니다. 면접에서 책 관련 질문이 나오거든요. 읽지 않은 책을 적으면 면접에서 다 들통 납니다. (원지호 생글8기, 서울대 경제학부 14학번)

A. 제 생각으로는 나쁜 영향을 끼칠 것 같지 않아요. 저는 1학년 때에는 진로를 확실히 정하지 못하고 여러 분야에 관심을 가지고 진로를 탐색했기 때문에 다양한 분야의 책을 읽고 생활기록부에 올렸어요. 2~3학년 때에는 진로 관련 상경계열 책들을 올리기는 했지만 그것만 올린 것은 아니었어요. 지원 학과와 직접적으로 관련이 없더라도 자신이 그 책을 읽고 어떠한 것을 배웠으며 읽기 전과 달리 어떠한 면에서 성장했는지가 명확히 드러나기만 한다면 학과 관련 도서의 비중이 낮은 것이 나쁜 영향을 끼치진 않을 거예요. (박성연 생글7기, 서울대 경영학과 13학번)

A. 책 많이 읽었다고 싫어할 사람이 누가 있나요? 모든 학문은 서로가 유기적인 관계를 맺고 있어요. 경제, 철학, 수학, 사회학 등 모든 분야의 학문은 서로 연결되어 있어요. 다양한 분야의 책을 읽었다는 건 오히려 장점으로 부각될 수 있어요. 다만 주의해야 할 점은 다양한 분야의 많은 책들을 정말 본인이 읽었냐는 거죠. (최재영 생글6기, 중앙대 신문방송학과 13학번)

A. 솔직히 고등학생의 입장에서 자기가 진학하고자 하는 전공 분야의 책만을 읽는 것보다는 다양한 책을 접하며 폭넓은 지식을 갖추는 게 더 중요하다고 생각해요. 물론 관련 서적을 더 읽으면 좋겠지만 굳이 그것만 고집할 필요는 없어요. 다른 분야의 책을 읽으면서 그 분야에 관심이 옮겨갈 수도 있는 것이고요. (정금진 생글6기, 서울교대 영어교육과 15학번)

Q. 선생님께서 문과생도 이과 책 읽고, 이과생도 문과 책 읽으라는데 어떻게 생각하시나요?

A. 문이과 구분 없이 독서를 하라는 게 문과생에게 전문적 과학 도서를 읽으라는 뜻은 아닐 것이고, 이과생에게 어려운 경제 도서를 읽으라는 뜻은 아닐 거예요. 문과생이지만 이과 분야에 무관심하지 않다는 걸, 이과생이지만 문과 분야에 무관심하지 않다는 걸 보여주는 정도면 될 거 같아요. 정재승 교수님과 진중권 교수님이 쓴 『크로스』라는 책을 추천할게요. 문과적 마인드랑 이과적 분야를 융합한 책인데, 문과생도 이과생도 부담없이 읽을 수 있어요. (오민지 생글6기, 고려대 경영학과 14학번)

A. 이거 중요합니다. 책은 다양하게 읽어주셔야 해요. 자신이 가려는 학과 책만 읽으면 면접이나 기타 부분에서 분명히 어려움이 생깁니다. 적어도 각 분야별로 한 권 정도는 읽고 정리해두세요. (홍성현 생글6기, 서울대 경제학부 13학번)

Q. 독서 활동을 기록할 때 느낀 점을 자세하고 길게 써서 몇 권만 올리는 게 좋을까요? 아니면 느낀 점을 짧게만 써서 여러 권을 올리는 게 더 좋을까요?

A. 책을 많이 쓰는 게 중요한 게 아니라 진짜 자기에게 영향을 주고 자신을 변화시킨 몇 권의 책에 대해 자세히 쓰는 게 중요해요. 자신의 가치관을 잘 표현할 수 있는 책을 찾으세요. (서아정 생글8기, 한양대 컴퓨터전공 14학번)

A. 전자가 훨씬 낫습니다. 느낀 점을 길게 쓰고, 줄거리는 아무 소용없

으니 쓰지 마세요. 독서 양치기는 할 필요가 전혀 없습니다. (정금진 생글 6기, 서울교대 영어교육과 15학번)

A. 제 생각은 달라요. 여러 권을 읽고 느낀 점을 간략하게 쓰는 것이 좋아요. 책은 지식입니다. 아무리 한 권을 열심히 읽고 그것에 대해서 잘 안다고 해도 여러 권을 읽은 사람을 따라가지는 못합니다. 부담이 되지 않는 선에서 독서 많이 하시고 간략하게 느낀 점을 써보세요. (서아진 생글7기, 연세대 정치외교학과 13학번)

Q. 자기소개서에 이념이나 철학적으로 편파적인 책 써도 될까요?

A. 교수님들은 대부분 자신만의 신념이나 사상이 확고하게 잡혀 있으세요. 학식도 높으시기에 자신의 입장에서 상대방의 의견을 깨부술 수 있는 논거도 확실히 갖추고 계시고요. 저는 편파적인 내용의 책을 썼다가 면접에서 그 입장에 반대하시는 교수님을 만나 탈탈 털릴까봐 안 썼어요. (김영주 생글6기, 경희대 전자·전파공학과 13학번)

A. 좋지 않을 것 같습니다. 교수님들은 성향이 다 다르십니다. 우리는 자신의 자기소개서를 어떤 성향의 교수님께서 읽으실 지 미리 알 수가 없어요. 또한 어린 학생이 벌써부터 편향적인 사고를 하고 있다고 생각될 수 있기 때문에 중립적인 책을 쓰는 게 낫습니다. 실제로 저도 편향적인 책은 최대한 배제하려고 노력했었습니다. (김도민 생글8기, 서울대 경영학과 14학번)

A. 자신이 그런 책을 읽고도 소신 있게 자신의 철학을 이야기할 수 있는 사람이라면 쓰세요. 그런데 자기 소신도 없고 자기 철학도 없으면서

그런 책을 읽고 수박 겉핥기식으로 말할 것 같으면 쓰지 마세요. (변혜준 생글7기, 경희대 국어국문학과 13학번)

A. 제 생각에도 안 쓰는 게 나을 것 같아요. 책을 읽고 독특하거나 참신한 생각을 해보았다는 것을 잘 풀어낸다면 모를까, 그 책의 입장을 그대로 가지고 간다면 평가가 극과 극으로 갈릴 것 같네요. (이주원 생글7기, 한국외대 경영학전공 14학번)

A. 꼭 써야 한다고 생각한다면 정 반대의 책도 같이 쓰는 것을 추천해요. 어떤 주장을 담고 싶다고 할 때, 반대쪽 주장의 근거도 공부했다는 것을 보여주면 좀 더 탐구적인 학생이라는 인상을 줄 수 있어요. (이지현 생글7기, 연세대 언론홍보영상학부 14학번)

Q. 학과/진로별로 추천해 주실 만한 책 있으신가요?

A. 경영학과와 관련해서 너무 어려운 책은 추천하고 싶지 않네요. 진짜 쉽고 즉각적으로 경영이 뭔지 이해하고 싶으면 『만약 고교야구의 여자 매니저가 드러커의 《매니지먼트》를 읽는다면』이라는 책을 추천해요. 쉽고 재밌어요. 덧붙여, 솔직히 고등학교 수준에서 경영학을 따로 공부하기엔 무리라서 폭넓은 독서를 하는 게 더 좋아요. (정금진 생글6기, 서울교대 영어교육과 15학번)

A. 교육 관련 학과를 생각하시는 분들은 'STEAM 교육'과 관련된 책을 찾아 읽으면 좋을 거예요. 통합형 인재교육이라고 해서 면접에서도 많이 등장하는 주제입니다. (심윤보 생글8기, 전주교대 초등사회교육과 14학번)

A. 제 전공이 신문방송이기에 여기에 맞는 책을 추천해드릴게요. 개인적으로는 『한국 언론 바로보기 100년』이라는 책을 추천하고 싶어요. 분량

이 조금 많고 이해하기 어려운 부분들도 많지만, 대한민국 언론의 역사를 다룬다는 점에서 좋은 책이라고 생각해요. 어떤 학문 분야든 역사를 아는 게 중요하다고 생각하기 때문이에요. (최재영 생글6기, 중앙대 신문방송학과 13학번)

A. 프랑스어문화학과를 준비한 저는 프랑스 작가의 책들을 많이 읽었고, 승무원이 꿈이라서 승무원 관련 책도 많이 읽었습니다. 프랑스 관련 추천 도서로 『나는 빠리의 택시운전사』라는 책을 꼽고 싶어요. 프랑스인들의 사고방식에 대해 공부할 수 있는 유명한 책이에요. 그리고 승무원이 되고 싶은 친구들은 『스튜어디스 비밀노트』라는 책을 읽어 보세요. 10년 차 이상 베테랑 스튜어디스들의 일상이 담겨 있는 책입니다. (진현지 생글 8기, 가톨릭대 프랑스어문화학과 14학번)

A. 굉장히 잘 알려진 책인데, 정치외교학과에 관심이 있는 학생이라면 반기문 UN사무총장님에 관한 책인 『바보처럼 공부하고 천재처럼 꿈꿔라』라는 책을 읽어보면 좋을 것 같아요. 정치외교학과라고 해서 다들 외교관이 되는 것은 아니지만 좋은 밑바탕이 될 수 있는 책인 것 같아서 추천해 드려요. (서아진 생글7기, 연세대 정치외교학과 13학번)

A. 거시경제학을 공부해본 학생이라면 거시경제학계가 크게 케인즈학파와 자유주의학파(오스트리아학파, 시카고학파 등)로 나뉜다는 걸 알 거예요. 제가 경제학과와 관련해서 알려드릴 다음의 두 책은 조금 어렵지만 케인즈학파와 자유주의학파의 흥미진진한 싸움을 엿볼 수 있는 책이에요. 한 권은 한국에서도 유명한 영국 캠브리지대 장하준 교수님의 『그들이 말하지 않는 23가지』입니다. 장하준 교수님이 케인즈학파라고 보시면 됩니다. 책 제목에서 알 수 있듯이 23개의 챕터로 구성되어 있어요. 이 책이 나온 후 자유주의 시장경제학자들이 이에 대해 반박하는 책을 썼습니다. 송원근 박사님과 강성원 박사님이 쓰신 『장하준이 말하지 않은 23가지』가 바로 그 책입니다. 마찬가지로 23개의 챕터로 구성되어 있으며, 각각의

챕터가 장하준 교수님 책을 반박하는 식입니다. 따라서 장하준 교수님 책의 Thing 1을 읽고, 송원근 박사님과 강성원 박사님의 책 Thing 1을 읽는 식으로 두 책을 함께 번갈아 보면 두 학파 간의 생각의 차이점을 잘 알 수 있습니다. 단, 위에서도 말했듯이 좀 어려울 수 있습니다. (이정훈 생글5기, 성균관대 경영학과 11학번)

3-6 기타 스펙

Q. 봉사활동은 어떻게, 얼마나 해야 하나요? 어떤 봉사활동을 하셨는지도 알려주세요.

A. 봉사활동 시간이 엄청 많아서 봉사활동 시간을 강조하는 내용의 자기소개서를 쓰는 게 아니라면 봉사활동 시간이 엄청나게 많을 필요는 없어요. 대학에서 요구하는 시간을 채우기만 하면 일단 될 거 같아요. 진학하려는 학과에 관련된 봉사활동 내용이 있으면 자기소개서 쓸 때 도움이 되겠죠. (김보미 생글7기, 이화여대 스크랜튼학부 13학번)

A. 봉사활동의 시간보다는 어떤 봉사활동을 지속적으로 했느냐가 중요한 거 같아요. 지속적으로 한다는 것도 자신이 짬을 내서 한다는 것 자체가 중요하지, 한 달에 몇 번 봉사활동 했는지 같은 건 중요하지 않아요. 그리고 자기 진로랑 상관없는 봉사활동을 하는 것도 크게 의미 없다고 생각해요. (변혜준 생글7기, 경희대 국어국문학과 13학번)

A. 봉사활동을 어떻게, 얼마나 해야 하는지에 대한 답은 없다고 생각해요. 또 몇 시간을 했는지 그 물리적 양이 중요하다고도 생각하지 않습니다. 오히려 어떤 동기를 가지고 그 봉사활동을 했는지, 얼마나 자발적으로 꾸준히 했는지, 그로부터 어떤 것을 배울 수 있었는지가 중요할 것 같아요. 저는 고등학교 3년 동안 꾸준히 지체장애인 시설을 찾아가 청소 및 놀이봉사를 했으며, 이로부터 느낀 점들이 많았기에 대학에 와서도 꾸준히 봉사활동을 실천하고 있습니다. (박성연 생글7기, 서울대 경영학과 13학번)

A. 저는 학교 봉사동아리에 가입되어 있어서 학기 중에 (시험 기간 제외) 격주마다 두 시간씩 꾸준히 봉사활동을 해왔어요. 봉사동아리에 가입하지 않은 친구들도 방학을 활용해서 봉사활동 많이 하더라고요. 사실 입시에서는 대학별로 요구하는 봉사활동 시간만 맞추면 돼요. 봉사를 아주 많이 한다고 해서 이득될 건 없어요. 물론 봉사는 좋은 활동이긴 하지만 봉사를 너무 많이 하기 보다는 학업에 정진하세요. (김범진 생글8기, 서강대 경영학과 14학번)

A. 저는 시립 청소년수련관 소속 봉사동아리에서 고1 때부터 꾸준히 봉사활동을 했습니다. 환경정화, 양로원 방문, 지역행사 도우미 등 다양하게 했고, 총 봉사활동 시간은 3학년 1학기까지 약 180시간 정도 됩니다. 저는 매번 봉사활동을 하고 나서 느낀 점과 활동사진을 함께 정리해두어서 포토폴리오에서 잘 활용할 수 있었습니다. 봉사활동은 시간만 무작정 늘리는 것은 의미가 없고, 한다면 한 단체에서 지속적으로 하는 것이 중요합니다. 또한 봉사활동을 하면서 무엇을 배우고 느꼈냐가 포인트라고 생각합니다. 연세대 같은 경우 기독교 학교이다 보니 봉사정신이 투철한 리더십, 섬김의 리더십을 많이 강조하는 편이라 봉사활동 경력이 중요하다고 들었습니다. 연세대 입학사정관전형을 준비하는 학생들은 참고하시면 좋을 것 같습니다. (정금진 생글6기, 서울교대 영어교육과 15학번)

A. 저는 2년 반 정도 봉사활동을 했습니다. 한 달에 두 번, 서너 시간 정도씩 했었고 총 시간은 150시간이에요. 금천구에서 운영하고 있는 노인정에 찾아가서 할아버지, 할머니들의 말벗이 되어 드리고, 청소도 하고, 명절 때는 같이 민속놀이를 하기도 했어요. (박준형 생글8기, 건국대 글로컬캠퍼스 경제학과 14학번)

A. 저는 한 달에 한 번씩 학교 앞에 있는 재활원에서 봉사활동을 했어요. 봉사활동에서 중요한 것은 꾸준함입니다. 일회적인 봉사활동보다는 정기적으로 할 수 있는 것을 하세요. 예를 들면 멘토링과 같은 재능 기부 같은 것들이요. 학교 앞에 있는 봉사활동 기관들을 활용하는 것도 좋아요. (서아진 생글7기, 연세대 정치외교학과 13학번)

A. 봉사활동은 막연하게 하는 것보다는 목적이 있어야 해요. 많고 많은 봉사활동 중에 단순히 그게 있어서 하는 봉사가 아니라, 자신이 잘할 수 있거나 자신이 도움을 주고 싶은 사람들이 있어서 선택한 봉사인 것이 좋아요. (오민지 생글6기, 고려대 경영학과 14학번)

A. 저는 학교 동아리에서 정기적으로 나가는 봉사활동 외에 월 1회씩 지역 아동센터에 가서 교육봉사를 했었습니다. 시간을 채우는 것이 목표라면 학교에서 나가는 봉사활동만 하셔도 됩니다. 하지만 봉사활동을 열심히 했다는 것을 보여주고 싶다면 하나 정도는 추가적으로 더 하되 정기적으로 하는 것이 좋습니다. (김도민 생글8기, 서울대 경영학과 14학번)

A. 봉사활동은 입시에 있어서 메인 요소라기보다는 부수적인 요소였던 것 같은데, 자기소개서의 필수 항목 중에 하나이므로 비중이 높진 않지만 없어서는 안 될 것임은 분명해요. 물론 지속적이고 자발적인 마음이 담겨 있는 특별한 봉사활동은 부각이 되겠지만 내신만큼 중요하지는 않기 때문에 봉사활동에 너무 큰 비중을 두지는 않았으면 해요. (김호기 생글8기, 서울대 산업공학과 14학번)

A. 저는 고등학교 때 가정환경이 어려운 초등학생들에게 공부를 가르쳐주는 교육봉사활동을 했었어요. 어린 친구들을 가르치면서 저 역시도 느낀 점이 정말 많았고 같은 학생으로서 배움에 대해서 다시 생각해보는 계기가 되었어요. 그렇게 오랫동안 계속 봉사활동을 하다 보니 한양대에서 주최하는 봉사활동 대회에서 지원금과 상을 받는 좋은 결과가 따라오게 되었습니다. (류수현 생글5기, 경희대 연극영화학과 12학번)

A. 저는 고등학교 2학년 때 한 달에 한두 번씩 장애인 복지시설에서 봉사했습니다. 봉사는 다양한 스펙 중 하나이기 때문에 학생의 생활기록부를 훑을 때 눈에 잘 보이는 기록이어야 제 가치를 발휘할 수 있습니다. 그렇기 때문에 1년에 거의 10번 정도 주기적으로 같은 시설에 방문해 봉사활동을 한 기록은 충분히 인상적인 기록이 될 것입니다. 개인적으로 자신이 봉사할 수 있는 시설에 연락을 해도 좋고, 학교에서 하는 봉사동아리에 참여해도 좋으니 자신만의 '인상적인' 스펙을 만드세요. (김민선 생글6기, 고려대 경영학과 13학번)

A. 저는 교내 봉사활동 중 의미 있는 활동들을 많이 했었어요. 특수교육대상학생 학교생활 도우미를 2년 동안 했고, 매주 아침마다 화단을 쓰는 활동, 급식도우미 등 교내에서 할 수 있는 봉사활동을 중점적으로 했습니다. 봉사활동 시간은 졸업할 때 약 200시간 정도 되었어요. 면접 때 특수반 학생 도우미 봉사활동에 대해 물어보셨는데 제가 진지하게 임했던 봉사활동이었기에 잘 대답할 수 있었어요. 봉사활동을 통해 배우고 느낀 점이나 본인에게 어떠한 변화가 있었는지 미리 정리해놓으면 좋을 것 같아요. (진현지 생글8기, 가톨릭대 프랑스어문화학과 14학번)

A. 저는 여러 봉사활동을 했는데요, 먼저 중학교 경제 멘토링을 진행했습니다. 중학생들에게 경제에 대한 기초적인 지식을 설명하고, 생글생글을 읽는 등의 활동을 했습니다. 둘째로 교내 오케스트라에서 병원, 고아원,

어린이집, 수사회 등에 방문해 연주하는 봉사를 했습니다. 몇몇 단체의 문화 홍보대사 역할을 맡아 덕수궁, 세종문화회관 별관 등에서도 연주했습니다. 마지막으로 종로구와 연합한 교내 영어캠프에 2년 동안 멘토로 참가하여 영어에 흥미를 느낄 수 있도록 돕는 프로그램을 진행했습니다. 봉사활동은 입학사정관전형을 생각하고 있는 경우에는 개연성 있는 활동이 필요한 것 같습니다. 저는 미래에 문화관련 일을 하는 것이 꿈이기에 음악 연주 봉사가 좋은 증거가 될 수 있었습니다. 또한 경제 멘토링을 통해 경제에 대한 관심을 간접적으로 어필할 수 있었습니다. 식상한 얘기지만, 봉사활동 시간 자체가 중요하다기보다는 그것을 통해 자신이 느낀 점과 변화한 점을 위주로 서술하는 것이 더 나은 것 같습니다. (김현재 생글8기, 서울대 경영학과 14학번)

A. 봉사는 대부분 학교에서 반영을 합니다. 다만 봉사 시간은 대부분의 대학교에서 1년에 20시간 정도면 만점을 주므로 시간을 채우기 위해 하는 봉사는 별로 권장하고 싶지 않습니다. 대학교에서 중요하게 여기는 부분은 바로 봉사정신입니다. 이는 단순히 봉사 시간이나 꾸준한 봉사활동만을 의미하는 것이 아닙니다. 봉사를 하는 과정에서 본인이 느낀 감정, 본인의 바뀐 점과 앞으로의 결심 등 보다 다양한 개인의 경험이 강조됩니다. 이 말은 단순하게 꾸준히 오랫동안 한 봉사활동은 차별화가 되기 어려울 뿐만 아니라 다른 스펙에 비해 시간 낭비일 가능성이 높다는 것을 의미합니다. 대신 봉사활동 시간이 적더라도 본인이 봉사활동 준비 과정에 능동적으로 참여하고, 이를 지속적인 기록으로 남기면서 느낀 점이나 다짐을 정리하는 것이 더 효과적인 준비일 것입니다. 저는 경제동아리 안에서 봉사활동을 했습니다. 차상위 계층 학생들을 대상으로 경제교육을 하는 봉사활동 프로그램을 만들어서 근처 보육센터에서 진행했었는데 처음부터 끝까지 모든 것을 계획하고 실제로 시행하면서 고쳐나가는 식으로 했습니다. 은행에 대한 기본적 내용, 경제란 무엇인가, 돈은 왜 필요한가

등을 가르쳤습니다. 한 번은 용돈기입장 작성 방법을 알려줬는데 대부분의 아이들이 용돈을 받지 않는다는 점을 알고는 충격을 받았고, 시설 또한 열악하여 PPT를 사용해 수업하는 것 역시 어렵다는 사실을 알게 된 적이 있습니다. 그 뒤 봉사활동이라고 생각한 저의 활동이 자만심의 또 다른 표현일 수 있다는 것을 반성하고 프로그램을 전부 뜯어고쳐 다시 만든 적이 있었습니다. 이처럼 단순히 봉사활동을 하는 것이 아니라 본인이 봉사 준비에 적극적으로 참여하고, 이에 대한 피드백은 물론 느낀 점이나 앞으로의 계획 등을 반영해서 기록으로 꾸준히 남긴다면 봉사활동으로 보여줄 수 있는 최고의 스펙을 만들 수 있을 것이라고 생각합니다. (홍성현 생글6기, 서울대 경제학부 13학번)

Q. 준비하고 있는 대회가 있는데 수상권에 들어가기 힘들어서 시간 낭비하는 꼴이 될 거 같아요.

A. 멘토링 등을 하면 대회 준비에 관한 질문을 꽤 받습니다. 가장 많이 나오는 질문이 본인이 가고자 하는 학과에 관한 대회가 없는데 어떻게 해야 하는가에 대한 것이며, 그 다음으로 많이 이야기하는 것은 대회에서 상을 받지 못하면 그동안 해온 것이 시간 낭비가 되어버리는 것에 대한 걱정입니다. 이는 대회로 스펙을 쌓을 수 있는 방법이 상을 타는 것밖에 없다고 생각하는 오류에서 발생하는 것입니다. 실제로 대회에서 쌓을 수 있는 스펙 중 가장 효과가 좋은 것이 상이지만, 이보다 더 좋은 스펙은 대회를 준비하는 과정에서 나옵니다. 대회를 준비하는 과정에서 쌓을 수 있는 스펙은 크게 대회 준비 과정과 대회 이후에 쌓을 수 있는 스펙으로 나눌 수 있습니다. 먼저 대회를 준비하는 과정에서 주목할 만한 것은 본인이 진학하고자 하는 학과에 필요한 능력입니다. 예를 들어 본인이 진학

하고 싶은 학과가 심리학과라고 한다면 심리학과에서 필요한 능력인 자료 분석 능력, 통계적 능력에 초점을 맞추는 것입니다. 토론 대회를 하더라도 같은 주제에 대해 자신이 가고자 하는 학과 쪽의 접근 방식이나 그 학과에서 필요한 능력을 사용하고 이를 정리해 기록으로 남긴다면 충분한 스펙이 될 수 있습니다. 토론 대회에 나갔을 때, 상대방을 설득하는 과정에서 심리학적 요소가 충분히 사용될 수 있다는 점을 고려해 이를 적용시켜 본다면 이 역시 좋은 스펙이 될 수 있는 것입니다. 대회 이후에도 충분히 스펙을 쌓을 수 있습니다. 대부분의 학생이 수상을 하지 못하는 경우 더 이상의 활동을 하지 않습니다. 그러나 대회에서 쌓을 수 있는 스펙은 오히려 대회 이후에 가능한 것들이 많습니다. 먼저 대회 참가 과정, 거기에서 나왔던 주제 등을 정리하고 추가적으로 발전시킬 수 있는 부분 등을 정리해 보고서로 남기는 것이 일차적으로 쌓을 수 있는 스펙입니다. 이는 대회에 대한 기억이 남아 있을 때 기록을 하는 것이므로 진정성 등이 기록에 남아있을 가능성이 높으며, 이후 자기소개서 등을 작성할 때에도 많은 도움이 됩니다. 이와 같이 기본적인 기록을 남긴 후에는 대회 때 다룬 주제 등에 대해 자신의 희망전공과 관련시켜 추가적인 조사를 하고 소논문을 작성할 수 있습니다. 토론 대회의 경우 토론 주제로 나왔던 안건에 대해 자신이 관심 있는 학문 분야의 관점에서 추가조사를 하고 이에 대한 신문 기사 등을 스크랩하는 것이 좋은 예라고 할 수 있습니다. 이러한 과정을 통해 전공에 대한 자신의 노력이나 관심을 어필할 수 있는 것은 물론 다른 스펙을 쌓을 기회를 찾으면서 시간을 낭비하는 일도 줄일 수 있을 것입니다. 마지막은 대회 자체에 대한 분석입니다. 이는 특히 경영학 등의 학문에 큰 도움이 될 수 있는 것으로, 본인이 경영자적 마인드로 대회를 분석해볼 수 있다는 점에서 다른 스펙보다 좋은 스펙이라고 할 수 있습니다. 대표적으로 토론대회의 경우, 대회의 심사 기준, 대회 진행 방향, 대회 동선 및 시간표 등에 대해 꼼꼼하게 기록을 한 후 자신이 느끼기에 부적절했던 부분을 정리해 이에 대한 개선안을 내놓아보는 등의 활동을 할 수 있습니다. 이를 통해 학생들은 실제로 경험한 대회의 진정성을 높일 뿐만 아니라 구체적인 분석을 통해 분석 능력이나 주변에서 문제점을 발견하는 능력을 어필할 수 있습니다. (홍성현 생글6기, 서울대 경제학부 13학번)

Q. 논문 써보신 선배님 있으신가요?

A. 논문이라고 하기는 부끄럽지만 소논문을 쓴 적이 있어요. 당연히 학회에 제출할 수는 없었고 교내에서 승인만 받았었죠. 학회에 제출한 논문들이 더 높이 평가될 수 있겠지만 사실 고등학생이 작성한 논문이 학회지에 실리긴 정말 어렵죠. 그리고 사실 대학에서도 고등학생이 쓴 논문에 대해서 엄청나게 큰 기대를 하고 있진 않을 거예요. 아마 학생이 관심 있는 분야에 대해서 연구해봤고 공부해봤구나 정도의 생각을 할 거예요. (김보미 생글7기, 이화여대 스크랜튼학부 13학번)

A. 저는 학교에서 방학 동안 논문을 썼어요. 저의 진로에 맞는 수업을 듣고 논문을 쓰는 활동이었는데 조금은 힘들었어요. 논문을 쓰고 싶다면 미리미리 준비하고 또 선생님들이나 그 논문의 주제에 대해서 많이 아는 사람의 도움을 받으세요. (서아진 생글7기, 연세대 정치외교학과 13학번)

A. 저는 부산진 시장의 발전 방향이라는 제목으로 고1 때 논문을 썼어요. 3~4개월이라는 시간을 투자해서 썼기 때문에 애정이 참 많이 가는 활동이었죠. 직접 설문조사를 하러 다니기도 하고 인터뷰도 하고 전통시장에 관련된 정보도 알아보면서 경제학적으로 많이 배우게 된 활동이었습니다. (오민지 생글6기, 고려대 경영학과 14학번)

A. 저는 교내 Subject Research(연구 논문) 대회에서 'Analysis and Projection of the Development of the Korean Wave in Singapore through SWOT Matrix'라는 주제로 입상을 했습니다. 평소 해외의 '한류'에 대해 관심을 갖고 있었는데, 그 중에서도 동아시아에서의 한류 발전 양상이 주목할 만하다는 것을 알게 되었습니다. 마침 학교에 연구 논문 대회가 있었기에, 뜻이 맞는 친구 4명과 조를 이루어 연구를 했습니다. 연구는 싱가포르에 직접 가서 싱가포르주립대학교의 학생과 한국어 교수 등을 인터뷰하고, 한류와 관련된 중요한 장소들을 방문해 조사하는 방식으로 했습니다. 이렇게 얻은 정보를 토대로 싱가포르에서 한류를 더욱 발전시키기 위한 방안을 세우는 것으로 연구를 마무리했습니다. (김현재 생글8기, 서울대 경영학과 14학번)

A. 저는 '해외 SPA브랜드와의 비교 분석을 통한 토종 SPA브랜드의 문제 및 해결 방안'이라는 소논문을 작성했었어요. 이 논문을 쓰기 위해서 우리나라의 유명한 SPA브랜드 대다수에 이메일을 보내고 직접 매장에 찾아갔어요. 국내에 나와 있는 관련 자료는 다 찾아서 읽어보았고요. 패션비즈 기자에게 직접 메일을 보내어 답을 얻기도 했었죠. 전지에 10줄 10칸의 표를 만들어서 가로엔 국내외 유명한 SPA브랜드를 적고 세로엔 마케팅, 디자인, 속도 등의 카테고리를 쭉 적어서 표를 전부 채웠던 것이 가장 기억에 남아요. 비교 분석이 한눈에 되면서 우리나라 브랜드의 공통적인 취약점이 딱 보이더라고요. 세 달 정도 논문을 준비했는데, 지금 생각해보면 패션회사의 거시적 모습과 미시적 모습을 분석해 볼 수 있었던 즐거웠던 시간이었어요. (이소은 생글7기, 고려대 미디어학부 14학번)

A. 논문은 최근 들어서 점점 많은 학생들이 신경 쓰기 시작한 스펙입니다. 논문을 통해 어필할 수 있는 것은 본인의 특정 분야에 대한 관심과 노력, 논문 쓰는 과정을 통해 보여줄 수 있는 본인의 능력 등이 있습니다. 하지만 대부분의 학생들이 어떻게 논문을 써야 할지 몰라 어려움을

겪는 경우가 많습니다. 이는 아무것도 없는 상황에서 바로 논문을 쓰려고 하기 때문입니다. 논문은 무조건 작성하기보다는 꾸준한 활동과 특정 분야에 대한 관심에서 출발해 정보 수집 등이 선행된 후에 최종적으로 진행하는 것이 가장 좋습니다. 즉, 논문이라는 결과물에 집중하기 보다는 논문을 작성하는 과정에 보다 집중하는 것이 좋다는 것입니다. 논문은 기본적으로 고등학생치고는 높은 이해도와 난이도 있는 글쓰기를 요구합니다. 때문에 논문을 쓰기 전에 논문을 쓰려고 하는 분야에 대한 선행 분석이 가장 중요합니다. 이를 위해 자신이 관심 있는 주제에 대한 신문을 스크랩하고, 책을 찾아 읽고, 서평을 작성하는 등 관련 정보를 정리하는 작업을 먼저 진행해야 합니다. 물론 이러한 과정을 모두 기록으로 남긴다면 그것 역시 좋은 스펙이 될 수 있을 것입니다. 본인이 관심 있는 주제를 찾고 정보도 어느 정도 모았다면 해당 주제에 대한 보고서나 선행 논문을 찾아보는 것이 좋습니다. 책의 경우 책 뒤의 참고자료 등을 참고하면 도움이 될 만한 논문을 쉽게 찾을 수 있으며, 이외에도 RISS나 DBPIA와 같은 많은 사이트에서 정보를 수집할 수 있습니다. 이렇게 정보를 수집하는 과정은 대학에서 레포트나 소논문을 쓸 때 겪게 되는 과정이기 때문에 이러한 노력을 통해 고등학교에서 학업 능력 향상을 위한 본인의 추가적인 노력을 보여줄 수 있으며, 이후 대학 진학에서도 도움이 되는 역량을 기를 수 있을 것입니다. 여러 자료 수집을 한 후에는 자신이 생각한 주제에 대해 하나의 완결된 결론이나 실문을 만들어 이에 대한 답을 찾아가는 과정을 진행해야 합니다. 본인이 그러한 결론이나 질문을 만든 이유나 이를 뒷받침할만한 통계자료를 수집하고, 필요하다면 설문조사 등을 통해 이러한 자료를 직접 만들어 선행 논문의 설명과 부합되는지 여부를 비교하면서 본인의 생각을 잡아가야 하는 것입니다. 즉, 특정 주제에 대한 자료를 정리하고 자신의 생각을 간단히 정리하는 보고서와는 달리 본인의 의견을 여러 자료나 선행 연구 결과를 이용해 논리적으로 전달하는 것이 논문이므로 이에 대해 집중을 하지 않는다면 좋은 논문을 쓰기는 어려울 것입니다. 논문을 쓰기 위해서는 보고서와 달리 더 깊은 사고와 자료 정리 능력이 필요하다는 점에서 개인적으로 쌓을 수 있는 스펙 중에서는 가장 난이도가 있음과 동시에 많은 노력이 필요합니다. 때문에 개인이 모든 과정을 다 준비하는 것은 많은 시간을 뺏을 가능성이 높으며 또 투자한 시간에 비해 그 결과가 좋지 않을 가능성 역시 충분합니다. 따라서 논문을 처음 써보는 경우 개인적으로 논문을 쓰기보다는 보고서를 쓰는 훈련을 먼저 하거나 동아리 등을 통해 팀을 꾸려 논문 활동을 시작하는 것이 더 효율적일 것입니다. 또한 주제를 정리하고 계획서를 작성한 후 학교 선생님께 도움을 요청하는 것 역시 논문 작성을 수월하게 하는 데 큰 도움이 될 것입니다. (홍성현 생글6기, 서울대 경제학부 13학번)

Q. 제가 교내상은 많은데 다른 큰 스펙은 별로 없어요. 이래도 승산이 있을까요?

A. 교내상이 많으면 물론 좋아요. 자기소개서를 쓸 때 좋은 재료가 될 수 있거든요. 저는 교내 경제경시대회에서 금상을 받았던 내용을 경영과 연결해서 썼어요. (김병민 생글8기, 서울대 경영학과 14학번)

A. 교내상이 많다는 건 교내활동을 열심히 했다는 증거가 되니 매우 중요한 자료가 되겠죠. 최근에는 외부대회 상을 생활기록부에 기재할 수가 없어서 교내상의 중요성이 더 강화되고 있어요. (이소은 생글7기, 고려대 미디어학부 14학번)

A. 교내상이 많다는 것은 그만큼 이야기를 할 수 있는 소재가 많아진다는 거죠. 자기소개서를 작성할 때 큰 도움이 됩니다. 저는 3학년 때만 15

개가량의 상을 몰아서 받았습니다. (문과 전용 대회를 제외하고 모든 교내 대회에 나갔습니다.) 이 상들이 모두 묶이고 묶여 새로운 이야기가 만들어지고 면접 때도 다양한 경험을 한 학생으로 인정받게 되어서 좋은 평가를 받았습니다. (김영주 생글6기, 경희대 전자·전파공학과 13학번)

A. 교내상이 많은 게 도움이 안 될 리가요. 상이 많다는 것은 무엇보다 어떤 일이든 적극적으로 참여했다는 말이고, 그 과정들을 통해 더 많은 경험이 쌓였을 테니 없는 것보다는 많은 게 좋아요. 그런데 교내대회에 참가하느라 공부에 방해가 되거나, 더 중요한 다른 일들에 방해가 된다면 조절해서 참가하는 게 좋아요. 이런 문제는 개개인의 상황에 따라 너무 다르니까 본인이 판단해서 참여하는 게 가장 좋습니다. (김재은 생글7기, 서울대 자유전공학부 13학번)

A. 교내상은 본인의 역량을 객관적으로 보여줄 수 있는 지표라고 생각합니다. 노력의 결과로 보이기도 하고요. 교내대회 등에 전혀 참여하지 않아서 결과물이 없는 학생들보다는 참여율이 높고 성과가 보이는 학생들이 좀 더 성실하게 보이는 것이 사실이니까요. 저는 면접에서 직접적으로 교내 수상내역에 대해서 칭찬을 받은 적도 있습니다. 전공과 관련 있는 상이면 더욱 좋을 것 같습니다. (진현지 생글8기, 가톨릭대 프랑스어문화학과 14학번)

A. 저는 고등학교 생활 3년 내내 받은 상이 20개 정도 됩니다. 우선은 학교에서 모의고사 언수외 성적 상위 4% 학생들에게 성적우수상을 줬고, 교내 논술대회, 양성평등 글짓기 대회, 영어 글짓기 대회 등 다양한 교내 대회에 거의 빠짐없이 참여했기 때문입니다. 받은 상이 장려상이든, 대상이든 그저 그 대회에 참여했단 것만으로도 자신의 생활기록부에 한 줄이 더 추가될 수 있다는 것을 기억하고 자신이 참가할 수 있는 대회라면 최선을 다해 참여해보길 바랍니다. (김민선 생글6기, 고려대 경영학과 13학번)

A. 지방 일반고라는 특성상 올림피아드나 공모전 등의 굵직한 대외활동은 거의 하지 못했고 참가 기회도 없었습니다. 하지만 교내에서 열리는 각종 경시대회나 활동은 모두 참여하려고 노력했습니다. 특히 학력우수상이나 영어, 수학 등의 경시대회는 본인의 학업 성취를 보여주는 좋은 결과물이 될 수 있으므로 교내대회는 반드시 적극적으로 참여할 것을 권합니다. 저도 교내 수상실적과 좋은 내신 외의 큰 스펙은 없었습니다. 좋은 고등학교를 나온 것도 아니었고, 입시를 준비할 때 서울 지역의 좋은 스펙을 가진 경쟁자들을 보며 주눅이 들기도 했습니다. 하지만 꼭 큰 대회에 나가서 수상하는 것만이 중요한 것은 아닙니다. 요즘은 자기소개서나 생활기록부에 대외활동 실적을 기록하지 못하는 규정도 생긴데다가, 본인에게 주어진 환경과 위치에서 얼마나 노력을 했는지에 관한 진정성을 보여준다면 그것으로도 충분하다고 생각합니다. (정금진 생글6기, 서울교대 영어교육과 15학번)

A. 요즘에는 대외활동을 생활기록부에 적을 수가 없어요. 그래서 저는 교내활동이 더더욱 중요하다고 생각해요. 무조건 다 참가하라는 것은 아니지만 자신의 관심 분야에 관련된 교내활동이 있다면 충분히 참가할 가치가 있다고 생각해요. 그리고 상을 탄다면 생활기록부에도 올라가기에 훨씬 더 좋을 것 같아요. (서아진 생글7기, 연세대 정치외교학과 13학번)

Q. 반장, 회장 같은 교내 간부를 하는 게 도움 되나요?

A. 아무래도 간부를 하면 여러 것들을 접해보는 기회가 많아져서 도움이 되는 것 같아요. 사소한 갈등 해결부터 학생 회의에 참여하는 것까지 모두 의미 있는 활동이라고 생각합니다. 리더의 자리를 맡아보면서 화합

을 이끌어낼 수 있는 역량을 기를 수도 있고요. 저는 반장을 하면서 선생님들에게 예쁨을 받은 것이 학창시절에 많이 도움이 되었어요. 선생님들께서 다른 학생들보다 얼굴 한 번 더 본 학생한테 더욱 신경써주시고 잘 대해주시니까요. (진현지 생글8기, 가톨릭대 프랑스어문화학과 14학번)

A. 고교 학생회장 출신이 답변 드립니다. 교내 간부라는 타이틀 자체보다는 간부로 활동하면서 쌓은 경험이나 배운 점 등이 더 중요한 것 같아요. 간부를 하면 확실히 쓸거리, 이야깃거리가 많아서 좋긴 해요. 면접 볼 때도 간부 경험 관련 질문이 많이 들어오더라고요. 대신 간부를 하면 시간을 많이 뺏길 수 있으니까 자기관리를 잘할 수 있어야 합니다. (김도민 생글8기, 서울대 경영학과 14학번)

A. 저는 학생회장을 했었는데 도움이 많이 됐어요. 물론 그만큼 시간이 뺏기는 점도 있긴 해요. 하지만 많은 일들을 기획해보는 것이 큰 경험이 되고, 회장으로서 광역시 고등학생의회에 참석하거나 전국학생회장 캠프를 가거나 하면서 사람들을 많이 만났던 것도 좋은 경험이었어요. 활발히 활동하는 사람들이랑 가까이 지내다 보면 정보도 서로 공유할 수 있고 좋은 인연도 되어서 저는 간부를 하는 게 좋은 것 같아요. 꼭 전교학생회장이 아니더라도 실장, 부실장 등을 하면 나중에 자기소개서 쓰거나 면접 가서 이야기할 때 아무래도 안 한 친구들보다는 할 이야기가 많겠죠. (김재은 생글7기, 서울대 자유전공학부 13학번)

A. 간부 경험이 있는 친구들이 보통 리더십전형을 노리죠. 하지만 반장, 부반장 한다고 해서 리더십전형 지원 자격이 주어지는 것도 아니고 합격하는 것도 아닙니다. 간부 그 자체의 타이틀보다는 간부를 하면서 교내에서의 여러 가지 활동을 다른 친구들보다 더 많이 해볼 수 있는 기회를 갖는다는 이점을 잘 살리는 게 중요하다고 봅니다. (김영주 생글6기, 경희대 전자·전파공학과 13학번)

A. 저는 고교 학생회장이었고, 현재 전국 고교 학생회장들의 단체인 대한학생회에서 회장으로 활동하고 있습니다. 솔직히 말하자면 실장, 부실장 간부 경력 그 자체는 스펙에 속한다고 볼 수가 없어요. 요즘 입학사정관 전형에 지원하는 친구들은 간부 경험이 있는 친구들이 대다수예요. 간부 직책을 수행하면서 어떠한 활동을 했는지가 훨씬 더 중요해요. (황보미 생글8기, 건국대 경영학과 14학번)

A. 저는 1~2학년 때는 학급 회장을 하다가 3학년 때는 총무를 했어요. 자칫하면 면접관들이 보기에는 3학년 때 공부하려고 총무를 한 것처럼 보이는데 전 오히려 총무를 할 때가 학급에서 중요한 결정을 내릴 때 더 자유롭게 말할 수 있었고, 예전보다 편하게 학급 분위기를 조성할 수 있었던 것 같습니다. 회장 자리는 부담감이 있었거든요. 어떤 역할을 맡았는지보다는 자신이 어떤 영향을 미치는 사람인지가 중요하다고 생각합니다. (변혜준 생글7기, 경희대 국어국문학과 13학번)

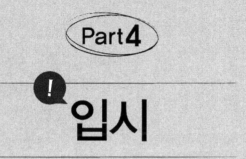

Part **4**

입시

4-1 **입시 일반론**

Q. 재수생(또는 n수생)의 위력이 어느 정도인가요?

A. 네. 제가 재수생입니다. 내신 공부 신경 안 쓰고 하루 종일 수능 공부만 하는 재수생은 정말 무서운 실력을 가지고 있다고 할 수 있어요. (오민지 생글6기, 고려대 경영학과 14학번)

A. 재수생 정말 잘합니다. 고등학교 3월 모의고사에서 안정적으로 1등급 받던 학생들이 자신의 성적만 믿고 공부 안 하다가 6월 모의고사에서 재수생에게 밀려 1~2등급 이상 떨어지는 경우가 흔합니다. (김범진 생글8기, 서강대 경영학과 14학번)

A. 재수생을 비롯한 n수생은 현역인 학생들이 내신 공부하고 수업 듣고 하는 시간에 다 수능 공부하고 있다고 생각하면 돼요. 절대적인 수능 공부 시간도 많고 어떻게 보면 절박함도 현역 학생들에 비해 훨씬 높다고 볼 수 있죠. n수생들과 같이 보는 평가원 모의고사를 치고 나면 그 위력

을 알 수 있을 거예요. (김보미 생글7기, 이화여대 스크랜튼학부 13학번)

A. 제 주변 재수생들이 입에 달고 사는 말이 있는데, 정말 공부 외에는 할 게 없다는 겁니다. 실제로 고3이 공부하는 양보다 훨씬 많은 시간을 공부에 투자할 수밖에 없는 환경에 있는 게 재수생들입니다. 또한 수능이라는 큰 시험을 한 번 경험해본 것과 처음 경험하는 것 사이에는 큰 차이가 있을 수밖에 없습니다. 그래도 재수를 해서 점수가 1점이라도 오르면 성공이라는 말이 있듯이 생각보다 재수를 한 게 결과적으로 큰 차이가 없을 수도 있긴 합니다. (김도민 생글8기, 서울대 경영학과 14학번)

A. 매년 수능을 치르는 인원의 20% 정도가 n수생입니다. 서울 소재 4년제 대학 신입생 중 n수생 비율은 30%를 조금 넘는 정도라고 보면 됩니다. 서울 소재 주요 상위권 대학은 40~60% 가량 됩니다. 보통 서울대가 n수생 합격자 비중이 낮은 것으로 알려져 있는데, 2014학년도에는 서울대도 신입생 중 n수생 비율이 50%를 넘었습니다. 저도 대학 합격하고 신입생 환영회 갔는데 동기 중의 절반이 형, 누나여서 깜짝 놀랐었어요. 수능은 여타 모의고사와 달리 n수생이 함께 치르므로 평소 본인의 등급보다 1등급 낮은 등급이 자신의 수능 때의 진짜 실력이라고 알고 있으라고 하는데, 저는 이 말에 상당히 동의합니다. n수생은 이미 공부를 한 번 끝냈던 사람들입니다. 현재 고3이라면 수능이 다가올수록 자신이 계획한 수능 전체 공부가 끝나간다는 느낌이 들 텐데, n수생들은 그 공부의 끝을 한 번 느끼고도 또 공부하는 사람이라는 겁니다. 게다가 n수생들은 내신 공부 안 하고 스펙 준비도 안 하고 수능 공부만 하는 무서운 사람들입니다. 고3들은 부디 자만하지 말길 바랍니다. (이정훈 생글5기, 성균관대 경영학과 11학번)

Q. 재수학원에 대해 궁금합니다.

A. 재수학원은 크게 기숙학원이랑 통학학원이 있어요. 자신의 성적이 많이 안 좋다면 빡세게 가르치는 학원에 가고, 그냥 유지만 하는 것으로도 된다면 조금 편한 학원에 다니면서 집에서의 시간을 활용하면 돼요. 재수학원 생활은 고등학교랑 별반 다를 거 없어요. 공부하는 애들은 하고 안 하는 애들은 안 해요. 또한 이미 성인이 된 사람들이기 때문에 이곳저곳에서의 유혹이 더 많다는 것이 재수학원의 특징이라고 볼 수 있겠네요. (이훈창 생글7기, 성균관대 경영학과 14학번)

A. 고등학교랑 비슷해요. 다만 학교랑 다르게 체육대회나 소풍 같은 행사가 없죠. 저는 독학을 하다가 6월 모평을 치고 반수반에 들어갔어요. 혼자 공부하는 시간을 많이 갖고 싶어서 독학을 하다가, 실전이 중요하다고 생각해서 나중에 학원에 들어갔는데 의외로 수업이 되게 많았어요. 어느 재수학원을 가든 공부하는 사람은 하고 노는 사람은 풀어져 있어요. 기본적으로 어떤 시스템으로 학원을 운영하는지, 강사들이 이끄는 학원 분위기는 어떤지 알아보는 것도 중요하지만 스스로 잘 끌고 가는 게 제일 중요하다고 생각해요. 흔들리지 않았으면 좋겠어요. (이주원 생글7기, 한국외대 경영학전공 14학번)

A. 저는 재수학원에서 재수를 했어요. 거의 하루 일상이 학원-집-학원으로 이뤄졌고, 집에서는 거의 잠만 자고 대부분의 시간에는 학원에서 공부를 했던 것 같아요. 솔직히 재수학원은 학교처럼 즐겁지가 않았어요. 재수라서 그런지 다들 더 예민하기도 하고 알게 모르게 긴장감도 있었어요. 친구를 사귀는 학생들도 많았지만 그럴 여유가 없어서 혼자 학원을 다니는 친구들도 많았어요. 저는 특별히 친한 친구를 사귀지 않고 혼자 다니는 편이었는데 그래서 그런지 재수를 했던 그 1년 동안의 특별한 기억이나 추억이 거의 없어요. 솔직히 좋은 결과를 얻었기에 재수를 한 것은 후

회하지 않지만 저에게 2011년, 1년이라는 시간이 기억에서 통째로 사라진 느낌이에요. (류수현 생글5기, 경희대 연극영화학과 12학번)

Q. 수시 올인 또는 정시 올인에 대해서 어떻게 생각하시나요?

A. 절대 안 되죠. 늘 다양한 가능성을 열어두고 공부하는 게 가장 좋습니다. (오민지 생글6기, 고려대 경영학과 14학번)

A. 정말 확실한 실력이 없는 학생이 아니면 반대입니다. 입시라는 게 어떻게 흘러갈지 모르는 것인데 위험 부담이 너무 큽니다. (김범진 생글8기, 서강대 경영학과 14학번)

A. 과학적으로 분석해보진 않았지만 제 주변을 보면 한쪽 올인 한 사람보다는 둘 다 노리는 쪽이 성공률이 높더라고요. 저는 올인 하면 필패라고 봅니다. (김병민 생글8기, 서울대 경영학과 14학번)

A. 전 외고 출신이다 보니 내신 때문에 친구들 중에 정시 올인이 많았어요. 요즘 수시 비중이 점점 늘고 있는데, 수시 올인은 미친 짓이에요. 수능은 기본으로 무조건 한다고 생각해야 돼요. 하루에 모의고사 국영수 하나씩 푼다고 쳐도 3~4시간밖에 안 걸리잖아요. 그건 기본적으로 깔아두고 다른 것을 해야 하는 거죠. (오유진 생글5기, 성균관대 영어영문학과 13학번)

A. 저도 수시에 많이 주력했던 편이었지만 그래도 수시 올인은 반대예요. 너무 리스크가 커요. 그리고 수시에서 수능 최저학력기준을 요구하는 학교가 대부분이기 때문에 수능을 아예 놓을 수도 없어요. 수시든 정시든

자신이 주력하는 것이 있을 수는 있지만 한 쪽에 완전히 기대지는 말라고 말씀드리고 싶어요. 최선의 상황만이 있기만을 바라지만 최악의 상황을 대비하는 자세도 필요해요. 다시 말해 수시에 주력해서 준비할 수는 있지만 수능을 아예 버리지는 마세요. 정시 올인도 마찬가지예요. 수시라는 좋은 기회가 있는데 이걸 굳이 안 쓸 필요는 없다고 생각해요. 수능 뒤에 치는 논술전형이라도 쓰는 게 낫다는 게 제 생각이에요. (김보미 생글7기, 이화여대 스크랜튼학부 13학번)

A. 저는 올인에 대해서는 부정적이에요. 수시 대부분의 전형에는 수능 최저학력기준이 걸려 있어요. 그러므로 수능 공부를 반드시 해야 하기에 자동적으로 정시도 같이 준비하게 되는 거죠. 또 정시를 준비하는 학생은 수능 성적을 필요로 하는 수시 전형에도 도전해보세요. 올인은 너무 위험해요. 모든 것에 가능성을 열어 두시는 게 좋아요. (서아진 생글7기, 연세대 정치외교학과 13학번)

A. 수시 올인이나 정시 올인 둘 다 하면 안 됩니다. 사실 저도 지금 와서 생각해보면 수시 지역균형선발전형 하나만 믿고 정시에 죽을힘을 쓰지는 않았던 것 같습니다. 그래도 수시 전형들이 수능최저학력기준이라는 것을 정해놓고 있기 때문에 수능도 소홀히 해선 안 됩니다. 또한 수시는 기준이 명확하지 않은 전형들이 많아 어떻게 될지 모르니 정시 준비를 끝까지 같이 병행해주세요. (김도민 생글8기, 서울대 경영학과 14학번)

A. 입시에는 정답이 없기 때문에 여력이 된다면 최대한 둘 다 해야 한다고 봅니다. 특히 수능은 정말 어떻게 될지 몰라요. (김현재 생글8기, 서울대 경영학과 14학번)

A. 이 문제는 상황에 따라 아주 다른 문제인데요, 고등학교 초반에 올인 하는 것은 좋지 않습니다. 자신의 상황이 어떤 방면으로 흘러갈지 모르는 상황에서 올인 하는 것은 거의 도박에 가까운 행태입니다. 또한 개

인적으로는 수시 올인보다는 정시 올인이 낫다고 생각합니다. 제 경험상 수시만을 준비하는 친구들은 공부를 하기 싫어 일종의 도피적 성격으로 다른 활동들을 하는 경향이 있었습니다. 반면에 정시에 올인을 하면 성적으로 성취도가 나타나기 때문에 도피를 할 수가 없죠. 가장 중요한 것은 공부를 잘하는 사람들은 정시와 수시를 빼놓지 않고 준비를 했다는 사실입니다. (이훈창 생글7기, 성균관대 경영학과 14학번)

A. 저는 정시에 올인을 했던 사람이에요. 하지만 처음부터 정시에 집중할 생각은 아니었죠. 실제로 고2 겨울까지는 여러 비교과활동과 어학성적을 준비했고, 고3 여름에 접어들 때쯤엔 특기자전형을 준비하기 시작했어요. 그런데 자기소개서와 일주일 남짓 씨름한 뒤, '나는 제대로 준비가 안 되어 있구나.' 하고 깨달았어요. 동시에 남은 4달 동안 남은 시간을 모두 수능 공부에 쏟으면 충분히 성적을 더 끌어올릴 수 있겠다는 확신이 들었죠. 정시에 올인을 하기로 마음을 굳히니 확실히 시간이 많이 남더라고요. 논술 안 하고, 자기소개서 안 쓰고, 면접 준비 안 하고, 스펙 안 쌓으니까요. 도박인 건 맞아요. 원하는 대학에 못 가는 경우가 더 많을 지도 몰라요. 그래서 저는 정시 올인으로 나름 성공한 편이지만, 섣불리 정시 올인을 다른 사람들에게 추천하지는 않아요. 자신의 현재 성적과 비교과활동의 진행 상황을 비롯한 여러 가지를 고려해서 결정하는 것이 현명한 선택이에요. (김예원 생글7기, 고려대 경제학과 13학번)

A. 올인 하세요. 최상위권 입장에서는 둘 다 하는 게 옳다고 말하겠지만 저는 그건 다 할 줄 아는 사람의 편견이라고 봅니다. 자기 입장이나 지원 목표에 따라 다 다른 거예요. (이은석 생글4기, 서울대 국어교육과 11학번)

A. 확신이 있다면 올인 하는 것은 나쁘지 않다고 생각합니다. 하지만 그에 따라 감수해야 할 것이 너무 많기 때문에 선배들은 다들 반대하는 거죠. 저는 수시 올인이었는데, '안전하게 해야겠다. 재수는 정말 싫다.'라

고 생각하며 중상위권 4년제 대학에 지원하기로 하고 입학사정관전형에 올인 했습니다. 정시를 준비해서 대학에 가는 것보다 이것이 효율적이라고 생각해서 정시는 과감히 버렸습니다. 그래서 정시 공부를 하는 친구들보다 더 열심히 자기소개서를 쓰고 면접 준비를 했습니다. 올인의 결과 원하는 대학에 합격해서 지금 열심히 다니고 있습니다. 하지만 올인은 위험 부담이 큰 것은 사실입니다. (진현지 생글8기, 가톨릭대 프랑스어문화학과 14학번)

Q. 요즘 대부분 수시로 대학을 가려고 하던데, 정시로 대학 가는 건 많이 힘든가요?

A. 제가 입학사정관전형이나 논술전형에 목숨 거는 후배들에게 항상 하는 말이 있는데, 쉽게 대학에 가려고 하지 말라는 거예요. 사실 어쩌면 가장 공정하면서도 쉬운 전형은 정시예요. 다른 거 고민할 필요 없이 수능 공부만 하면 되잖아요. 제가 고등학교 때 입학사정관전형 준비한다고 수능 말고 다른 것들에 한 눈 팔다가 재수했던 선배니까 제 말 잘 들어줬으면 좋겠어요. 특히 고2 이하인데 '나는 정시 안 될 거야.' 하고 일찍 포기히는 친구들은 정말 보면 한숨밖에 안 나와요. 아직 시간이 있어요. 정시는 그렇게 일찍 포기하기에는 너무도 아까운, 정말 가장 안정적인 전형이에요. (오민지 생글6기, 고려대 경영학과 14학번)

A. 수시의 비중이 늘어나고 있다고는 하지만 생각보다 많은 학생들이 정시로 대학에 가고 있습니다. 수시가 쉽다는 생각에 많은 학생들이 수시로 몰리면서 오히려 수시에서 경쟁이 심해지는 점도 있기 때문입니다. 그래서 수시에 올인을 하기 보다는 정시도 끝까지 포기하지 말라는 말을 선

배들이 하는 것입니다. (김도민 생글8기, 서울대 경영학과 14학번)

A. 통계적으로 보면 정시 합격이 굉장히 힘들어 보이는 것이 사실입니다. 하지만 수시는 합격 이유와 불합격 이유를 알려주지 않기 때문에 어느 정도의 도박성이 있는 것도 또한 사실입니다. 기억해야 할 점은 수능 성적은 여러분의 노력을 배신하지 않는다는 점이고, 다른 사람들이 정시는 힘들다고 말한다고 여러분이 정시를 포기할 이유는 없습니다. (이훈창 생글7기, 성균관대 경영학과 14학번)

A. 지방에 살아서 입학사정관전형을 위한 스펙을 쌓을 환경이 안 되거나, 좋은 논술학원이 없는 경우라면 정시가 답입니다. 수능으로는 서울의 학생들과 지방의 학생들이 환경이 다를 게 없거든요. 인강이 있으니까요. 서울 학생들이 듣는 강의를 찍어서 제공하는 게 인강이잖아요. 괜히 어설프게 스펙 쌓고 논술 학원 깨작깨작 다니다가 죽도 밥도 안 될 바에야 그런 거 깔끔하게 다 포기하고 정시 올인이 나을 겁니다. 물론 힘든 길입니다. 쉬운 길은 없습니다. 서울 최상위권 대학 가려면 어느 정도의 수능 성적이 필요한지 과거 데이터를 찾아보기 바랍니다. 기절초풍 하게 될 겁니다. 그렇다고 지레 겁먹고 포기하지는 마십시오. 그 정도 점수 나오도록 수능 공부 하는 게 입학사정관전형 노리는 것보다 쉬울 지도 모릅니다. (이정훈 생글5기, 성균관대 경영학과 11학번)

Q. 정시 원서 지원에 대한 팁 알려주세요.

A. 원서는 수능의 제5영역이라는 말이 있을 정도로 시험만큼이나 중요합니다. 우선 가채점한 점수를 바탕으로 시중에 나와 있는 모든 회사의 배치표를 참고하여 대략적인 자신의 위치를 확인합니다. 그 다음에는 진

학사 등의 사이트를 이용해서 가상 지원을 해봅니다. 지원하고 싶은 학교를 정했으면 그 학교의 '점공(점수공개) 카페'에 가입을 해서 그 학교에 지원하려는 지원자들 사이에서의 자신의 위치를 확인합니다. 오르비스 옵티무스 같은 사이트는 점수 인플레(과장)가 심하니 참고만 하시기 바랍니다. 저는 정시 지원 마감일 전까지 가능한 모든 정보를 수집했습니다. 물론 정시에 올인을 하신 분들도 많겠지만, 정시까지 왔다면 이전까지의 모든 수시에서 떨어졌을 가능성이 높습니다. 제가 바로 그 경우입니다. 거듭된 불합격에 자신감이 많이 떨어져서 정시에서 안정 지원을 하게 되고, 예상 외로 많은 지원자가 하향 지원한 탓에 안정이라 생각했던 곳에서도 떨어지는 일이 자주 발생합니다. 정시에서 명심해야 할 것은 1상향(소신), 1안정, 1하향 원칙입니다. 들어가서 후회할 곳들만 점수에 맞춰서 지원하지 마시고, 즐겁게 다닐 수 있는 학교를 선택하시기 바랍니다. (배수민 생글6기, 성균관대 심리학과 12학번)

4-2 **입학사정관전형**

Q. 입학사정관전형 어떻게 준비하셨나요?

A. 저는 고2 때까지 스펙 쌓았고 고3 때는 스펙보다는 내신에 집중했어요. 내신은 너무 떨어지지만 않으면 됩니다. 활동 정리는 언제 어디서 무엇을 했는지 기본적으로 정리한 후에, 무슨 이유로 이 활동을 시작하였고, 이런 활동을 통해 자신이 어떻게 변했고, 그리하여 어떤 사유로 이런 꿈을 가지게 되었는지를 잘 정리하는 게 중요합니다. 그리고 시사 이슈도 정리해야 합니다. 저는 고3이 되면서부터 매일 귀가할 때 인터넷 뉴스를 봤습니다. (김재원 생글8기, 한국외대 아프리카학부 14학번)

A. 저는 고등학교 1학년 올라갈 때부터 내신을 가장 중요하게 생각했습니다. 전형마다 다르기는 하지만 내신이 우선이라는 생각이었기 때문입니다. 또한 고1~2 때는 할 수 있는 활동은 최대한 많이 하려 했고, 고3 넘어가면서는 제가 그동안 해왔던 활동들을 정리하고 제 진로와 맞추는

데 노력했습니다. 그리고 많은 학생들이 활동만 하고 기록을 남겨두지 않는데 그러면 나중에 자기소개서를 쓸 때 기억이 나지 않아서 어려움을 겪습니다. 그렇기 때문에 어떠한 활동을 하더라도 항상 기록을 해두세요. (김도민 생글8기, 서울대 경영학과 14학번)

A. 꾸준히 굳건하게 준비했습니다. 처음부터 원하는 학과를 정해놓고 준비해온 것은 아니지만 나중에 저의 활동들을 돌아보니 모두 일관되어 있었습니다. 그때 제 관심사와 흥미를 알게 되어 본격적으로 입학사정관 전형을 준비하였고, 전공과 관련된 책을 한 번 더 읽는다든지 하면서 전공 관련 활동을 하기 시작했습니다. 전형에 맞는 인재가 되기 위해 노력했습니다. 노력은 결코 배신하지 않습니다. (진현지 생글8기, 가톨릭대 프랑스어문화학과 14학번)

A. 입시는 전략입니다. 자신의 장점이 무엇이고 단점이 무엇이며, 그 장점이 어떠한 전형에 가장 적합할지 생각하여 구체적인 준비 과정을 거쳐야지 성공할 수 있습니다. 저는 평소에 다양한 사람들과의 만남을 통해 의견을 주고받는 것, 대중 앞에 서는 것에 능통했기에 제가 면접에 강하다는 것을 알았습니다. 그래서 면접 점수의 비중이 큰 전형들을 골라서 지원했습니다. (황보미 생글8기, 건국대 경영학과 14학번)

A. 입학사정관전형을 준비하면서 스펙에만 집중하는 실수를 많이 합니다. 대학교 입학 설명회에서 '전체적 부분을 종합적으로 평가한다.'는 말을 들은 이후에도 누구는 왜 붙고 누구는 왜 떨어졌는가를 판단하기 어려우니 스펙으로 줄을 세워 합격 기준을 세우게 되는 것입니다. 이 때문에 스펙 자체에만 집중하게 되고 실제로 자기소개서 등을 통해 보기 어려운 부분은 무시되고 있습니다. 이는 결국 대학에서 요구하는 인재상과는 점점 멀어지는 결과를 낳게 됩니다. 입학사정관전형은 종합평가입니다. 이는 모든 분야를 고루 평가하며, 학생이 제출하는 모든 서류가 유기적으로 연결되어 있어야 한다는 것을 의미합니다. 이 때 가장 중요한 것은 바로 자

기소개서입니다. 증빙자료와 학생기록부는 자신이 한 객관적 사실에 대한 설명밖에 하지 못하나, 자기소개서는 이러한 객관적인 사실에 대해 자신의 설명을 추가함으로써 자신의 이미지를 보여주고 표현하는 데 결정적인 역할을 하기 때문입니다. 자기소개서는 '내가 이걸 잘한다.'를 어필하기보다는 '내가 이런 사람이다.'를 어필하는 것입니다. 때문에 자기소개서에는 지원자의 캐릭터가 드러나야 합니다. 예컨대 경제학과 지원자들이 모두 같은 캐릭터를 가지고 있지는 않습니다. 누구는 경제를 잘하는 학생일 것이고, 누구는 경제를 잘하지는 못해도 관심이 많은 학생일 것입니다. 캐릭터에 따라 어필해야 하는 점이 바뀌어야 합니다. 만약 본인이 경제를 잘하는 경우, 자기소개서에 경제에 대한 깊은 이해와 고찰이 드러나야 합니다. 소논문 등을 썼다면 깊고 어려운 주제에 대해서 생각하고 정리해본 것이 드러나야 합니다. 반대로 본인이 경제를 못하더라도 관심을 가지고 열심히 하는 학생이라면 '관심'이 어필해야 하는 요소가 될 것입니다. 이 경우에는 깊이보다도 꾸준함이 중요할 것입니다. 신문 스크랩을 3년간 했다는 내용이 들어갈 수 있을 것입니다, 이 때 관심과 발전이 중요한 어필 요소라는 점을 감안한다면 증빙자료에서 스크랩을 시간 순서로 보여주는 것이 좋다는 것을 추론할 수 있습니다. 즉, 자신의 캐릭터 분석을 통해 증빙자료의 구성 역시 쉽게 정할 수 있습니다. 그렇다면 자신의 캐릭터는 어떻게 잡으면 될까요? 사실 스펙은 정리되어 있지 않은 경우가 더 많습니다. 때문에 입학사정관전형을 준비할 때 캐릭터를 먼저 잡기보다는 대학을 보고 스펙을 정리하면서 자신의 캐릭터를 잡는 것이 더 효율적입니다. 또한 이 과정과 더불어 대학이 원하는 목표와 인재상을 조사하면서 자신의 캐릭터와 맞는 부분이 어디인가 찾아보는 것도 병행해야 합니다. 일반적으로 대학이 요구하는 인재상은 크게 성실성, 봉사정신, 리더십, 전공적합성, 창의력과 같이 다섯 가지로 구분할 수 있습니다. 자기소개서나 스펙은 이 부분에 집중되어야 합니다. 학교는 이 다섯 가지 능력을 골고루 보기 위해 자기소개서의 질문을 구성하고 있습니다. 즉, 자기소개서의 모든 질문은 학생이 특정 인재상을 어필할 수 있도록 유도하는 목적을 가지고 있습니다. 그러나 대부분의 학생들은 자신의 스펙을 자기소개서에 담아두기 위해 하나의 인재상에 집중해서 글을 쓰는 경우가 많습니다. 이를 해결하기 위해서는 가장 먼저 자기소개서의 질문을 보고 이 질문이 지원자의 어떤 인재상을 살피기 위한 질문인지 파악해야 합니다. 예를 들어, 학교생활을 하면서 겪은 어려움이나 갈등을 해결한 사례를 물어보는 질문의 경우 리더십이나 문제 해결 능력 등을 물어보는 질문일 것입니다. 즉, 여기에 적합한 사례는 리더로서 문제를 해결한 경험이나 기타 학교의 어려움을 어떻게 해결했는지 등을 보여주는 사례여야 합니다. 다른 예로, 경제를 가르치는 봉사활동을 했거나, 봉사 과정에서 겪은 어려움을 해결한 경험이 있고 이를 기록으로 남겨두었다면 이는 단순히 봉사뿐만이 아니라 전공적합성과 문제 해결 능력까지 표현할 수 있는 스펙이 될 수 있을 것입니다. 따라서 이처럼 스펙을 정리하는 과정을 통해 자기소개서에 쓰기 더 적절한 스펙을 찾을 수 있으며, 자신이 부족한 분야의 스펙을 찾을 수도 있습니다. 스펙 중에는 여러 요소를 동시에 보여줄 수 있는 스펙이 있고, 한 가지 요소만 겨우 보여주는 스펙이 있습니다. 때문에 스펙 분석을 통해 많은 요소를 보여줄 수 있는 스펙을 취사선택할 수 있게 됩니다. 또한 자신의 캐릭터를 어필하는 데 중요한 스펙 역시 찾을 수 있습니다. 위에서 언급한 모든 것의 기초는 바로 모든 활동에 대한 기록입니다. 스펙 활동 종료 후 곧바로 기록을 하지 않으면 이후 자기소개서를 쓸 때 당시 내용이 잘 기억나지 않을 뿐만 아니라 남은 결과물로만 과거를 되돌아보기 때문에 자기소개서의 진정성이 떨어지는 경우가 많습니다. 따라서 모든 활동을 하고 난 후에는 늦어도 일주일 안에 기록으로 남겨야 합니다. 신문을 읽었으면 스크랩 및 자신의 의견 정리를 하고, 그 이후에 관련 주제에 대한 책을 읽고 자료를 조사하면서 소논문이나 보고서를 썼으면 그

것들도 다 정리해야 합니다. 대외활동을 갔다 왔으면 자신이 느낀 감정과 했던 활동, 개선했으면 하는 점을 정리하고, 관련 활동에서 더 알아보고 싶은 부분을 정리해서 실제로 조사하기 등을 해야 합니다. 책을 읽은 경우에도 한두 페이지 정도 서평을 남겨두고, 대회 참가 이후에도 보고서를 모두 남겨둔다면 고3 때 추가적인 스펙을 위해 시간을 낭비할 필요도 없습니다. 마지막으로 자기소개서를 쓸 때 중요한 것은 이런 활동을 유기적으로 연결하는 것입니다. 본인이 신문 스크랩을 한 내용 중에서 관심 있는 분야에 대해 책을 읽고 추가적인 조사를 한 후 소논문까지 작성을 했다면 이는 학교생활 중 본인의 학업 역량을 키우기 위해 노력한 훌륭한 사례가 될 수 있습니다. 이를 잘 보여주는 방법은 스크랩에 대한 기록, 책에 대한 서평, 소논문을 증빙자료로 학교 생활기록부와 자기소개서에서 이에 대한 언급을 해주는 것입니다. 이를 통해 독서와 전공적합성, 그리고 캐릭터 측면에서 관심이라는 부분까지 어필을 할 수 있게 되고 이러한 구성이 결국 잘 짜인 자기소개서를 만들게 되는 것입니다. 또한 본인이 논문을 쓰게 된 계기가 책이고 이 논문이 자신의 능력 발전에 큰 도움이 되었다면 논문을 쓰게 된 계기였던 책을 고등학교 생활 중 가장 영향력 있었던 책으로 보여줌으로써 본인의 캐릭터를 일관성 있게 보여줄 수 있습니다. 즉, 특정 스펙을 어필하는 것이 아니라, 그 스펙으로 구성된 '나' 자신의 캐릭터를 유기적으로 보여주는 자기기소개서가 잘 작성된 것이며, 동시에 입학사정관전형을 정확히 준비하는 것이라고 볼 수 있을 것입니다. (홍성현 생글6기, 서울대 경제학부 13학번)

Q. 제가 가고 싶은 학과는 있지만 그 학과 관련 스펙이 없는데 입학사정관전형에 도전해도 괜찮을까요?

A. 저는 국어국문학과에 입학사정관전형으로 입학했는데, 시나 소설을 써서 합격한 건 아니에요. 학교생활을 충실하게 했고, 성적이 항상 높았던 건 아니지만 향상되는 모습을 보여준 게 좋게 작용한 거 같아요. 제 개인적인 생각으로는 수많은 스펙보다는 자기가 하고 싶은 일, 자신의 이야기를 잘 풀어쓰는 게 가장 중요한 거 같아요. (변혜준 생글7기, 경희대 국어국문학과 13학번)

A. 사실 그 학과 관련 스펙이라는 게 정해져 있는 것이 아닙니다. 준비하지 못했더라도 고3 때 준비를 잘 하면 만들어낼 수 있는 스펙도 있기 때문에 무조건 포기하지 말고 만들 수 있는 스펙이 있는지 잘 찾아보시기 바랍니다. 그리고 스펙이 없더라도 그 학과에 꼭 가고 싶은 동기와 관련 노력만을 보여주는 것도 큰 스펙일 것 같습니다. (김도민 생글8기, 서울대 경영학과 14학번)

A. 학과 관련 활동을 아예 한 적이 없으면 좀 불리할 것 같기는 합니다. 하지만 다른 분야의 활동을 자기소개서에 잘 풀어나갈 수 있다면 아예 포기할 건 아니라고 봐요. (원지호 생글8기, 서울대 경제학부 14학번)

A. 솔직히 고등학생 입장에서 자신이 진학하고픈 학과에 딱 맞는 활동을 하는 건 힘들다고 생각해요. 원래 자신이 가지고 있던 이야기를 학과에 맞게 어떻게 풀어내느냐가 중요할 것 같네요. 저는 자기소개서 상담 받을 때 어느 과에 맞춰 써도 무난한 학생부라는 평을 받았어요. (정금진 생글6기, 서울교대 영어교육과 15학번)

Q. 입학사정관전형에서 내신이 많이 중요한가요? 내신 성적 향상 폭이 크다면 1학년 때의 낮은 내신을 만회할 수 있을까요?

A. 네, 만회할 수 있어요. 내신 성적이 꾸준히 좋은 것도 중요하지만, 내신 성적이 향상되었다는 것은 자신의 노력이 컸다는 증거입니다. 저도 2학년 때까지 내신이 2점대였어요. 3학년 입시 상담할 때 담임선생님께서 3학년은 모두 열심히 하니까 내신을 1점대까지 올리기 힘들 거라고 말씀하셨는데 내신 준비 열심히 하니까 올랐습니다. 대학교의 수준이 올라갈수록 내신을 많이 보는 건 어쩔 수 없어요. 상위권 대학을 바라보신다면 2등급 안으로는 들어와야 해요. (변혜준 생글7기, 경희대 국어국문학과 13학번)

A. 입학사정관전형에서는 내신 성적이 상승 곡선을 그린다면 정말 유리해요. 저는 하향 곡선을 그렸는데도 입학사정관전형으로 합격한 거 보면 내신 추세가 하향 곡선이라도 완전히 포기할 건 아닌 거 같아요. 내신이 너무 안 좋으면 다른 스펙으로 어느 정도 커버할 수는 있겠지만 그것도 한계가 있으니 앞으로 남은 내신 시험을 잘 봐서 내신 성적 상승 곡선을 만드는 게 좋을 거예요. (황보미 생글8기, 건국대 경영학과 14학번)

A. 고3에게는 1학기 내신 관리가 우선이에요. 1학기 성적이 진짜 대학 선택의 경우의 수를 좌지우지하는 요물입니다. 학년이 올라갈수록 내신 성적이 점점 좋아지는 게 중요해요. 저는 학년이 올라갈수록 내신이 떨어졌는데도 합격했지만, 저는 정말 특이한 경우랍니다. (김재원 생글8기, 한국외대 아프리카학부 14학번)

A. 아무리 입학사정관전형에서 스펙이 중요하니 뭐니 해도 학생의 본분은 공부이기 때문에 내신은 가장 큰 평가 지표 중 하나가 될 수밖에 없습니다. 특히 내신 성적은 학생이 3년 동안 꾸준히 노력해 온 결실이기에

성실함을 보여주는 대표적인 예라고 볼 수 있습니다. 내신이 좋으면 수시 지원의 폭이 훨씬 넓습니다. 보통 1학년 내신보다 2~3학년 내신의 비중이 높으므로 1학년 내신이 높다고 자만하지도, 반대로 좋지 않다고 낙심하지도 마세요. 요즘에는 절대적인 내신 수치보다는 전반적인 추세를 보는 편이기 때문에 꾸준하게 열심히 공부하며 내신을 관리하길 바랍니다. 내신 추세가 상승세이면 좋게 봐주는 거 같아요. 상위 10개 대학의 학생부중심전형에 도전하고자 한다면 일반고 기준으로 평균 1.5등급 내외가 마지노선이라고 보면 돼요. 그나마 최근에는 내신을 비롯한 여러 가지를 종합적으로 보면서 1등급 후반까지 떨어지긴 했어요. 높은 내신을 받아놓은 뒤에 다른 스펙을 더 추가한다는 생각으로 입시에 임해야 합니다. (정금진 생글6기, 서울교대 영어교육과 15학번)

A. 내신은 추세가 중요해요. 제가 수시에서 떨어진 이유가 내신 추세 모양이 V자였어요. 고3이라면 교외활동이나 경시대회 새로 준비하지 마시고 내신에만 전념하세요. 제가 경시대회랑 논문 준비하다가 3학년 1학기 내신 망했거든요. (이소은 생글7기, 고려대 미디어학부 14학번)

A. 내신은 중요하죠. 하지만 내신이 전부는 아닙니다. 저도 굉장히 낮은 내신이었는데 입학사정관전형으로 지원한 4개 학교 모두 1차 서류전형에서 통과하였습니다. 4학교 모두 인서울 학교였고요. 내신 성적 향상의 폭이 크다면 입학사정관 분들이 정말 좋아하실 거예요. 꾸준히 지속적으로 높은 성적을 유지한 학생도 좋아하시지만 성적이 급격히 상승한 학생의 노력과 잠재력을 더 높이 평가하실 겁니다. (진현지 생글8기, 가톨릭대 프랑스어문화학과 14학번)

A. 입학사정관전형에서 1차 서류를 붙고 2차에 가서 면접으로 역전할 수 있는 가능성이 있기는 하지만, 내신을 보는 입학사정관전형이면 우선 내신에 따라서 지원할 수 있는 학교와 학과가 결정되기 때문에 내신을 미리미리 잘 챙겨놔야 해요. (손지원 생글8기, 경희대 경제학과 14학번)

A. 예전이나 지금이나 내신은 까다롭게 봤습니다. 입학사정관전형 합격을 위해 가장 중요한 게 뭐냐고 물으면 저는 내신이라고 답하겠어요. 특히 일반고 학생이라면 내신은 정말 기본 베이스입니다. 내신깡패라는 소리를 들을 정도의 높은 성적을 받아야 해요. (원지호 생글8기, 서울대 경제학부 14학번)

Q. 입학사정관전형을 준비하면서 유의할 것들 알려주세요.

A. 증명서류들은 필수입니다. 포트폴리오까지는 아니어도 자신이 활동을 한 것에 대해 입증할 서류들은 꼭 있어야 해요. (변혜준 생글7기, 경희대 국어국문학과 13학번)

A. 여름방학부터 자기소개서 쓰느라 공부 흐름이 망가지기 쉬우니까 조심해야 해요. 특히 원서 제출한 뒤 9~10월에는 학교에서도 포트폴리오 만들고, 학교 선생님들께 피드백 받고, 다시 고치고 하느라 되게 정신이 없어요. 서류 오래 붙잡고 있다고 잘 풀리는 것도 아니니까 괜히 공부 시간 뺏기지 말고 자기 평소 공부 시간 생각해서 공부와 입학사정관전형 준비 시간을 잘 배분하는 게 진짜 중요한 것 같아요. 서류 제출 다 끝나고 공부를 다시 하게 되면 그동안 공부를 손에서 놓았던 터라 집중하기 힘들 수도 있어요. 특히 수능최저학력기준이 있는 전형에 지원한다면 제 말 더욱 명심하세요! (손지원 생글8기, 경희대 경제학과 14학번)

A. 남의 자기소개서를 너무 따라 쓰면 안 돼요. 요즘은 자기소개서를 베꼈는지 검사하는 프로그램이 워낙 잘 되어 있어서 쉽게 걸립니다. (김도민 생글8기, 서울대 경영학과 14학번)

A. 저는 수시 원서 접수를 한 이후의 멘탈 관리에 대해 이야기하고 싶습니다. 수시 원서를 접수하는 8~9월이 되면 본인이 그 대학에 벌써 붙은 것 마냥 들뜨는 경우가 많습니다. 제가 고3이었을 때는 입학사정관전형의 원서 접수가 8월부터 시작되었기 때문에 그런 현상이 더욱 심했습니다. 수시로 70%를 선발하는 현 입시체제에서 자기소개서를 작성하고, 논술 공부를 하며 전략적으로 입시를 준비하는 것도 중요합니다. 그러나 '끝날 때까지 끝난 것이 아니다.'는 말을 꼭 기억하세요. 원서를 넣었다고 해서 자신이 그 대학에 붙은 게 아니며, 자신감을 가지는 것은 좋지만 자만에 빠져 공부를 소홀히 하는 것은 더더욱 안 됩니다. 주변에 흔들리지 않고 본인 길을 간다는 것이 쉽지 않다는 것은 잘 압니다. 저도 겪었던 과정이었으니까요. 하지만 수험생 여러분 모두 수능을 치는 그 날까지 본인이 주어진 상황에 맞춰 최선을 다해 마지막에 웃을 수 있기를 바랍니다. (정금진 생글6기, 서울교대 영어교육과 15학번)

A. 자신이 활동한 것들을 활동 직후에 꼭 기록으로 남기세요. 그 당시의 감정과 1년이 지난 후 떠올린 감정은 다릅니다. 그때의 감정을 간단히 메모해놓은 후 자기소개서 쓸 때 참고하면 좀 더 생동감 있게 느낀 점을 표현할 수 있을 거예요. 자기소개서에는 자신의 느낀 점을 적어내고 자신의 변화된 점, 자신에게 끼친 영향에 대해서 기술하세요. 그리고 자신이 했던 활동들에 대해 면접에서 제대로 답을 못하면 감점을 당할 수 있어요. 예를 들어 생활기록부 독서기록에 적어놓은 책의 줄거리를 질문 받았는데 그 책이 읽지 않고 거짓으로 적어낸 책이라면 면접에서 당황하겠죠. 면접에서는 자기소개서 내용과 포트폴리오 및 생활기록부 내용을 물어보기 때문에 꼭 정확히 숙지하시고 가시는 것이 중요합니다. (진현지 생글8기, 가톨릭대 프랑스어문화학과 14학번)

A. 자신이 했던 모든 활동을 표현하려고 하지 마세요. 그 학과와 관련된 혹은 그 대학교에서 원하는 학생에 맞는 활동들을 보여주는 것이 중요

해요. 입학사정관전형은 원하는 학생이 뚜렷해요. 많이 했다고 중요한 것이 아니라 요구하는 포인트에 맞게 준비하셔야 해요. (서아진 생글7기, 연세대 정치외교학과 13학번)

A. 자기소개서를 쓸 때 구체적으로 서술을 하셔야 합니다. 예를 들어 '열정적으로 활동을 하여 큰 성과를 이루었습니다.' 같은 문장은 그저 흘러가는 문장일 뿐입니다. 열정적으로 어떻게 활동을 했고, 어떠한 성과를 이루었는지 서술해야 신뢰를 줄 수 있습니다. (황보미 생글8기, 건국대 경영학과 14학번)

Q. n수생은 입학사정관전형에서 불리한가요?

A. 입학사정관전형은 고등학교 때의 생활을 중점적으로 보는 전형입니다. 입학사정관전형에서도 특별할 전형이 아니라면 n수생은 이제 고등학생 신분이 아니고, 졸업한 후에 한 활동에 대해서는 인정을 해주지 않기 때문에 유리하다고는 볼 수 없습니다. (변혜준 생글7기, 경희대 국어국문학과 13학번)

A. 대체적으로 n수생은 입학사정관전형에서 불리하다고 알려져 있습니다. n수생을 합격시켜주기 시작하면 재수, 삼수를 하면서 계속 스펙을 쌓은 사람이 유리한 게임이 되니까요. 그래서 합격할 때까지 n수하는 사람 늘을 막으려고 잘 뽑지 않으려고 한대요. 물론 그럼에도 불구하고 합격하는 사람도 꽤 있습니다. 우선 내신이 정말 좋아야 하고, 재수를 하면서 본인이 고3 때에 비해 엄청나게 발전했음을 보여줘야 한다고 하네요. 또한 고3들보다 훨씬 뛰어나야 합격할 수 있다고 합니다. (김현재 생글8기, 서울대 경영학과 14학번)

A. n수생은 흔히 입학사정관전형에 불리하다고들 하지만 제 주변만 봐도 n수를 했는데 수시로 합격하는 학생들 분명히 있습니다. 물론 서울대는 수시에서 한 번 떨어진 학생은 다시 안 뽑는다는 원칙을 가지고 있다고도 하지만 그 벽을 뚫고 오는 학생들도 꽤 있습니다. 무조건 n수생은 불리하다고 생각하지 마세요. 노력하면 충분히 만회할 수 있다고 생각합니다. 하지만 현실적으로 n수생은 수시보다는 정시를 생각하고 공부를 하는 경우가 많습니다. 수시 준비하면서 시간을 뺏기기보다는 정시에 힘을 더 쏟는 것을 추천해드립니다. (김도민 생글8기, 서울대 경영학과 14학번)

A. 2015학년도 입시를 다시 준비하면서 서울교대와 한국교원대 초등교육과 수시 입학사정관전형에 지원했습니다. 나이로는 4수였던 터라 아예 기대도 안 했었지만, 저는 내신도 좋은 편이었고 비교과도 많은 편이었기 때문에 자기소개서도 후회 없을 만큼 열심히 작성하여 지원했습니다. 결과적으로 한국교원대 초등교육과는 1차 합격을 했고, 서울교대는 1차에서 탈락했네요. 다행히 수능 성적이 괜찮아서 한국교원대 수시 면접은 불참하고 정시에 가군 한국교원대, 나군 서울교대를 지원할 예정입니다만 아무래도 수시에서는 n수생보다는 현역 고3 학생을 더 선발하려는 경향이 있는 것 같습니다. 어떤 입시컨설팅업체에서 듣기로는, 나이가 많고 적음에 딱히 유불리는 없지만 동점자를 가려내는 데 있어서는 나이를 기준으로 하기도 한다고 하네요. (정금진 생글6기, 서울교대 영어교육과 15학번)

Q. 자기소개서는 언제부터 준비해야 할까요?

A. 보통 3학년 1학기가 끝나고 자신이 지원할 대학과 학과를 정한 후 7~8월에 자기소개서 준비를 시작합니다. (김범진 생글8기, 서강대 경영학과 14학번)

A. 저는 고3 7월부터 틀을 잡아가기 시작했어요. 자기소개서 항목을 다 작성하고 나서 학교에 계신 국어 선생님께 꾸준히 상담 받고 첨삭 받으면서 자기소개서를 완성했어요. (손지원 생글8기, 경희대 경제학과 14학번)

A. 고3 여름방학부터 준비하는 게 일반적이죠. 너무 빨리 해봤자 어차피 나중에 바뀌게 돼요. 자료를 미리 잘 정리해놓고 여름방학부터 본격적으로 준비하면 돼요. 저는 자기소개서 준비에 시간을 많이 들였습니다. 수시에서 최선을 다하지 못하면 수능 공부를 할 때도 자꾸 미련이 남는다는 얘기를 듣고, 그것을 방지하고자 최대한의 노력을 쏟았습니다. 여름방학부터 준비하는 바람에 9월 모의고사를 제대로 준비하지 못한 것 같아 불안했지만, 자기소개서를 완성하고부터 열심히 하면 된다고 믿었습니다. 자기소개서를 쓸 때 처음에는 막막했기 때문에 분량은 신경 쓰지 않고 최대한 자세하게 쓴 다음에 조금씩 줄여나갔습니다. 미리 했었던 활동을 정리해 두었던 것이 큰 도움이 됐습니다. 자기소개서를 제출한 뒤로는 수시에 대한 생각을 잊고, 정시에만 전념했습니다. 우선 수시에 전력을 다 하고 그 뒤로 미련을 두지 않는 것이 수능을 보는 데에 긍정적인 작용을 했습니다. 수시에서 어느 정도 가능성이 보인다면 이러한 빙빕이 노움이 될 것입니다. (김현재 생글8기, 서울대 경영학과 14학번)

A. 지원하려는 학교와 학과를 일찍 정했다면 고2 겨울방학에 자기소개서를 미리 써보면서 전체적인 틀을 잡아보는 것도 좋아요. 고3 여름방학 때 자기소개서 3~4개 쓰려면 바쁘거든요. (서아진 생글7기, 연세대 정치외교학과 13학번)

A. 자기소개서는 늦어도 고2 겨울방학에 어떤 내용으로 쓸지는 정해놓으시는 게 편합니다. 많은 학생들이 고3 여름방학에 자기소개서를 준비하면서 시간을 많이 뺏기는데, 그러다 보면 자기소개서의 질도 좋지 않고 정시를 준비하는 데 있어서도 방해를 받습니다. 고2 겨울방학에는 완벽히는 아니더라도 어떤 내용으로 써야겠다는 생각을 마무리해두시는 게 좋습니다. (김도민 생글8기, 서울대 경영학과 14학번)

A. 2학년 겨울방학 때부터 준비하세요. 자기소개서가 은근히 시간이 많이 걸려요. 지원하는 대학이나 학과에 따라 조금씩 내용도 수정해야 하고요. 2학년 겨울방학 때 자기소개서 틀을 구성하세요. 그리고 지원하고자 하는 대학교의 입학처 사이트에 들어가서 작년도 자기소개서 문항을 살펴보고 해당 문항에 따라 써보는 연습도 해보세요. 자기소개서는 절대 단시간에 쓸 수 없어요. 2학년 겨울방학 때 큰 틀을 구성하고, 3학년 4~5월에 모집요강이 나오면 그때부터 조금씩 써나가면 돼요. 수십 번의 첨삭이 필요하기 때문에 시간에 쫓기지 않으려면 일찍 준비해야 해요. (최재영 생글6기, 중앙대 신문방송학과 13학번)

A. 딱 어떤 시기부터 준비하는 것이 아니라 1~2학년 때는 내신, 수능, 활동을 두루 해놓은 뒤에 3학년에 올라와서 공부를 하다가 집중이 안 될 때 조금씩 정리를 하면서 준비하시는 게 좋습니다. 여러 가지를 동시 다발적으로 준비해야 하는 수험생으로서 시간을 효율적으로 쓰려면 자투리 시간을 활용해야 하는데, 이러한 자투리 시간에 자기소개서를 준비하시면 됩니다. (황보미 생글8기, 건국대 경영학과 14학번)

A. 자기소개서는 2학년 겨울방학 때부터 작성하기 시작하면 적당할 것입니다. 2학년 말까지는 쌓아온 스펙이나 자기소개서에 작성할 내용을 정리해두고, 2학년 겨울방학 때 작성을 시작하세요. 3학년 때 부족한 내용을 보충하며 다듬어간다면 시간적으로 여유가 생기고 질 좋은 자기소개서

가 만들어질 것입니다. (김영주 생글6기, 경희대 전자·전파공학과 13학번)

A. 일단 자기소개서 작성 전에 최대한 모든 활동을 기록해두세요. 고2 여름방학 때부터 서서히 학교를 조사하면서 학교에서 말하는 인재상 등과 자신의 활동을 비교해보면서 캐릭터를 잡고, 고2 겨울방학부터 본인이 했던 활동을 자기소개서에 배치하면서 준비하면 무난할 듯합니다. (홍성현 생글6기, 서울대 경제학부 13학번)

A. 자기소개서의 실질적인 작성은 마감 한두 달 전부터 시작해도 무방해요. 하지만 그렇게 하기 위해서는 평소에 여러 가지 활동을 하면서 느낀 점이나 배운 것들, 어려웠던 점들을 기록해두는 습관을 가지는 것이 좋아요. (류수현 생글5기, 경희대 연극영화학과 12학번)

A. 빠르게 미리 차근차근 준비하면 좋죠. 고2 여름방학 때부터 자신의 활동들을 쭉 돌이켜보면서 간단하게 메모를 해두는 것이 좋습니다. 겨울방학 때는 대교협 자기소개서 양식을 보면서 대충 어떤 유형으로 질문이 나오는지를 보고 공통문제는 한 번 쭉 써보세요. 진짜 자기소개서는 각 학교 인재상에 맞춰서 고쳐나가시면 됩니다. 그리고 선생님께 자기소개서 쓰는 방법에 대해 피드백을 받습니다. 이걸 원서 지원 전까지 쭉 하면 돼요. (진현지 생글8기, 가톨릭대 프랑스어문화학과 14학번)

Q. 자기소개서를 어떻게 써야 할지 모르겠어요. 팁 좀 주세요.

A. 자기소개서에는 자신이 부족한 점이나 하고 싶은 활동, 관심 있는 활동에 대한 이야기를 쓰되, 이러한 것들로 인해 본인이 느낀 점과 발전된 점을 쓰는 것이 중요합니다. 그리고 그런 발전된 점을 대학이나 사회

에 나가서 이렇게 저렇게 활용할 것이라고 쓰시면 훌륭한 자기소개서가 됩니다. (김재원 생글8기, 한국외대 아프리카학부 14학번)

A. 자기소개서를 쓰기 전 우선 자신의 꿈과 진로 계획에 대해 정리해보세요. 그 다음 고등학교 시절 동안 어떤 활동을 했었는지를 교내, 교외로 나누어 리스트를 만들어 보고, 각 활동을 통해 어떤 것을 배웠는지, 예를 들어 리더십을 키웠는지, 학업 능력을 신장시켰는지, 진로에 대한 생각을 정립하게 되었는지 등을 정리해보세요. 그 후 자신이 지원하는 학과에서 요구하는 인재의 특성은 어떤 것일지, 자신이 꿈꾸는 바를 성취하기 위해 필요한 자질은 무엇일지를 생각해 본 후 그것과 연관시켜 자신의 활동을 서술하려고 노력하면 좋을 것 같습니다. (박성연 생글7기, 서울대 경영학과 13학번)

A. 첫 번째, 1학년 때부터 3학년 때까지 한 활동을 적어두고 그 중에서 손에 꼽을 수 있는 5가지 활동을 뽑아서 관련 활동을 한 계기와 과정, 느낀 점을 정리하시면 됩니다. 두 번째, 자기소개서를 통해 자신을 어필할 수 있는 단어 혹은 문장을 만들어서 각 문항에 적용시키면 됩니다. 마지막으로 보편적인 활동이나 좋은 단어만 골라 쓰지 말고, 자신만의 차별화된 활동과 그 활동이 자신에게 어떠한 영향을 주었는지를 구체적으로 서술하는 게 좋습니다. (황보미 생글8기, 건국대 경영학과 14학번)

A. 자기소개서를 작성하기 전에 문항별로 마인드맵을 그리고, 본인이 가지고 있는 스펙이 뭔지 확인해가며 스토리를 만드는 것이 좋습니다. 쓰기 전에 최대한 많은 아이디어를 짜내고 엮어서 글을 시작하는 것이 수월합니다. 웬만하면 어렵고 현학적인 말이나 전문적인 용어는 쓰지 않는 것을 추천합니다. 예를 들어 경영학과의 경우, 국제경영이니 마케팅이니 컨설팅이니 이런 단어를 학생들이 종종 자기소개서에 쓰는데, 막상 물어보면 무슨 뜻인지 잘 모르는 경우가 많습니다. 본인이 이해할 수 있고 쉽게 설명 가능한 말 위주로 쓰고, 어려운 말을 쓸 거라면 정확한 용어의 뜻을

찾아보아서 면접관이 물어볼 때 제대로 답을 할 수 있어야 합니다. 그리고 두루뭉술하고 추상적인 표현보다는 구체적인 본인의 사례를 들어서 쓰는 것이 중요합니다. 무작정 스펙을 나열하기보다는 본인이 이 결과를 얻기까지 어떤 과정과 노력이 있었는지 이야기를 하는 것에 집중하시길 바랍니다. (정금진 생글6기, 서울교대 영어교육과 15학번)

A. 우선은 고등학교 때 무엇을 했는지 대략적이라도 아는 게 있어야 하니까 생활기록부를 한 번 천천히 들여다보세요. 그러면 어떤 걸 자기소개서 어느 문항에 써야겠다는 생각이 들 거예요. 처음부터 완벽한 자기소개서를 쓰겠다고 달려들지는 마세요. 그건 불가능한 일이고, 자기소개서는 계속 고쳐나갈수록 훌륭한 자기소개서가 되니까요. 저는 자기소개서에 주로 생활기록부에 있는 내용을 적었어요. 생활기록부에는 딱딱하고 짧게만 설명된 것들이 많아서 자기소개서에서 그것들을 좀 더 자세히 풀어 썼어요. (심윤보 생글8기, 전주교대 초등사회교육과 14학번)

A. 저는 윤보랑 다르게 생활기록부에 없는 내용을 썼어요. 이렇게 하면 생활기록부에 있는 내용 말고도 자기소개서에 적은 내용만큼 자신의 활동사항을 더 많이 알려줄 수 있게 되잖아요. 물론 생활기록부에 있는 내용을 쓰는 게 나쁘다는 건 아니에요. 생활기록부의 내용을 적는다면 그 활동들이 좀 더 신뢰성을 가질 수 있겠죠. (서아진 생글7기, 연세대 정치외교학과 13학번)

A. 자기소개서에는 거짓말을 하면 안 되지만 그렇다고 완전히 솔직하게 써야 하는 것도 아닙니다. 대학교 입학사정관늘과 교수님에게 자신을 뽑아달라고 쓰는 글인데 자기의 단점만을 쓰는 것은 바보나 하는 짓일 겁니다. 단점을 쓴다면 본인이 이 단점을 어떻게 극복하려고 노력했는지를 보여줘야 합니다. 다른 내용들도 쓸 때 결과만을 나열하는 게 아니라 그 결과를 위해서 어떤 과정을 거쳤는지를 주로 써주세요. (김도민 생글8기, 서울대 경영학과 14학번)

A. 학교별, 학과별 인재상 파악이 중요합니다. 진로 계획에 있어 인재상을 언급하는 것이 학교에 대해 조사를 많이 했고, 그만큼 학교에 대해 열망을 가지고 있다는 것을 알려주는 것이니까 꼭 따로 적어두고 잘 활용했으면 좋겠습니다. (김호기 생글8기, 서울대 산업공학과 14학번)

A. 저는 인재상을 자기소개서에 크게 담지 않고 제가 강조하고자 하는 바를 중점으로 썼어요. 자신이 학교의 인재상에 부합하는 인재임을 나타내려면 사례를 언급하면서 그 안에 자기 능력을 자연스럽게 녹여내는 게 좋을 것 같아요. 분명 인재상이 중요하지만 너무 얽매이지 않았으면 합니다. 자기 자기소개서의 키워드를 어느 정도 정하고 일관되게 쓰다보면 그 안에 담긴 자기 모습이 학교 인재상이랑 그리 크게 다르지 않을 거라 생각해요. (손지원 생글8기, 경희대 경제학과 14학번)

A. 자기소개서 질문의 요점을 잘 파악하셔야 합니다. 무엇을 묻고 있고 여기서 지원자의 어떤 역량을 평가할 것인지 생각해보는 게 좋습니다. 두괄식 표현으로 먼저 요점을 말하세요. '결론', '왜냐하면', '때문에' 등을 잘 활용해서 깔끔하게 가독성이 좋도록 쓰는 것도 하나의 방법입니다. 다이나믹하게 쓰는 것도 좋습니다. 예를 들면 '복지관 봉사활동에 가서 초등학생들을 가르치는 것이 뿌듯했다.'보다는 '뜻 깊은 활동을 하기 위해 복지관 봉사활동에 갔다. 초등학생을 가르치는데, 내가 맡은 학생들이 열정적으로 따라와 주었고 테스트를 통과해서 기분이 좋았다. 나는 아이들을 좋아하지 않았는데 그게 아니었나보다.' 이런 식으로 자신이 느끼고 변화된 점을 언급하며 어필하는 것이 효율적인 자기소개서 쓰기 방법이라고 말할 수 있습니다. (진현지 생글8기, 가톨릭대 프랑스어문화학과 14학번)

A. 저는 자기소개서 작성을 위한 열 가지 팁을 알려드리겠습니다. 첫째, 지원할 대학의 홈페이지에 들어가 인재상과 교훈 등을 파악해야 합니다. 대학이 내걸어놓은 인재상과 교훈은 겉치레가 아닙니다. 해당 인재상

에 맞춰 자신을 어필해야 합니다. 둘째, 글쓰기 시작을 못 하겠다면 우선 키워드를 나열하세요. 자기소개서에 꼭 들어가야 할 주요 단어를 생각나는 대로 쓰면 됩니다. 그리고 인고의 과정을 거쳐 연결해 나가면 됩니다. 셋째, "대한민국에서 태어나서~ / 2남 1녀 중 첫째로~ / 제 이름은 OOO입니다." 같은 내용으로 글을 시작하지 마십시오. 너무 진부합니다. 넷째, Fact와 Fiction이 합쳐진 'Faction'을 활용해야 합니다. 음식에 적절히 조미료를 치라는 겁니다. 확인할 수 없는 내용, 본인의 감정 등은 좋은 조미료가 될 수 있습니다. 단, 조미료를 너무 많이 치면 자기소개서가 진실성을 잃어버리게 됩니다. 말도 안 되는 허구와 과장은 음식을 망칠 수 있습니다. 다섯째, 구체적으로 작성해야 합니다. 생활기록부에 설명되어있는 부분과 설명되어있지 않은 부분에 따라 구체적으로 하는 정도가 다릅니다. 생활기록부에 기재되어있지 않은 내용은 구체적으로 작성해야 합니다. 여섯째, 에피소드를 통한 소감이나 교훈에 신경 써야 합니다. 대부분의 지원자들의 스펙이나 경험담은 비슷합니다. 남들과 똑같은 경험이 자기 자신에게는 어떤 의미였는지를 강조해야 차별성이 생깁니다. 일곱째, 맞춤법 제대로 확인하세요. 사람인 글자수세기 사이트와 한글과 컴퓨터 맞춤법 검사기를 이용하세요. 여덟째, 자신의 꿈이나 이름 앞에 형용사를 넣는 것을 추천합니다. 이는 면접에서도 활용이 가능하고, 자기소개서 전체의 방향성을 잡아주는 데 도움이 됩니다. 아홉째, 다 썼으면 소리 내서 읽어보는 것을 추천합니다. 좋은 글은 소리 내어 읽을 때에도 잘 읽히는 글입니다. 어색한 부분이 있다면 표시해두고 추후에 수정해야 합니다. 열째, 굉장한 횟수의 퇴고가 필요합니다. 초본이 완벽한 경우는 절대 없습니다. 자신이 쓴 글을 스스로 퇴고했다면 지원한 대학의 학과에 재학 중인 선배를 찾아서 도움을 요청하세요. 학년은 낮을수록 좋습니다. 그리고 선배들한테 첨삭을 받을 때는 문장을 바꾸는 것보다는 첨삭 방향을 제시받는 게 좋습니다. 모든 글에는 작성자의 문체가 남아있습니다. 문장을 첨삭 받으면 본인은 편할지 모르지만, 자신이 말하고자 하는 내용이 제대로 전달되지 않을 수 있고 자신만이 갖는 문체가 흐려질 수도 있습니다. (최재영 생글6기, 중앙대 신문방송학과 13학번)

Q. 자기소개서에 지원 동기 어떻게 쓰셨어요? 저는 그냥 '접해 보니 재밌었다.' 정도 빼고는 딱히 인상적인 동기가 없네요.

A. 저는 교내 '시네마 카페'라는 프로그램에서 프랑스 영화를 처음 접해보고 학과를 결정하게 되었습니다. 그 전에는 유럽에 대해 약간의 관심만 있었는데, 영화를 보고 딱 뭔가 느낌을 받았습니다. 꼭 프랑스어를 배워야겠다고 생각이 들었고, 제가 여태 활동했던 기억들을 곱씹어 보니 저는 프랑스를 좋아하는 사람이었습니다. 루브르박물관전에 가서 프랑스 미술품들을 감상하기도 하고, 쁘띠프랑스 견학은 물론, 'Francophonie' 축제에 다녀오는 것 등 제가 했던 활동의 대다수는 거의 프랑스와 관련되어 있었습니다. 이러한 스토리를 연결해서 지원 동기에 적었습니다. (진현지 생글8기, 가톨릭대 프랑스어문화학과 14학번)

A. 지원 동기는 워낙 학생마다 다르기 때문에 어떻게 쓰라고 딱 명확하게 집어서 말해줄 수는 없어요. 일단은 본인이 어떤 활동을 해왔는지 쭉 마인드맵 형식으로 그려 보세요. 그리고 난 다음에 그 활동에서 느꼈던 점들을 떠올리며 엮어나가다 보면 지원 동기를 쓰는 데 도움이 될 거예요. 본인이 지원하는 학과와 관련해서 겪었던 경험과 활동들을 잘 살려서 짜 맞춰야 해요. 저는 한일교류연수를 갔던 경험 등을 살려서 국제경영과 문화산업에 관심이 있다는 쪽으로 썼어요. 어느 정도의 미화와 과장은 필

요한 것 같네요. 거짓말만 아니면 괜찮다고 봐요. (정금진 생글6기, 서울교대 영어교육과 15학번)

A. 주변 사례를 보면 진짜 자기만의 뚜렷한 지원 동기가 있었던 경우는 소수였습니다. 대다수는 누구나 있을 법한 세부 에피소드의 극대화와 약간의 부풀림을 통해 쓰더라고요. (김현재 생글8기, 서울대 경영학과 14학번)

A. 사실 지원 동기를 쓸 때 지원하는 대학이 자신의 운명인 것처럼 쓸 필요는 없지만, 그렇다고 해서 학과 관련 활동이나 공부가 재미있었다고만 쓰는 것도 별로 좋지 않은 방법이라고 생각합니다. 막연할 때는 사례를 들어서 구체화하는 것이 가장 좋을 것 같네요. (김범진 생글8기, 서강대 경영학과 14학번)

A. 단순히 재미있다는 이유로만 자신의 진로를 정하는 사람은 없을 것입니다. 잘 생각해보면 어떤 사소한 이유로 자신이 그 꿈을 가지게 되었고, 그래서 그 진로를 선택하게 되었다는 내용 정도는 만들어낼 수 있을 것입니다. 거창한 이유를 생각하지 마시고 자신이 왜 그 과에 대해 관심을 가지게 됐는지부터 생각해보세요. (김도민 생글8기, 서울대 경영학과 14학번)

A. 지원 동기가 없으면 지어내지 말고 솔직히 쓰세요. '이 학과가 재미있으니까 지원했지.'라고요. 다만 왜 그것이 재미있는지, 그것이 재미있어서 자신은 고등학교 3년 동안 무엇을 어떻게 해왔는지 구체화하세요. 그런 활동을 하면서 더욱 그 '재미'가 구체화되었다는 걸 쓰시면 됩니다. 지어내는 건 역효과를 일으킵니다. (이은석 생글4기, 서울대 국어교육과 11학번)

Q. 자기소개서의 인성 파트를 어떻게 써야하는지 조언 부탁드려요.

A. 한때 자기소개서의 대세는 '사회적 기여'였던 것 같은데 요즘은 '자기만의 꿈'으로 어필하는 게 잘 먹히는 것 같더라고요. 원피스를 찾아다니는 루피 해적단의 마인드처럼 왜 그 꿈을 갖게 됐는지, 어떤 노력을 했는지, 어떤 계획이 있는지, 꿈을 이루면 어떻게 할 것인지 등을 잘 드러나게 쓰면 좋을 것 같아요. (김병민 생글8기, 서울대 경영학과 14학번)

A. 저는 진정성을 담아서 했던 봉사활동의 내용들을 넣었습니다. 봉사활동 중에 있었던 에피소드를 간단하게 적어 넣어서 제 인성을 간접적으로 비출 수 있도록 썼습니다. 또한 학교생활 중 팀별 활동을 통해 협력하고 간부 활동을 통해 리더십을 발휘할 수 있었던 사건들을 적으면서 인성 파트를 채웠습니다. (진현지 생글8기, 가톨릭대 프랑스어문화학과 14학번)

A. 인성 파트에서는 가치관이 중요한 것 같아요. 전 2014년 여름에 드림클래스라고, 삼성에서 주최하는 중학생들 가르치는 프로그램에서 강사로 활동했는데, 드림클래스 지원서에 지원 동기랑 리더십 등을 적어야 했어요. 저는 여러 활동(대학 반 반장, 중앙동아리 회장, 고등학교 동아리 총무, 팀플 조장 등)에서 주체적으로 뭘 맡고 어떻게 책임감 있게 했는지를 써서 합격했어요. 제 친구도 간부 경력 없지만 주체적이고 책임감 있는 성격이 드러나는 일화를 써서 같이 합격했고요. 인성 파트에 나는 착하다 또는 뭘 맡았다, 뭘 했다는 것도 좋지만 일화를 적용해서 본인의 인성이 묻어나게 쓰는 게 제일 좋은 거 같아요. 저 자기소개서 쓰고 면접 때 면접관분들이 물어보신 게 그런 부분이었어요. 요즘은 내러티브나 에피소드가 먹히는 시대예요. 아무리 스펙이 좋아도 이야기가 없으면 잘 안 통해요. 어차피 스펙은 거기서 거기니까요. (오유진 생글5기, 성균관대 영어영문학과 13학번)

Q. 아직 목표 대학을 못 정했는데 자기소개서를 미리 쓰려면 뭘 써야 하죠?

A. 대교협 공통 제시문항이 있어요. 세 문항 정도는 대학마다 거의 비슷하니까 그것을 참고하면 될 겁니다. (정금진 생글6기, 서울교대 영어교육과 15학번)

A. 본인이 아는 대학 홈페이지에 들어가면 자기소개서 양식이 있어요. 양식은 대학별로 거의 비슷하니까 들어가서 확인해보세요. (변혜준 생글7기, 경희대 국어국문학과 13학번)

A. 목표 대학은 정하지 못했더라도 목표 과를 정하고 자기소개서를 쓰시는 게 좋습니다. 과도 정하지 못했다면 대학교별 자기소개서를 보고 공통문항을 미리 써보시는 것을 추천합니다. (김도민 생글8기, 서울대 경영학과 14학번)

A. 이제 자기소개서 양식이 꽤 통합되었다고 하던데, 그러면 그 자기소개서 양식을 받아서 공통문항을 미리 써보면 되겠죠. (김현재 생글8기, 서울대 경영학과 14학번)

A. 대교협 자기소개서 양식을 먼저 써보세요. 저도 목표 대학을 정하지 못한 채 고2 겨울방학 때부터 자기소개서를 썼는데 그때 지원 동기, 성장과정과 삶에 미친 영향, 기억에 남는 교내활동 등을 기본으로 적어 내려갔습니다. 어떤 내용을 쓸지 후보들을 적어놓기도 하면서 점점 목표 대학을 설정하며 그 학교의 인재상에 맞는 자기소개서가 되도록 수정해 나갔어요. (진현지 생글8기, 가톨릭대 프랑스어문화학과 14학번)

Q. 서로 다른 과에 원서 쓰려면 자기소개서도 그 과에 맞게 각각 써야 해요?

A. 당연하죠. 경영학과 자기소개서를 영문학과에 그대로 갖다 쓰는 것은 이상하잖아요. 하지만 자기소개서를 통째로 바꿀 필요는 없고 같은 사례를 쓰더라도 결론이나 방향을 바꿔서 쓰는 것으로 충분할 것 같습니다. 지원 동기나 학업 계획, 진학 후 계획 등은 반드시 그 과에 맞춰서 쓰세요. (정금진 생글6기, 서울교대 영어교육과 15학번)

A. 공통문항, 예컨대 자신의 힘들었던 일과 그 극복과정 같은 것이라면 똑같이 써도 상관없겠지만, 학업 계획 같은 것들은 당연히 다르게 써야죠. (김현재 생글8기, 서울대 경영학과 14학번)

A. 그 과에 맞게 쓰는 것이 좋을 것 같아요. 각 학교마다, 각 학과마다 원하는 인재상이 달라요. 그러한 인재상의 자격을 자기소개서에 녹여낸다면 훨씬 더 좋을 것 같아요. 모든 자기소개서를 똑같이 쓴다면 그건 그 학교에 대해 충분히 고민하지 않았다는 것으로 밖에 보이지 않을 거예요. (서아진 생글7기, 연세대 정치외교학과 13학번)

A. 인성을 나타낼 수 있는 봉사활동 부분에서는 비슷해도 돼요. 하지만 전공적합성을 알아보는 것으로 보이는 자기소개서 질문에는 그 과에 맞게 써야함이 맞겠죠. 저는 고2 겨울방학 때 자기소개서를 처음 썼는데 그때 학년부장 선생님께서 '모든 학생들이 하는 활동들은 비슷할 것이다. 그 중에서 네가 차별화가 되려면 좀 더 강하게 학과와 진로에 대한 열정을 나타내 보여야 한다. 적합한 인재라는 것을 어필하라.'고 말씀하셨습니다. 어릴 적부터 관심 분야에 대한 의지가 확고한 친구들을 이기려면 자신이 더욱 더 그 과에 적합한 인재임을 적극적으로 어필하길 바라요. (진현지 생글8기, 가톨릭대 프랑스어문화학과 14학번)

A. 당연하죠. 대학에 따라서도 일부 내용을 수정해야 하는데 지원하는 학과가 다르다면 당연히 해당 학과에 맞게 수정해야죠. 대학과 학과마다 인재상이 다르니까요. 자기소개서 하나를 써놓고 여러 대학에 접수하면 무조건 불합격이에요. (최재영 생글6기, 중앙대 신문방송학과 13학번)

A. 저는 정시 특성화고전형에서 경영학과와 학과의 자기소개서를 썼는데 지원 동기는 윗분들 말처럼 다르게 썼어요. 향후 진로 계획이나 학업 계획도 마찬가지였고요. 경영과 경제가 한 부분으로 묶이는 경우에는 같은 내용을 쓰기도 했습니다. 과에 따라서 유연하게 쓰는 것이 중요해요. (이소영 생글7기, 경희대 경제학과 14학번)

Q. 자기소개서 쓸 때 스토리가 중요하다고 하잖아요. 그런데 스토리 위주로 쓰면 제가 무슨 활동을 했는지에 대한 비중은 줄어들 것 같은데, 비중을 어떻게 맞춰야 하나요?

A. 제일 중요한 활동 3~4가지를 써주는 게 좋은 거 같아요. 어차피 활동한 것들은 포트폴리오나 생활기록부에 다 남으니까 너무 많은 걸 적으려 하지 마세요. 그러면 오히려 글의 흐름이 이상해질 수 있어요. 자기소개서 항목에 맞게 쓰다 보면 그렇게 많은 활동들을 열거하지 않아도 된다는 걸 알게 될 거예요. (변혜준 생글7기, 경희대 국어국문학과 13학번)

A. 스펙의 일괄적인 나열은 아무 쓸모없어요. 본인의 스토리가 중요하고, 거기에 스펙을 얼마나 알맞게 끼워 넣는지가 중요한 거예요. (정금진 생글6기, 서울교대 영어교육과 15학번)

A. 자기소개서의 스토리를 만들 때도 소재가 필요해요. 그 소재가 되는 것은 모두 본인이 한 활동이에요. 무조건 이야기를 만드는 것이 중요한 게 아니라, 본인이 한 모든 활동을 해당 학과와 어떻게 엮느냐가 포인트예요. 설령, 본인이 한 활동이 얼핏 보기에는 해당 학과와 전혀 관련이 없어 보인다 하더라도 그 활동을 하면서 일반적으로 느낀 감정은 사회생활에 공통적으로 적용할 수 있겠죠. 따라서 본인이 한 활동이 해당 학과에 지원하기 위한 밑거름이라는 근거로 스토리를 쓴다면 본인의 활동도 충분히 어필하면서 설득력 있는 스토리도 완성할 수 있을 거예요. (신정련 생글6기, 부산대 영어교육과 12학번)

A. 스토리 안에 활동을 녹여내는 과정이 중요한 것 같아요. 저도 활동을 하면서 느낀 것을 스토리로 이야기했는데, 아무래도 학과랑 연관된 스토리면 더 좋습니다. 활동을 많이 했다고 쭉 나열하는 것보다 그 활동을 통해 자신이 느끼고 배운 점이 더욱 중요해요. 여기서 팁을 하나 주자면 자기소개서 첫 번째 항목부터 마지막 항목까지 '제가 이 전공에 적합한 인재입니다.'라는 것이 드러나도록 노력해서 쓰는 것이 좋아요. (진현지 생글8기, 가톨릭대 프랑스어문화학과 14학번)

Q. 포트폴리오는 어떻게 작성하셨나요?

A. 저는 각 활동을 했다는 사실을 증명할 수 있는 사진들과 보고서 캡처본들을 첨부하고 그 밑에 부연 설명이나 느낀 점을 덧붙이는 형식으로 만들었어요. 저는 보고서 작성으로 마무리된 활동들이 많아서 포트폴리오에 글보다는 사진이나 보고서 캡처본이 더 많았어요. 자신이 했던 활동들의 우선순위를 정해서 그 우선순위에 따라 매수를 알아서 잘 배분해서 만

들면 돼요. 저는 중요하다고 생각한 활동에는 4~5장을 할애했어요. (손지원 생글8기, 경희대 경제학과 14학번)

A. 저는 포트폴리오에서 동아리 활동과 봉사활동, 진로 활동, 체험학습들의 내용들을 중점적으로 다뤘어요. 동아리 활동에는 활동했던 내용들을 사진들로 남겨놓았던 것들을 첨부했고, 활동 내용이라는 큰 틀 안에서 활동을 소개하고, 동기와 느낀 점을 표에 깔끔하게 정리했습니다. 학교에서 프랑스 영화를 보여주는 프로그램이 있었는데 그 영화를 보고 느낀 점을 적은 감상문을 넣기도 하는 등 제 색깔이 나타나는 포트폴리오를 만들었어요. (진현지 생글8기, 가톨릭대 프랑스어문화학과 14학번)

A. 활동을 증빙할 수 있는 상장이나 사진을 많이 이용했어요. 포트폴리오는 틀이 잡혀진 경우가 없기 때문에 처음에는 저를 알릴 수 있는 페이지와 함께 목차를 구성했습니다. 그 다음엔 제가 중요하다고 생각하는 활동과 상대적으로 덜 중요하다고 생각하는 활동, 이렇게 두 가지로 분류해 차례대로 구성했습니다. (이소영 생글7기, 경희대 경제학과 14학번)

A. 자신이 한 활동을 중요도 순으로 분류해요. 그리고 각 활동에 대한 간략한 소개 및 기억에 남는 에피소드 등을 정리하세요. 2학년 겨울방학 때부터 만들어야 해요. 본인의 활동과 관련된 서류와 사진 등을 빠짐없이 모아놓으세요. 언제 어떤 부분에서 필요할지 모르니까요. 각 대학마다 분량이 다르기 때문에 우선 제일 분량이 적은 곳을 기준으로 포트폴리오를 작성하세요. 그 후 대학에 따른 분량을 맞춰나가면 되니까요. 포트폴리오 작성 양식은 대개 자유예요. 자유라서 오히려 어려워하는 친구들이 많은데 저는 입증해야 할 필요성이 있거나 중요한 순간은 사진을 제시하고 나머지는 글로 채웠어요. 자기소개서와 학생부에 나온 내용을 보다 구체화한 공간이 포트폴리오예요. 저는 제 소감을 위주로 작성했고 각각의 사진에는 각주를 달아서 사진에 대한 설명도 덧붙였어요. 최근 입시에서는 포트폴리오 제출을 요구하는 대학이 줄어들었기에 포트폴리오의 중요성이

많이 낮아졌지만 아직도 포트폴리오를 요구하는 대학이 있기 때문에 자료 수집과 활동 정리는 꾸준히 하셔야 해요. (최재영 생글6기, 중앙대 신문방송학과 13학번)

Q. 면접 준비는 어떻게 해야 하나요?

A. 기본 소양 관련해서는 자기소개서 내용 확인 질문과 독서, 봉사, 이 학과에 들어오고 싶은 이유가 가장 질문이 많이 나오니 이에 대한 답변을 준비해놓아야 해요. 심층 면접은 관련 교과목 선생님과 함께 그 분야의 지식을 깊게 공부하는 것으로 준비하세요. (김재원 생글8기, 한국외대 아프리카학부 14학번)

A. 면접에서는 기본적으로 생활기록부, 자기소개서 내용에 대해서 많이 물어봐요. 자기소개서에 한 줄만 적혀 있는 활동에 대해서도 자세히 물어봐요. 자기소개서에 거짓말 치면 다 걸립니다. 특히 책은 읽었는지 안 읽었는지 다 걸려요. 면접 준비는 생활기록부와 자기소개서 항목 하나하나에 대해 예상 질문을 적어 가면서 했어요. (서아진 생글7기, 연세대 정치외교학과 13학번)

A. 면접은 기본적으로 자기소개서에 기술한 내용을 완전히 숙지해서 지원 동기 같은 건 막힘없이 말할 수 있어야 합니다. 지원한 학과에 대한 기본적인 배경지식도 있어야 한다고 생각해요. 예를 들어 프랑스 문학과 관련해서 어느 문학 사조에 관심이 있고 왜 관심을 가지게 되었는지, 또 그 분야에 대한 책을 읽은 적이 있는지 등 꼬리에 꼬리를 무는 질문들에 대해 자유롭게 대답할 수 있어야 해요. 결론적으로 평소에 관련 동아리 활동 및 관심 분야에 대한 독서, 전공 분야에 대한 기본적 공부를 해놔야

한다고 말할 수 있습니다. (서유진 생글7기, 서울대 불어교육과 13학번)

A. 제가 봤던 책을 알려드릴게요. 먼저 『350제 대학으로 가는 구술면접』라는 책이에요. 대학별 기출문제, 유형별 출제 0순위 질문, 면접(면접 준비하기, 입학사정관전형 면접, 면접의 태도와 방법, 면접 준비 방법, 면접관 면접하기), 인문계열 및 자연계열 Q&A로 이루어져 있어요. 면접에서의 간단한 스킬이나 질문에 답변해주는 책이에요. 두 번째는 『꼭 알아야 할 대입 논술 구술 필수 상식』이라는 책이에요. 논술 혹은 심층면접에서 필요할 만한 이슈를 모아둔 건데, 정치 법률 국제, 경제 경영 금융, 사회 교육, 미디어 문화, 과학 IT 환경 이렇게 분야가 나뉘어져 있어요. 일반면접에서 가장 많이 물어보는 질문들이 수록되어 있다고 보면 돼요. 평소에 신문을 많이 보라고 하지만 고등학생들이 신문 볼 시간까지는 별로 없잖아요. 이런 책 보면서 한 해의 시사를 정리하고, 글도 써보고 토론도 해보면 면접 볼 때 큰 무리는 없는 것 같아요. (황보미 생글8기, 건국대 경영학과 14학번)

A. 면접 준비는 수시 지원 끝났을 때부터 슬슬 하면 좋을 거 같아요. 매일매일 빡세게 준비할 필요는 없고 본인의 자기소개서를 꼼꼼히, 약간 딴죽 걸듯이 읽어보세요. 입학사정관이나 교수님 입장에서 자기소개서를 읽어보면서 뭐가 궁금할지 예상 질문을 나름 뽑아가면서요. 친구들이랑 모의면접을 하는 것도 좋습니다. 해보면 실력이 느는 게 느껴져요. (김보미 생글7기, 이화여대 스크랜튼학부 13학번)

A. 면접 준비는 학원을 다니는 것도 좋지만 가장 중요한 것은 자기소개서와 생활기록부를 보면서 예상 질문을 뽑아내는 것입니다. 그것을 보고 준비를 하면서 실제 면접인 것처럼 선생님이나 부모님을 앞에 두고 면접을 하고 그것을 영상으로 찍어 피드백을 하는 것이 중요합니다. 실제로 많은 학생들이 면접 연습을 하지 않고 면접에 갔다가 긴장하여 제 기량을 발휘하지 못하는 경우가 있습니다. 실제 면접인 것처럼 연습을 많이 해보

세요. (김도민 생글8기, 서울대 경영학과 14학번)

A. 면접 준비를 3가지로 정리하면, 먼저 자기소개서 및 생활기록부를 자기 것으로 만드는 것이 가장 중요합니다. 둘째, 진로 및 장래희망에 대한 확고한 의지, 꿈에 대한 확신이 필요합니다. 마지막으로 대학교, 학부, 학과에 대한 조사를 할 필요가 있습니다. 예를 들어 저는 가톨릭대 면접에서 외국인 유학생들의 '한국어 도우미'를 하고 싶다고 말하면서 학교에 대한 정보를 많이 숙지하고 있다는 것을 어필했습니다. 그리고 평소에 수업 시간에 발표를 많이 하세요. 저는 사람들 앞에서 말하는 거 좋아하고, 발표하는 것을 좋아하는 학생이었어요. 면접을 준비하면서 그러지 않았던 친구들과 많이 차이가 나더라고요. 면접은 많이 말해보고 연습해보는 것이 중요한데 그게 하루아침에 쉽게 되는 것이 아니니까 평소 수업 시간을 이용해 남 앞에서 떨지 않고 말하는 것을 연습해 보는 게 좋은 방법인 것 같아요. 그리고 선생님께 부탁드려서 면접관이 되어 달라고 하고 면접 분위기를 만든 후 시뮬레이션 해보는 것도 정말 많은 도움이 됩니다. (진현지 생글8기, 가톨릭대 프랑스어문화학과 14학번)

A. 저는 면접 준비를 서울에서 학원을 다니면서 준비했습니다. 학원이 도움이 되지 않은 것은 아니지만, 주변에서 도와준다면 충분히 스스로도 면접 준비를 잘 할 수 있다는 생각이 듭니다. 학생부 중심 입학사정관전형은 보통 인성면접이라 자기소개서 관련 질문을 주로 묻고, 전공이나 시사 질문을 종종 하기도 합니다. 기본적인 면접 기출문제 등은 인터넷에서 쉽게 구할 수 있으니 가족이나 친구, 선생님의 도움을 받아 면접관과 피면접자 역할을 하면서 질의응답 연습을 하면 좋을 것 같습니다. (정금진 생글6기, 서울교대 영어교육과 15학번)

A. 저는 제 자기소개서와 포트폴리오가 눈 감고도 생각날 정도로 많이 반복해서 읽었습니다. 또 제 서류를 보고 예상 질문을 나름대로 뽑아내서, 그에 따라 답변을 작성하고 말하는 연습을 했어요. 그리고 면접이 얼마

남지 않았을 시기에는 학교에서 야자 시간을 이용해서 모의면접을 해줬어요. 면접관처럼 세 분의 선생님께서 인성면접 연습을 시켜주셨고, 면접하는 동안 제 모습을 동영상으로 촬영해서 제 얼굴 표정이나 팔다리의 동작과 태도를 가다듬는 연습도 했어요. 심층면접 같은 경우에는 제가 무모한 건지는 모르겠지만 따로 개인적인 준비는 아예 하지 않았어요. 저는 경희대 경제학과와 이화여대 경제학과 면접을 봤어요. 경희대 면접에서는 경제학과에 지원하게 된 동기, 존경하는 인물과 그 이유, 제 영어와 중국어 실력을 상중하로 평가해보라는 질문을 받았어요. 이화여대 면접은 20분 동안 심층면접을, 3분 동안 인성면접을 진행했는데, 조금은 딱딱한 분위기였어요. 면접 시간은 사람에 따라 다릅니다. 인성면접에서는 경제학과 지원 동기와 읽어본 경제학 도서를 물어봤어요. (손지원 생글8기, 경희대 경제학과 14학번)

A. 1차 서류전형에 합격했다면 기뻐하지 말고 당장 자신이 작성한 서류(자기소개서와 포트폴리오)를 봐야 합니다. 본인이 면접관이 된 것처럼 서류를 꼼꼼히 살펴보세요. 분명 허점이 나타나게 되어 있습니다. 본인이 작성했음에도 불구하고 의문이 들거나 의아하게 느껴지는 부분이 있을 거예요. 이걸 중심으로 질문 목록을 작성하면 됩니다. 그리고 서류는 대부분 본인이 100% 작성한 것이 아니죠. 선생님 또는 선배들에게 첨삭을 받았을 거란 말입니다. 거기다 과장된 부분, 사실이 아닌 부분도 있을 수 있죠. 그러한 모든 것들을 읽고 또 읽어서 자신의 인생으로 만들어야 합니다. 서류를 읽으면서 각각의 내용에 맞는 에피소드도 정리해두는 것이 좋아요. 서류 내용을 확인하는 면접 질문에 에피소드를 더한 답을 하게 되면 서류 내용이 진짜임을 확신시킬 수 있습니다. 느낀 점까지 간략히 첨가하면 금상첨화죠. 예상 질문에 대한 답변을 작성할 때에도 방법이 있어요. 우선 기본적인 자신의 생각을 답변으로 정리하고, 각 대학별 특성을 양념으로 첨가해야 합니다. 대학 홈페이지에 가서 대학의 인재상과 특징

을 파악하고 그걸 적극 활용하세요. 예를 들어 창의성, 리더십 등이 특정 대학의 인재상이라면 자신이 작성해놓았던 답변지에 창의성과 리더십을 녹아내야 해요. 대부분의 면접은 인성면접과 심층면접으로 나누어집니다. 인성면접은 지원자의 인성, 환경, 가치관과 서류의 진위 여부 등을 평가하는 거예요. 인성면접을 진행할 때에는 '진지함'과 '자신감', 그리고 '간절함'이 있어야 해요. 지원한 대학과 학과에 본인이 얼마나 적합한 인재인지, 얼마나 큰 잠재력과 발전가능성을 갖고 있는지 어필해야 합니다. 본인이 어떤 사람인지 솔직하게 드러내야 해요. 단점이 있다고 해서 숨길 필요는 없어요. 단점이 있다면 다른 장점으로 커버해낼 수 있다는 자신감으로 승부하면 돼요. 완벽한 사람은 없습니다. 자신감을 갖고 당당히 자신을 드러내세요. 또한 해당 대학과 학과에 얼마나 큰 관심이 있는지, 진학하기 위해 얼마나 많은 관심을 가지고 있었는지를 간절하게 보여줘야 해요. 심층면접이라고 하면 대부분 시사 문제를 떠올리죠. 학과와 관련된 심층된 개념을 물어보기도 하고, 사회적인 이슈, 철학적인 문제에 대해 물어보기도 해요. 심층면접에서 필요한 것은 '자신감'과 '논리'예요. 터무니없는 주장을 하더라도 자신감 있게 자신만의 근거와 논리를 통해 주장하면 됩니다. 심층면접에서는 얼마나 전문성 있는 학생인지가 아니라 얼마나 폭 넓은 사고를 하는지, 머릿속에 있는 내용을 말로 잘 풀어내는지를 보는 겁니다. 심층면접 준비를 위해서는 신문을 읽어야 해요. 시사이슈를 파악하기 쉬울 뿐더러 논리력을 키울 수 있는 가장 싸고 접하기 쉬운 수단입니다. 스마트폰으로 인터넷 뉴스를 봐도 되고 종이 신문을 읽어도 돼요. 심층면접에서 면접관들의 날카로운 질문에 당황하지 마세요. 당황시키려는 질문에 당황하면 보기 좋게 당하는 거예요. 당황하더라도 티내지 말고 자신이 처음에 주장했던 바를 밀어 붙이세요. 만약 잘못된 주장이라고 교수님께서 지적한다면, 대학에 와서 공부해서 확실히 배우겠다고 하면 됩니다. (최재영 생글6기, 중앙대 신문방송학과 13학번)

Q. 면접 스킬이 궁금합니다.

A. 웃으세요. 웃는 것이 가장 중요합니다. 미소는 그 사람을 굉장히 긍정적으로 바라볼 수 있게 하는 하나의 요소예요. 그리고 자신감 있게 대답하세요. 면접은 맞고 틀리고가 없는 것 같아요. 누가 덜 떨고 더 자신감 있게 자신의 목소리를 내느냐가 관건이에요. (서아진 생글7기, 연세대 정치외교학과 13학번)

A. 일단 좋은 인상과 태도를 심어주고 나오는 게 가장 중요하죠. 겸손하지만 자신 있는 표정과 눈빛, 단정한 복장과 바른 자세, 인사 예절을 갖춰야 합니다. 거울 앞에서 연습하고 동영상으로 촬영해보는 게 좋아요. 진부하지만 이게 진리입니다. 학교마다 필요한 복장도 조금씩 달라요. 서울대는 깔끔한 캐주얼 정장(어두운 계열의 자켓, 깔끔한 셔츠, 검은색 바지, 단정한 워커나 단화), 연세대와 고려대는 교복을 입어야 해요. 면접에서 말을 할 때는 교수님 말씀 뒤에 2초를 세고 대답하세요. 지원자들이 마음이 조급하고 할 말이 많아서인지, 또는 아는 게 많아서인지 교수님의 질문이 끝나자마자 대답을 시작하는 경우가 굉장히 많아요. 그런데 이게 굉장히 사람이 조급해보이고, 불안해보이고, 심지어는 예의 없어 보일 수도 있는 치명적인 습관이에요. '~했는데요.'의 말투도 피해야 합니다. '~했습니다.'로 말을 끝내는 것이 좋아요. 인사도 '안녕하세요.'보다는 '안녕하십니까.'가 좋고요. 시선은 무조건 교수님을 향해야 합니다. 여러 교수님이 들어오셨다면 돌아가면서 쳐다봐야 하고요. 지원자의 이야기, 즉 스토리 또는 진로와 꿈에 대한 이야기를 할 때는 시선이 분산되거나 흔들리면 진정성이 현저히 떨어지니까 더욱 유의하세요. (김재은 생글7기, 서울대 자유전공학부 13학번)

A. 발음은 명확하게, 진지한 목소리로 임해야 합니다. 시선은 면접관의 눈을 향하고, 눈을 뚫어지게 쳐다보세요. 날카롭게 째려보라는 것이 아니

라 면접관의 말에 경청하고 있음을 나타내라는 의미입니다. 말끝을 흐리면 안 됩니다. 알거나 모르거나 당당하게 임하세요. 본인이 뱉은 말에 대해 자신감을 가져야 합니다. 3명의 면접관이 있다면 면접자에게 긍정적인 면접관, 부정적인 면접관, 그리고 무관심한 면접관이 있을 거예요. 그건이미 정해진 것이므로 신경 쓸 필요 없어요. 3명의 면접관과 최대한 많이 눈을 맞추세요. 허리와 어깨를 펴고 당당한 자세로 앉아야 하고요. 건방지게 앉으라는 것이 아니라 당당하게 앉으라는 겁니다. 손은 책상에 올려놓거나 무릎 위에 올려놓으면 됩니다. 설명을 할 때 간단한 제스처는 사용해도 무방하고요. 말문이 막힐 것 같으면, "제가 생각하는 바로는…", "면접관님이 제게 질문하신 내용에 답변해보자면…" 등의 멘트로 시간을 끌어서 대답하세요. 침묵보다 훨씬 낫습니다. 잘 모르겠으면 "해당 질문에 대해서는 잘(또는 자세히) 모르겠습니다. 질문에 대한 답변은 OO대학에 진학 후 열심히 공부해서 답변 드리겠습니다." 정도로 답하면 됩니다. 마지막으로, 미소를 짓고 있으세요. 긍정적인 인상을 주면서 여유롭게 보일 수 있습니다. (최재영 생글6기, 중앙대 신문방송학과 13학번)

A. 서울교대는 정시전형에서도 면접이 필수 요건으로 자리 잡고 있습니다. 저는 면접을 준비하기 위해서 제일 먼저 인터넷에 떠도는 교대 면접 자료들과 제가 생각하는 예상 질문 몇 가지를 뽑았습니다. 그리고 예상 질문에 대해서 밝은 표정으로, 명료하고 조리 있게 답하는 연습을 하루에 두세 시간씩 사흘 간 했습니다. 면접 준비에 그렇게 큰 시간을 쏟지는 않았는데도 결과가 좋았던 건 자신감 있고 분명하게 말하는 것에 초점을 두고 연습했기 때문이라고 보고 있습니다. 또한 예상 질문을 뽑아서 연습한 것도 큰 도움이 되었습니다. 질문이 그대로 나오지는 않았지만 예상 질문을 보고 교육에 대한 여러 생각을 정립해놓고 갔기 때문에 실제 면접 자리에서 당황하지 않고 제가 가지고 있는 생각을 풀어낼 수 있었습니다. (임우미 생글6기, 서울교대 음악교육과 13학번)

Q. 면접에서 존경하는 인물을 물어보는 경우가 있다던 데 누구 말씀하셨나요?

A. 학과와 관련된 인물을 고르는 것도 좋고, 학과에서 원하는 인성을 갖춘 사람을 고르는 것도 좋습니다. 본인이 말한 인물을 설명하면서 그 사람을 학과에서 원하는 인재상에 부합시키는 게 좋습니다. (김도민 생글 8기, 서울대 경영학과 14학번)

A. 저는 존경하는 인물을 아빠라고 했어요. 사실 부모님은 절대 모범 답안이 아니에요. 너무 식상하거든요. 저는 저를 키워주시고 뒷바라지해주신 아빠를 이야기한 게 아니에요. 제가 경제학에 관심을 갖게 된 게 아빠 덕이거든요. 그래서 제게 경제학에 대해 알려주신 아빠에 대해 이야기했어요. 아빠를 통해서 회계사를 만나본 이야기도 했어요. (손지원 생글8기, 경희대 경제학과 14학번)

A. 저는 제가 지원한 학과에 맞는 인물을 준비해 갔습니다. 그러나 남들이 흔하게 말하는 인물을 얘기하게 된다면 별로 차별성이 없겠죠. 예를 들어, 전자과를 지원한 대부분의 사람들은 스티브 잡스와 같이 엄청 유명한 사람들을 거론합니다. 하지만 저는 델(Dell)과 같이 사람들이 말하려고 생각하지는 않지만 모두들 알며 그 업적 또한 대단한 사람을 언급하였습니다. (김영주 생글6기, 경희대 전자·전파공학과 13학번)

Q. 면접에서 교수님이랑 싸우면 어떻게 돼요?

A. 좋지는 않을 것 같습니다. 어떤 주제를 가지고 찬반으로 이야기를 할 때는 자신의 주장을 무조건 주장할 것이 아니라 근거를 대면서 이야기 하세요. 그러다가 교수님의 의견을 들어보니 맞는 것 같다는 식으로 조금은 숙이고 들어가는 것도 필요할 것입니다. (김도민 생글8기, 서울대 경영학과 14학번)

A. 교수님과 싸웠다는 것이 활발한 토론을 의미한다면 긍정적으로 볼 수 있겠지만, 정말 우리가 일반적으로 생각하는 의미의 싸움이라면 부정적으로 볼 수밖에 없다고 생각해요. 교수님과의 면접이 자신의 역량을 보여주는 자리이자 자신의 인성을 드러내는 자리이기도 하니까요. (최재영 생글6기, 중앙대 신문방송학과 13학번)

A. 교수님은 싸운다기보다는 논리적 반박을 해주면 좋아하세요. 그리고 그 반박 속에 그 학과에서 추구하는 가치가 녹아날수록 더 좋아하시고요. (이은석 생글4기, 서울대 국어교육과 11학번)

A. 당연히 교수님이랑은 당연히 감정적으로 싸우면 안 되겠죠. 논리적인 충돌이 있다면 예의 있게 자신의 의견을 밝혀야 합니다. (홍성현 생글 6기, 서울대 경제학부 13학번)

A. 면접이라는 곳은 자신을 어필하는 곳이기 때문에 싸우는 것은 옳지 않습니다. 혹시 언쟁이 오고 갔을 경우 자신의 소신을 밝히되 교수님의 의견을 반영하여 답하는 게 좋습니다. (황보미 생글8기, 건국대 경영학과 14학번)

Q. 면접에서 "마지막으로 하고 싶은 말 있나요?"라는 질문에는 뭐라고 답하는 게 좋나요?

A. 그럴 때는 자기가 면접 과정 중 어필하지 못한 걸 말하고 나오는 게 좋아요. 자신의 중요한 특징이나 장점 중 말하지 못했다 싶은 것들이요. (김재은 생글7기, 서울대 자유전공학부 13학번)

A. "꼭 교수님 다시 뵙고 싶습니다!"라고 합격의 갈망을 표출하세요. (오민지 생글6기, 고려대 경영학과 14학번)

A. 자신을 각인시킬 멘트를 준비하세요. 저는 제 별명을 이야기하면서 마지막 멘트를 했습니다. 왜 교수님들께서 본인을 뽑아야 하는지 말하세요. 면접만으로는 자기를 알아볼 시간이 충분하지 않으니 뽑아주시면 자신의 능력을 보여주겠다는 방향으로 말하는 것도 좋습니다. 아니면 진짜 하고 싶은 말을 하는 것도 좋습니다. (김도민 생글8기, 서울대 경영학과 14학번)

A. 정말 하고 싶은 말을 하세요. 마지막 말이 합격여부를 바꾼다는 생각은 버리시는 게 좋아요. 저는 이 학교에 올 것인가 다른 학교에 갈 것인가에 대한 대답을 마지막으로 해보라고 하셔서 정말 가고 싶은 대학교의 이름을 말하고 나왔어요. (서아진 생글7기, 연세대 정치외교학과 13학번)

A. 저는 저 질문을 모든 면접에서 다 받았는데, 각 학교마다 다르게 대답하였습니다. 저는 입학사정관이 평가한다는 가정 하에 학교의 대표적인 인재상과 같은 항목을 이용하여 멘트를 준비해 갔습니다. 그리고 무엇보다도, 누구나 똑같겠지만 의지력 있는 말들과 함께 제가 되고 싶은 사람의 유형을 강력하게 표현하였습니다. 저는 '이과와 문과의 구분이 없어지는 이 시대에 멀티플레이어형 CEO가 되도록 본교에서 열심히 노력하겠

습니다.'는 식으로 대답했어요. (김영주 생글6기, 경희대 전자·전파공학과 13학번)

A. 저는 그 질문에 대한 답변으로 프랑스어문화학과에 오기 위해 노력했던 것을 이야기했습니다. 그런데 저는 특이하게 이 질문에서 울었습니다. 프랑스어 성적이 높지 않았던 제가 프랑스어를 잘하기 위해 문법을 정리하며 저만의 정리노트를 만들고 열심히 노력해서 높은 성적을 얻게 된 결과를 어필했는데 그동안 제가 열심히 노력했던 순간들이 기억나서 울컥했어요. 그 모습에 진정성을 느끼셨는지 교수님께서 미소로 잘했다고 칭찬해주셨고 합격을 할 수 있었습니다. 마지막 질문에서 울컥해서 다행이지 면접 중간에 울었으면 떨어졌을지도 몰라요. 참신하게 기억될만한 말을 해도 좋지만 본인이 얼마나 간절한지에 대한 그 절실함을 보여주는 것도 좋은 것 같아요. (진현지 생글8기, 가톨릭대 프랑스어문화학과 14학번)

Q. 대학 면접을 보기 전에 해당 학과 교수님의 성향을 파악할 수 있는 자료들이 존재하나요?

A. 학교 홈페이지에 가셔서 교수님들이 쓰신 칼럼이나 논문 찾아보시면 좋습니다. (김현재 생글8기, 서울대 경영학과 14학번)

A. 대학 면접을 보시는 분들이 해당 학과 교수님일 수도 있고, 입학사정관일 수도 있고, 또는 교수님과 입학사정관이 섞여 있을 수도 있어요. 일단 교수님의 성향이라도 파악하고자 한다면 각 단과대학별 홈페이지에 접속하여서 하시는 연구라든가 출판하신 책들을 보게 된다면 성향을 파악할 수 있을 겁니다. (김영주 생글6기, 경희대 전자·전파공학과 13학번)

A. 가장 좋은 것은 논문이나 저서이긴 합니다. 특히 경제학과나 경영학과인 경우 그걸 더 잘 알 수 있고요. 다만 고등학생 수준에서 이를 이해하기는 어려울 뿐만 아니라, 면접 때 어느 교수님께서 들어오실 지도 모르기 때문에, 또 질문이 기본적으로 정해진 문제나 자기소개서에 기반을 두고 나오기 때문에 여기에 신경 쓰는 것보다는 자신이 준비할 수 있는 자기소개서나 기타 부분에 신경을 쓰는 게 좋을 것 같습니다. (홍성현 생글6기, 서울대 경제학부 13학번)

A. 제가 직접 본 대학 면접과 면접을 통해 합격한 친구들의 사례를 봤을 때 교수님에 대해 알아보는 것은 전혀 중요하지 않아요. 본인이 쓴 자기소개서에 기반을 두어 솔직하고 진솔하게 답하는 것이 가장 중요합니다. 이 학교에 들어오려고 어떤 노력과 준비를 했으며, 각 활동들로 인해 느낀 점을 학과의 특성과 잘 연관 짓는 게 제일 중요한 것 같아요. (신정련 생글6기, 부산대 영어교육과 12학번)

A. 지원하는 학과의 홈페이지에서 교수님 성함과 경력을 찾아볼 수 있어요. 해당 자료를 바탕으로 논문이나 도서를 검색해서 훑어보면 좋겠죠. 하지만 대학에 따라서 자신이 지원한 학과가 아닌 다른 학과의 교수님이 면접에 참여하는 곳도 있고, 어떤 교수님께서 면접관으로 계실지 모르기 때문에 굳이 준비하지 않아도 될 것 같아요. 그리고 무엇보다 중요한 건 교수님 성향에 맞춰 자신의 답변을 준비하다 보면 오히려 부족한 점들이 많아질 수 있어요. (최재영 생글6기, 중앙대 신문방송학과 13학번)

A. 전 교수님의 성향보다 그 학교 학과의 전체적인 분위기를 파악하는 것이 도움이 될 수 있다고 생각해요. 예를 들자면 심리학 같은 경우에는 아동심리에 중점을 두는 학교도 있고 임상심리가 유명한 학교도 있다고 해요. (류수현 생글5기, 경희대 연극영화학과 12학번)

Q. 상경계열에 입학사정관전형으로 입학하신 선배님들은 어떻게 준비하셨는지 듣고 싶습니다.

A. 저는 경제학과에 입학사정관전형으로 합격했는데, 입학사정관전형 준비를 미리 했다기보다는 하고 싶은 걸 하다 보니 쓸거리가 많이 쌓여서 입학사정관전형에 도전한 케이스예요. 경제캠프, 경제독후감대회, 교내에서 진행한 경제프로젝트, 한경 청소년 경제체험대회, 경제동아리 리더십포럼, 생글생글 학생기자 활동 등을 했는데, 수상경력은 많이 없어요. 그래서 테샛 고득점자처럼 경제를 잘 알지는 못하지만 경제에 꾸준한 관심이 있었고, 관심을 관심으로 끝내지 않고 행동으로 옮겼다는 걸 강조했어요. 그리고 이런 활동들을 하면서 스스로 경제를 공부했고, 경제에 더욱 관심이 생겨서 경제학과에 진학해 경제를 전문적으로 배우고 싶다고 강조했고요. (손지원 생글8기, 경희대 경제학과 14학번)

A. 저는 한국경제신문 생글생글의 도움을 많이 받았어요. 상경계열에 지원하려는 친구들은 생글생글 꼭 읽기 바라요. 면접 볼 때 정말 많이 도움 됩니다. 면접에서 아주 어려운 경제학 이론을 이야기할 필요는 없어요. 물론 그 정도 수준까지 실력이 된다면 좋겠지만, 그냥 경제 경영 관련 단어 주워들어봤고, 그 단어가 뭔지 대충 알고 있는 수준이면 돼요. 생글생글을 꾸준히 읽으면 최소한으로 필요한 그 수준까지 내공이 올라갑니다. (김도민 생글8기, 서울대 경영학과 14학번)

Q. 서울대 문과 수시 면접에 대해 궁금합니다.

A. 저는 면접 질문이 전부 자기소개서에서 나왔는데요, 크게 기억에 남는 것은 동아리와 독서 관련 질문이었어요. 동아리에 대해 의외로 꼬치꼬치 캐물어서 놀랐는데, 저는 제가 정말 열심히 했던 도서부 활동을 자기소개서에 첫 번째 항목으로 적었어요. 어느 학교에나 있는 동아리다 보니 식상해 보일 수도 있지만 저는 도서부 활동을 하면서 정말 많이 배웠고, 책도 많이 읽었기 때문에 도서부에 대해서 솔직하게 썼어요. 서울대 자기소개서에는 세 권의 독서 활동을 기록하게 되어 있는데, 기록한 책 외에 가장 인상 깊은 책을 답하라고 해서 조금 당황스러웠어요. 자기소개서에 적은 세 권의 책에 대해서만 답변을 준비해 갔거든요. 아마 제 도서부 활동 기록 때문에 다른 책 한 권을 더 물어보신 거 같아요. 후배님들도 혹시 모르니 한 권 정도는 더 답변을 준비해가는 게 좋을 거 같네요. 그리고 어떤 학과든 보통 첫 번째 질문으로 지원 동기를 물으니까 그건 확실히 준비를 해야 합니다. (김병민 생글8기, 서울대 경영학과 14학번)

A. 제가 치렀던 2014학년도 서울대 경제학부 지역균형선발전형 면접에 대해 말씀드릴게요. 10분 내외의 인성면접이었고, 정해진 문제는 없었습니다. 인성면접이라고 알려져 있어서 방심하는 분들이 많은데 그래서 오히려 까다롭기도 한 것 같습니다. 교수님께서 즉흥적으로 질문하시는 경우가 꽤 있거든요. 제가 받았던 질문과 그에 대한 제 답변을 설명해 드릴게요. "인생의 꿈과 목표는 무엇이고 그것을 위해서 무엇을 준비했는가?"라는 질문을 가장 먼저 받았습니다. 저는 경제학자가 뇌어 경제학을 계속 공부하는 것이 꿈이고, 목표는 경제학을 공부하면서 사회에 공헌하는 것이라고 했습니다. 중간에 왜 경제학에 관심을 가지게 되었는지 경위도 잠깐 말씀드렸고요. 이에 경제학 공부는 어떻게 했는지 질문을 받았는데, 경제동아리를 만들어 운영한 것을 말씀드렸고, 모르는 것이 있을 때 어떻게 해결했는지에 대한 이야기도 오갔습니다. 모르는 것 관련해서 현물을 답

보하지 않는 화폐에 대한 이야기가 나왔는데, 이게 이야기가 이어져서 국가 부채 증가를 화폐와 연관 지어서 설명해보라는 요구를 받았습니다. 그래서 신용에 기반하고 있는 화폐의 등장은 국가의 발권 능력을 끝없이 만들어주었고, 국가는 사실상 부채를 무제한으로 늘릴 수 있는 가능성을 가지게 되었다, 그러나 결국 통화가 계속 팽창하다 보면 국가가 가지고 있는 신용을 넘어서게 되고 하이퍼인플레이션이 올 수 있다, 이것은 결국 통화 시스템 자체의 붕괴를 이끌 수 있다, 이렇게 답변했습니다. 마지막 질문은 책에서 나왔습니다. 자기소개서에 케인즈의 대표적인 책인 『고용, 이자 및 화폐의 일반이론』을 읽었다고 적었는데, 그 책이 어렵지는 않았는지가 질문이었어요. 그래서 당연히 모두 숙지하고 이해하지는 못했다, 그러나 제가 이 책을 읽은 이유는 고전을 왜 읽어야 하는가에 대한 궁금증 때문이었다, 이렇게 답했더니 특히 좀 충격을 받았거나 어려웠던 부분을 말해보라고 하셨어요. 그래서 저는 구성의 오류 부분, 그리고 케인즈 이전의 고전학파 이론은 노동자가 실질임금에 반응한다고 한 것과 달리 케인즈는 노동자가 실질임금에 반응하지 않는다고 한 점이 그렇다고 하고 그 이유를 간략히 설명해 드렸습니다. 마지막으로 할 말을 하게 해주시고 면접이 끝났는데, 저는 무엇이 되기 위해서, 어떤 직업을 갖기 위해서 공부하는 사람이 아니라 이 학문 자체가 궁금하고 공부하고 싶었기 때문에 이 학과를 택했다, 그러니 열심히 배우는 사람이 되겠다고 말씀드리고 면접장을 나왔습니다. 저는 면접학원을 다녔는데 많이 도움이 되지는 않은 것 같습니다. 다만 실전 연습을 할 수 있다는 점에서 여유가 있다면 다니는 것도 좋을 것 같습니다. 지역균형선발전형 면접은 크게 특이한 부분은 없기 때문에 경제신문 열심히 보고, 그동안 읽었던 책 다시 읽어보고, 자기소개서나 생활기록부 확인하는 정도면 될 것 같습니다. 무엇보다도 중요한 것은 긴장하지 않는 연습을 하는 것이라고 생각하고요. (원지호 생글 8기, 서울대 경제학부 14학번)

A. 서울대 경영학과 일반전형 면접의 경우, 크게 60분의 면접 준비 시간과 15분의 면접 시간, 이렇게 두 부분으로 나뉩니다. 자신의 순번이 되면 면접 준비실로 가서 주어진 제시문을 읽고 60분간 수학과 영어 문제를 풉니다. 이렇게 60분간 문제를 풀고, 15분간 교수님 두 분과 면접을 보는데, 수학은 주로 답만 물어보며, 답이 맞으면 자세한 풀이는 듣지 않고 넘어갑니다. 영어는 상황에 따라 추가 질문이 들어오기도 합니다. 시간이 남는 경우 자기소개서를 활용한 인성면접을 보기도 하지만, 저의 경우에는 문제를 다 풀자 시간이 남았음에도 면접이 종료되었습니다. 수학 문제의 경우 고등학교 과정에서 배운 지식을 응용하는 문제가 나오는데, 최근 면접 기출문제를 통해 유형에 익숙해지는 것이 좋습니다. 영어 문제의 경우, 저희 때에는 몇 가지의 짧은 글을 주고 공통의 주제를 찾은 뒤, 이를 경영학적으로 연관 짓는 문제가 나왔습니다. 수학과 영어 모두 난이도가 매우 높지는 않습니다. 특히 요즘에는 점점 더 쉬워지는 추세라서, 이러한 경향이 지속된다면 추가적인 심화학습을 하는 데에(이과 수학 등) 큰 부담을 갖지는 않아도 될 것입니다. 하지만 경영학과 입학생의 상당수는 수능이 끝난 뒤 강남의 모 학원을 다니면서 면접을 연습합니다. 물론 학원에 다니고 떨어진 사람도, 안 다니고 붙은 사람도 많지만, 100명 가까이 학원에 다닌다는 점은 사실이므로 심리적으로 불안하다면 학원에 다니는 것도 나쁘지 않습니다. 학원비에 비해 배워가는 것은 많지 않지만 기출문제를 손쉽게 구할 수 있다는 점, 무언가를 준비하고 있다는 안도감을 얻을 수 있다는 점, 경쟁자의 실력을 알게 되어 나태해지지 않고 긴장할 수 있다는 점에서 긍정적인 면이 있습니다. (김현재 생글8기, 서울대 경영학과 14학번)

A. 제가 자기소개서에 교내 영어방송국동아리의 초대 국장을 지내면서 동아리 활동을 한 내용을 기재했어요. 교수님께서 그걸 보시고는 제가 읽었다고 기록한 도서인 『카네기 인간관계론』을 읽고 느낀 점을 영어로 대

답해보라고 하셨어요. 그런데 제가 사실 영어를 그리 잘하지 않아요. 국장이긴 했지만 저는 동아리 운영 총괄 및 엔지니어링 담당이었지 영어 능력이 필요한 역할은 아니었거든요. 짧은 영어로 더듬더듬 말하다가 교수님을 쳐다봤는데 교수님께서 저를 안 보고 계셔서 그냥 거기서 말을 끝냈어요. 그랬더니 교수님께서 바로 다음 질문을 하시더라고요. (김도민 생글8기, 서울대 경영학과 14학번)

A. 서울대 문과 일반전형 면접은 우선 토론식 심층면접으로 이루어집니다. 13~15분 정도 하고, 단과대별로 면접 방식이 다르기 때문에 지원자는 면접의 형식을 잘 파악해놔야 합니다. 자유전공학부에서는 지식과 주관을 테스트할 수 있는 상식적인 개념을 주제로 잡고, 예시 또는 직접적 질문에 대한 논리적 답변을 요구합니다. 2013학년도에는 '문화 상대주의와 절대주의'가 주제였어요. 경영대는 전통적으로 영어, 수학과 관련된 문제를 풀고 풀이 과정을 설명하는 방식을 취하고, 사회과학대는 시사 상식과 관련된 질문 5가지 중에 하나를 골라 일정 시간의 답변 준비 후에 답변하는 것으로 알고 있습니다. 인문대는 잘 모르겠네요. 인성면접(자기소개서와 스펙에 대한 면접)은 종합평가가 이루어지는 자유전공학부에서 이뤄집니다. 유의할 사항은 1단계에서 교수님이 아닌 입학사정관들이 서류 관련 내용을 모두 살펴본 뒤에 2단계 면접 대상자를 뽑는다는 거예요. 면접장에서는 교수님들께서 서류 사항들에 대한 특징 정리만 간단히 보고 질문을 시작하세요. 자기소개서에서 중요하게 다뤄지는 것은 관심이 없으시고, 자기소개서 내용 중 한 가지를 골라서 그것에 대해 깊게 물어보십니다. 수험생 입장에서는 본인이 자신 있게 답할 수 있는 내용에 대한 질문이 나오길 기대하지 말고 자기소개서의 모든 부분을 철저하게 준비해가야 합니다. (김재은 생글7기, 서울대 자유전공학부 13학번)

A. 서울대 일반전형은 제가 관심을 많이 가졌던 전형이라 저도 말씀드릴 수 있을 것 같네요. 서울대 일반전형 면접은 구술면접이에요. 즉 논술

형 말하기 시험이기 때문에 기본적으로 튼튼한 논리와 말하는 스킬이 있어야 확실히 면접이 편해요. 그렇다 보니 구술면접은 논술 벼락치기하듯 짧게 준비하기가 어려워요. 그래서 구술면접은 평소에 토론에 관심을 가지고, 여러 인문 사회 책과 신문 사설을 읽으면서 그에 관한 논리를 익히는 방식으로 장기간에 걸쳐 준비를 해야 합니다. 서울대 구술면접에서는 논술 지문보다는 약간 쉬운 제시문을 주고, 쟁점들이 갈리는 가치에 관한 문제가 나옵니다. 예를 들어 성장과 분배, 자유와 평등 같은 것들이요. 주어진 약간의 시간 동안 말할 것을 정리하고, 15분 동안 그것에 관해서 교수님과 토론하는 형식입니다. (조성준 생글7기, 고려대 경제학과 13학번)

A. 2012학년도 서울대 경영학과 면접은 10분가량의 면접이었고, 맨 첫 번째 순서로 들어가게 되어 그런지 긴장돼서 대답을 하는데 많이 더듬거렸습니다. (은근히 면접 순서가 영향이 있는 것 같습니다.) 경제 관련 공부를 했는지, 경영과 경제의 차이점이 무엇인지에 대해서 질문을 받았습니다. 경제는 따로 동아리 활동을 하며 공부했다고 대답했지만 경영과 경제의 차이점에 대해서는 확실히 설명하지 못했었습니다. (사실 경영과 경제의 차이점에 대해서 잘 모르는 고등학생이 대부분입니다. '경영과 경제는 비슷하지 않나요?'라고 이야기하는 학생을 경영학과 교수님들이 가장 싫어한다고 하네요. 참고로 경영과 경제의 차이는, 간단히 말하자면 경제가 이론과 학문이라면 경영은 응용과 실전이라고 할 수 있겠습니다.) 그리고 자기소개서 관련해서 문화산업과 교환학생에 대한 질문도 있었습니다. 그때 한참 이슈였던 FTA에 대한 본인의 생각을 말하라는 질문과, 마지막으로는 겨울방학 때 자기계발로 무엇을 하고 싶은지 묻고는 끝이 났습니다. 하도 정신없이 면접을 봤고, 대답을 확실히 하지 못한 부분이 꽤 있어서 불합격을 어느 정도 예상했었습니다. (정금진 생글6기, 서울교대 영어교육과 15학번)

Q. 연세대 문과 수시 면접에 대해 궁금합니다.

A. 2012학년도 연세대 경영학과 진리자유전형 면접은 공통 중심 질문 1개로 15분 동안 진행되었습니다. 오후 맨 마지막 순서여서 4~5시간을 기다렸던 터라 긴장이고 뭐고 매우 지쳤었던 것으로 기억합니다. 질문은 '경쟁에 대해 어떻게 생각하느냐?'였는데, 저는 나 자신과의 경쟁이 가장 중요하다고 생각한다고 대답을 했습니다. 남에게 이기는 것보다 제 자신과의 싸움에서 이기기 위해 완벽하려고 노력했다며, 내신에서 많은 과목에서 1등을 한 사례를 들었습니다. 면접 분위기는 매우 좋았고 교수님께서 제 답변이 마음에 든 눈치여서 합격할 것 같다는 확신을 했었습니다. (정금진 생글6기, 서울교대 영어교육과 15학번)

A. 학교생활우수자전형, 사회공헌자 및 배려자 전형에 대해 설명해드릴게요. 면접은 15분 내외이며, 면접 전 준비 시간은 없습니다. 인성면접이므로 적성과 관련된 준비 부담은 적으나 스토리 준비가 잘 되어 있어야 해요. 말 그대로 인성을 확인하기 위한 면접이므로 인성을 기반으로 한 주관적 판단이 어떻게 이루어지는가를 궁금해 합니다. 2013학년도의 경우, 드라마틱한 제시문을 주고 그 상황에서의 대처방법 또는 행동양상과 그 이유를 물었습니다. 선택한 행동과 반대되는 행동을 하게 되었을 때 일어날 수 있는 문제점도 추가 질문으로 나왔고요. 인성면접을 대비할 때 흔히들 준비하는 개인의 선호, 장단점, 역경 극복 스토리, 롤모델 등은 구체적으로 철저히 준비해야 합니다. 2013학년도에는 롤모델 문제로 영화 속 또는 소설 속 인물 중 닮고 싶은 인물과 그 인물을 선택한 이유를 묻는 문제가 나왔습니다. 단순히 이유까지 물어본 게 아니라 추가 질문으로 그 인물의 장점 두 가지와 단점 두 가지를 말하고 본인과 비교해보라고까지 물었습니다. 그리고 마지막으로 하고 싶은 말을 물을 수 있으니 이것도 준비하세요. 적성면접과 인성면접이 섞인 면접을 실시하는 대학의 경우에는 보통 시간이 부족하기 때문에 이 질문을 하지 않지만, 연세대 면

접은 인성면접만 이루어지므로 대부분 이걸 마지막에 물어봅니다. 이럴 때는 본인이 준비해갔으나 말하지 못한 것, 예를 들어 진로 계획, 꿈, 포부, 좌우명 등을 자신 있게 말하고 나오는 게 중요합니다. (김재은 생글7기, 서울대 자유전공학부 13학번)

Q. 고려대 문과 수시 면접에 대해 궁금합니다.

A. 고려대 학교장추천전형의 면접 시간은 6분 내외입니다. 사실 고려대 면접이 변수가 가장 많아요. 안내 없이 면접 형태를 전년도와 다르게 바꾸는 경우가 많거든요. 그냥 전년도와 같이 대비하는 게 수험생 입장에서는 최선책이겠죠. 면접장 밖에서 12분간 2개의 제시문을 읽고, 면접장 안에서 질문을 받아 즉석에서 대답하는 식으로 이루어집니다. 적성면접과 인성면접이 결합된 형태고요. ①뚜렷한 주제가 드러나는 제시문을 주고 이에 대한 생각을 논리적으로 표현해야 하는 적성문제, ②적성문제의 상황과 본인의 진로를 엮어 대답하는 문제, ③개인의 선호, 장단점, 역경 극복 스토리, 롤모델 등을 묻는 보통의 인성문제, 이렇게 크게 3가지 종류의 문제가 3~5개 정도 나오며, 그에 대한 추가 질문도 있습니다. 2012학년도에는 세계화와 정보화에 대한 제시문이, 2013학년도에는 통일세에 대한 제시문이 나왔습니다. 고려대 면접은 기본적으로 면접 시간이 짧다 보니 변별력이 별로 없다는 평이 많아요. 그러나 내신이 합격선에 간당간당하게 걸려 있거나, 내신만 좋고 스펙이 없는 경우에는 까다롭고 공격적인 질문이 들어와요. 그럴수록 본인의 진가를 잘 발휘해야겠죠? (김재은 생글7기, 서울대 자유전공학부 13학번)

A. 2013학년도 수시 전형 중 하나였던 OKU 미래인재전형 면접에 대해서 알려드릴게요. 지금은 이 전형이 사라졌지만 비슷한 전형의 면접을

준비하기 위해 참고할 수 있을 거예요. 먼저 이 면접은 30분 정도로 진행되고, 다수의 교수님들과 하는 면접이에요. 그렇기 때문에 가장 중요한 것은 주눅 들지 않고 30분 동안 질문에 또박또박 답하는 것이에요. 기본적으로 자기소개서에 관한 질문부터 시작해요. 자기소개서에 적은 활동들에 대해 정말 꼼꼼하게 준비해 가셔야 해요. 주최가 누구인지부터 언제 했는지 또 무엇을 얻었는지에 대한 세세한 질문들까지 하신답니다. 또 어려웠던 것은 이 면접에서는 생활기록부에 대해서도 질문을 합니다. 예를 들면 생활기록부에 기록된 도서에 관해서 짧게 요약해보라고 하시기도 하고 자신이 했던 봉사활동 혹은 교내활동에 대해서 구체적인 설명을 요구하십니다. 꼼꼼하게 생활기록부부터 자기소개서까지 답변을 준비하고 항상 모든 것에 대해 진정성을 가지시면 돼요. (서아진 생글7기, 연세대 정치외교학과 13학번)

A. 고려대 학교장추천전형의 면접은 총 두 가지로 이루어집니다. 구술면접과 인성면접입니다. 사실 대부분의 인서울 대학교의 구술면접은 서울대의 방식과 유사한 형태를 가지고 있습니다. 일단 주어진 시간 동안(약 10분) 논술 형식처럼 쓰여진 제시문들을 읽고 (제시문의 난이도는 논술전형보다는 쉬워요.) 자신의 생각을 정리하고, 교수님이 계신 면접장으로 들어가서 교수님과 이런저런 얘기를 나누게 됩니다. 문제가 제시문에 나와있는 경우도 있고, 면접장에서 교수님께서 갑작스럽게 물어보는 경우도 있습니다. 면접장에서는 여러분이 여러분의 의견을 말하면 교수님께서 그의견을 반박하시고, 여러분은 의견을 방어하는 방식으로 진행됩니다. 즉, 구술면접을 잘 보기 위해서는 여러분의 논리력, 의견을 전달하는 능력, 그리고 예상치 못한 교수님의 반박에 답변하는 능력 등이 필요합니다. 제시문의 주제 자체는 크게 어렵지 않습니다. 여러분이 토론 수업이나 신문사설 면에서 흔히 볼 수 있는 찬성/반대가 첨예하게 갈리는 주제가 주로나옵니다. 예를 들면, 성장과 분배, 철인정치와 민주정치 같은 것들이요.

이 구술 면접은 여러분도 느꼈다시피 단기간에 준비되는 게 아닙니다. 평소에 여러분의 생각을 조리 있게 말한다든지, 신문 사설을 꼼꼼히 읽어본다든지, 친구들과의 토론을 꾸준히 한다든지 해야만 장기간에 걸쳐 준비를 할 수 있습니다. 구술면접이 끝나면 이제 인성면접을 곁들여서 교수님께서 질문을 하실 겁니다. 인성면접은 말 그대로 여러분이 어떤 인성을 가지고 있는지, 자기소개서에 쓴 내용은 진실인지 등을 확인하는 것이기 때문에 크게 부담 가지실 필요는 없습니다. 다만, 여러분이 존경하는 인물이나, 여러분이 미래에 뭘 하고 싶은지, 꿈은 무엇인지 정도는 준비해 가셔야 합니다. (조성준 생글7기, 고려대 경제학과 13학번)

Q. 그 이외의 인서울 대학 문과 수시 면접 후기 궁금합니다.

A. 건국대 KU자기추천전형 면접은 총 3가지로 나뉘어져 있는데, 1박 2일 동안 첫 번째로는 개인면접, 두 번째는 토론면접, 세 번째는 발표면접을 진행하게 됩니다. 첫 번째 개인면접에서는 공통 질문과 본인의 자기소개서, 생활기록부, 포트폴리오, 추천서를 바탕으로 한 개인 맞춤형 질문을 묻습니다. 공통 질문의 경우에는 ①자기소개를 하시오. ②해당 학과에 지원한 이유가 무엇인가요? ③가장 기억에 남는 활동이 무엇인가요? ④마지막으로 하고 싶은 말이 있으면 하시오. 이런 질문을 묻습니다. 사실상 면접의 당락은 개인 맞춤형 질문에 달려 있습니다. 저는 경영학과를 지원했기에 경영인으로서의 자질이 무엇이라고 생각하는지, 생글생글 학생기자 활동을 했는데 자신이 쓴 기사가 무엇이며 왜 그 주제를 선정했는지 등 해당 학과에 대한 관심과 활동에 대해 여러 방면으로 질문이 들어왔습니다. 두 번째 토론면접에서는 6명의 학생들이 한 조를 이뤄 2명의 교수

님과 1명의 입학사정관 앞에서 찬성 측과 반대 측으로 나뉘어 가치토론을 벌이게 됩니다. 자신의 의견을 주장하여 우위를 차지하는 것도 중요하지만, 진행자가 없는 상황 속에서 언쟁이 이루어지다 보면 토론의 내용이 산으로 가기 때문에 중간에서 정리를 해주는 발언을 하면 좋은 인상을 줄 수 있습니다. 마지막으로 발표면접은 15분 동안 제시문 가, 나, 다, 라를 읽고, 같은 내용인 제시문끼리 묶어서 문제를 푼 후 교수님 앞에서 발표를 하고 질의응답 시간을 갖게 되는 면접입니다. 일어서서 해도 되고 앉아서 해도 되며 뒤에 있는 칠판을 이용해도 되는 등 자신만의 색깔이 들어간 발표 역량을 보여줄 수 있는 면접인데, 이때 곤란한 질문 혹은 잘 알지 못하는 질문들이 들어옵니다. 그때 포기하지 않는 모습을 보여드리는 것이 중요합니다. 예를 들어, "우선, 저는 아는 부분까지 말씀드리도록 하겠습니다." 같은 멘트를 사용해서 앞으로 노력하겠다는 의지를 보인다면 좋은 점수를 받으실 수 있습니다. 연습하는 만큼 면접의 길이 열립니다. 반복적인 이미지 트레이닝을 통해서 마인드컨트롤을 하시길 바랍니다. (황보미 생글8기, 건국대 경영학과 14학번)

A. 전 숙명여대와 경희대 면접을 봤습니다. 우선 숙명여대는 학교장추천전형이었는데 인성면접과 학업과 관련된 면접으로 진행되었습니다. 인성면접은 고등학교 생활에서의 활동을 가지고 진행되는 것이라 자신의 생활기록부를 꼼꼼히 읽어보는 것이 중요합니다. 자신에 대해 잘 알고 있는 것은 기본적인 것이고, 자신이 그동안 한 활동을 잘 설명하는 것으로써 활동에 대한 검증이 되기 때문입니다. 숙대의 경우, 학업과 관련된 면접은 문제를 미리 알려주고 그 문제의 답을 설명하는 방식인데 고등학생이 생각하지 못할 정도의 난이도는 아닙니다. 자신의 생각을 논리적으로 말하면 되는데 논술을 준비했던 학생이라면 수월하게 답할 수 있을 것입니다. 자신의 주장에 적합한 근거를 들어 교수님과의 소통이 원활하게 하는 것이 중요합니다. 경희대는 네오르네상스전형 면접을 봤습니다. 숙대와 마찬

가지로 인성면접과 학업관련 면접으로 이루어져 있습니다. 인성면접은 생활기록부를 바탕으로 한 질문들이었고 학업 관련 문제는 두 가지 문제 중 하나를 선택해 답을 하는 방식이었습니다. 사회 현상에 대해 모르고 있는 학생이라면 아마 질문에 답을 할 수 없을 것입니다. 평소에 사회 현상에 대해 자신의 생각을 항상 정리하고 있어야 합니다. 제가 면접을 봤을 때는 교수님 두 분이 계셨는데 제 눈도 안 마주쳐 주시고 굉장히 긴장된 분위기 속에서 진행되어서 아는 것인데도 당황해서 말을 더듬었던 기억이 납니다. 면접 준비를 하실 때, 여러 상황을 예상하면서 어떤 상황에서도 차분하게 자신의 답변을 조리 있게 말하는 연습을 하는 것이 중요합니다. (변혜준 생글7기, 경희대 국어국문학과 13학번)

A. 한국외대 학생부종합평가 면접에 대해 설명해드리겠습니다. 면접은 10~15분 정도입니다. 인·적성 면접이므로 간단한 인성 질문과 전공에 대한 기초 지식을 물어봅니다. 2014학년도 입학사정관전형 면접의 경우, 초반에는 고등학교 생활에서의 주요 활동에 대한 질문이 나왔습니다. 저는 CCAP(Cross Culture Association Program)라고 각 나라의 원어민 강사님이 오셔서 한국과 그 나라의 문화를 교류하는 활동을 했었습니다. 이 활동이 어떤 활동인지, 무엇이 인상적이었는지를 발전된 점과 함께 대답했습니다. 뿐만 아니라 내신 준비를 하면서 힘들 때는 어떻게 대처하였는지도 질문을 받았습니다. 종합적으로 보면 인성 질문에서는 개인의 학교생활, 역경 극복 능력, 지원하기 위한 노력의 과정을 본다고 할 수 있습니다. 적성 질문에서는 지원 동기와 과에 대한 기본 지식을 물어봅니다. 대학에 들어와서는 어떻게 준비할 것인지, 과에 대해 아는 것은 무엇인지 말해보라는 질문을 받았습니다. 한국외대 면접에서는 시사 관련 문제를 하나씩 물어보기도 합니다. 사회적 이슈를 말하고 그것에 대해 어떻게 생각하는지, 그에 대한 본인의 해결방안은 무엇인지 말해보라는 식입니다. (김재원 생글8기, 한국외대 아프리카학부 14학번)

4-3 논술전형

Q. 논술 전형에서 수능도 중요하나요?

A. 당연히 중요하죠. 최저등급을 맞추지 못하면 논술 아무리 잘 써도 합격할 수 없습니다. (이주원 생글7기, 한국외대 경영학전공 14학번)

A. 평소에 수능에 더 비중을 두세요. 대학 합격하는 여러 가지 가능성을 가장 많이 열어주는 게 수능 공부를 잘 해놓는 거예요. 수능 못 봐서 논술전형 수능최저학력기준 못 맞추면 논술 공부한 걸 포함해 모든 게 허사로 돌아가요. (이지현 생글7기, 연세대 언론홍보영상학부 14학번)

A. 논술전형에서 수능은 합격을 하는 지름길을 제공한다고 표현할 수 있습니다. 그 이유는 바로 우선선발 때문인데요. 수능을 잘 치게 되어서 우선선발에 해당되어 그 안에서 경쟁하게 된다면 표본이 작기 때문에 합격할 확률이 높아진다고 할 수 있습니다. 모든 입시의 기본은 내신과 수능입니다. 그 후에 논술전형과 입학사정관전형 등 다양한 전형을 노리는

것이 순서라고 할 수 있겠습니다. (김영주 생글6기, 경희대 전자·전파공학과 13학번)

A. 대부분의 논술전형은 수능 등급컷을 요구해요. 그렇기 때문에 아무리 논술을 잘 썼더라도 그 등급컷을 맞추지 못하면 아예 탈락이에요. 특히 국영수로 등급을 제한하는 전형들이 많기 때문에 국영수는 꼭 열심히 준비하세요. (서아진 생글7기, 연세대 정치외교학과 13학번)

A. '나는 논술전형으로 대학 가겠다! 논술 공부에 시간 안배를 하자!' 이런 생각하면 안 돼요. 패기 있게 '나는 수능 만점을 받고 대학교 자유이용권을 끊겠다! 그 대신 잠깐씩 논술을 맛봐 주겠다!' 이렇게 생각하세요. 제가 논술 공부를 강조하지 않는 이유는 논술 공부하는 시간에 수능을 공부하는 게 낫기 때문이에요. 논술 실력이 학원 내에서 1등이어도 수능에서 언어 2등급 나와서 논술전형 떨어지는 친구들 많이 봤어요. 자기가 수능 언어 실력이 정말 좋다면 논술전형 합격은 걱정 안 해도 돼요. 언어를 잘한다는 건 곧 논리력이 된다는 뜻이거든요. 우선선발 제도가 없어져도 수능 잘 본 학생들한테 주는 메리트는 반드시 있을 거예요. 다시한 번 강조하지만 논술은 꾸준히 하되 수능이 백 번 중요합니다. (김민선 생글6기, 고려대 경영학과 13학번)

Q. 제가 악필인데 논술 볼 때 글씨 잘 써야 하나요?

A. 너무 못 쓰지만 않으면 됩니다. 알아볼 수만 있으면 채점자는 신경안 써요. 다만 논술의 첫인상은 글씨이기 때문에 너무 악필이면 고쳐야합니다. 이상 논술 첨삭 알바 유경험자의 조언이었습니다. (이은석 생글4기, 서울대 국어교육과 11학번)

A. 학교에 입학해서 교수님들이 해주시는 말씀을 들어보면 글씨를 잘 쓰면 좀 더 보고 싶어진다고 하긴 해요. 아무래도 악필이면 읽는 것조차 힘들기 때문에 그것은 채점하는 사람에 대한 배려가 조금은 없는 거라고 할 수 있을 것 같아요. 글씨를 잘 쓰진 않아도 되지만 그래도 최소한 막힘없이 읽을 수 있을 정도로는 쓰시는 게 좋아요. (서아진 생글7기, 연세대 정치외교학과 13학번)

A. 단언할 수는 없지만 글씨는 어느 정도 알아볼 수는 있어야 한다고 생각해요. 논술 채점하는 분들이 답안지를 읽는 시간이 그렇게 길지 않은 데다가 글씨가 안 좋으면 기분이 나쁠 수도 있으니까요. (원지호 생글8기, 서울대 경제학부 14학번)

A. 문과 논술이 아니라면 글씨가 그렇게 크게 문제를 일으킨다고는 생각하지 않습니다. 하지만 사람이 채점하는 것이다 보니 아무래도 깔끔하고 예쁜 글씨라면 조금이라도 더 보고 싶은 생각이 들지 않을까 하는 개인적인 생각입니다. 또한, 인문논술을 채점하시는 교수님의 수업을 들었을 때, 글씨와 정리된 글의 모습을 가지고도 글을 얼마나 잘 썼는지 어느 정도 알 수 있다고 말씀하시는 것을 들었습니다. 참고하시면 좋을 듯해요. 뭐든지 못하는 것보단 잘하는 것이 좋지 않을까 하는 생각입니다. 글씨를 잘 못 쓴다면 줄 사이의 간격을 두고 크기를 적당히 하여서 쓰는 연습을 한다면 알아보기에 조금이나마 나아지지 않을까 싶습니다. (김영주 생글6기, 경희대 전자·전파공학과 13학번)

Q. 논술전형 준비는 언제부터 얼마나 하면 적당한가요?

A. 논술은 고등학교 1~2학년 때 주말에 일주일에 한 번 정도 꾸준히 학원을 다니는 게 중요한 거 같아요. 저는 3학년 때는 논술학원을 쉬었다가 수능 끝나고 일주일 동안 벼락치기했어요. (이주원 생글7기, 한국외대 경영학전공 14학번)

A. 논술 준비가 빠르면 기초를 잘 쌓을 수 있어서 글의 기본기는 더 좋아지겠지만 논술전형만을 위한 것이라면 2학년 여름방학이나 겨울방학에 시작하는 것이 적당하다고 생각합니다. (변혜준 생글7기, 경희대 국어국문학과 13학번)

A. 논술 준비는 어디까지나 2차적인 것입니다. 수능이 우선이에요. 주객전도되어서 논술에 목숨 걸면 안 돼요. 고2 겨울부터 시작해도 괜찮아요. 저는 고3 되어서부터 논술 준비했어요. 학원 안 다니고 학교에서 해주는 걸로 준비했어요. 학교 특강 적극 활용하세요. 자기가 자신 있는 유형의 대학을 준비하는 것을 추천합니다. 저는 수리를 잘했는데, 고려대 중앙대 한양대 논술 시험이 수리 논술 비중이 커요. 이런 식으로 자신이 잘할 수 있는 유형의 대학을 집중적으로 공략하세요. (오민지 생글6기, 고려대 경영학과 14학번)

A. 논술은 2학년 중후반부터 꾸준히, 그러나 너무 많은 시간을 투자하지 않으면서 준비하는 게 좋을 것 같아요. 논술로 대학을 가겠다는 건 미련한 생각입니다. 수능에 집중하는 와중에 안전을 위해, 그리고 혹시 모를 운을 기대하는 정도로 논술전형에 지원한다고 마음먹어야 합니다. 논술전형은 합격률이 많이 낮아요. 경쟁률이 낮게는 20:1에서 높게는 100:1까지 가는 게 논술전형입니다. 컨디션의 영향을 많이 받기도 하고요. 저는 정시에 중점을 두었는데, 수시를 안 쓸 수는 없다 보니 논술전형에 지원했고, 합격은 하지 못했어요. 논술은 다른 걸 준비하는 중에 부수적으로

준비하는 정도로 생각하고 임하세요. 학교 방과후수업이 있다면 그걸 듣는 정도로 하길 추천합니다. (최승희 생글7기, 한국외대 아랍어과 14학번)

Q. 논술은 어떻게 준비하셨나요?

A. 논술은 국어영역 비문학과 학교 특강으로 준비했습니다. 비싼 학원비 들지 않고도 준비할 수 있습니다. (오민지 생글6기, 고려대 경영학과 14학번)

A. 저는 재수하면서 학원에 다녔는데 학원에서 일주일에 한 번 논술 특강을 해줬어요. 기간은 기억이 안 나는데 일주일에 한 번 수업 듣는 거외에 숙제로 내주신 논술을 일주일에 한 편 정도는 꼭 쓰려고 노력했어요. 논술 문제 하나가 아무렇지 않아 보여도 시간을 꽤 많이 잡아먹습니다. 수능이 끝나고서는 논술학원에 다니면서 논술 준비를 본격적으로 했고요. 수시를 다 떨어지긴 했지만 논술을 아주 못 본 건 아니었습니다. 연세대 경영학과 일반전형으로 대기번호를 받았었으니까요. 만약 수능 우선선발 등급을 충족시켰으면 합격하지 않았을까 하는 생각입니다. (임우미 생글6기, 서울교대 음악교육과 13학번)

A. 저는 3학년 여름방학 때 학원에 가서 시작했어요. 저희 반에서 제일 늦게 시작했죠. 그 전까지는 그냥 매일 신문 읽고, 생글생글 꼬박꼬박 챙겨 보고, 학교에서 시키는 신문 일기 일주일에 하나씩 썼어요. 학원에서는 시간 맞추는 걸 중점적으로 연습했어요. 항상 유념해야 할 것은 '문제에 대한 답'을 해야 한다는 거예요. (이지현 생글7기, 연세대 언론홍보영상학부 14학번)

A. 저는 고3 되는 1월부터 논술학원에 다녔어요. 내신 시험 기간에는

수업이 없었고요. 기본 개념들은 자기가 직접 부딪히고 써보면 손에 익어요. 처음에 글 틀을 짜는 연습을 해두세요. 다양한 대학교의 기출문제를 접하면서 자기 자신의 논리력을 키워야 합니다. 논술은 자기가 글을 쓸 때 어느 정도의 논리를 세울 수만 있다면 문제될 게 없어요. 전제와 결론을 세우고 자신의 주장을 펼치는 흐름을 익혀두세요. 논술 공부를 시작하는 시기는 당락에 아무 상관없어요. 한 달만 준비해도 제대로만 하면 돼요. 저는 고려대 논술 시험 전날에 기출문제 딱 한 번 풀고 합격했어요. 자기 자신을 믿을 수만 있으면 돼요. 문과 수리 논술은 자기가 문제 파악이 좀 어렵다 싶은 친구들은 자꾸 보면서 연습하세요. (김민선 생글6기, 고려대 경영학과 13학번)

A. 저는 논술학원에 다니지도 않았고, 논술을 제대로 공부한 건 일주일 밖에 되지 않아요. 고2 때 한 학기 동안 일주일에 한 번씩 하는 방과 후 수업을 들었고요. 정말 얼마 되지 않는 기간과 빈도라 논술이 뭔지에 대해서 맛만 봤어요. 기본적인 원고지 활용법이랑 문장 다듬는 정도만 공부했죠. 제 생각에는 빙빙 둘러 오래 준비하는 것보다는 엑기스를 짧고 굵게 익히는 게 나아요. 수능 등급을 맞추는 것이 우선이고요. 그리고 요즘 논술은 답이 있잖아요. 각 대학별 기출문제들을 연도별로 세 개에서 다섯 개 뽑아서 펼쳐 보면 문제가 공통적이에요. 예시답안도 비슷하고요. 논술은 자기만의 기발한 답을 써내는 게 아니라 문제에서 요구하는 답을 찾는 겁니다. 그런데 그 답은 대학별로, 주제별로 다른 게 아니라 동일하다는 거죠. (이주원 생글7기, 한국외대 경영학전공 14학번)

A. 전 학교에서 실시한 방과후수업을 이용했어요. 교외에서 강사님이 오셔서 강의를 하셨어요. 강의는 소수 강의가 더 좋아요. 저는 일단 글을 쓰는 스킬을 먼저 배우고 기출문제를 좀 풀다가 중요개념을 공부했어요. 첨삭은 꾸준히 받는 게 좋고, 기출문제도 많이 푸는 게 좋습니다. (손소연 생글7기, 동국대 정치외교학과 14학번)

Q. 논술에 답이 있나요?

A. 그렇습니다. 논술에는 답이 없다고 알고 있는 친구들이 꽤 있는데, 정보가 부족해서 그렇게 알고 있는 겁니다. 논술에는 분명 명백한 '답안'이 존재할 뿐더러 그것을 명확하게 채점하는 '기준' 또한 정해져 있습니다. 다만 서술형으로 쓰는 것이다 보니 '그저 자기 생각 쓰는 시험' 정도로 생각하고 있을 뿐이죠. 하지만 진짜 자기 생각만 적는 사람은 논술 2,000번을 봐도 합격하지 못해요. 논술 문제에는 내용 면에서 분명 답안이 존재하고 그걸 써내려가는 방법적인 측면의 답도 어느 정도 있습니다. (이은석 생글4기, 서울대 국어교육과 11학번)

A. 논술에는 정확한 답이 있습니다. 실제로 논술을 채점할 때 답지를 보고 해요. 때문에 논지의 흐름에서 벗어나는 답안은 합격할 수 없습니다. (변혜준 생글7기, 경희대 국어국문학과 13학번)

A. 대략적인 답은 있다고 생각해요. 그것을 어떻게 표현하느냐가 관건인 것 같아요. 하지만 그 답이 아니더라도 정말 자신의 생각을 잘 표현했다면 그것도 답이 될 수는 있다고도 하네요. 그렇지만 그건 극소수예요. 논술은 큰 답을 먼저 찾고 그것을 자신의 언어로 표현하는 것이 정석인 것 같아요. (서아진 생글7기, 연세대 정치외교학과 13학번)

A. 정답은 없지만, 출제자가 바라는 방향은 있다고 말씀드리고 싶어요. 저희 때 연세대 논술에서는 가, 나, 다, 라를 어떤 조건에 맞추어 배열하고 그 근거를 쓰라는 문제가 나왔는데 합격한 모든 친구들이 같은 순서로 그 네 가지를 배열한 것은 아니었거든요. 중요한 것은 논지를 전개하는 방식이에요. 모든 문단과 문장을 주어진 질문에 대답한다고 생각하고 쓰셔야 해요. (이지현 생글7기, 연세대 언론홍보영상학부 14학번)

A. 논술에는 답이 있다고 생각합니다. 다만, 그 답 자체보다는 답을 향해가는 과정이 얼마나 타당하고 명료한지가 중요한 시험인 것 같습니다.

물론 자기 생각을 묻는 문제에서도 근거를 제시하고 타당성 있게 이야기를 하는 것이 중요하지만, 제가 본 문제들에서는 제시문들 사이의 연관성을 파악해서 특정한 사고과정을 도출해내는 것이 중요한 경우가 많았어요. 제시문들을 볼 때, 이 제시문은 왜 주어졌을까, 앞뒤 제시문과 어떤 관계가 있을까를 잘 생각해보면 답이 나올 것 같아요. 하지만, 혹시 답을 못 찾았다고 생각해도 논리적으로 자신의 생각을 풀어내면 그것 자체가 답이 될 수 있으니 너무 답을 찾는 것에 혈안이 되지는 않았으면 좋겠습니다. (서유진 생글7기, 서울대 불어교육과 13학번)

Q. 선배님이 생각하시는 논술을 잘 쓰는 핵심은 뭔가요?

A. 해당 학교가 원하는 구조에 맞춰 키워드를 잘 잡아내 쓰는 거요. 요즘 논술은 기본적인 답이 정해져 있어요. (이주원 생글7기, 한국외대 경영학전공 14학번)

A. 자신이 쓴 글을 남이 봤을 때 내용을 알아먹느냐가 핵심이에요. 그러고 나서 부차적으로 글이 논리정연한지, 문장이 군더더기가 없는지를 따지세요. 글은 서울대 논술 시험이 아니라면 특출하기보다는 평범한 게 나아요. 선생님 평가에 일희일비하지 마세요. 자기가 쓴 글을 시간이 좀 지난 뒤에 다시 읽어봤을 때 말이 된다면 된 거예요. 그래서 중요한 게 개요 짜기예요. 개요에서 모든 게 판가름 나니까요. (김민선 생글6기, 고려대 경영학과 13학번)

A. 주어진 질문에 대답하는 거요. 학생들이 문제에 대한 답을 쓰지 않는 경우가 많다고 교수님들께서 말씀하시거든요. 얼마나 어려운 문장을

쓰는가는 중요하지 않아요. 쉬운 어휘를 사용하더라도 스스로가 정확히 알고 있는 어휘를 사용하고, 질문에 대한 답을 하는 것을 가장 중요한 목표로 설정하시는 게 좋을 것 같아요. 스스로가 얼마나 알고 있는지 보다 얼마나 문제에 대한 답을 정확히 하는가가 목표가 되어야 해요. (이지현 생글7기, 연세대 언론홍보영상학부 14학번)

A. 제 생각에는 논술학원에 얼마나 많이, 자주 다니는지 보다는 한 문제에 대해 얼마나 여러 번 첨삭해보고 깊이 고민해봤느냐가 더 중요한 것 같아요. 기출문제 풀 때 써보고, 첨삭 받고, 거기서 끝내지 말고 다시 써보고, 또다시 써보는 게 중요합니다. 그리고 첨삭을 해주는 사람이 있는 게 좋습니다. 안 그러면 자기 생각에만 빠져서 본인이 보기에는 완벽한데 남이 보기에는 너무나 현학적이고 터무니없는 글이 될 수도 있거든요. 다만 유명한 학원에 다니는 것보다는 학생이 가진 생각은 인정해주되 글의 문법적, 논리적 오류를 꾸준히 첨삭해줄 수 있는 선생님이 있는 학원에 다니는 게 더 좋겠죠. (서유진 생글7기, 서울대 불어교육과 13학번)

A. 논술전형에서 학생들이 어려움을 겪는 부분은 크게 제시문 독해 단계, 논제 파악 단계, 답안 서술 단계의 세 가지 단계로 나타납니다. 먼저 제시문 독해 단계에 대해서 이야기해보자면, 각 대학별로 주어진 제시문은 대학 교수님들께서 논의한 제시문들이기 때문에 일반적인 고등학생들이 모든 것을 완벽하게 이해하는 데에 어려움이 있을 수 있습니다. 특히 상위권 대학의 경우는 더욱 더 그렇겠죠. 따라서 제시문 독해는 키워드를 파악하여 제시문이 담고 있는 내용을 가장 정답에 가깝도록 추측해내는 것이어야 합니다. 탐정이 제시문 내의 단서를 통해 범인인 주제를 파악하는 것이죠. 즉, 제시문 이해 단계에서 나타나는 어려움을 극복하기 위해서는 최대한 많은 제시문을 접하고 그 제시문들을 갖고 탐정놀이를 끊임없이 해야 합니다. 다음으로 논제 파악 단계입니다. 논제를 쉽게 여기는 수험생들이 종종 있는데 논제는 논술 시험에서 보물과 같은 존재입니다. 예

를 들어, '다음 세 제시문을 읽고 제시문들이 공통적으로 말하고 싶어 하는 인류의 가치를 제시하고 제시문 간의 차이를 서술하시오.'라는 논제가 있다고 합시다. 그럼 제시문을 읽는 여부를 떠나서 논제만으로 나타나는 답안의 이상적인 형식을 짜보면, 먼저 공통적으로 나타나는 가치를 언급하고 해당 가치로 결정한 이유들을 각 제시문마다 제시해야 할 것입니다. 첫 문단에서 각 제시문들의 공통점을 제시했으니 다음 문단에서 차이점을 제시하는 것이 가장 보기 좋은 답안의 형식이 될 것입니다. 이처럼 논제만으로 답안의 형식을 떠올릴 수 있으므로 논제를 정확하게 파악하는 데 많은 노력을 기울이는 것이 중요합니다. 마지막으로 답안 작성 시에는 앞서 논제에서 요구한 사항들이 빠지지 않도록 일차적으로 조심해야 합니다. 요구한 사항들이 키워드 형식으로라도 제시가 되어야 채점 기준에서 감점되지 않습니다. 요구된 사항을 모두 제시하는 것 이외의 단락 분량 조절, 비문 등의 문제는 세세한 사항이기 때문에 조금만 신경 쓴다면 좋은 답안을 작성할 수 있을 것입니다. (오민지 생글6기, 고려대 경영학과 14학번)

Q. 논술 학원에서는 어떤 식으로 공부하나요?

A. 논술 쓰는 기본적인 것을 알려주고 어떤 식으로 쓰는지 가르쳐준 다음 실전 같이 써보고 첨삭 받고 또 고치는 방식으로 계속 반복하며 공부합니다. (변혜준 생글7기, 경희대 국어국문학과 13학번)

A. 제가 다닌 학원에서는 90분 정도 문제를 풀고, 90분은 해설을 듣고, 10분은 첨삭 받는 방식으로 논술을 가르쳤어요. 제가 논술을 일주일에 한 번만 공부하면서도 제 실력에 대한 자신이 있었던 건 학원 선생님께서 직접 첨삭을 해주셨기 때문이에요. 첨삭을 직접 해주는 분을 만나세

요. 대형 강의나 인강보다는 옆에 앉아서 뭐가 맞고 틀린지, 글의 흐름을 파악해서 알려주는 분이 필요해요. (김민선 생글6기, 고려대 경영학과 13학번)

Q. 단기간에 바짝 공부하면 논술 실력이 좋아질까요?

A. 저는 방학논술특강처럼 하루에 10시간씩 논술만 하는 건 별로라고 생각해요. 적당한 수준에서 꾸준히 자주 공부하는 게 최고예요. (김민선 생글6기, 고려대 경영학과 13학번)

A. 단기간이라는 기준이 정확하게 명시되어 있지 않아서 잘은 모르겠지만 원래 글을 논리적으로 잘 쓰는 사람이라면 단기간을 해도 실력이 금방 향상될 것이고, 글을 쓰는 것이 생소하고 어려운 사람이라면 오랜 시간 투자해야 합니다. (변혜준 생글7기, 경희대 국어국문학과 13학번)

Q. 문과 수리 논술은 어떻게 공부해야 하나요?

A. 수리 논술에 나오는 수학적 개념은 보통 간단해요. 등비수열이나 확률이 자주 나오죠. 교과서에 나오지 않는 개념은 안 나와요. 그러니 기본적으로 수능 수학 공부가 잘 되어 있어야 합니다. 수리 논술 문제가 어려워 보이는 이유는 그 문제를 읽고 이해하는 데 시간이 오래 걸린다는 거예요. 그리고 풀면서도 헷갈려요. 하지만 수리 논술은 정말이지 정신만 제대로 차리면 풀 수 있는 난이도로 나와요. 그냥 문제를 계속 읽고 이해하려고 노력하면 정말 쉬운 문제인 경우가 많아요. 문과 논술 문제의 대다

수는 어려워 보이도록 착각을 일으키는 틀 안에 단순한 계산 문제를 숨겨놓은 거예요. 그러니 수리 논술에 겁먹지 마세요. 수학이라는 것 때문에 무서운 것이지 사실은 일반 논술 문제보다 더 쉬워요. 문과 친구들이 수학 울렁증이 있어서 겁먹는 걸 노리는 거라고 할까요. 솔직히 제가 보기에 수리 논술에는 허점이 은근히 있어요. 잘 모르겠더라도 수식 몇 개 쓰고 아는 척 좀 하면 붙을 지도 몰라요. (김민선 생글6기, 고려대 경영학과 13학번)

A. 요즘 수리 논술의 난이도는 조금 완화됐어요. 수리 논술도 학교마다 출제 특징이 있어요. 어떤 학교 문제는 그래프를 이용한다든가, 어떤 학교 문제는 미지수의 관계를 이용한다든가 하는 거요. 기출문제를 통해서 학교별 수리 논술의 특징을 파악하고 시험장에 들어가면 문제 푸는 방법을 좀 더 빠르고 정확하게 찾을 수 있겠죠. (이주원 생글7기, 한국외대 경영학전공 14학번)

A. 수리 논술 책은 절대 따로 사지 마세요. 수리 논술 문제는 고교 과정 내에서 나와요. 평소에 어려운 문제를 풀 때 그냥 푸는 것으로 끝내지 말고 정리를 해보세요. 4점짜리 문제를 풀고 풀이에 대해 다시 한 번 고민해보는 식으로요. 어려운 문제만 하면 돼요. 수리 논술 대비는 그거면 됩니다. (오민지 생글6기, 고려대 경영학과 14학번)

A. 저는 수리 논술을 수능 이후에 급하게 준비했었어요. 신승범 선생님 인강을 들었는데, 기출문제 풀이 하는 거 보고 일일이 적고 계속 반복해서 눈 감고 풀 수 있을 정도로 공부했어요. 실제 시험에서 정말 운 좋게 딱 그 유형의 문제가 나왔어요. 같은 문제 해설이라도 여러 번 반복해서 써보고 중요한 내용이 드러나게, 안 빠뜨리고 쓰는 게 중요한 거 같아요. 물론 평소에 문제를 풀 때 풀이를 제대로 쓰는 습관도 상당히 중요하고요. (서유진 생글7기, 서울대 불어교육과 13학번)

Q. 논술 지문을 읽어도 철학 공부가 하나도 안 되어 있어서 지문이 이해가 안 돼요. 철학 공부를 따로 해야 할까요?

A. 저는 철학 공부를 했던 게 정말 예전에 책으로 조금 접한 게 다였어요. 기본적으로 논술은 그 지문 안에서 얻는 지식을 바탕으로 써야 하기 때문에 굳이 철학이나 윤리를 공부해야 할 필요는 없어요. (김민선 생글6기, 고려대 경영학과 13학번)

A. 논술 지문은 읽어도 이해가 안 되는 게 정상입니다. 그런데 그 속에서 진리를 캐치해야 돼요. 대충 이런 말인가 하는 느낌만 잡은 채로 푸는 거예요. 그 느낌을 아는 게 중요하지, 지문을 다 이해할 수는 없어요. 연고대는 논술은 특히 더 그렇습니다. (오민지 생글6기, 고려대 경영학과 14학번)

Q. 저는 논술 문제를 푸는 데 시간이 너무 오래 걸려요. 쓰려는 게 정리도 안 되고요.

A. 논술 문제를 풀 때 고민하는 시간이 길고 쓰는 데 오래 걸리더라도 꾸준히 완벽하게 쓰는 연습을 해보세요. 그 고민하는 시간이 낭비되는 시간인 거 같다면 과감하게 고민을 멈추고 글을 바로 쓰기 시작할 줄도 알아야 하고요. 오랜 시간 걸려서 완성된 글을 몇 번 써보면 논술 문제를 푸는 데 들어가는 시간이 필연적으로 줄어들게 되어 있어요. (김민선 생글 6기, 고려대 경영학과 13학번)

A. 글을 두세 번 쓰면 안 돼요. 특히나 논술 시험은 시간제한이 있으니

까요. 글이 매끄럽게 안 써지는 이유는 간단해요. 머리로 정리가 안 돼서 그럴 거예요. 뭘 써야 할지를 모르니까 글이 안 나가죠. 저는 논술할 때 개요 따로 작성 안 하고 머리로 개요를 짜두고 글을 썼어요. 자신이 써내려가야 할 것을 머릿속으로 정리해두는 것이 중요합니다. 그러면 많은 도움이 될 거예요. (오민지 생글6기, 고려대 경영학과 14학번)

Q. 학교 국어 선생님께서 제 논술 글을 보고 혹평을 하셨어요.

A. 좋은 선생님이시네요. 선생님을 붙잡고 늘어지세요. 보다 나은 글을 쓰기 위해서는 어떻게 고쳐야 할지 선생님께 많이 여쭤보세요. 혹평하셨다면 선생님께서 발전할 방향을 알고 계신다는 뜻이니까요. (오민지 생글6기, 고려대 경영학과 14학번)

A. 학교 국어 선생님 평가에 너무 연연하지 마세요. 저희 학교 국어 선생님께서는 제가 절대 논술로는 대학 못 간다고 하셨어요. 학교 논술 시험에서는 전교 꼴등도 해봤어요. (백분위 0.00은 처음 봤어요!) 창의성도 떨어진다고 하시고, 표현력도 떨어진다고 하시고, 칭찬을 한 번도 듣지를 못했어요. 그렇지만 저는 논술전형으로 합격했습니다. 선생님들과 교수님들의 평가 기준은 다른 거 같아요. (이지현 생글7기, 연세대 언론홍보영상학부 14학번)

Q. 글 자체를 잘 못 써요. 좋은 방법 없을까요?

A. 글을 잘 쓰는 방법은 많이 써보고 고쳐보는 게 진리인 거 같아요. 저도 논술 공부하면서 많이 쓰고 고치고 하면서 늘었어요. 주어와 서술어를 맞추는 게 기본이에요. 이게 안 돼서 논술에서 까이는 경우 꽤 많대요. (손소연 생글7기, 동국대 정치외교학과 14학번)

A. 문장은 단문으로 쓰는 게 좋아요. 만연체는 논술의 적입니다. 길게 잘 쓰는 건 정말 힘들어요. 수식어도 많이 넣다 보면 틀린 문장을 쓸 가능성이 높아집니다. 이중피동처럼 국어에서는 피해야 할 외래 표현들도 공부해두면 좋아요. (원지호 생글8기, 서울대 경제학부 14학번)

A. 짧은 문장으로 정확하게 쓰는 게 중요해요. 논술은 문학적인 글이 아니라는 걸 명심하세요. (변혜준 생글7기, 경희대 국어국문학과 13학번)

A. 글 잘 쓰려면 신문 사설 많이 읽으라고 하잖아요. 그거 정말 효과 좋아요. 저는 고등학교 2학년 때부터 신문을 꾸준히 읽어 왔어요. 지금도 사설은 꼬박꼬박 읽고 있습니다. 신문 사설은 평생 글 쓰는 걸 업으로 삼는 기자 분들 중에서도 기자 생활을 오래 했고 학식도 있으신 분들이 쓰는 겁니다. 그러니 사설은 내용을 떠나서 글 스타일이 좋아요. 사설을 많이 읽다 보니 어느새 저도 그런 스타일로 글을 쓰게 되었네요. 핵심은 짧게 쓰기입니다. 문장은 되도록 50자 이내에서 끝나야 해요. 한 문장에서는 한 메시지만 전달해야 하고요. 주제에서 벗어난 이야기를 쳐내는 연습도 해야 합니다. 국어 어휘 어법 공부도 할 필요가 있어요. (이정훈 생글5기, 성균관대 경영학과 11학번)

A. 태생적인 글쓰기 능력이라는 건 분명히 존재합니다. 주위에 조금만 둘러봐도 글 잘 쓰는 사람 있잖아요? 하지만 자신이 그런 사람이 아니라고 포기한다면 바보겠죠. 논술에는 답도 있고 쓰는 방식도 있어요. 그걸 못하면 글쓰기 능력이 있든 없든 떨어지는 거죠. 또 글쓰기 능력은 선천

적인 것 이외에도 노력과 연습으로 극복될 수 있는 점이 더 많아요. '첨삭'이라는 건 그래서 존재하는 겁니다. 글쓰기 능력 걱정하지 말고 열심히만 쓰세요. 그러면 글 실력은 확실히 늘어납니다. 다만 포기하거나 노력하지 않는 사람은 안 느니까 진짜 열심히 해야 돼요. (이은석 생글4기, 서울대 국어교육과 11학번)